Analizando la Enseñanza del Trabajo en el Antiguo Testamento

La Enseñanza del Trabajo en la Biblia

Sermones Bíblicos

Published by Seminit Publications, 2023.

ANALIZANDO LA ENSEÑANZA DEL TRABAJO EN EL ANTIGUO TESTAMENTO

First edition. July 10, 2023.

Written by Sermones Bíblicos.

Tabla de Contenido

Proverbios 27:4. *Cruel es la ira, y furioso el enojo; pero ¿quién podrá hacer frente a la envidia?*

La envidia es una serpiente en la hierba. Cristianos, cuidaos de la envidia. Quizá os sintáis tentados a tenerla en el corazón cuando veáis a otro cristiano más útil que vosotros, o cuando algún hermano cristiano parezca tener más honra que vosotros. Ah, entonces clama a Dios contra ella. No permitas que este reptil venenoso se salve ni por un solo momento. Los mejores hombres encontrarán a veces que la envidia se arrastra sobre ellos; puede ser envidia de los malvados que son ricos. Debemos tratar de vencerla de inmediato. E incluso la envidia de los mejores hombres, ¿qué es sino codicia y odio, y una violación de dos mandamientos? ¡Dios nos libre de ella!

— Charles Spurgeon

Introducción a Génesis 1-11

El Génesis es el fundamento de la enseñanza del trabajo. Cualquier discusión sobre el trabajo desde una perspectiva bíblica se basa en última instancia en pasajes de este libro. Génesis es muy importante para la ilustrarnos acerca del trabajo porque cuenta la historia de la creación de Dios, la primera de todas las obras y el prototipo de todas las demás obras. Dios no está creando ilusiones, está creando la realidad. El universo creado por Dios proporciona al ser humano las sustancias para trabajar: espacio, tiempo, materia y energía. En el universo creado, Dios existe y se relaciona con su creación, especialmente con los seres humanos. Al trabajar a la imagen de Dios, trabajamos en la creación, trabajamos en la creación, trabajamos con la creación, y si hacemos lo que Dios quiere, entonces estamos trabajando para la creación.

En Génesis, vemos a Dios trabajando y aprendemos que su plan para nosotros es que trabajemos. En nuestro trabajo, desobedecemos y obedecemos a Dios, y encontramos que Dios obra tanto en nuestra obediencia como en nuestra desobediencia. Los otros sesenta y cinco libros de la Biblia hacen contribuciones únicas a la enseñanza del trabajo, pero todos provienen del primer libro de la Biblia, Génesis.

La Creación del Mundo (Génesis 1:1-2:3)

Lo primero que nos dice la Biblia es que Dios es el creador. "En el principio creó Dios los cielos y la tierra" (Génesis 1:1). Dios habló, y empezaron a existir cosas que antes no existían, comenzando por el universo mismo. La creación es el único acto de Dios. No es un accidente, ni un error, ni el producto de una deidad menor, sino Dios en Su propia expresión.

Perspectivas Sobre Dios: Creencias, Prácticas y Enseñanza (Génesis 1:1-25)

Comprender la Relación entre Dios y el Mundo Material (Génesis 1:2)

Génesis continúa enfatizando la materialidad del mundo. "La tierra estaba desordenada y vacía, y las aguas profundas estaban en tinieblas; y el Espíritu de Dios estaba en el aire y sobre las aguas" (Génesis 1:2). La creación emergente, aunque todavía "invisible", tiene dimensiones concretas de materia ("agua") y espacio ("el mar profundo"), y Dios está asociado con esta materialidad ("el Espíritu de Dios mueve las aguas en el aire sobre la superficie"). Luego, en el capítulo 2, vemos a Dios trabajando con la tierra que él creó. "Jehová Dios formó al hombre del polvo de la tierra" (Génesis 2:7). En los capítulos 1 y 2, vimos a Dios participar en la propiedad física de sus creaciones.

Toda enseñanza del trabajo debe partir de una enseñanza de la creación. ¿Vemos el mundo físico, las cosas con las que trabajamos, como cosas de clase mundial creadas por Dios, con valor duradero? O los vemos como un lugar de trabajo improvisado, un campo de pruebas, un barco que se hunde del que debemos escapar para alcanzar el verdadero lugar de Dios en el "cielo" inmaterial. Génesis rechaza cualquier noción de que el mundo físico es de alguna manera menos importante que el mundo espiritual. Más bien, en Génesis no hay una distinción clara entre materia y espíritu. La *ruah* de Dios en Génesis 1:2 es simultáneamente "aire", "viento" y "espíritu". "El cielo y la tierra" **(Génesis 1:1; 2:1)** no son dos reinos separados, sino una metáfora en hebreo que significa "universo", como la frase "carne y sangre" representa a un ser humano.

Sorprendentemente, la Biblia termina donde comenzó: en la tierra. Los humanos no dejarán la tierra para encontrarse con Dios en el cielo. En cambio, Dios perfeccionó su reino en la tierra y creó "la ciudad santa, la Nueva Jerusalén, que descendió del cielo, de parte de Dios" (Apocalipsis 21:2). Aquí, Dios vive con la humanidad, en una creación renovada. "He aquí, el tabernáculo de Dios está entre los hombres" (Apocalipsis 21:3). Por eso Jesús les dijo a sus discípulos que oraran: "Venga tu reino. Hágase tu voluntad en la tierra como en el cielo" **(Mateo 6:10)**.

Durante el período entre Génesis 2 y Apocalipsis 21, la tierra se corrompe, destruye, confunde y llena de personas y fuerzas que están en contra de la voluntad de Dios (esto comienza en Génesis

3). No todo en el mundo está de acuerdo con el diseño de Dios, pero el mundo sigue siendo su creación, que él llama "bueno". (Más sobre los cielos nuevos y la tierra nueva en Apocalipsis 17-22 en Apocalipsis y Obra).

La Creación de Dios: Una Ética de Trabajo (Génesis 1:3-25; 2:7)

Crear un mundo requiere esfuerzo. En Génesis 1, el poder de la obra de Dios es indiscutible. Dios habla, el mundo es creado y, paso a paso, vemos ejemplos primarios del uso correcto del poder. Veamos el orden de la creación. Los tres primeros actos de la creación de Dios dividieron el caos informe en cielo, agua y tierra. En el primer día, Dios creó la luz y separó la luz de las tinieblas, formando el día y la noche (Génesis 1:3-5). Al día siguiente, dividió las aguas y creó el cielo (Génesis 1:6-8). Temprano en el tercer día, separó la tierra firme del mar (Génesis 1:9-10). Todos estos son esenciales para la supervivencia de la criatura que se va a crear. Luego, Dios comenzó a llenar el área que había creado. Más tarde, al tercer día, creó la vida vegetal (Génesis 1:11-13). En el cuarto día fueron creados en el cielo el sol, la luna y las estrellas (Génesis 1:14-19). El uso de "Gran Luz" y "Pequeña Luz" en lugar de los nombres "Sol" y "Luna" desalienta la adoración de estas criaturas y nos recuerda que todavía estamos en peligro de adorar a la creación en lugar del Creador. Las lámparas son hermosas por derecho propio y son necesarias para la vida vegetal, ya que requiere día, noche y estaciones. En el quinto día, Dios llenó el agua y el cielo con peces y pájaros, que no podrían sobrevivir sin la vida vegetal creada anteriormente (Génesis 1:20-23). Finalmente, en el sexto día, creó a los animales (Génesis 1:24-25) y al hombre, la obra maestra suprema de la creación, para habitar la tierra (Génesis 1:26-31).

En el capítulo 1, Dios usa Su Palabra para hacer el trabajo. "Dios dijo..." Y luego todo sucedió. Esto significa que Dios es lo suficientemente poderoso para crear y sostener la creación. No debemos preocuparnos de que el combustible de Dios se esté acabando o de que la creación se encuentre en un estado precario de existencia. La creación de Dios es resistente y su existencia es segura. Dios no necesitó la ayuda de nadie ni de nada para crear o mantener el mundo. No hay batalla contra las fuerzas caóticas que amenazan con destruir la creación. A continuación, vemos que Dios decidió compartir la responsabilidad creativa con los humanos, en lugar de hacerlo necesariamente. Las personas pueden tratar de destruir la creación o hacer que la tierra no sea apta para una vida abundante, pero Dios tiene un poder infinito para redimir y restaurar.

La demostración del poder infinito de Dios en las Escrituras no significa que la creación de Dios no sea un trabajo, como escribir un programa de computadora o actuar. Si, no obstante, la trascendente majestad de la obra de Dios en Génesis 1 nos lleva a pensar que no es una obra auténtica, Génesis 2 nos tranquiliza de nuestras dudas. Dios obra en todas partes con sus manos para formar el cuerpo humano (**Génesis 2:7,21**), para plantar un jardín (**Génesis 2:8**), para plantar un huerto (**Génesis 2:9**), y luego, para hacer "vestiduras de piel" (**Génesis 3:21**). Este es solo el comienzo de la obra real de Dios en la Biblia, la cual está llena de obra divina.

La Creación es de Dios, Pero no es lo Mismo que Dios (Génesis 1:11)

Dios es la fuente de toda la creación. La creación, sin embargo, no equivale a Dios. Dios le dio a Su creación lo que *Colin Gunton* llamó *Selbständigkeit*, o "autosuficiencia". Esta no es la independencia absoluta imaginada por ateos o deístas, sino la existencia inteligible de la creación como algo distinto de Dios mismo. Esto se muestra mejor en las descripciones de la creación de plantas. "Dijo Dios: Produzca la tierra plantas, plantas que den semilla y árboles que den fruto, cada uno según su especie, y su fruto esté sobre la tierra. Eso es" **(Génesis 1:11)**. Dios creó todo, pero también literalmente sembró la semilla para crear la eternidad.

Dios lo Ve Bien (Génesis 1:4, 10, 12, 18, 21, 25, 31)

Contrariamente a cualquier noción dualista de bueno y malo, Génesis declara que cada día de la creación fue "bueno a los ojos de Dios" (Génesis 1:4, 10, 12, 18, 21, 25, 31). En el sexto día, cuando creó al hombre, Dios se veía "muy bien" (Génesis 1:31). Aun así, son "muy buenos" a pesar de que el pecado entraría en la creación de Dios a través de ellos. Génesis simplemente no apoya la idea de que el mundo es irremediablemente malo y que la única salvación es escapar al mundo espiritual inmaterial, que de alguna manera entró en la imaginación cristiana. Por no hablar de defender la idea de que deberíamos dedicar nuestro tiempo a tareas "espirituales" en lugar de tareas "materiales" mientras estamos aquí en la Tierra. En el buen mundo de Dios, no hay separación entre espíritu y materia.

Dios Obra en Relación (Génesis 1:26)

Incluso antes de crear al hombre, Dios habló en plural: "Hagamos al hombre a nuestra imagen" (Génesis 1:26, énfasis añadido). Los eruditos no están de acuerdo sobre si "vamos" a referirse al resto de la asamblea divina de ángeles o la mayoría unificada exclusiva de Dios, pero ambos puntos de vista implican que Dios está intrínsecamente relacionado. Es difícil saber exactamente lo que los antiguos israelitas entendían en plural aquí. En nuestro estudio seguiremos la interpretación cristiana tradicional de la Trinidad. Independientemente, sabemos por el Nuevo Testamento que Dios realmente se relaciona consigo mismo (y su creación) en un amor trinitario. En el Evangelio de Juan, vemos que el Hijo - "el Verbo se hizo carne" (Juan 1:14) - existió y participó activamente en la creación desde el principio.

En el principio estaba Tao, y Tao estaba con Dios, y Tao era Dios. Estuvo con Dios desde el principio. Todas las cosas fueron hechas por él, y sin él nada fue hecho. En él estaba la vida, y esta vida era la luz del hombre. (Juan 1:1-4)

Por lo tanto, los cristianos reconocemos a nuestro Dios Uno y Trino, el único ser que es uno en tres personas, el Padre, el Hijo y el Espíritu Santo, todos involucrados personalmente en la creación.

Dios Ordenó su Obra (Génesis 2:1-3)

Al final de los seis días, Dios terminó de crear el mundo, pero eso no significa que Dios dejó de trabajar, porque Jesús dijo: "Hasta ahora mi Padre trabaja, y yo también trabajo" (Juan 5:17). Tampoco significa que la creación esté completa, porque, como veremos, Dios dejó bastante trabajo para que la gente contribuya a la creación. Sin embargo, el caos se convirtió en un entorno habitable, que ahora alberga plantas, peces, pájaros, animales y humanos.

Dios miró todo lo que había hecho, y era muy bueno. Y fue la tarde y la mañana el día sexto. Hasta ahora, todo en el mundo se ha completado. Al séptimo día Dios terminó la obra que había hecho y descansó el séptimo día de toda la obra que había hecho. (Génesis 1:31–2:2; énfasis).

Dios finaliza Su obra maestra de seis días de trabajo con un día de descanso. La creación del hombre fue el clímax del trabajo creador de Dios y descansar el séptimo día fue el clímax de la semana creadora de Dios. ¿Por qué descansa Dios? La majestad de la creación de Dios con Su sola palabra en el capítulo 1 deja claro que Dios no está cansado. Él no *necesita* descansar, pero decide delimitar Su creación en tiempo y también en espacio. El universo no es infinito; tiene un comienzo, testificado por Génesis, el cual la ciencia ha aprendido a observar a la luz de la teoría del Big Bang. Ni la Biblia ni la ciencia establecen con claridad si tiene un final en el tiempo, pero Dios delimita el tiempo *dentro* del mundo tal como lo conocemos. Mientras sigue corriendo el tiempo, Dios bendice seis días para el trabajo y uno para el descanso. Este es un límite que el mismo Dios guarda y más adelante también se convierte en Su mandato para las personas (**Éxodo 20:8–11**).

Dios Creó y Equipó al Hombre para el Trabajo (Génesis 1:26-2:25)

El ser Humano es Creado a Imagen de Dios (Génesis 1:26, 27; 5:1)

Después de la historia de la creación de Dios, Génesis pasa a contar la historia del trabajo humano. Todo se basa en la creación del hombre a imagen de Dios.

Dios dijo: "Hagamos al hombre a nuestra imagen, conforme a nuestra semejanza" (Génesis 1:26).

Así creó Dios al hombre a su imagen, lo creó a imagen de Dios, creó varón y hembra. (Génesis 1:27).

El día que Dios creó al hombre, lo hizo a imagen de Dios. (Génesis 5:1).

El resto de Génesis 1 y 2 desarrolla el trabajo humano en cinco categorías específicas: dominación, relación, fructificación/crecimiento, provisión y limitación. El desarrollo ocurre en dos ciclos, uno en Génesis 1:26-2:4 y el otro en Génesis 2:4-25. El orden de las categorías no es exactamente el mismo en ambos casos, pero todas las categorías aparecen en ambos bucles. El primer ciclo desarrolla lo que significa trabajar a la imagen de Dios, y el segundo ciclo describe cómo Dios equipó a Adán y Eva para el trabajo cuando comenzaron su vida en el Jardín del Edén. Toda la creación demuestra el diseño, el poder y la bondad de Dios, pero se dice que solo los humanos fueron creados a la imagen de Dios. La enseñanza completa de la imagen de Dios está más allá de nuestro alcance aquí, así que simplemente notaremos que algo en nosotros es singularmente como él. No tiene sentido creer que somos exactamente como Dios. No podemos crear el mundo a partir del caos, y no deberíamos tratar de hacer todo lo que Dios hizo. Pero hasta ahora en la narración, el aspecto principal que sabemos es que Dios es un creador, que obra en el mundo físico, que obra en relación y que su obra tiene límites. Tenemos la capacidad de hacer lo mismo.

El lenguaje del primer ciclo es más abstracto y, por lo tanto, más adecuado para desarrollar los principios por los que trabajan los humanos. El lenguaje del segundo ciclo es más simple, habla de Dios creando cosas a partir de arcilla y otros elementos, y se ajusta a la dirección práctica de Adán y Eva en su trabajo específico en el jardín. Este cambio de lenguaje (similar al cambio en los primeros cuatro libros de la Biblia) ha dado lugar a una gran cantidad de investigaciones, hipótesis, debates e incluso desacuerdos entre los estudiosos. Cualquier comentario general proporcionará muchos detalles relevantes. Sin embargo, la mayoría de estos debates tienen poca relación con la contribución de Génesis a la comprensión del trabajo, los trabajadores y el lugar de trabajo, y no intentaremos tomar una posición al respecto aquí. Relevante para nuestra discusión, el Capítulo 2 repite los cinco temas presentados anteriormente—en el orden de mayordomía, provisión, fructificación/crecimiento, límites y relaciones—describiendo cómo Dios nos equipa para hacer aquello para lo que fuimos creados. Para facilitar el estudio de estos temas, veremos Génesis 1:26–2:25 por categoría en lugar de versículo por versículo.

Pasaje	Categoría	Ciclo
Génesis 1:26-2:4	Dominio	1
Génesis 1:27	Relaciones	1
Génesis 1:28	Fecundidad/Crecimiento	1
Génesis 1:29-30	Provisión	1
Génesis 2:3	Límites	1
Génesis 2:5	Dominio	2
Génesis 2:8-14	Provisión	2
Génesis 2:15; 19-20	Fecundidad/Crecimiento	2
Génesis 2:17	Límites	2
Génesis 2:18; 21-25	Relaciones	2

Dominio (Génesis 1:26; 2:5)

Trabajar a la Imagen de Dios es Ejercer Dominio (Génesis 1:26)

Uno de los resultados de ser hechos a la imagen de Dios que vemos en Génesis es que podemos "señorear en los peces del mar, en las aves de los cielos, en los ganados, en toda la tierra y en todo lo que se mueve sobre la tierra" (Génesis 1:26). Como dice Ian Hart: "Ejercer dominio sobre la tierra como representantes de Dios es el propósito fundamental de Dios al crear al hombre... administrar, desarrollar y cuidar la creación, una tarea que incluye trabajo físico práctico". Nuestro trabajo a la imagen de Dios comienza con representando fielmente a Dios.

Ejercemos dominio sobre el mundo creado sabiendo que somos el reflejo de Dios. No somos los originales sino las imágenes, y nuestra tarea es hacer del original —Dios— nuestro modelo, no nosotros mismos. Nuestro trabajo debe cumplir los propósitos de Dios más que los nuestros, y esto nos impide enseñorearnos de todo lo que Dios ha puesto bajo nuestro control.

Dios Equipa al Hombre para la Obra de Dominio (Génesis 2:5)

Considere lo que esto significa en nuestro lugar de trabajo. ¿Cómo hará Dios nuestra obra? ¿Qué valores traerá Dios para él? ¿Qué producto haría Dios? ¿A quién sirve Dios? ¿Qué organización establecería Dios? ¿Qué norma tiene Dios? ¿De qué manera nuestro trabajo debe reflejar al Dios que representamos? Cuando completamos un trabajo, ¿podemos decir al resultado: "Gracias a Dios por usarme para hacer que esto suceda?

El ciclo comienza de nuevo con dominio, aunque puede que no sea inmediatamente reconocible. "Aún no había vegetación en el campo, ni había hortaliza del campo, porque Jehová Dios no había hecho llover sobre la tierra, ni la había arado el hombre" (Génesis 2:5; cursiva agregada). La palabra clave es "nadie labra la tierra". Dios decidió no completar su creación hasta que creó al hombre para trabajar con él (o para él). Meredith Klein lo explica de esta manera: "Cuando Dios creó el mundo, fue como un rey que construyó una granja o un parque o un huerto en el que puso al hombre para cuidar la tierra, cuidar y cuidar la tierra".

Por tanto, la obra de ejercer el dominio comienza con el arado de la tierra. Aquí vemos que cuando Dios usó las palabras conquistar y gobernar en el capítulo 1, no nos dio el derecho de pisotear ninguna parte de su creación, todo lo contrario. Debemos actuar como si tuviéramos la misma relación amorosa con Su creación que Él tiene. Conquistar una tierra implica explotar sus muchos recursos y protegerlos. El dominio sobre todos los seres vivos no es una licencia para explotarlos, sino un contrato con Dios para cuidarlos. Tenemos que actuar de acuerdo con todos los que nos rodean: nuestros jefes, clientes, compañeros o compañeras, personas que trabajan para nosotros, incluso personas con las que nos encontramos ocasionalmente. Esto no significa que permitamos que los demás estén por encima de nosotros, pero sí significa que no permitimos que nuestro propio interés, autoestima o autoengrandecimiento nos permitan estar por encima de los demás. Las siguientes historias en Génesis se enfocan precisamente en esta tentación y sus consecuencias.

Hasta ahora hemos considerado en particular cómo la búsqueda del interés propio humano amenaza el medio ambiente. Fuimos creados para cuidar jardines (Génesis 2:15). La creación es para nuestro uso, pero no es sólo para eso. Es bueno reflexionar sobre el aire, el agua, el suelo, las plantas y los animales (Génesis 1:4-31) para recordarnos que debemos mantener y proteger el medio ambiente. Nuestro trabajo puede proteger o destruir el aire limpio, el agua y la tierra, la biodiversidad, los ecosistemas y biomas, e incluso el clima que Dios le ha dado a Su creación. El dominio no es poder contra la creación de Dios, sino poder para trabajar por ella.

Relaciones (Génesis 1:27; 2:18, 21-25)

Trabajar a Imagen de Dios es Trabajar en Relación con los Demás (Génesis 1:27)

En Génesis vemos que, como resultado de haber sido creados a la imagen de Dios, trabajamos en relación con Dios y con los demás. Hemos visto que Dios es de naturaleza relacional (Génesis 1:26), así que como imágenes de un Dios relacional, somos de naturaleza relacional. La segunda parte de Génesis 1:27 restablece esta idea porque habla de nosotros como pareja, no como individuos: "Él creó al hombre ya la mujer." Vivimos con nuestro Creador y en relación con otros organismos. Génesis no presenta estas relaciones como abstracciones filosóficas. Vemos a Dios hablando con Adán y nombrando a los animales con él **(Génesis 2:19)**, y vemos a Dios visitando a Adán y Eva "en el jardín en un día fresco" **(Génesis 3:8)**.

¿Cómo afecta esta realidad a nuestros lugares de trabajo? Lo más importante, estamos llamados a amar a nuestros compañeros de trabajo y jefes. El Dios de relación es el Dios de amor **(1 Juan 4:7)**. Uno podría decir simplemente "Dios ama", pero la Biblia va un paso más allá y presenta a Dios como el centro de la existencia del amor, un amor que fluye de ida y vuelta entre el Padre, el Hijo **(Juan 17:24)** y el Espíritu Santo. Santo. Este amor también fluye de la presencia de Dios hacia nosotros, dándonos lo mejor el uno para el otro (el amor divino es lo opuesto al amor humano, que brota de nuestras emociones).

Dios equipa al hombre para trabajar en relación con los demás (Génesis 2:18, 21–25)

Francis Schaeffer lleva esta idea más allá, ya que estamos hechos a imagen de Dios, y Dios es personal, con quien podemos tener una relación personal. Menciona que esto hace posible el amor verdadero, y señala que las máquinas no pueden amar. Por lo tanto, es nuestro deber cuidar bien todo lo que Dios ha confiado a nuestro cuidado. Como criatura relacionada, tiene una responsabilidad moral.

Debido a que estamos hechos a la imagen de un Dios relacional, somos de naturaleza relacional. Fuimos creados para tener una relación con Dios así como con otros seres humanos. Dios dijo: "No es bueno que el hombre esté solo; no es bueno que el hombre esté solo. Le haré esposa" **(Génesis 2:18)**. Todo lo creado fue llamado "bueno" o "muy bueno" y esta fue la primera vez que Dios dijo que algo era "malo". Entonces Dios creó a la mujer de la propia carne y sangre de Adán. Adán se llenó de alegría cuando llegó Eva. "Esto es hueso de mis huesos y carne de mi carne"

(Génesis 2:23) (Después de esto, todos los hombres seguirán saliendo de la carne de los demás, pero de las hembras, no de los machos). Adán y Eva formaron una relación tan íntima que "se hicieron una sola carne" **(Génesis 2:24)**. Si bien esto suena como un asunto puramente sexual o familiar, también se refiere a las relaciones laborales. Eva fue creada para ser la "ayuda" y "apto" de Adán y trabajaría con él en el Jardín del Edén. La palabra ayuda sugiere que ella, como Adán, cuida el jardín. Ayuda significa trabajo. Las personas que no trabajan no ayudan. Reunirse como ayuda significa trabajar con alguien en una relación.

Cuando Dios llamó a Eva una "ayuda", no quiso decir que ella estaría al servicio de Adán, o que su trabajo sería menos importante, menos creativo, menos logrado que él. La palabra aquí traducida como "ayuda" *(hebreo ezer)* es la palabra usada en otras partes del Antiguo Testamento para referirse a Dios mismo. "Dios es el *[ezer]* que me ayuda" **(Salmo 54:4)**. "Ayúdame *[ezer]*, oh Señor" (Salmo 30:10). Obviamente, *ezer* no es un siervo. Además, Génesis 2:18 describe a Eva no solo como una "ayuda", sino también como una "adecuada". Actualmente, el término español más utilizado es "compañero de trabajo". Este es el significado dado en Génesis 1:27, "Varón y hembra los creó", sin priorización ni dominio. El dominio del hombre sobre la mujer, o viceversa, no es conforme a la buena creación de Dios, sino una trágica consecuencia de la caída del hombre **(Génesis 3:16)**.

Las relaciones no son secundarias en el trabajo, son fundamentales. El trabajo es donde se forman relaciones profundas y significativas, al menos en las condiciones adecuadas. Jesús describió nuestra relación consigo mismo como una forma de trabajo: "Llevad mi yugo sobre vosotros, y aprended de mí, que soy manso y humilde de corazón, y hallaréis descanso" (Mateo 11:29). El yugo permite que los dos bueyes trabajen juntos. En Cristo, las personas verdaderamente pueden trabajar juntas, lo cual es el plan de Dios cuando creó a Eva y Adán como colaboradores. Nuestras almas "encuentran descanso" cuando nuestras mentes y cuerpos están conectados con los demás y con Dios. Cuando no estamos trabajando con otros para lograr un objetivo común, experimentamos ansiedad mental. Para aprender más sobre el yugo, *(vea el Comentario Bíblico de la Enseñanza del Trabajo de 2 Corintios 6:14-18)*.

Usando a Dios mismo como ejemplo, un aspecto importante de la relación es el empoderamiento. Dios delegó el nombre de los animales a Adán, y la transferencia de poder fue real. "Como llamó el hombre a todo ser viviente, ése fue su nombre" **(Génesis 2:19)**. En la delegación, como en cualquier otra forma de relación, renunciamos en cierta medida a nuestro poder e independencia y nos arriesgamos a que el trabajo de otros nos afecte. Gran parte del progreso en liderazgo y gestión en las últimas cinco décadas se ha producido en la descentralización, el empoderamiento de los empleados y la promoción del trabajo en equipo. La base de esta progresión siempre ha estado en Génesis, aunque los cristianos no siempre son conscientes de ello.

Muchas personas forman sus relaciones más cercanas cuando algún trabajo remunerado o no remunerado tiene un propósito u objetivo común. A su vez, las relaciones laborales facilitan la creación de una gama más amplia y compleja de bienes y servicios que la que cualquier individuo puede producir. Sin relaciones industriales, no habría automóviles, computadoras, servicio postal, legislaturas, tiendas, escuelas, nada que una sola persona pudiera lograr. Sin la intimidad entre un hombre y una mujer, no habrá descendencia para hacer la obra dada por Dios. Nuestro trabajo y nuestra comunidad son regalos de Dios y están completamente interconectados. Juntos, nos brindan los medios que nos permiten prosperar en todos los sentidos.

Fecundidad/Crecimiento (Génesis 1:28; 2:15, 19-20)

Trabajar a Imagen de Dios es Dar Fruto y Reproducirse (Génesis 1:28)

Debido a que somos creados a la imagen de Dios, debemos dar fruto o crear. Esto a menudo se denomina "empoderamiento creativo" o "empoderamiento cultural". Dios creó una creación perfecta, una plataforma ideal, y luego creó a los seres humanos para continuar el proyecto de la creación. "Dios los bendijo y les dijo: Fructificad y multiplicaos, y llenad la tierra" (Génesis 1:28). Dios pudo haber creado todo lo imaginable y haber llenado la tierra él mismo, pero eligió crear humanos para trabajar con él para realizar el potencial del universo, para participar en la obra de Dios. Es asombroso que Dios confíe en nosotros para llevar a cabo su maravillosa tarea de edificar sobre la buena tierra que nos ha dado. A través de nuestro trabajo, Dios trae comida y bebida, productos y servicios, conocimiento y belleza, organización y comunidad, crecimiento y salud, alabanza y gloria para sí mismo.

Es necesario hablar de belleza aquí. No debería sorprendernos que la obra de Dios no solo sea productiva sino también "agradable a la vista" (**Génesis 3:6**), ya que el hombre es a la imagen de Dios y es inherentemente hermoso. Como todo lo bueno, la belleza puede convertirse en un ídolo, pero los cristianos están tan preocupados por los peligros de la belleza que no aprecian su valor a los ojos de Dios. En esencia, la belleza no es un desperdicio de recursos, una distracción de un trabajo más importante o una flor destinada a marchitarse eventualmente. La belleza es creada a la imagen de Dios, y el reino de Dios está lleno de belleza "como la piedra más preciosa" (**Apocalipsis 21:11**). La belleza de la música que habla de Jesús es muy apreciada por la comunidad cristiana. Tal vez podamos aumentar nuestro aprecio por todo tipo de belleza real.

Una buena pregunta es si trabajamos de manera más eficiente y hermosa. La historia está llena de ejemplos de la fe cristiana que conducen a logros asombrosos. Si sentimos que nuestro trabajo es infructuoso en comparación con el de ellos, la respuesta no está en juzgarnos a nosotros mismos, sino en la esperanza, la oración y el crecimiento en compañía del pueblo de Dios. No importa qué obstáculos enfrentemos, ya sea de nosotros mismos o de factores externos, en el poder de Dios, podemos hacerlo mejor de lo que jamás imaginamos.

Dios Equipa al Hombre para Dar fruto y Multiplicarse (Génesis 2:15, 19–20)

"Jehová Dios tomó al hombre y lo puso en el Jardín del Edén para que lo labrara y lo guardara" (Génesis 2:15). Las dos palabras hebreas *avad ("trabajo" o "cultivo")* y *shamar ("cuidado")* también se usan para adorar a Dios y guardar Sus mandamientos, respectivamente. Hay una santidad inequívoca en el trabajo hecho de acuerdo con la voluntad de Dios.

Génesis 2:15-20 les da a Adán y Eva dos trabajos específicos, cultivar (trabajo manual) y nombrar animales (trabajo cultural, científico e intelectual). Ambas son tareas creativas, asignando actividades específicas a un ser a imagen del Creador. Al cultivar cosas y cultivar culturas, somos verdaderamente fructíferos; producimos los recursos necesarios para sustentar una población creciente y aumentar la productividad de la creación, y desarrollamos formas de llenar (y no sobrellenar) la Tierra. Claramente, criar y poner nombre a los animales no es el único trabajo adecuado para el hombre, sino que la tarea del hombre es extender la obra creadora de Dios de muchas maneras, limitada solo por lo que él ha establecido y los dones de su imaginación y habilidad. El trabajo está siempre enraizado en el diseño de Dios para la vida humana. Es una forma de contribuir al bien común y proveer para nosotros, nuestras familias y aquellos a quienes podemos bendecir generosamente.

Aunque a veces se subestima, un aspecto importante de la obra de creación de Dios es su fértil imaginación, que creó de todo, desde exóticas criaturas acuáticas hasta elefantes y rinocerontes. Los teólogos han enumerado las diversas características que Dios nos ha dado y han atestiguado su imagen, pero la imaginación es un don divino y la vemos en acción a nuestro alrededor, ya sea en el lugar de trabajo o en el hogar.

Mucho de lo que hacemos requiere el uso de la imaginación de alguna manera. En la línea de montaje, atornillamos los camiones y los imaginamos conduciendo por la carretera. Abrimos un documento en nuestra computadora e imaginamos la historia que estamos a punto de escribir. Mozart imaginó una sonata y Beethoven imaginó una sinfonía. Picasso imaginó Guernica antes de elegir su pincel para crearlo. Tesla y Edison descubrieron cómo aprovechar la electricidad, y hoy tenemos luz en la oscuridad y un sinfín de aparatos, aparatos electrónicos y dispositivos. Alguien, en algún lugar, ha imaginado casi todo lo que nos rodea. La mayoría de los trabajos existen porque alguien imaginó un producto que requería trabajo o un proceso.

Aun así, la imaginación requiere trabajo, y después de la imaginación viene el trabajo de dar vida al producto. De hecho, en la práctica, la imaginación y la realización ocurren a menudo como procesos interrelacionados. Picasso dijo de su Guernica: "La pintura no está preconcebida ni fija; cuando está pintada, sigue el flujo del pensamiento. Una vez completada, cambia de nuevo según el estado del espectador. "Una obra que lleva la imaginación a la realidad tiene su propia y necesaria creación.

Provisión (Génesis 1:29-30; 2:8-14)

Trabajar a la Imagen de Dios es Recibir las Provisiones de Dios (Génesis 1:29–30)

Debido a que somos creados a la imagen de Dios, Él suple nuestras necesidades. Esta es una de las formas en que el hombre creado a imagen de Dios no es Dios. Dios no tiene necesidades, e incluso si hay una necesidad, él mismo puede proveerla. Nosotros no. así que:

Dios dijo: He aquí, os he dado toda planta que da semilla y todo árbol que da semilla en toda la tierra, y esto será vuestro alimento. Di toda clase de verduras para alimento de las bestias de la tierra, de las aves del cielo y de todas las criaturas vivientes de la tierra. En efecto. (**Génesis 1:29-30**).

Por un lado, reconocer la provisión de Dios nos ayuda a no ser arrogantes. Sin Él, nuestro trabajo no vale nada. No podemos darnos vida a nosotros mismos, ni siquiera podemos proporcionar nuestra propia comida. Necesitamos el suministro constante de Dios de aire, agua, suelo, luz solar y el crecimiento milagroso de los seres vivos para nutrir nuestros cuerpos y mentes. Por otro lado, reconocer la provisión de Dios nos da seguridad laboral, no tenemos que depender de nuestras propias habilidades o los caprichos de las circunstancias para satisfacer nuestras necesidades. El poder de Dios hace que nuestro trabajo sea fructífero.

Dios Provee para las Necesidades del Hombre (Génesis 2:8–14)

El segundo ciclo de la historia de la creación nos muestra cómo Dios provee para nuestras necesidades. Él prepara la tierra para que sea fructífera a medida que la cultivamos. "Jehová Dios plantó un jardín al oriente, en el Jardín del Edén, y puso allí al hombre que había formado" (**Génesis 2:8**). Aunque nosotros plantamos, Dios es quien plantó en primer lugar. Además de la comida, Dios creó la tierra y proporcionó todos los recursos que necesitamos para sostenernos y prosperar. Nos dio ríos para el agua, piedras para los materiales minerales y metálicos, y el precursor de los medios de intercambio económico (**Génesis 2:10-14**). "El oro de la tierra es el mejor" (**Génesis 2:11-12**). Ya sea que combinemos nuevos elementos y moléculas, reorganicemos el ADN entre organismos vivos o creemos células artificiales, estamos usando materia y energía que Dios creó para nosotros.

Límites (Génesis 2:3; 2:17)

Trabajar a la Imagen de Dios es Ser Bendecido Dentro de los Límites que Dios ha Establecido (Génesis 2:3)

Debido a que somos creados a la imagen de Dios, debemos obedecer las limitaciones en nuestro trabajo. "Dios bendijo el séptimo día y lo santificó, porque en ese día reposó de todo el trabajo que había hecho" **(Génesis 2:3)**. ¿Dios descansa porque está agotado, o descansa para darnos a nosotros, sus portadores de imagen, un modelo de ciclo de trabajo y descanso? El cuarto de los Diez Mandamientos nos dice que el descanso de Dios es para darnos un ejemplo.

Acordaos del sábado y santificadlo. Seis días trabajarás y harás toda tu obra, más el séptimo día es sábado para Jehová tu Dios; no se hará en él obra alguna. Porque el SEÑOR hizo el cielo y la tierra y el mar y todo lo que hay en ellos en seis días, y descansó en el séptimo día. Por eso el SEÑOR bendijo el día de reposo y lo santificó. **(Éxodo 20:8-11)**.

Si bien las personas religiosas han tendido a crear estatutos a lo largo de los siglos para definir lo que significa guardar el sábado, Jesús dejó en claro que Dios estableció el sábado para nuestro beneficio (Marcos 2:27). ¿Qué aprendemos de ello?

Dios equipa al hombre para trabajar dentro de cierto rango (Génesis 2:17)

Cuando dejamos de trabajar el séptimo día, como Dios, nos damos cuenta de que nuestra vida no se define solo por el trabajo o la productividad. Walter Brueggemann lo expresó de esta manera: "El sábado es un testimonio visible de que Dios está en el centro de nuestras vidas; que la producción y el consumo humanos tienen lugar en un mundo que está dispuesto, bendecido y contenido por el Dios que creó todas las cosas". En cierto sentido, en otras palabras, renunciamos a parte de nuestra autonomía y aceptamos nuestra dependencia de Dios el Creador. De lo contrario, vivimos en la ilusión de que la vida está completamente bajo el control humano. Haga del sábado una parte de nuestra vida laboral, reconociendo que Dios es, en última instancia, el centro de nuestras vidas *(obtenga más información sobre los temas del sábado, el descanso y el trabajo en la sección "Marcos 1:21"). –45", "Marcos 2:23–3:6", "Lucas 6:1–11" y "Lucas 13:10–17").*

Dios bendijo a la humanidad con su propio ejemplo de guardar el día de trabajo y el sábado, dando así a Adán y Eva instrucciones específicas sobre el alcance de su trabajo. En el centro del Jardín del Edén, Dios plantó dos árboles, el árbol de la vida y el árbol del conocimiento del bien y del mal (**Génesis 2:9**). El segundo árbol está prohibido. Dios le dijo a Adán: "De todos los árboles del jardín podrás comer, pero del árbol de la ciencia del bien y del mal no comerás, porque el día que de él comas, ciertamente morirás" (**Génesis 2:16-17**).

Los teólogos han especulado mucho acerca de por qué Dios colocó un árbol en el Jardín del Edén que no quería que los habitantes tocaran. Se pueden encontrar varias suposiciones en los comentarios generales, no necesitamos indicar las respuestas aquí. Para nuestra investigación, es suficiente señalar que no todo lo que se puede hacer debe hacerse. La imaginación y la habilidad humanas pueden usar los recursos creados por Dios de manera contraria a las intenciones, propósitos y mandatos de Dios. Si queremos trabajar con Dios, no en su contra, debemos decidir respetar los límites que él ha establecido, en lugar de esforzarnos al máximo en la creación.

Francis Schaeffer señaló que Dios no les dio a Adán y Eva una elección entre un árbol bueno y un árbol malo, sino que les dio la opción de obtener el conocimiento del mal (ya conocían el bien, por supuesto). Dios abre la posibilidad de conocer el mal, pero al hacerlo, Dios valida la elección. Todo amor se basa en decisiones, sin decisiones, la palabra amor no tiene sentido. ¿Adán y Eva amaron y confiaron en Dios lo suficiente como para obedecer su mandato sobre el árbol? Dios quiere que aquellos con quienes tiene una relación respeten las limitaciones que permiten crear cosas buenas.

En el lugar de trabajo de hoy, continuamos encontrando bendiciones cuando cumplimos con ciertas restricciones. Por ejemplo, la creatividad humana surge tanto de las limitaciones como de las oportunidades. Los arquitectos encuentran inspiración en las limitaciones de tiempo, dinero, espacio, material y propósito impuestas por los clientes. Cuando los pintores aceptan las limitaciones del medio con el que eligen trabajar, encuentran expresión creativa, comenzando con las limitaciones de representar un espacio tridimensional en un lienzo bidimensional. Cuando los escritores se enfrentan a las limitaciones de la página y las palabras, descubren la genialidad.

Todo buen trabajo respeta las limitaciones de Dios. La capacidad de la Tierra es limitada en términos de extracción de recursos, contaminación, modificación del hábitat y uso de plantas y animales para alimento, vestimenta y otros fines. El cuerpo humano tiene una gran fuerza, resistencia y capacidad de trabajo, pero también tiene limitaciones. Hay límites para la alimentación saludable y el ejercicio. Hay límites para nuestras distinciones entre belleza y vulgaridad, crítica y abuso, ganancia y codicia, amistad y explotación, servicio y esclavitud, libertad e irresponsabilidad, y autoridad y dictadura. En la práctica, puede ser difícil saber exactamente dónde está la línea, y se debe reconocer que los cristianos a menudo se equivocan, tendiendo a la conformidad, al conformismo, al prejuicio y a la monotonía asfixiante, especialmente cuando se trata de declarar lo que otros deben o no deben hacer. Sin embargo, el arte de vivir como portador de la imagen de Dios requiere aprender a discernir las bendiciones que se obtienen al obedecer los límites que Dios ha establecido en Su creación.

El Trabajo del "Mandato de la Creación" (Génesis 1:28; 2:15)

Al describir la creación del hombre a la imagen de Dios (Génesis 1:1-2:3) y cómo el hombre fue equipado para vivir a esa imagen (**Génesis 2:4-25**), exploramos cómo Dios creó al hombre para ejercer Dominio, procreación, recibir la provisión de Dios, trabajar en relación con los demás y obedecer las limitaciones de la creación. Nos referimos a esto como la *"tarea de creación"* o *"tarea cultural"* y Génesis 1:28 y 2:15 son particularmente prominentes:

Dios los bendijo y les dijo: Fructificad y multiplicaos, llenad la tierra y señoread en ella; señoread en los peces del mar, en las aves de los cielos, y en todo ser viviente sobre la tierra. (**Génesis 1:28**).

Entonces el Señor Dios colocó al hombre en el Jardín del Edén, donde fue nutrido y cuidado. (**Génesis 2:15**).

El uso de este término no es obligatorio, pero la idea que representa es clara en Génesis 1 y 2. Desde el principio, Dios ordenó y creó a los seres humanos para que fueran sus compañeros menores para completar su creación. No está en nuestra naturaleza conformarnos con el statu quo, obtener algo a cambio de nada, no hacer nada durante largos períodos de tiempo, trabajar duro en un sistema que no ha sido creado o trabajar en aislamiento social. En resumen, estamos destinados a trabajar como sub-creadores en relación con los demás y con Dios, dependiendo de la provisión de Dios para que nuestro trabajo sea productivo, respetando las limitaciones dadas en Su Palabra, y es evidente en su creación.

La Gente Comete Pecados en el Trabajo (Génesis 3:1-24)

Hasta ahora hemos discutido la forma ideal de trabajo bajo las condiciones perfectas del Jardín del Edén. Pero luego llegamos a Génesis 3:1-6.

La serpiente es más astuta que todos los animales del campo que hizo el Señor Dios. Y él dijo a la mujer: ¿Te ha dicho Dios alguna vez: "No comerás de ningún árbol del jardín"? La mujer respondió a la serpiente: "Podemos comer del fruto del árbol en el jardín, pero Dios dijo: "No comerás ni tocarás el fruto del árbol en el jardín, o puedes morir". Porque Dios sabe que cuando lo comáis, se os abrirán los ojos y seréis como Dios, capaces de conocer el bien y el mal. Cuando la mujer vio que el árbol era bueno para comer y agradable a los ojos, y que era sabio, arrancó su fruto y lo comió. Y se lo dio a su marido que estaba con ella, y él también comió. (enfatizar).

La serpiente representa lo opuesto al dios, es el enemigo del dios. Bruce Waltke señaló que los enemigos de Dios son malévolos y más sabios que los humanos. Hábilmente llama la atención sobre las debilidades de Adán y Eva, incluso si distorsiona el mandato de Dios. Dirige a Eva en lo que parece ser una sincera discusión teológica, pero la distorsiona al enfatizar la prohibición de Dios en lugar de su provisión para el resto de los árboles frutales en el jardín. Esencialmente, quería que las palabras de Dios sonaran duras y restrictivas.

El plan de la serpiente funcionó, primero Eva, luego Adán comieron del fruto prohibido. Rompieron los límites establecidos por Dios, tratando en vano de ser de alguna manera "como Dios", más allá de los portadores de la imagen de Dios que ya tenían (Génesis 3:5). Aunque ya conocían por experiencia la bondad de la creación de Dios, decidieron "conocer" el mal (Génesis 3:4-6). La decisión de Eva y Adán de comer el fruto fue por sus propios gustos pragmáticos, estéticos y sensuales, no por la Palabra de Dios. El "bien" ya no se basa en lo que Dios dice que es una abundancia de vida, sino en la mejora de la vida que la gente considera deseable. En resumen, convierten las cosas buenas en cosas malas.

Cuando eligen no obedecer a Dios, destruyen su relación natural. Primero, su relación —"hueso de mis huesos y carne de mi carne", como antes **(Génesis 2:23)**— se rompió cuando se escondieron el uno del otro bajo hojas de higuera **(Génesis 3:7)**. Lo que terminó después fue su relación con Dios, ya que en los días más fríos ya no le hablaban, sino que se escondían de su presencia **(Génesis 3:8)**. Adán luego dañó aún más su relación con Eva al culpar a Eva por su decisión de comer la fruta, mientras que al mismo tiempo comenzó a criticar a Dios. "La mujer que era mi compañera me dio del árbol, y yo comí" (**Génesis 3:12**). Asimismo, Eva culpó a la serpiente por su decisión, destruyendo así la relación del hombre con las criaturas de la tierra (**Génesis 3:13**).

Las decisiones que Adán y Eva tomaron ese día tuvieron consecuencias desastrosas que se trasladan al lugar de trabajo de hoy. Dios juzgará tu pecado y pronunciará las consecuencias que llevan a tu arduo trabajo. La serpiente debe arrastrarse sobre su vientre toda su vida (**Génesis 3:14**). Las mujeres enfrentarán el duro trabajo de tener hijos y estarán en conflicto acerca de su deseo por un hombre (**Génesis 3:16**). La humanidad tendría que hacer un gran esfuerzo para obtener productos de la tierra, los cuales producirían "espinos y cardos" a costa de los granos necesarios (**Génesis 3:17-18**). En resumen, los humanos continuarán haciendo el trabajo para el cual fueron creados, y Dios continuará proveyendo para sus necesidades (**Génesis 3:17-19**), pero el trabajo será más difícil, desagradable y propenso a fallar e inesperado. resultado.

Vale la pena señalar que el trabajo no fue tan difícil al principio. Algunos ven la maldición como el origen de la obra, pero Adán y Eva ya estaban trabajando en el jardín. La obra no es una maldición per se, pero la maldición afecta la obra. De hecho, debido a la Caída, el trabajo se ha vuelto más importante, no menos, porque ahora se requiere más trabajo para producir los resultados necesarios. Además, lo que para Adán y Eva fue fuente de libertad y alegría de saltar a Dios, ahora se convierte en fuente de conquista. Adán, creado de la tierra, trabajará ahora para labrarla hasta que su cuerpo regrese a la tierra después de su muerte (**Génesis 3:19**). Eva, creada de la costilla del costado de Adán, ahora se sometería al dominio de Adán en lugar de a su presencia (**Génesis 3:16**). El dominio de una persona sobre otra en el matrimonio y el trabajo no era parte del plan original de Dios, pero las personas pecadoras hacen de ello una nueva forma de relacionarse cuando destruyen la relación que Dios les ha dado (**Génesis 3:12, 13**).

El mal que enfrentamos todos los días se presenta en dos formas. El primero es el mal natural, la condición física de la tierra, que es hostil a la vida que Dios ha preparado para nosotros. Hay inundaciones, sequías, terremotos, tsunamis, sobrecalentamiento o sobre-frío, enfermedades, plagas y otros daños que no se encuentran en los jardines. El segundo es el mal moral, cuando las personas actúan en contra de la voluntad de Dios. Al comportarnos de mala manera, destruimos la creación, nos alejamos de Dios y dañamos nuestras relaciones con los demás.

Vivimos en un mundo caído y quebrantado, y no podemos esperar que esta vida esté libre de trabajo duro. Fuimos creados para trabajar, pero el trabajo está contaminado por todo lo que se rompió ese día en el Edén. También suele ser el resultado de no respetar los límites que Dios ha establecido para nuestras relaciones, ya sean personales, laborales o sociales. La Caída creó una distancia entre el hombre y Dios, entre el hombre y el hombre, y entre el hombre y la tierra que se suponía que los sustentaría. El amor y la confianza son reemplazados por la sospecha de los demás. En las generaciones posteriores, la alienación engendra celos, ira e incluso asesinatos. Todos los lugares de trabajo hoy en día reflejan la distancia (más o menos) entre los trabajadores, lo que hace que nuestros trabajos sean más difíciles y menos productivos.

Las Personas Trabajan en una Creación Caída (Génesis 4-8)

Cuando Dios expulsó a Adán y Eva del Jardín del Edén (**Génesis 3:23-24**), trajeron consigo relaciones rotas y la carga del trabajo duro que tenían que excavar en tierra firme para ganarse la vida. Sin embargo, Dios continuó proveyendo para ellos, incluso haciéndoles ropa cuando no podían hacerlo (**Génesis 3:21**). La maldición no destruyó su capacidad de reproducirse (**Génesis 4:1-2**) o alcanzar cierto grado de prosperidad (**Génesis 4:3-4**).

El trabajo sobre Génesis 1 y 2 continúa. Aún queda tierra por cultivar, aún quedan fenómenos naturales por estudiar, describir y nombrar. Los hombres y las mujeres aún deben procrear, multiplicarse y gobernar. Pero ahora, hay que llegar a un segundo nivel de trabajo: curar, reparar y reparar lo que salió mal y los errores que se han cometido. En el contexto contemporáneo, todavía se necesitan agricultores, científicos, parteras, padres, líderes y todos los campos creativos. Pero también necesita el trabajo de exterminadores, médicos, funerarios, correccionales, auditores forenses y todos aquellos que trabajan para prevenir el mal, predecir desastres, reparar daños y restaurar la salud. De hecho, el trabajo de todos es una mezcla de creación y reparación, aliento y frustración, éxito y fracaso, alegría y tristeza Ahora tenemos el doble de trabajo que hacer que un jardín, y este trabajo es igual de importante para el plan de Dios.

El Primer Asesinato (Génesis 4:1-25)

En Génesis 4 encontramos detalles del primer asesinato, cuando Caín mató a su hermano Abel en un ataque de celos y rabia. Ambos hermanos dedicaron los frutos de su trabajo a Dios. Caín era un agricultor que traía parte del fruto de la tierra, que no se indica en la Biblia como la primera o la mejor de sus cosechas (**Génesis 4:3**). Abel fue el pastor que trajo al "primogénito", lo mejor, la "gordura" de sus ovejas (**Génesis 4:4**). Aunque todos producían alimentos, no trabajaban ni adoraban juntos. El trabajo ya no es el lugar para construir grandes relaciones.

Dios honró la ofrenda de Abel en lugar de la de Caín. Cuando la ira se menciona por primera vez en la Biblia, Dios le advierte a Caín que no se desespere, sino que supere su resentimiento y trabaje para obtener mejores resultados en el futuro. "Si haces bien, ¿no serás aceptado?" preguntó el Señor (**Génesis 4:7**). Pero en cambio, Caín sucumbió a su ira y asesinó a su hermano (**Génesis 4:8; cf. 1 Juan 3:12; Judas 11**). Dios respondió a este acto con las siguientes palabras:

La voz de la sangre de tu hermano clama a mí desde la tierra. Ahora eres maldito desde la tierra, y la tierra abre su boca para recibir de tu mano la sangre de tu hermano. Cuando labras la tierra, ya no te da su vitalidad, errante y errante estarás en la tierra (**Génesis 4:10-12**).

El pecado de Adán no trajo la maldición de Dios sobre la humanidad, sino solo sobre la tierra (**Génesis 3:17**). El pecado de Caín trajo sobre sí mismo la maldición de la tierra (Génesis 4:11). Ya no podía labrar la tierra, y Caín, el labrador, se convirtió en un vagabundo, y finalmente se estableció en la tierra de Nod, al este del Jardín del Edén, donde construyó la primera ciudad mencionada en la Biblia (**Génesis 4: 16-17**) *(Ver Génesis 10-11 para más información sobre el tema de la ciudad).*

El resto del capítulo 4 habla de los descendientes de Caín a lo largo de siete generaciones hasta Lamec, cuyo comportamiento tiránico hizo que su antepasado Caín pareciera dócil. Lamec nos muestra el progresivo endurecimiento del pecado. La primera es la poligamia (**Génesis 4:19**), que es contraria a la voluntad de Dios para el matrimonio en Génesis 2:24 *(ver Mateo 19:5-6).* Posteriormente, la venganza lo llevó a asesinar al hombre que acababa de golpearlo (**Génesis 4:23-24**). Aun así, en Lamec vemos los comienzos de la civilización. Aquí, la división del trabajo, que representa el problema entre Caín y Abel, motiva una dirección que hace posible algún progreso. Algunos de los hijos de Lamec usaron herramientas de bronce y hierro para hacer instrumentos musicales y fraguas (**Génesis 4:21-22**). La capacidad de hacer música, fabricar instrumentos para tocarla y desarrollar avances tecnológicos en la metalurgia, todo cae dentro del marco de nosotros como creadores porque llevamos la imagen de Dios. El arte y la ciencia son frutos dignos de la búsqueda creativa, pero la forma en que Lamec muestra su escandaloso trabajo muestra que, en una cultura depravada propensa a la violencia, la tecnología conlleva peligros. El primer poeta humano después de la Caída celebra el orgullo humano y el abuso de poder. Sin embargo, las arpas y las flautas aún podían redimirse y usarse para alabar a Dios (**1 Samuel 16, 23**), al igual que la metalistería utilizada para construir el tabernáculo hebreo (**Éxodo 35, 4-19, 30-35**).

A través de la reproducción, las personas se separan. A través de Set, Adán esperaba tener una descendencia piadosa, incluidos Enoc y Noé. Pero con el paso del tiempo, apareció un grupo de personas que se desviaron del sintoísmo.

Aconteció así, cuando los hombres se multiplicaron en la tierra y dieron a luz hijas, los hijos de Dios vieron la hermosura de las hijas de los hombres, y las tomaron por esposas como quisieron... En aquellos días había gigantes en la tierra [heroica, feroz guerreros, significado poco claro], y más tarde, cuando los hijos de Dios se unieron con las hijas de los hombres y les dieron a luz hijos. Estos son héroes antiguos, gente famosa. Cuando el SEÑOR ve la maldad del mundo, los pensamientos de su corazón son siempre para hacer el mal. (**Génesis 6:1-5**).

¿Qué pueden hacer los devotos descendientes de Set, que eventualmente se convierten en Noé y su familia, para luchar contra una cultura tan depravada que incluso Dios decide destruirla por completo?

Una de las principales preocupaciones de muchos cristianos en el lugar de trabajo de hoy es cómo defender los principios que creemos que reflejan la voluntad y el propósito de Dios para nosotros como sus representantes y portadores de su imagen. ¿Cómo podemos hacerlo cuando nuestras presiones laborales nos llevan a ser deshonestos, desleales, proporcionar mano de obra de baja calidad, cuando los compañeros, clientes, proveedores o vulnerables en general son explotados y pagados en exceso? • ¿Condiciones de trabajo bajas y duras? Sabemos por los ejemplos de Set y muchos otros en la Biblia que es posible trabajar en el mundo de acuerdo al diseño y orden de Dios.

Mientras que otros pueden sucumbir al miedo, la incertidumbre y la duda, una sed insaciable de poder, riqueza o aprobación humana, el pueblo de Dios puede participar inquebrantablemente en un trabajo ético, con propósito y piadoso porque confiamos en que Dios nos ayudará. Él ayudará en situaciones difíciles. Sin su gracia no tendríamos el control. Cuando las personas son abusadas o lastimadas por la codicia, la injusticia, el odio o la negligencia, podemos defenderlas, actuar con justicia y sanar las heridas y las divisiones porque tenemos acceso al poder redentor de Cristo. A diferencia de otros, los cristianos pueden rechazar el mal que encontramos en el lugar de trabajo, ya sea que provenga de las acciones de otros o de nuestro propio corazón. Dios canceló la Torre de Babel porque "todo lo que se propusieron, nada les fue imposible" (**Génesis 11:6**). No se refería a nuestras verdaderas habilidades, sino a nuestro orgullo.

Sin embargo, por la gracia de Dios, somos capaces de cumplir todo lo que Dios tiene pensado para nosotros en Cristo, quien declara que *"nada es imposible para vosotros"* (**Mateo 17:20**) y "nada es imposible para Dios". (**Lucas 1:37**).

¿Realmente estamos trabajando como si confiáramos en el poder de Dios? ¿O estamos desperdiciando las promesas de Dios y simplemente tratando de salir adelante sin hacer un escándalo?

"¡Esto es Suficiente!" Dijo Dios, y Creó un Nuevo Mundo (Génesis 6:9-8:19)

Algunas situaciones son salvables, mientras que otras pueden ser desesperadas. En Génesis 6:6-8, vemos el lamento de Dios sobre el estado del mundo y la cultura antes del diluvio, y su decisión de comenzar de nuevo:

Se entristeció Jehová de haber hecho hombre en la tierra, y se entristeció su corazón. Yahveh dijo: Borraré de la tierra lo que he creado, incluyendo al hombre, el ganado, los reptiles y las aves del cielo, porque me arrepiento de haberlos creado. Pero Noé halló gracia ante los ojos de Jehová.

Desde la época de Adán hasta la nuestra, Dios espera que las personas se levanten contra una cultura de pecado cuando sea necesario. Adán no pasó la prueba, pero fue el padre de los antepasados de Noé, "varón íntegro, perfecto entre sus contemporáneos; y Noé caminó con Dios" (**Génesis 6:9**). Noé fue la primera persona cuya obra principal fue la redención. A diferencia de aquellos que están demasiado ocupados sacando su sustento del planeta, Noé está llamado a salvar a la humanidad y la naturaleza de la destrucción. En él vemos a los antepasados de los sacerdotes, profetas y apóstoles, que fueron llamados a la obra de reconciliación con Dios, ya los que cuidaron del medio ambiente, que fueron llamados a la obra de redención de la naturaleza. Más o menos, todos los trabajadores desde Noé han sido llamados a la obra de redención y reconciliación.

¡El Arca fue un proyecto de construcción masivo! A pesar de las burlas de los vecinos, Noé y sus hijos deben talar miles de cipreses, prepararlos y convertirlos en tablones suficientes para construir un zoológico flotante. El contenedor de tres capas debe poder soportar diferentes especies de animales y almacenar alimentos y agua necesarios de forma indefinida. A pesar de las dificultades, las escrituras nos aseguran que "Noé hizo esto; todo lo que Dios le mandó, así lo hizo" (**Génesis 6:13-22**).

En el mundo de los negocios, los empresarios están acostumbrados a correr riesgos e ir en contra de la sabiduría convencional para crear nuevos productos o procesos. Se necesita una visión a largo plazo, no solo resultados a corto plazo. La tarea que enfrentó Noé a veces parecía imposible, y algunos eruditos bíblicos creen que el arca tardó cien años en construirse. También requiere fe, tenacidad y planificación cuidadosa frente a los escépticos y críticos. Tal vez deberíamos agregar la gestión de proyectos a la lista de proyectos pioneros de Noé. Los innovadores, los empresarios y aquellos que desafían las opiniones e instituciones predominantes en el lugar de trabajo actual necesitan una fuente de fortaleza y creencia internas. La respuesta, por supuesto, no es convencernos de tomar riesgos tontos, sino recurrir a la oración y al consejo de los sabios en Dios cuando enfrentamos oposición y desánimo. Tal vez necesitemos cristianos talentosos y listos para el trabajo que se levanten y alienten y ayuden a perfeccionar la creatividad de los innovadores en los negocios, la ciencia, la academia, las artes, el gobierno y otros campos de trabajo.

La historia del diluvio en Génesis 7:1–8:19 es bien conocida. Durante más de seis meses, cuando estalló el diluvio, Noé, su familia y todos los animales estuvieron en el arca mientras giraba en el agua y sumergió la cima de la montaña. Cuando las aguas de la inundación finalmente cesan, la tierra se seca y crece nueva vegetación. Los pasajeros del arca volvieron a poner los pies en el suelo. Este pasaje hace eco de Génesis 1, que enfatiza la continuidad de la creación. Dios hizo que el "viento" soplara a través del *"abismo"* y que las *"aguas"* retrocedieran (**Génesis 8:1-3**), aunque en cierto modo este era un mundo nuevo, transformado por el poder del diluvio. Dios le está dando a la cultura humana una nueva oportunidad para empezar de nuevo y hacer las cosas bien. Para los cristianos, esto anuncia los nuevos cielos y la nueva tierra de Apocalipsis 21 y 22, cuando la vida y el trabajo humanos se perfeccionen en un universo que se ha recuperado de los efectos de la Caída, como lo hacemos en la sección "Dios" mencionada. mundo" (**Génesis 1:1-2**).

Lo que puede no ser obvio es que este es el primer proyecto a gran escala de la humanidad, y es un proyecto ambiental. A pesar de (o quizás debido a) la relación rota entre los humanos y la serpiente y todos los seres vivos (**Génesis 3:15**), Dios asignó a los humanos la tarea de salvar a los animales y confió en que lo haría fielmente. El llamado de Dios a *"señorear en los peces del mar, en las aves de los cielos y en todo ser viviente que se mueve sobre la tierra"* (**Génesis 1:28**) sigue siendo válido. Dios ha estado trabajando para restaurar lo que se perdió en la caída, y usa la restauración de la humanidad caída como su herramienta principal.

Dios Trabaja para Mantener su Promesa (Génesis 9-11)

El Pacto de Dios con Noé (Génesis 9:1-19)

De vuelta en tierra firme con un nuevo comienzo, el primer acto de Noé fue construir un altar al Señor (**Génesis 8:20**). Aquí ofrece un sacrificio que agrada a Dios, que ha decidido no destruir a la humanidad, "mientras la tierra permanezca, sembrará y cosechará, y hará frío y calor, verano e invierno, día y noche, y habrá nunca cesen" (**Génesis 8:22**). Dios hizo un pacto con Noé y sus descendientes de que nunca destruiría la tierra con un diluvio (**Génesis 9:8-17**). Dios dio el arcoíris como señal de Su promesa. Mientras que la tierra ha cambiado dramáticamente, el propósito de Dios para el trabajo sigue siendo el mismo. Repitió Su bendición y promesa de que Noé y sus hijos serían fructíferos y se multiplicarían y llenarían la tierra (**Génesis 9:1**). Ratificó su promesa de proveer alimento a través del trabajo (**Génesis 9:3**). A su vez, estableció demandas humanas de justicia y protección para todos los seres vivos (**Génesis 9:4-6**).

La palabra hebrea traducida como "arco iris" simplemente se refiere al arco, una herramienta de lucha y caza. *Waltke* menciona que en la mitología del antiguo Cercano Oriente, la estrella en forma de arco se asociaba con la ira o la hostilidad de los dioses, pero *"aquí cuelga el arco del guerrero, sin apuntar a la tierra"*. La enemistad divina se ha traducido en un signo de Dios de reconciliación con los hombres. *"El arco colgante se eleva desde el suelo y llega hasta el cielo"*. A través del pacto de Dios con Noé, los instrumentos de guerra se convirtieron en símbolos de paz.

La Caída de Noé (Génesis 9:20-29)

Luego de su heroica labor por la humanidad, Noé tuvo un trágico incidente familiar que, como tantas tragedias familiares y laborales, comenzó con el abuso de sustancias, en este caso el alcohol *(estuvo en la lista de Noé. A la lista de innovaciones se suma la producción de bebidas alcohólicas, en Génesis 9:20)*. Después de emborracharse, Noé yacía desnudo en la tienda. Su hijo Cam entró, lo vio en este estado y recordó a sus hermanos, quienes entraron con cuidado en la tienda y cubrieron a su padre sin mirarlo desnudo. A la mayoría de los lectores modernos les cuesta entender qué es lo vergonzoso o lo inmoral de esta situación, pero Noé y sus hijos sabían claramente que era un desastre familiar. Cuando Noé se despierta y se entera, su reacción altera la paz de la familia para siempre. Noé maldijo a los descendientes de Cam en Canaán, haciéndolos esclavos de los descendientes de sus otros dos hijos, preparando el escenario para miles de años de enemistad, guerra y atrocidades entre las familias de Noé.

Noé puede haber sido el primero en ser desacreditado, pero no será el último. Parece que la grandeza nos hace vulnerables al fracaso moral, especialmente en nuestra vida personal y familiar. En un instante, todos podemos nombrar una docena de ejemplos en el escenario mundial. Este fenómeno es tan frecuente que los proverbios bíblicos como "El orgullo es antes de que perezca, y el corazón altivo antes de que caiga" (**Proverbios 16:18**), o proverbios coloquiales como *"Cuanto más caes, más caes"*.

Noé fue sin duda uno de los más grandes personajes de la Biblia (**Hebreos 11:7**), por lo que la mejor respuesta no es juzgarlo, sino pedirle a Dios que nos conceda nuestra propia gracia. Si buscamos la grandeza, es mejor buscar primero la humildad. Si llegamos a ser grandes, también podríamos orar por la gracia de Dios para evitar el destino de Noé. Si caemos como Noé, confesar nuestro pecado rápidamente y pedir a los que nos rodean que nos ayuden a no convertir la caída en un desastre justificándonos a nosotros mismos.

Los Descendientes de Noé y la Torre de Babel (Génesis 10:1-11:32)

En la llamada Lista de Naciones, Génesis 10 menciona primero a los descendientes de Jafet (**Génesis 10:2-5**), luego a los descendientes de Cam (Génesis 10:6-20), y finalmente a los descendientes de Sem (**Génesis: 21-31**). El más destacado de ellos es Nimrod, el nieto de Cam, debido a su importancia para la enseñanza del trabajo. Nimrod estableció un imperio abiertamente hostil en Babilonia. Era un tirano, un temible y poderoso cazador, y lo más importante, un constructor de ciudades (**Génesis 10:8-12**).

Con Nimrod, el tirano constructor de ciudades, viniendo a nuestra memoria, llegamos a la construcción de la Torre de Babel (**Génesis 11:1-9**). Como muchas ciudades del antiguo Cercano Oriente, Babel fue diseñada como el recinto de un gran templo o pirámide, una torre con escaleras de adobe destinada a conducir al reino de los dioses. Con tal torre, la gente puede subir al reino de los dioses y los dioses pueden bajar a la tierra. Si bien Dios no condena este deseo de ascender al cielo, vemos en él la ambición auto inflada y el pecado del orgullo creciente que llevó a las personas a construir torres tan magníficas. *"Venid, edifiquémonos una ciudad y una torre, cuya cúspide llegue al cielo, para que seamos conocidos, y no seamos esparcidos por toda la tierra"* (**Génesis 11:4**). que quieren ellos reputación. ¿De qué tienen miedo? Dispersarse sin ser multitud. La torre que querían construir les parecía enorme, pero el narrador del Génesis nos dice con una sonrisa que era tan insignificante que Dios *"bajó para ver la ciudad y la torre"* (**Génesis 11:5**). En contraste con las ciudades de paz, orden y virtud, estas son las voluntades de Dios para el mundo.

La desventaja de Dios para la torre fue que le daría a la gente la esperanza de que *"nada es demasiado difícil para que ellos se propongan hacer"* (**Génesis 11:6**). Como Adán y Eva antes que ellos, intentaron usar el poder creativo que poseían como portadores de la imagen de Dios en contra de la voluntad de Dios. En este caso, planean hacer lo contrario de lo que Dios ha mandado en su mandato cultural. En lugar de llenar la tierra, trataron de concentrarse en un solo lugar; en lugar de explorar la plenitud del nombre que Dios les dio (Adán, *"hombre"* [**Génesis 5,2**]), decidieron buscar la fama. Al ver que su arrogancia y su ambición se habían descontrolado, Dios dijo: *"Venid, descendamos y confundamos sus lenguas para que no se entiendan entre sí"* (**Génesis 11:7**). Entonces "desde allí los esparció Jehová por toda la tierra, y dejaron de edificar la ciudad.

Por eso se llama la Torre de Babel, porque allí confundió Jehová las lenguas de toda la tierra; desde allí esparció Jehová ellos por toda la tierra" (**Génesis 11:8-9**).

Estas personas eran originalmente de la misma sangre, descendientes de los tres hijos de Noé, pero después de que Dios destruyó la Torre de Babel, los descendientes de estos hijos emigraron a diferentes lugares en el Medio Oriente: Los descendientes de Jafet emigraron al oeste a Anathor Leah (Turquía) y Grecia; los descendientes de Cam fueron al sur a Arabia y Egipto; los descendientes de Sem permanecieron en el este, lo que ahora se conoce como Irak. A través de estas tres genealogías en Génesis 10, descubrimos la dirección en la que se desarrollaron las divisiones de naciones y tribus en el antiguo Cercano Oriente.

Sin embargo, no debemos concluir de este estudio que las ciudades son malas per se, porque no lo son. Dios le dio a Israel la ciudad capital de Jerusalén, y la última morada del pueblo de Dios es Su Santa Ciudad, que descendió del cielo (**Apocalipsis 21:2**). No es el concepto de una "ciudad" lo que desagrada a Dios, sino nuestro orgullo asociado con ella (**Génesis 19:12-14**). Pecamos cuando nos enfocamos en el éxito y la cultura cívica en lugar de ver a Dios como nuestra fuente de significado y dirección. *Bruce Waltke* resume su análisis de Génesis 11 en estas palabras:

Separada de Dios, la sociedad es completamente inestable. Por un lado, las personas buscan sinceramente el sentido de la existencia y la sensación de seguridad en la unidad colectiva. Por otro lado, tienen un deseo insaciable de consumir lo que otros tienen... Las ciudades humanas, en el fondo, se aman a sí mismas y odian a Dios. La ciudad revela lo que el espíritu humano siempre ha querido usurpar, el trono de Dios en el cielo.

Aunque la dispersión de la gente parece ser un castigo de Dios, en realidad es un medio de redención. Desde el principio, Dios planeó esparcir a la gente por todo el mundo. Él dijo: *"Fructificad y multiplicaos, y llenad la tierra"* (**Génesis 1:28**). Después de la caída de la torre, al dispersar a la gente, Dios los trajo de regreso a su plan de llenar la tierra, lo que eventualmente resultó en las hermosas y diversas personas y culturas que conocemos hoy. No podemos imaginarnos lo que le habrían hecho a su orgullo y fuerza pecaminosos si hubieran completado la torre con malicia y tiranía social e hicieron imposible todo lo que se propusieron (**Génesis 11:6**). ¡Qué ultraje! La escala de maldad que los humanos han desarrollado en los siglos XX y XXI nos da una idea de lo que las personas pueden hacer si todo es posible sin depender de Dios. Como decía Dostoievski: "Sin Dios, sin la vida eterna, ¿qué sería del hombre? Diría que todo es legal".

¿Cómo influye el incidente de la Torre de Babel en nuestro trabajo actual? El pecado específico de los constructores fue la desobediencia del mandato de Dios de esparcir sobre la tierra. Concentraron no solo su residencia geográfica, sino también su cultura, lengua e instituciones. En su ambición de hacer grandes cosas ("Seamos famosos" [Génesis 11:4]), impidieron la expansión del proyecto que haría posibles los diversos dones, servicios, actividades y funciones de Dios. Da poder al hombre (**1 Corintios 12:4-11**). Si bien Dios quiere que las personas trabajen juntas por un propósito común (**Génesis 2:18; 1 Corintios 12:7**), no nos creó para lograr este objetivo a través de la concentración y acumulación de poder. Advirtió al pueblo de Israel de los peligros de centralizar el poder en el rey (**1 Samuel 8,10-18**). Dios nos ha preparado un Rey divino, Cristo nuestro Señor, en quien en ninguna parte se puede concentrar el poder en individuos, instituciones o gobiernos humanos.

Como tal, podríamos esperar que los líderes e instituciones cristianos hagan todo lo posible para empoderar a múltiples personas y apoyar la coordinación, el propósito y los valores compartidos y la toma de decisiones democrática, en lugar de centralizar el poder. Pero en muchos casos, los cristianos buscan algo diferente: tiranos y dictadores buscan la misma concentración de poder, aunque sus objetivos son más benévolos. De esta forma, los legisladores cristianos querían ejercer el mismo control sobre el pueblo, aunque con el propósito de fortalecer la piedad o la moralidad. Los empresarios cristianos buscan el dominio del mercado tanto como cualquier otra persona, aunque con el objetivo de mejorar la calidad, el servicio al cliente o el comportamiento ético. Asimismo, el educador cristiano, como el autoritario, desea poca libertad de pensamiento, sino sólo reforzar las enseñanzas de expresión moral, benevolencia y solidez.

En los primeros capítulos de la Biblia, Dios crea el mundo y nos trae para que trabajemos junto a Él como creadores también. Él nos crea a Su imagen para ejercer dominio, ser fecundos y multiplicarnos, recibir su provisión, trabajar relacionándonos con Él y con otras personas y guardar los límites de Su creación. Él nos equipa con recursos, habilidades y comunidades para cumplir estas tareas y nos da el ejemplo de trabajar por ellas en seis de siete días. Él nos da la libertad de hacer estas cosas a partir del amor por Él y Su creación, lo que también nos da la libertad de no hacer aquello para lo que fuimos creados. Cuando los primeros seres humanos decidieron violar el mandato de Dios, causaron un daño permanente, y la desobediencia ha continuado en un mayor o menor nivel, hasta el día de hoy. Como resultado, nuestro trabajo es menos productivo, requiere más esfuerzo, es menos satisfactorio y nuestras relaciones laborales se deterioran, e incluso a veces son destructivas. Hacerlo es complejo, ineficiente, difícil de medir, arriesgado e inductor de ansiedad, pero quizás exactamente lo que Dios quiere que hagan los líderes cristianos en muchas situaciones.

Las Conclusiones de Génesis 1-11

En los primeros capítulos de la Biblia, Dios creó el mundo y nos hizo trabajar con él también como creadores. Él nos creó a su imagen para ejercer dominio, procrear, recibir sus provisiones, entablar relaciones con él y con otros, y guardar los límites de su creación. Nos proporcionó los recursos, las habilidades y la comunidad para realizar estas tareas, y nos dio el ejemplo para lograrlas 6 de los 7 días. Por amor a él ya su creación, nos da la libertad de hacer estas cosas, lo que también nos da la libertad de no hacer las cosas para las que fuimos creados. Cuando los primeros humanos decidieron desobedecer los mandatos de Dios, causaron daños permanentes, y la desobediencia, más o menos, continúa hasta el día de hoy. Como resultado, nuestro trabajo es menos productivo, requiere más esfuerzo, es menos satisfactorio y nuestras relaciones laborales se deterioran y, a veces, se vuelven destructivas.

Sin embargo, Dios continúa llamándonos a trabajar, equipándonos y proveyendo para nuestras necesidades. Muchas personas tienen la oportunidad de participar en un trabajo gratificante, creativo y satisfactorio que satisfaga sus necesidades y contribuya a comunidades prósperas. La Caída hizo que la obra que comenzó en el Edén fuera más necesaria, no menos. Aunque a veces los cristianos lo malinterpretan, Dios no respondió a la Caída retirándose del mundo material y limitando sus intereses al mundo espiritual, y de todos modos no era posible separar la materia del espíritu. El trabajo, incluidos los límites que determinan su relación y lo bendicen, sigue siendo un don de Dios para nosotros, aunque las condiciones de la vida posterior a la caída lo destruyan.

Mientras tanto, Dios ha estado obrando para salvar a su creación de los efectos de la Caída. Los capítulos 4-11 de Génesis comienzan la historia de cómo el poder de Dios obró para ordenar y reordenar el mundo y sus habitantes. Dios tiene el control del mundo creado y de todo ser vivo, ya sea humano o inerte. Continúa mostrando su imagen en la humanidad, pero no aprueba los esfuerzos humanos por ser *"como Dios"* (**Génesis 3:5**), ya sea para obtener un poder excesivo o para sustituir la autosuficiencia por una relación con Dios Personas como Noé, que aceptaron el trabajo como un regalo de Dios y trabajaron lo mejor que pudieron bajo Su dirección, encontraron bendición y fruto en su trabajo. Aquellos que, como los constructores de Babel, tratan de reclamar el poder y el éxito a su manera, experimentan violencia y frustración, especialmente cuando su trabajo lastima a otros. Como todos los personajes de estos capítulos de Génesis, podemos elegir trabajar con o contra Dios. Génesis no dice cómo se desarrolla la historia de la obra de Dios de redimir su creación, pero sabemos que eventualmente conducirá a su restauración *(incluyendo la obra de creación de Dios)*, tal como Dios la diseñó desde el principio.

Introducción a Génesis 12-50

Los capítulos 12 al 50 de Génesis hablan de la vida y obra de Abraham, Sara y sus descendientes. Dios llamó a Abraham, Sara y sus familias a dejar su tierra e ir a un nuevo lugar que Dios les había mostrado. En el camino, Dios prometió hacer de ellos una gran nación: *"En ti serán benditas todas las familias de la tierra"* (**Génesis 12:3**). Como descendientes espirituales de Abraham, bendecidos por esta gran familia y convertidos por medio de su descendiente Jesucristo, estamos llamados a seguir los pasos del padre y de la madre de todos los verdaderos creyentes (**Romanos 4:11; Gálatas Libro 3:7, 29**).

Hay muchas piezas en la historia de la familia de Abraham y Sara. Sus obras cubren casi todos los aspectos de las obras seminómadas del antiguo Cercano Oriente. En todo momento, se enfrentan a la cuestión crucial de cómo vivir y trabajar fielmente de acuerdo con sus convenios con Dios. Lucharon para ganarse la vida, soportar el malestar social, criar hijos y permanecer fieles a Dios en un mundo quebrantado, tal como lo hacemos hoy. Ven que Dios cumple Sus promesas y los bendice en cada situación, incluso cuando ellos mismos han sido infieles una y otra vez.

Pero el propósito del pacto con Dios no era solo bendecir a la familia de Abraham en un mundo hostil, sino bendecir al mundo entero a través de ellos. Esta tarea está fuera del alcance de la familia abrahámica, que una y otra vez cae en el orgullo, el egocentrismo, la imprudencia, la ira y todos los demás males a los que son propensos los seres humanos caídos *(y en los que nos vemos reflejados)*. Sin embargo, por la gracia de Dios, retuvieron la esencia de la lealtad al pacto, y Dios trajo bendiciones inimaginables al mundo a través de su obra plagada de errores. Como ellos, nuestro trabajo beneficia a quienes nos rodean porque a través de él participamos de la obra de Dios en el mundo.

Cuando lo miramos de principio a fin, es claro que Génesis es un todo literario, aunque se pueden distinguir dos partes. La primera parte (**Génesis 1-11**) cuenta cómo Dios creó el universo, luego rastrea el desarrollo de la humanidad desde la primera pareja en el Jardín del Edén hasta los tres hijos de Noé y sus familias esparcidas por todo el mundo. El segmento termina de manera decepcionante, ya que personas de todo el mundo se unen para construir una ciudad y hacerse famosas, solo para experimentar el fracaso, el caos y la dispersión como el juicio de Dios. La segunda parte (**Génesis 12-50**) comienza con el Señor llamando a una persona específica: Abraham. Dios lo llamó a dejar su tierra y su familia y comenzar una nueva vida y una nueva tierra, lo cual hizo. El resto del libro sigue la vida de este hombre y de tres generaciones posteriores a medida que comienzan a experimentar el cumplimiento de las promesas divinas hechas a su padre Abraham.

Abraham (Génesis 12:1-25:11)

La fidelidad de Abraham Contrastada con la Infidelidad de Babel (Génesis 12:1-3)

Como se mencionó al comienzo de Génesis 12, Dios hizo un pacto con Abraham, exigiendo su lealtad. Como se afirma al final de Génesis 11, Abraham dejó la tierra de su extensa familia de incrédulos y escuchó el llamado de Dios, distinguiéndose así de sus parientes lejanos que permanecieron en Mesopotamia e intentaron construir la Torre de Babel. La comparación entre la familia inmediata de Abraham en el capítulo 12 y el resto de los descendientes de Noé en el capítulo 11 destaca cinco contrastes.

Primero, Abraham confió en la guía de Dios, no en la estrategia del hombre. En contraste, los constructores de la Torre de Babel creían que con su habilidad e ingenio podrían construir una torre cuya cúspide *"llegara al cielo"* **(Génesis 11:4)**, y así se volvieron importantes en una forma que usurpaba la autoridad y seguridad de Dios.

Segundo, el constructor busca hacerse un nombre **(Génesis 11:4)**, pero Abraham confió en la promesa de Dios de engrandecer su nombre **(Génesis 12:2)**. La diferencia no está en el deseo de alcanzar la grandeza, sino en el deseo de llegar a la fama. Dios en realidad hizo famoso a Abraham, no por sí mismo, sino por ser *"una bendición para todas las familias de la tierra"* **(Génesis 12:3)**. Los constructores se hicieron un nombre, aunque han permanecido en el anonimato hasta el día de hoy.

Tercero, Abraham estaba dispuesto a ir a donde Dios lo guiara, mientras que los constructores tenían la intención de meterse en sus lugares habituales. Comenzaron su plan por temor a ser esparcidos por la faz de la tierra **(Génesis 11:4)**, y al hacerlo rechazaron el plan de Dios para que la humanidad *"llene la tierra"* **(Génesis 1:28)**. Parece que temen que estar dispersos en un mundo aparentemente hostil les cause dificultades. Eran tecnológicamente creativos e innovadores **(Génesis 11:3)**, pero no estaban dispuestos a aceptar plenamente la voluntad de Dios para que fueran fructíferos **(Génesis 1:28)**. Teme apoderarse de toda la creación y, al mismo tiempo, decide sustituir la guía y la gracia de Dios por el ingenio humano. Cuando no aspiramos a más de lo que podemos lograr por nosotros mismos, nuestras demandas se vuelven triviales.

En cambio, Dios hizo a Abraham el primer empresario, siempre moviéndose hacia nuevas tareas en diferentes lugares. Dios lo llamó a dejar Harán por la tierra de Canaán, donde nunca se estableció. Fue llamado *"el arameo errante"* (**Deuteronomio 26:5**). Esta forma de vida estaba más centrada en Dios porque Abraham tuvo que confiar en la palabra y la dirección de Dios para el significado, la seguridad y el éxito de su vida. Como dice Hebreos 11:8, *"salió sin saber a dónde iba"*. En el mundo del trabajo, los creyentes deben ser conscientes de la diferencia entre estas dos posiciones básicas. Todo trabajo requiere planificación y construcción. El trabajo profano surge del deseo de ser completamente autosuficientes y está estrictamente limitado para el beneficio de nosotros mismos y de los pocos que nos rodean. El trabajo piadoso está dispuesto a depender de la guía y autoridad de Dios, y desea crecer tremendamente y convertirse en una bendición para el mundo entero.

Cuarto, Abraham estaba dispuesto a dejar que Dios lo guiara a una nueva relación. Cuando los constructores de la torre trataron de encerrarse en la fortaleza amurallada, Abraham creyó en la promesa de Dios de que su familia se convertiría en una gran nación (**Génesis 12:2; 15:5**). Aunque vivían en Canaán (**Génesis 17:8**), tenían buenas relaciones con sus conocidos (**Génesis 21:22-34; 23:1-12**). La comunidad es un regalo. Surge así otro tema clave de la enseñanza del trabajo: Dios diseñó a las personas para trabajar en sanas redes de relaciones.

En última instancia, Abraham fue bendecido con paciencia y la capacidad de tener una visión a largo plazo. Las promesas de Dios se cumplirán en los descendientes de Abraham, no durante su vida. El apóstol Pablo interpreta la "simiente" como Jesús (**Gálatas 3:19**), lo que significa que la fecha de pago será dentro de mil años. De hecho, la promesa a Abraham no se cumplirá completamente hasta que Cristo regrese (**Mateo 24:30-31**). ¡Los informes trimestrales no pueden medir adecuadamente el progreso! En contraste, los constructores de la torre no pensaron en cómo su trabajo afectaría a las generaciones futuras, y Dios les advirtió específicamente sobre esto (Génesis 11:6).

En resumen, Dios le prometió a Abraham fama, fertilidad y buenas relaciones, y quiso decir que él y su familia bendecirían al mundo entero y, a su debido tiempo, serían bendecidos más allá de su imaginación (**Génesis 22:17**). A diferencia de otros, Abraham reconoció la futilidad de sus propios esfuerzos, o algo peor. En cambio, confió en Dios y confió en él para recibir guía y provisión todos los días (**Génesis 22:8-14**). Aunque estas promesas no se cumplieron completamente al final de Génesis, iniciaron el pacto entre Dios y su pueblo, por el cual el mundo sería redimido en el día de Cristo (**Filipenses 1:10**).

Dios prometió a la familia de Abraham una nueva tierra. Se requieren muchos tipos de trabajo para usar la tierra, por lo que el don de la tierra reafirma que el trabajo es la esfera esencial de Dios. Trabajar la tierra requería habilidades profesionales de pastoreo, construcción de tiendas de campaña, protección militar y la producción de una amplia gama de bienes y servicios. Además, los descendientes de Abraham serán una nación cuyos miembros serán tan innumerables como las estrellas del cielo. Esto requerirá el desarrollo de relaciones, paternidad, política, diplomacia y administración, educación, artes curativas y otras profesiones sociales. Dios llamó a Abraham ya su descendencia a caminar delante de Él completamente humanos (**Génesis 17:1**) para traer estas bendiciones a la tierra. Esto requiere trabajo en adoración, redención, discipulado y otras vocaciones religiosas. El trabajo de José es idear soluciones a los efectos de la hambruna y, a veces, nuestro trabajo es arreglar lo que está roto. Todos estos tipos de trabajo, y los obreros que los realizan, están sujetos a la autoridad, dirección y provisión de Dios.

El Estilo de Vida Pastoral de Abraham y su Familia (Génesis 12:4-7)

Cuando Abraham dejó su hogar en Harán por la tierra de Canaán, su familia probablemente era bastante numerosa según los estándares modernos. Sabemos que su esposa Sara y su sobrino Lot viajaron con él, pero también trajeron un número desconocido de personas y bienes (**Génesis 12:5**). Abraham pronto se hizo muy rico, poseyendo sirvientes, bueyes, plata y oro (**Génesis 12:16; 13:2**). Durante la estadía de Abrahán y Lot en Egipto, recibió hombres y animales de Faraón, los metales preciosos en los que se suponía que eran el resultado de transacciones comerciales, lo que demuestra que, después de todo, Jehová era una bendición. El éxito se basó en disputas entre las distintas familias de pastores porque no había suficiente tierra para tantos animales. Eventualmente, los dos tuvieron que separarse para mantener sus actividades económicas (**Génesis 13:11**).

Los estudios antropológicos de este período y región muestran que estas familias registradas mezclaron formas seminómadas y predominantemente sedentarias de agricultura y ganadería (**Génesis 13:5-12; 21:25-34; 26:17-33; 29:1- 10; 37:12-17**). Las familias tenían que mudarse según la temporada, por lo que vivían en tiendas de cuero, fieltro y lana. Si el dueño era lo suficientemente rico, sus posesiones podían ser transportadas en burros o camellos. Encontrar el equilibrio adecuado entre la disponibilidad de agua y tierra para el pastoreo de animales requiere buen juicio y un amplio conocimiento del clima y la geografía. De octubre a marzo es lo suficientemente húmedo para permitir el pastoreo en las llanuras bajas, mientras que de abril a septiembre es el mes más seco y los pastores tienen que llevar sus rebaños a tierras más altas donde pueden encontrar pasto más verde y agua. Dado que una familia no podía mantenerse solo con el pastoreo, era necesario dedicarse a la agricultura local y al comercio con quienes vivían en comunidades más establecidas.

Los nómadas pastoreaban ovejas y cabras para obtener leche y carne (**Génesis 18:7-8; 27:9; 31:38**), lana y otros productos animales como el cuero. Los burros llevaban cargas pesadas (**Génesis 42:26**), y los camellos eran excelentes para largas distancias (**Génesis 24:10, 64; 31:17**). Para mantener estos rebaños, es necesario alimentarlos, darles agua, ayudarlos a dar a luz, tratar a los animales enfermos y heridos, protegerlos de depredadores y ladrones, encontrar personas perdidas y más.

Los cambios en el clima y la tasa de crecimiento del ganado y los rebaños pueden afectar la economía de la región. Los grupos de pastores más débiles son fácilmente desplazados o integrados en el área, lo que afecta a aquellos que necesitan más tierra debido a sus crecientes propiedades. Las ganancias del pastoreo no se almacenan como ahorros acumulados o inversiones a nombre del propietario o administrador, sino que se comparten entre toda la familia. Asimismo, los efectos del hambre afectan a todos. Si bien los individuos ciertamente tienen sus propias responsabilidades y son responsables de sus acciones, la naturaleza comunitaria de las empresas familiares difiere de nuestra cultura contemporánea, que generalmente muestra los logros individuales y espera que las ganancias nunca dejen de crecer. La responsabilidad social se convertirá en una preocupación diaria en lugar de una opción.

En esta forma de vida, los valores compartidos son esenciales para la supervivencia. La interdependencia entre los miembros de una familia o tribu y el conocimiento de su ascendencia común trae consigo una gran unidad entre ellos, así como una hostilidad vengativa hacia cualquiera que la perturbe (**Génesis 34:25-31**). Los líderes tienen lo que necesitan saber para aprovechar la sabiduría del rebaño para tomar decisiones informadas sobre dónde viajar, cuánto tiempo quedarse y cómo dividir el rebaño. Tenían que tener una forma de comunicarse con los pastores que estaban llevando sus rebaños a otra parte (**Génesis 37:12-14**). En las disputas inevitables por los pastos y los derechos a los pozos y manantiales, se necesitaban habilidades para resolver conflictos (**Génesis 26:19-22**). La gran cantidad de personas desplazadas de la zona y la vulnerabilidad a los merodeadores hacen que la hospitalidad sea algo más que cortesía. En general, se acepta que es un requisito que las personas decentes proporcionen refrigerios, comida y alojamiento.

Los relatos patriarcales se refieren repetidamente a la gran riqueza de Abraham, Isaac y Jacob (**Génesis 13:2; 26:13; 31:1**). El pastoreo y la cría de animales eran campos de trabajo respetados que eran lucrativos, y la familia de Abraham se hizo muy rica. Por ejemplo, para apaciguar la actitud de su hermano Esaú ofendido, que hacía mucho tiempo que no se veía, Jacob seleccionó por lo menos 550 animales de su propiedad como regalo: 200 cabras y 20 machos cabríos, 200 ovejas y 20 carneros, 30 camellos tenían 40 vacas y 10 terneros, 20 asnas y 10 asnas (Génesis 32:13-15). Entonces, al final de su vida, cuando Jacob bendijo a sus hijos, era apropiado que dijera que el Dios de sus padres "me ha sustentado toda mi vida hasta el día de hoy" (**Génesis 48:15**). Si bien hay muchos pasajes en la Biblia que advierten que la riqueza es a menudo enemiga de la lealtad *(por ejemplo, Jeremías 17:11, Habacuc 2:5, Mateo 6:24)*, la experiencia de Abraham muestra que la fidelidad de Dios también se puede expresar a través de la prosperidad. Como veremos, esta no es de ninguna manera la promesa de prosperidad continua que el pueblo de Dios debería esperar.

El viaje de Abraham comenzó con las catástrofes en Egipto (Génesis 12:8-13:2)

Los resultados iniciales de los viajes de Abraham no fueron prometedores. La competencia por la tierra era feroz (**Génesis 12:6**), y Abraham pasó gran parte de su tiempo buscando un lugar para vivir (**Génesis 12:8-9**). Eventualmente, el deterioro de las condiciones económicas lo obligó a irse y llevar a su familia a Egipto, a cientos de millas de la tierra que Dios le había prometido (**Génesis 12:10**).

El frágil estatus de Abraham como inmigrante económico lo aterrorizaba. Tenía miedo de que los egipcios lo mataran para conseguir a su hermosa esposa Sara, y para evitar eso, hizo que Sara dijera que ella era su hermana en lugar de su esposa. Como sospechaba Abraham, uno de los egipcios *(en realidad el Faraón)* codiciaba a Sara, y ella fue *"traída a la casa del Faraón"* (**Génesis 12:15**). Como resultado, *"Jehová trajo grandes plagas sobre Faraón y sobre toda su casa"* (**Génesis 12:17**). Cuando Faraón supo por qué —se había casado con la mujer de otro hombre— le dio su esposa a Abraham e inmediatamente les ordenó que abandonaran su tierra (**Génesis 12:18-19**). Sin embargo, Faraón les dio ovejas y bueyes, asnos y asnos, siervos y siervas y camellos (**Génesis 12:16**), y oro y plata (Génesis 13:2), indicando además que la riqueza de Abraham (**Génesis 13:2**) se debió a regalos reales.

El episodio dramatizó los dilemas morales creados por las grandes desigualdades entre ricos y pobres, y los peligros de perder la fe ante tales problemas. Abraham y Sara huyeron a causa del hambre. Es difícil imaginar estar en una pobreza tan desesperada, o temer la decisión de una familia de dejar que sus esposas tengan relaciones sexuales con sus esposas para poder sobrevivir económicamente, pero aún hoy millones de personas enfrentan esa decisión. Faraón reprendió a Abraham por sus acciones, pero la respuesta posterior de Dios a eventos similares (**Génesis 20:7, 17**) aún mostró más misericordia que juicio.

Abraham, por otro lado, aceptó directamente la promesa de Dios: *"Yo haré de ti una gran nación"* (**Génesis 12:2**). ¿Se ha hecho añicos tan rápidamente su fe en que Dios cumplirá su palabra? ¿La supervivencia realmente requiere que él mienta para hacer de su esposa una concubina, o Dios proveerá otra forma? El temor de Abraham parece haberle hecho olvidar su confianza en la fidelidad de Dios. Del mismo modo, las personas en situaciones difíciles a menudo se convencen a sí mismas de que no tienen más remedio que hacer lo que creen que está mal. Sin embargo, no tener opción no es lo mismo que tener la opción de tomar decisiones que nos hacen sentir incómodos.

Abraham y Lot Separados: La Generosidad de Abraham (Génesis 13:3-18)

Cuando Abraham y su familia regresaron a Canaán, en dirección a un área cerca de Betel, los pastores de Abraham se enfrentaron con los de su sobrino Lot, lo que llevó a Abraham a la decisión de que la tierra era escasa. Tuvieron que separarse, y Abraham se arriesgó a que Lot eligiera primero su tierra. Las montañas rocosas centrales de Canaán eran un entorno favorable para el pastoreo de ovejas. Los ojos de Lot se posaron en el oriente, en el valle alrededor del Jordán, que él consideraba *"el jardín del Señor"*, y por eso eligió esta buena tierra para sí **(Génesis 13:10)**. Su confianza en Dios liberó a Abraham de la ansiedad de tener que cuidar de sí mismo. No importa cuán próspero fuera el futuro para Abraham y Lot, Abraham mostró su generosidad y afirmó la confianza entre ellos al dejar que Lot tomara la decisión primero.

La generosidad es un rasgo positivo en las relaciones personales y laborales, y probablemente el aspecto que con mayor firmeza genera confianza y buenas relaciones. Los compañeros de trabajo, los clientes, los proveedores e incluso los competidores reaccionan fuertemente ante la generosidad y la recuerdan durante mucho tiempo. Cuando Zaqueo, el recaudador de impuestos, recibió a Jesús en su casa y prometió dar la mitad de su fortuna a los pobres y cuadruplicar la compensación a los que había engañado, Jesús lo llamó **"Hijo de Abraham"** por su generosidad y su arrepentimiento. **(Lucas 19:9)** Claramente, Zaqueo estaba respondiendo a la generosidad relacional de Jesús, quien abrió su corazón a un recaudador de impuestos odiado, lo cual fue inesperado y sorprendente para la gente de su tiempo.

La Hospitalidad de Abraham y Sara (Génesis 18:1-15)

Génesis 18 cuenta la historia de la generosa hospitalidad de Abraham y Sara a tres visitantes que pasaban por la arboleda de los robles de Mamre. La vida seminómada de la región trajo contacto frecuente entre personas de diferentes familias, y Canaán se convirtió en una ruta de navegación. Como un puente terrestre natural que conecta Asia y África. Sin una industria hotelera oficial, las personas que viven en ciudades y campamentos tienen la responsabilidad social de dar la bienvenida a los forasteros. Basándose en descripciones del Antiguo Testamento y otros textos antiguos del Cercano Oriente, Matthews identificó siete códigos de conducta que definen los comportamientos de hospitalidad que afirman el honor de las personas, las familias y las comunidades al dar la bienvenida y proteger a los huéspedes. visitante. Los alrededores de un asentamiento son un área donde los individuos y las personas están obligadas a mostrar hospitalidad.

1. En esta área, es responsabilidad de los residentes ser hospitalarios.
2. A través de la hospitalidad, el visitante debe cambiar de una posible amenaza a un aliado.
3. Solo los hombres cabeza de familia o los hombres residentes en pueblos o distritos pueden alojar a extranjeros.
4. La invitación puede incluir el período de estadía, pero si el anfitrión propone una nueva invitación y ambas partes están de acuerdo, el período de estadía puede extenderse.
5. Los extranjeros tienen derecho a rechazar la invitación, pero esto puede considerarse como un insulto a la reputación del anfitrión y causar inmediatamente hostilidad o conflicto.
6. Después de aceptar la invitación, los roles de anfitrión e invitado siguen las reglas tradicionales. Los visitantes no deben pedir nada. El anfitrión brindó lo mejor que pudo, aunque pudo haberlo ofrecido humildemente en su propuesta de hospitalidad original. Los visitantes deben regresar de inmediato, ofreciendo eventos recientes, profecías auspiciosas o expresando gratitud por algo recibido y alabando al anfitrión por su generosidad y honor. Los moderadores no deben hacer preguntas personales, esta información solo debe ser proporcionada voluntariamente por el visitante.
7. Los visitantes permanecen bajo la protección del propietario hasta que abandonen el área de responsabilidad del propietario.

Este episodio proporciona contexto para el mandato del Nuevo Testamento, que dice: *"No os olvidéis de recibir invitados, porque hay quienes hospedan ángeles sin saberlo"* (**Hebreos 13:2**).

La hospitalidad y la generosidad a menudo son menospreciadas en los círculos cristianos. Sin embargo, la Biblia describe el reino de los cielos como un banquete generoso e incluso jugoso (**Isaías 25:6-9; Mateo 22:2-4**). La hospitalidad fomenta las buenas relaciones, y la hospitalidad de Abraham y Sara proporciona una visión bíblica temprana de que las relaciones y el compartir una comida van de la mano. Estos extraños se conocen mejor cenando y pasando tiempo juntos. Esto sigue siendo cierto hoy en día. A menudo, las personas se entienden y aprecian mejor cuando se sientan en la misma mesa o disfrutan del ocio o el entretenimiento. Las buenas relaciones laborales y la comunicación efectiva son a menudo el fruto de la hospitalidad.

En los días de Abraham y Sara, casi siempre había alguien dispuesto a vivir en la casa del anfitrión. En este momento, esto no siempre es posible, o incluso deseable, y la industria hotelera se creó para hacerlo posible de varias maneras. Si quiere ser hospitalario y su hogar es pequeño o sus habilidades culinarias son limitadas, puede llevar a las personas a un restaurante u hotel donde puedan disfrutar del transporte y el vínculo. Los trabajadores de esta industria te ayudarán a ser hospitalario porque ellos mismos tienen la oportunidad de inspirar a las personas, construir relaciones, brindar refugio y servir a los demás, tal como lo hizo Jesús cuando convirtió el agua en vino (**Juan 2: 1-11**) y lavando el agua. pies de sus discípulos (**Juan 13:3-11**). La industria de la hospitalidad representa el 9 por ciento del producto interno bruto del mundo y emplea a 98 millones de personas, incluidos trabajadores menos calificados y trabajadores migrantes, que representan una iglesia cristiana en crecimiento. Muchas personas ofrecen hospitalidad gratuita por amor, amistad, compasión y compromiso social. Los ejemplos de Abraham y Sara muestran que esta obra puede ser de inmensa importancia como servicio a Dios ya la humanidad. Sea cual sea nuestra profesión, ¿qué más podemos hacer para animarnos unos a otros a ser generosos en la hospitalidad?

La Disputa Entre Abraham y Abimelec (Génesis 20:1-16; 21:22-34)

Cuando Abraham y Sara entraron en el territorio del rey Abimelec, sin darse cuenta violó las reglas de la hospitalidad y, en compensación, le ofreció a Abraham cualquier tierra que quisiera (**Génesis 20:1-16**). Posteriormente, surgió una disputa sobre un pozo originalmente excavado por Abraham, pero que más tarde se apoderó de los sirvientes de Abimelec (**Génesis 21:25**). Aparentemente Abimelec desconocía la situación, y cuando escuchó la queja aceptó el pacto iniciado por Abraham, que reconocía públicamente el derecho de Abraham a usar el pozo y, por lo tanto, a seguir comerciando en la zona (**Génesis 21:27-31**).

En otro lugar vemos a Abraham renunciando a lo que le correspondía (**Génesis 14:22-24**), pero en este caso Abraham protegió obstinadamente lo que era suyo. El narrador no da a entender que Abraham dudó de su fe, ya que la historia termina con la adoración (**Génesis 21:33**). En cambio, es un ejemplo perfecto de una persona inteligente y trabajadora que lleva a cabo su negocio abiertamente y aprovecha razonablemente las protecciones legales adecuadas. En el pastoreo, el agua es fundamental, sin la cual Abraham no podría alimentar a su ganado, a sus trabajadores ya su familia. Entonces, el hecho de que Abraham protegió sus derechos de agua es importante, y también lo es la forma en que asegura sus derechos de agua.

Al igual que Abraham, las personas en diversos trabajos deben discernir cuándo actuar con generosidad para beneficiar a los demás y cuándo proteger los recursos y los derechos para su propio beneficio o el de la organización. No hay un conjunto de reglas para guiar nuestras respuestas automáticas. Somos mayordomos de los recursos de Dios en cada situación, aunque no siempre está claro si es más útil para Sus propósitos dar recursos a otros o protegerlos. Sin embargo, el ejemplo de Abraham destaca un aspecto fácil de olvidar. Esta decisión no es solo una cuestión de quién tiene el poder, sino también cómo esta decisión afectará nuestra relación con quienes nos rodean. En el primer caso de compartir tierras con Lot, Abraham entregó voluntariamente su primera opción a Lot, sentando las bases para una buena relación de trabajo a largo plazo. Con su reclamo de usar el pozo bajo sus derechos contractuales, Abraham obtuvo los recursos necesarios para mantener su negocio en funcionamiento. Además, parece que la dureza de Abraham incluso mejoró su relación con Abimelec. Recordemos que discutieron porque Abraham no defendió su posición cuando conoció a Abimelec (**Génesis 20**).

Una Tumba para Sara (Génesis 23:1-20)

Cuando Sara murió, Abraham hizo un trato ejemplar al comprarle una tumba. Negoció abierta y honestamente en presencia de testigos, teniendo en cuenta sus propias necesidades y las del vendedor (**Génesis 23:10-13, 16, 18**). La propiedad en cuestión está claramente identificada (**Génesis 23:9**), y se muestra repetidamente que Abraham planeó usarla como tumba (**Génesis 23:4, 6, 9, 11, 13, 15, 20**). El diálogo de negociación es muy claro, socialmente aceptable y transparente. Tiene lugar a las puertas de la ciudad, donde se hacen negocios abiertamente. Abraham comienza pidiendo un trato de bienes raíces. Los hititas locales le dieron a Abraham la libertad de elegir la mejor tumba, pero él se opuso y les pidió que se pusieran en contacto con el propietario del paquete, incluida la tumba, para comprarlo a *"precio completo"*. El dueño, Efron, escuchó la súplica y le dio el paquete como regalo. Esto daría como resultado que Abraham no tenga derechos perpetuos, por lo que cortésmente se ofrece a pagar el valor de mercado. Si bien negociar un mejor precio de compra es típico en las transacciones comerciales (**Proverbios 20:14**), Abraham inmediatamente acordó pagar en furuns y *"conforme al estándar del comerciante"* (**Génesis 23:16**). Esta frase significa que el trato cumple con el estándar de plata para las ventas de bienes raíces. Abraham podría ser tan rico que no necesitaría regatear, o podría querer un nivel de buena voluntad para comprar junto con la tierra. Además, es posible que desee evitar cualquier problema con la venta y sus derechos sobre la tierra. Finalmente, tomó posesión de la propiedad incluyendo la cueva y los árboles (**Génesis 23:17-20**). Fue un importante lugar de sepultura donde fue enterrada Sara, luego el mismo Abraham, Isaac, Rebeca, Jacob y Lea.

En este asunto, las acciones de Abraham encarnan valores fundamentales de integridad, transparencia y perspicacia empresarial. Respeta a su esposa al hacer duelo por ella y deshacerse de sus restos adecuadamente, entiende su lugar en el área y respeta a los residentes locales, realiza negocios de manera abierta y honesta ante testigos, se comunica con claridad, es sensible al proceso de regateo y cortésmente evita la aceptación La tierra fue entregada como regalo, la cantidad acordada fue pagada a tiempo, y la propiedad fue utilizada únicamente para el propósito establecido en el trato. De esta forma, Abraham mantuvo una buena relación con todos los involucrados.

Isaac (Génesis 21:1-35:29)

Isaac fue hijo de un gran padre y padre de un gran hijo, pero sus registros, por lo tanto, son variados. En marcado contraste con la prominencia habitual de Abraham en Génesis, la vida de Isaac se cuenta por separado en torno a las historias de Abraham y Jacob. La vida de Isaac se divide en dos partes, una claramente positiva y otra negativa, de las que se extrae la lección sobre la obra.

En el lado positivo, la vida de Isaac fue un regalo de Dios. Abraham y Sara lo apreciaron y le transmitieron sus creencias y valores, y Dios reafirmó su promesa a Abraham. Cuando Abraham lo ofreció como sacrificio, la fe y la *obediencia de Isaac fueron ejemplares, porque realmente debería haber creído lo que su padre le dijo: "Dios se proveerá de cordero para el holocausto, hijo mío"* (**Génesis 22:8**). Isaac pasó la mayor parte de su vida siguiendo los pasos de Abraham. Isaac expresó la misma fe, orando por su esposa estéril (**Génesis 25:21**). Así como Abraham enterró honorablemente a Sara, Isaac e Ismael enterraron a su padre (**Génesis 25:9**). Isaac se convirtió en un granjero y pastor tan exitoso que los nativos estaban celosos de él y le pidieron que se fuera (**Génesis 26:12-16**). Reabrió el pozo que su padre había cavado durante su vida, y esto fue nuevamente objeto de una disputa con la gente de Gilar por los derechos de agua (**Génesis 26:17-21**). Al igual que Abraham, Isaac fue parte de un pacto con Abimelec que estableció un trato justo entre los dos (**Génesis 26:26-31**). El escritor de Hebreos menciona que por la fe Isaac vivió en una tienda y bendijo a Jacob ya Esaú (**Hebreos 11:8-10, 20**). En resumen, Isaac heredó un vasto negocio familiar y riqueza. Al igual que su padre, no la monopolizó, sino que cumplió el papel que Dios le había escogido para transmitir la bendición a todas las naciones.

En medio de estos eventos positivos, Isaac fue un hijo responsable que aprendió a liderar a su familia ya administrar sus negocios de la manera que un padre piadoso y competente había ejemplificado. Los esfuerzos de Abraham por preparar a su sucesor y establecer valores permanentes han sido una vez más una bendición para su carrera. Cuando Isaac cumplió cien años, le tocó a él nombrar a su sucesor mediante la bendición familiar. Aunque vivió otros ochenta años, la bendición es el último aspecto importante de Isaac registrado en Génesis. Desafortunadamente, fracasó por poco en esta tarea. De alguna manera, se olvidó de la revelación de Dios a su esposa de que, a pesar de la costumbre normal, su hijo menor, Jacob, sería el cabeza de familia, no el hijo mayor (**Génesis 25:23**). Gracias a las ingeniosas estrategias de Rebeca y Jacob, Isaac vuelve a estar encaminado para cumplir la voluntad de Dios.

Mantener una empresa familiar significa que la estructura básica de la familia debe permanecer intacta, y el padre debe velar por ello. Aunque desconocidos para muchos de nosotros hoy, había costumbres relacionadas en la familia de Isaac: primogenitura (**Génesis 25:31**) y bendición (**Génesis 27:4**). El derecho de nacimiento confiere el derecho a heredar una mayor parte de los bienes del padre, incluidos los bienes y la tierra. Aunque a veces se transfiere la primogenitura, por lo general se reserva para el hijo mayor. La ley exacta a este respecto puede variar, pero parece haber sido una característica estable de la antigua cultura del Cercano Oriente. Las bendiciones son el llamado correspondiente de Dios a la prosperidad y los sucesores en la familia. Esaú pensó erróneamente que podía renunciar a su primogenitura y aun así ser bendecido (**Hebreos 12:16-17**), pero Jacob reconoció que eran inseparables. Con estos dos, Jacob tendría derecho a heredar la propiedad familiar económica y socialmente, así como en su fe. La bendición es el tema central de la trama que se desarrolla en Génesis, y significa no solo aceptar las promesas del pacto de Dios con Abraham, sino transmitirlas a la siguiente generación.

De lo que Isaac no se dio cuenta fue que Jacob recibiría su primogenitura y sus bendiciones porque estaba priorizando su comodidad personal sobre las necesidades de la organización familiar. Prefería a Esaú porque le gustaba la caza que le traía su hijo el cazador. Aunque Esaú valora la primogenitura como algo menos que una simple comida *(lo que significa que no es apto o no está interesado en el puesto de líder del negocio familiar),* Isaac quiere que Esaú la tenga. Las circunstancias personales de la bendición de Isaac muestran que él sabía que tal acto atraería críticas. El único aspecto positivo de este episodio es que la confianza de Isaac lo lleva a darse cuenta de que la bendición divina que por error otorgó a Jacob es irrevocable. Por eso es recordado generosamente en el Libro de Hebreos. *"Por la fe Isaac bendijo a Jacob y a Esaú para lo venidero"* (**Hebreos 11:20**). Aunque las intenciones de Isaac no tenían fundamento, Dios eligió a Isaac para perpetuar esta bendición y, a través de él, llevó a cabo obstinadamente Su voluntad.

El ejemplo de Isaac nos recuerda que quedar demasiado atrapados en nuestras propias opiniones puede conducir a graves errores de juicio. Cada uno de nosotros es seducido por la comodidad personal, los prejuicios y el interés propio, lo que nos ciega a la importancia más amplia de nuestro trabajo. Nuestras debilidades pueden ser la alabanza, la seguridad financiera, las relaciones inapropiadas, la evasión de conflictos, las recompensas a corto plazo y otras ganancias personales que pueden impedirnos hacer nuestro trabajo para cumplir el propósito de Dios.

Hay factores tanto personales como sistémicos involucrados aquí. A nivel personal, la preferencia de Isaac por Esaú se repite hoy en día, y los que están en el poder deciden promover a ciertas personas en función de la preferencia, lo admitan o no. A nivel sistémico, todavía hay muchas organizaciones que permiten a sus líderes contratar, despedir y ascender como les plazca, en lugar de desarrollar sucesores y subordinados a través de un proceso coordinado y responsable a largo plazo. Ya sea que el abuso sea individual o sistémico, simplemente decidir hacerlo mejor o cambiar los procesos organizacionales no tendrá una solución efectiva. En cambio, tanto los individuos como las organizaciones deben ser transformados por la gracia de Dios para priorizar lo que realmente importa sobre la ganancia personal.

Jacob (Génesis 25:19-49:33)

A menudo, los nombres de Abraham, Isaac y Jacob aparecen en un grupo porque todos aceptaron las promesas del pacto de Dios y compartían las mismas creencias. Sin embargo, Jacob era muy diferente a su abuelo Abraham. Jacob siempre fue astuto y pasó la mayor parte de su vida basado en su astucia e ingenio. Él no es ajeno a los conflictos, y su pasión por conseguir lo que quiere lo controla. Esta lucha fue un trabajo muy duro que eventualmente lo llevó al momento decisivo de su existencia, una lucha con un hombre misterioso en quien Jacob vio a Dios cara a cara (**Génesis 32:24, 30**). En su debilidad, Jacob clama por la bendición de Dios con fe y es transformado por la gracia.

Lo que nos interesa en Enseñanza del Trabajo es la vida laboral de Jacob como pastor. Sin embargo, adquiere una importancia aún mayor cuando se sitúa en el contexto general de su vida, de un lado al otro, de la alienación a la reconciliación. Hemos visto que la obra de Abraham fue una parte integral de su propósito, que surgió de su relación con Dios. Esto se aplica a Jacob, y la lección se aplica a nosotros.

Jacob Recibe Deshonestamente la Primogenitura y las Bendiciones de Esaú (Génesis 25:19-3)

Aunque el plan de Dios era que Jacob heredara a Isaac (**Génesis 25:23**), Rebeca y Jacob lo obtuvieron estafando y robando, poniendo a la familia en grave peligro. En lugar de confiar en Dios, son deshonestos con Isaac y Esaú para asegurar su futuro, lo que resulta en una separación a largo plazo del negocio familiar.

Las bendiciones del pacto de Dios son regalos recibidos, no tomados. Están destinados a ayudar a los demás, no a ser acumulados. Jacob no tomó esto en cuenta. A pesar de su fe *(a diferencia de su hermano Esaú)*, confió en su capacidad para obtener los derechos que valoraba. Jacob usó el hambre de Esaú para recomprar su primogenitura (**Génesis 25:29-34**). Es bueno que Jacob valore este derecho, pero muestra una extrema falta de confianza en él, y quiere obtenerlo por derecho propio, especialmente en la forma en que lo hace. Siguiendo el consejo de su madre Rebecca *(quien también busca favores por medios equivocados)*, Jacob engaña a su padre, y su vida como fugitivo de la familia muestra la naturaleza atroz de sus acciones.

Más tarde, Jacob comenzó a creer sinceramente en la promesa del pacto con Dios, aunque no podía creer que Dios haría algo por él. Las personas piadosas maduras que aprenden a dejar que sus creencias influyan en sus decisiones *(y no permiten que sus decisiones influyan en sus creencias)* pueden aprovechar esta fortaleza. Las decisiones valientes y astutas que logran grandes resultados pueden ser elogiadas por su pura efectividad, pero cuando las ganancias provienen de explotar y defraudar a otros, algo anda mal. Más allá del hecho de que los métodos deshonestos son en sí mismos incorrectos, pueden revelar los temores centrales de quienes los usan. El deseo constante de Jacob de ganar para sí mismo muestra cómo su temor lo llevó a resistir la gracia transformadora de Dios. Mientras comencemos a confiar en las promesas de Dios, es menos probable que manipulemos las circunstancias para nuestro propio beneficio. Siempre debemos ser conscientes de que podemos engañarnos fácilmente sobre la pureza de nuestros motivos.

Jacob Ganó su Fortuna (Génesis 30-31)

Jacob huyó de Esaú y llegó a la granja de la familia de Labán, el hermano de su madre. Jacob trabajó para Labán durante veintiún años frustrantes, tiempo durante el cual Labán rompió una serie de promesas que le había hecho. Sin embargo, Jacob logró casar a sus dos hijas y formar una familia. Quería irse a casa, pero Labán lo convenció de que se quedara y trabajara para él, prometiéndole que *"fijaría [su] salario"* (**Génesis 30:28**). Evidentemente, Jacob era un buen trabajador y Labán fue bendecido por su asociación.

Durante este tiempo, Jacob aprendió sobre el comercio de ganado y usó esta habilidad para vengarse de Labán. A través de sus habilidades de cría, se hizo muy rico a expensas de su tío, y la situación se desarrolló hasta el punto en que los hijos de Labán se quejaron *"Jacob tomó todo de nuestro padre, y en qué época creó nuestro padre toda esta riqueza"* (**Génesis 31 :1-2**). Jacob notó un cambio en la actitud de Labán hacia él. Sin embargo, afirmó que sus ingresos eran un regalo de Dios, diciendo: *"Si el Dios de mi padre, el Dios de Abraham, y el temor de Isaac no hubieran estado conmigo, me habrías enviado ahora con las manos vacías"* (**Génesis 31:42**).

Jacob sintió que Labán lo había tratado mal. A través de sus maquinaciones, responde creando otro enemigo similar a Esaú, usándolo. Este fue un patrón recurrente en la vida de Jacob. Todo parece estar bien, y aunque claramente se atribuye el mérito de Dios, está claro que está haciendo estas cosas por su carácter de estratega. En este punto, no vemos mucho de su fe integrada en su obra, y es interesante que cuando Hebreos reconoce a Jacob como un hombre de fe, solo menciona sus obras (**Hebreos 11:21**).

La Conversión de Jacob y su Reconciliación con Esaú (Génesis 32-33)

La relación de Jacob con su suegro se volvió tensa y ambos hombres se comportaron de manera indecorosa durante la separación del negocio, por lo que dejó a Labán. Después de obtener su estatus a través de los trucos cobardes de Labán muchos años antes, Jacob vio la oportunidad de legitimarlo al hacer un trato con su hermano Esaú. Sin embargo, esperaba que las conversaciones fueran tensas. Temiendo que Esaú viniera a su encuentro con sus cuatrocientos hombres armados, Jacob dividió a su familia y sus animales en dos grupos para asegurar cierto grado de supervivencia. Oró por protección y apaciguó a Esaú con un gran regalo de animales antes del juego. Pero la noche antes de llegar al punto de encuentro, Jacob el embaucador se encuentra con una figura misteriosa que lo sorprenderá. Dios mismo lo atacó en la forma de un hombre fuerte, y Jacob se vio obligado a luchar contra él toda la noche. Resulta que Dios no es solo un Dios de adoración y religión, sino también un Dios del trabajo y los negocios familiares. No estaba tratando de tomar ventaja sobre un manipulador astuto como Jacob; demostró su superioridad hasta el punto de lastimar permanentemente la cadera de Jacob, pero Jacob dijo en su debilidad que no se rendirá hasta que su atacante lo bendiga.

Esto se convirtió en un punto de inflexión en la vida de Jacob. Ha luchado con la gente a lo largo de los años, pero también ha luchado con su relación con Dios. Aquí, finalmente conoció a Dios en su lucha y obtuvo la bendición de Dios. Jacob recibió un nuevo nombre, Israel, e incluso le dio al lugar un nuevo nombre en honor al hecho de que había visto a Dios cara a cara allí (**Génesis 32:30**). A la mañana siguiente, el encuentro con Esaú se vuelve preocupante y contradice las terribles expectativas de Jacob de la manera más deliciosa que se pueda imaginar. Esaú corrió hacia Jacob y lo abrazó. Intenta rechazar cortésmente el regalo de Jacob, pero Jacob insiste en dárselo. El Jacob transformado le dijo a Esaú: *"Como un hombre ve el rostro de Dios, he visto tu rostro"* (**Génesis 33:10**).

La identidad ambigua del oponente de Jacob es un aspecto intencional de la historia, que destaca los elementos intrínsecos de la lucha de Jacob con Dios y el hombre. Santiago nos muestra una verdad que está en el corazón de nuestra fe: Nuestras relaciones con Dios y las personas están interconectadas. Nuestra reconciliación con Dios hace posible que nos reconciliemos con los demás. Asimismo, en la reconciliación humana, podemos ver y conocer mejor a Dios. La obra de reconciliación se aplica a familias, amigos, iglesias, empresas e incluso grupos de población y naciones. Sólo Cristo puede ser nuestra paz, pero para eso somos sus embajadores. Esta es una bendición de la promesa original de Dios a Abraham que debería afectar al mundo entero.

José (Génesis 37:2-50:26)

Recordemos que con su llamado, Dios le dio a Abraham promesas básicas (**Génesis 12:2-3**). Primero, Dios multiplicará su descendencia y se convertirán en una gran nación. Segundo, Dios los bendiga. Tercero, Dios quería engrandecer el nombre de Abraham, es decir, que fuera digno de su gran nombre. Cuarto, Abraham será una bendición. Este último se refiere a los descendientes de la familia abrahámica y, lo que es más importante, a todas las familias de la tierra. Dios bendice a los que lo bendicen y maldice a todos los que lo maldicen. Génesis registra el cumplimiento parcial de estas promesas a través de los descendientes elegidos de Abraham, a saber, Isaac, Jacob y los hijos de Jacob. Entre ellos, la promesa de Dios de bendecir a las naciones a través de los descendientes de Abraham encontró un cumplimiento más directo en José. De hecho, personas de "todas las naciones" dependían del sistema alimentario administrado por José para su sustento (**Génesis 41:57**). Josefo entendió esta misión y articuló su propósito en la vida según la voluntad de Dios: *"salvar muchas vidas"* (**Génesis 50:20**).

Los Hermanos de José lo Rechazaron y lo Vendieron como Esclavo. (Génesis 37:2-36)

José creció creyendo que Dios lo destinó a la grandeza. En su sueño, Dios le aseguró a José que tendría liderazgo sobre sus padres y hermanos (**Génesis 37:5-11**). Desde la perspectiva de José, estos sueños eran evidencia de la bendición de Dios, no de su propia ambición. Sin embargo, desde la perspectiva de sus hermanos, estos sueños eran otra manifestación del injusto privilegio de José como hijo favorito de su padre Jacob (**Génesis 37:3-4**). Asegurarnos de tener ciertos derechos no nos exime de sentir empatía por aquellos que pueden tener una visión diferente. Los buenos líderes se esfuerzan por fomentar la cooperación en lugar de la envidia. El incumplimiento de esto llevó a José a un gran conflicto con sus hermanos. Después de conspirar inicialmente para asesinarlo, sus hermanos decidieron venderlo a un grupo de comerciantes que enviaban mercancías desde Canaán a Egipto. Los mercaderes, a su vez, vendieron a José a Potifar, *"capitán de la guardia"*, un *"oficial de Faraón"* en Egipto (**Génesis 37:36**).

Los Trucos de la Esposa de Potifar y el Encarcelamiento de José (Génesis 39:1-20)

Su tiempo trabajando para Potifar le dio a José amplias responsabilidades fiduciarias. Al principio, José estaba solo *"en"* la casa de su amo. No sabemos qué deberes tenía, pero cuando Potifar reconoció las habilidades de José, lo ascendió a su mayordomo personal y *"encomendó en su mano todo lo que tenía"* (**Génesis 39:4**).

Después de algún tiempo, la esposa de Potifar se interesó sexualmente en José (**Génesis 39:7**). La negativa de José a las insinuaciones de su esposa fue clara y razonable. Él le recuerda la confianza de Potifar en él y describe la relación que ella busca en términos morales o religiosos de "gran maldad" y **"pecado"** (**Génesis 39:9**). Él era social y teológicamente sensible, y repetidamente boicoteó verbalmente, incluso evitando, su presencia. Cuando se encuentra siendo agredido físicamente, José decide huir semidesnudo en lugar de ceder.

El caso de acoso sexual se produjo en medio de una relación de poder que no era favorable para José. Aunque ella creía que tenía el derecho y el poder de usar a José de esta manera, estaba claro que sus palabras y su trato no fueron bien recibidos por él. Por su trabajo, José se vio obligado a quedarse en la casa donde ella estaba, y no pudo hablar del tema con Potifar sin interferir en su relación matrimonial. Incluso después de que escapa y es arrestado por cargos falsos, José parece no estar por ningún lado.

Los aspectos de este episodio analizan de cerca el problema del acoso sexual en el lugar de trabajo actual. Las personas tienen diferentes estándares de lo que constituye un contacto verbal o físico inapropiado, pero generalmente se deben considerar los caprichos de quienes están en el poder. Con frecuencia, se requiere que los empleados informen los posibles incidentes de acoso a sus superiores, pero a menudo se muestran reacios a hacerlo porque saben que corren el riesgo de confusión y represalias. Para colmo de males, mientras que el acoso se puede documentar, los trabajadores pueden ser persuadidos para denunciarlo. La piedad de José no lo salvó de falsas acusaciones y encarcelamiento. Si nos encontramos en una situación similar, nuestra devoción no garantiza que saldremos ilesos. No obstante, José dejó un testimonio instructivo a la esposa de Potifar ya otros miembros de la familia. Saber que pertenecemos al Señor y que Él protege a los débiles seguramente nos ayudará a enfrentar las dificultades sin rendirnos. Esta historia permite reconocer de manera realista que denunciar el acoso sexual en el lugar de trabajo puede tener consecuencias devastadoras. Aun así, es una historia de, con suerte, por la gracia de Dios, la bondad eventualmente triunfando. José también es nuestro modelo a seguir, incluso si somos acusados falsamente y abusados, debemos continuar haciendo el trabajo que Dios nos ha dado, y dejar que Dios finalmente resuelva este problema.

José Interpretando Sueños en Prisión (Génesis 39:20-40:23)

El trabajo de José en la prisión se caracterizó por la presencia del Señor, la confianza del alcaide y el levantamiento de José (**Génesis 39:21-23**). En prisión, José conoció a dos de los funcionarios detenidos por Faraón, el jefe de los coperos y el jefe de los panaderos. Muchos textos egipcios hacen referencia al papel de los cantineros, que no solo cataban el vino para comprobar su calidad y hacían pruebas de veneno, sino que también disfrutaban de cierto grado de intimidad con quienes ostentaban el poder político. A menudo se convierten en valiosos confidentes debido a sus consejos *(ver Nehemías 2:1-4)*. Al igual que el jefe de los mayordomos, el jefe de los panaderos era un funcionario de confianza con acceso directo a los hombres más poderosos del gobierno. Es probable que su misión no fuera solo preparar comida, mientras estuvo en prisión, José interpretó sueños para estos hombres conectados políticamente.

En el mundo antiguo, la interpretación de los sueños era una profesión compleja que involucraba "libros de sueños", que enumeraban los elementos de los sueños y sus significados. Los registros reales de sueños pasados y sus interpretaciones proporcionan evidencia empírica para las predicciones del intérprete. Sin embargo, en lugar de aceptar las enseñanzas de esta tradición, Josefo reconoció que la interpretación dada por Dios finalmente probó su verdad (**Génesis 40:8**). En este caso, el mayordomo pudo volver a su posición anterior y pronto se olvidó de José.

La dinámica presentada en esta historia persiste hoy. Podemos contribuir al éxito de otra persona que nos supera, solo para ser desechados cuando ya no somos útiles. ¿Eso significa que nuestro trabajo se desperdicia y que también podríamos centrarnos en nuestros propios puestos y promociones? Además, José no pudo verificar de forma independiente las historias de los dos guardias de la prisión. *"El que aboga primero parece justo hasta que es llevado a juicio"* (**Proverbios 18:17**). Sin embargo, después de la sentencia, cualquier preso puede alegar su inocencia.

Podemos preguntarnos cómo nuestras inversiones en otros finalmente nos benefician a nosotros o a nuestra organización. Es posible que queramos conocer el carácter y las motivaciones de las personas a las que ayudamos. Podemos desaprobar lo que hacen a continuación y cómo nos afecta. Estos temas pueden ser variados y complejos y requieren oración y perspicacia, pero ¿deberían paralizarnos? El apóstol Pablo escribió: *"Tengamos oportunidad, hagamos bien a todos"* (**Gálatas 6:10**). Será más fácil avanzar si empezamos a comprometernos a trabajar primero para

Dios, creyendo que *"a los que aman a Dios, todas las cosas les ayudan a bien, esto es, a los que conforme a su propósito son llamados"* (**Romanos 8:28**).

Faraón Promueve a José (Génesis 41:1-45)

Pasaron otros dos años antes de que José tuviera la oportunidad de escapar de la miseria de la prisión. El faraón comenzó a tener sueños inquietantes, y el mayordomo recordó las habilidades del joven hebreo en prisión. Faraón soñó con vacas y juncos espinosos, para gran confusión de sus consejeros más capaces. José testificó que Dios podía dar explicaciones y que su papel era simplemente el de un mediador de la revelación (**Génesis 41:16**). Antes de Faraón, José no usó el título del pacto de Dios, que era exclusivo de su pueblo. En cambio, se ha estado refiriendo a Dios con el término más general *Elohim*. Al hacerlo, José evitó una ofensa innecesaria y Faraón reconoció que Dios le había revelado a José el significado de su sueño (**Génesis 41:39**). En el lugar de trabajo, los creyentes a veces atribuyen su éxito a Dios de maneras superficiales que finalmente llevan a la gente a rechazarlos. La forma en que José hizo esto impresionó a Faraón, mostrando que era posible atribuir crédito público a Dios de manera convincente.

Dios estaba tan evidentemente con José que Faraón lo ascendió a ser el segundo al mando de Egipto, con la responsabilidad especial de prepararse para la hambruna venidera (**Génesis 41:37-45**). Las palabras de Dios a Abraham estaban dando frutos: *"Bendeciré a los que te bendijeren... serán benditas en ti todas las familias de la tierra"* (**Génesis 12:3**). Al igual que José, cuando reconocemos nuestra incapacidad para enfrentar los desafíos que enfrentamos y cuando encontramos formas apropiadas de atribuir nuestro éxito a Dios, desarrollamos una poderosa defensa contra el orgullo que a menudo acompaña al reconocimiento público.

El ascenso de José le proporcionó importantes cualidades de liderazgo: el anillo de sello y el collar de oro del rey, vestimenta fina acorde con su alto cargo, transporte oficial, un nuevo nombre egipcio y una esposa egipcia de una familia de clase alta. (**Génesis 41:41-45**) Si alguna vez pensó en renunciar a su sangre hebrea, fue él. Dios nos ayuda ante el fracaso y el fracaso, aunque puede que necesitemos más su ayuda cuando nos enfrentamos al éxito. Las escrituras brindan varias indicaciones de cómo Josefo manejó su ascensión de una manera piadosa, en parte relacionada con los preparativos para la ascensión.

Mientras estaba en la casa de su padre, los sueños de liderazgo que Dios le había dado a José lo llevaron a creer que tenía un propósito ordenado por Dios y un destino que nunca olvidaría. Básicamente, es su naturaleza confiar en las personas y no parece guardar rencor contra su hermano celoso y su mayordomo olvidadizo. Antes de que Faraón lo resucitara, José sabía que el Señor estaba con él y hay pruebas sólidas para probarlo. Dar constantemente crédito a Dios no solo era lo correcto, sino que también le recordaba al mismo José que su poder provenía de Dios. José fue cortés y humilde, demostrando que quería ayudar a Faraón ya los egipcios en cualquier forma que fuera necesaria. Aunque los egipcios carecían de riqueza y ganado, José se ganó la confianza de ellos y del mismo Faraón (**Génesis 41:55**). Durante el resto de su vida como gerente, José se dedicó a una gestión eficiente en beneficio de los demás.

Hasta ahora, la historia de José nos recuerda que en nuestro mundo caído, las respuestas de Dios a nuestras oraciones no necesariamente llegan rápidamente. José tenía diecisiete años cuando sus hermanos lo vendieron como esclavo (**Génesis 37:2**), y cuando tenía treinta (**Génesis 41:46**) finalmente fue liberado del cautiverio, después de trece largos años.

La Gestión Exitosa de José de la Crisis Alimentaria (Génesis 41:46-57; 47:13-26)

José Crea Infraestructura y Política Agrícola de Largo Plazo (Génesis 41:46-57)

José inmediatamente comenzó a realizar el trabajo que Faraón le había asignado. Su principal interés era tratar de beneficiar a los demás, en lugar de usar su nueva posición al frente de la corte para beneficio personal. Se mantuvo firme en su fe, nombrando a sus hijos en honor de Dios por sanar su dolor emocional y hacerlo fructífero (**Génesis 41:51-52**). Reconoce que su sabiduría y discernimiento son un regalo de Dios, pero también reconoce que aún le queda mucho por aprender sobre la tierra egipcia, especialmente la agricultura. Como Jefe Ejecutivo, el trabajo de José ha impactado la vida de la nación en casi todas las áreas prácticas. Su industria requería que estudiara legislación, comunicación, negociación, transporte, métodos seguros y eficientes de almacenamiento de alimentos, construcción, desarrollo de estrategias y estimación económica, así como mantenimiento de registros, gestión de nómina, manejo de efectivo y transacciones de trueque, recursos humanos y adquisiciones de propiedades. Su extraordinaria capacidad para relacionarse con Dios y el hombre no funciona en otro ámbito. El espíritu del éxito de José radica en la integración efectiva de sus dones naturales y habilidades adquiridas. Para José, todo es obra de la piedad.

José fue descrito por el faraón como *"astuto y sabio"* (**Génesis 41:39**), rasgos que le permitieron llevar a cabo una planificación y gestión estratégica. Las palabras hebreas para sabiduría y sabiduría *(hakham y hokhmah)* denotan altos niveles de alerta mental, pero también se usan para una amplia gama de habilidades prácticas, incluido el uso de madera, piedras preciosas y metales (**Éxodo 31:3-5; 35). :31-33)**, vestido (**Éxodo 28:3; 35:26, 35**), y administración (**Deuteronomio 34:9; 2 Corintios 1:10**) y justicia (**1 Reyes 3:28**). Estas habilidades también están presentes en los incrédulos, pero los sabios bíblicos disfrutaron de bendiciones especiales de Dios, quien quería que Israel mostrara a las naciones el camino de Dios (**Deuteronomio 4:6**).

Como primer acto, *"José... recorrió toda la tierra de Egipto"* (**Génesis 41:46**) de gira. Debe estar familiarizado con las personas que manejan la finca, el tamaño y condición de los campos, los cultivos, los caminos y los medios de transporte. Es difícil imaginar a José haciendo todo esto por su cuenta, ya que tiene que construir y supervisar la capacitación de agencias similares al Ministerio de Agricultura y Finanzas. Durante los siete años de la cosecha, José almacenó grano en varias ciudades (**Génesis 41:48-49**). Durante los siguientes siete años de hambruna, José distribuyó alimentos a los egipcios y otros afectados por la hambruna generalizada. Se necesitó un talento extraordinario para crear y administrar todo esto mientras se sobrevivía a las maquinaciones políticas de una monarquía absoluta.

José Alivió la Pobreza del Pueblo Egipcio (Génesis 47:13-26)

Cuando la gente se quedó sin dinero, José les permitió cambiar su ganado por comida. Este proyecto duró un año, durante el cual José recolectó caballos, ovejas, cabras, bueyes y asnos (**Génesis 47:15-17**). Debe determinar el valor de estos animales y establecer un sistema de comercio justo. Cuando escasean los alimentos, la gente teme especialmente por su propia supervivencia y la de sus seres queridos. Por lo tanto, proporcionar puntos de distribución de alimentos y tratar a las personas de manera justa se convierte en un tema administrativo extremadamente importante.

Cuando no hubo más ganado para comerciar, la gente se vendió voluntariamente como esclava y vendió su tierra a Faraón (**Génesis 47:18-21**). Desde el punto de vista del liderazgo, debe haber sido aterrador presenciar algo como esto. Si bien José permitió que la gente vendiera su tierra y se convirtieran en esclavos, no se aprovechó de ellos en su impotencia. José tuvo que verificar que las propiedades tuvieran el precio correcto cuando se cambiaron por semillas para sembrar (**Génesis 47:23**). Aprobó una ley permanente que requería que la gente devolviera el 20 por ciento de su cosecha al faraón, lo que implicó la creación de un sistema para monitorear y hacer cumplir la ley y la creación de un departamento dedicado a administrar las ganancias. En todo esto, José eximió a las familias sacerdotales de vender sus tierras porque Faraón les proporcionó una porción de su comida para satisfacer sus necesidades (**Génesis 47:22, 26**). Administrar esta población en particular significa que tienen un sistema de distribución diferente y más pequeño diseñado solo para ellos.

La pobreza y sus consecuencias son realidades económicas. Nuestra primera prioridad es ayudar a eliminarlos, pero no podemos esperar un éxito completo hasta que se alcance el Reino de Dios. Es posible que los creyentes no podamos cambiar las circunstancias que obligan a las personas a tomar decisiones difíciles, pero podemos encontrar formas de apoyarlos en estas situaciones, sean creyentes o no. Elegir entre el menor de los dos males puede ser un trabajo necesario y emocionalmente devastador. En nuestro trabajo, sentimos la presión de empatizar con los necesitados, incluso cuando tenemos el deber de hacer el bien a las personas y organizaciones para las que trabajamos. José experimentó la guía de Dios en estas arduas tareas, y también tenemos la promesa de Dios *"Nunca te dejaré ni te desampararé"* (**Hebreos 13:5**).

Afortunadamente, José usó las habilidades y la sabiduría que Dios le dio para ayudar a Egipto a sobrevivir la crisis agrícola. Al comienzo de la cosecha de siete años, José desarrolló un sistema de almacenamiento para almacenar el grano utilizado durante la sequía. Durante los siete años de sequía, *"José abrió todos los graneros"* y proporcionó suficiente comida para ayudar a los egipcios a sobrevivir la hambruna. La implementación efectiva de sus sabias estrategias y planes también permitió a Egipto suministrar alimentos al resto del mundo en tiempos de escasez (**Génesis 41:57**). En este caso, el cumplimiento de la promesa de que los descendientes de Abraham serían una bendición para el mundo no solo fue en beneficio de otras naciones, sino incluso a través de industrias egipcias extranjeras.

De hecho, la bendición de Dios sobre los israelitas vino después de su bendición sobre los extranjeros. Dios no levantó a un israelita en la tierra de Israel para proveer lo necesario para aliviar al pueblo en hambruna. En cambio, Dios entrenó a José para trabajar en el gobierno egipcio ya través de él para satisfacer las necesidades del pueblo de Israel (**Génesis 47:11-12**). Sin embargo, no debemos idealizar a José. Como funcionario de una sociedad a veces despótica, se convirtió en parte de su estructura de poder e impuso personalmente la esclavitud a un gran número de personas (**Génesis 47:21**).

Solicitud de Experiencia Administrativa de José (Génesis 41:46-57; 47:13-26)

Génesis está menos interesado en la mayordomía de Josefo durante la crisis alimentaria que en formular principios para una mayordomía efectiva en términos de su impacto en la casa de Israel. Sin embargo, las extraordinarias habilidades de liderazgo de José pueden servir como modelo para los líderes de hoy, y podemos encontrar algunas aplicaciones prácticas en su trabajo:

1. Familiarícese con la situación general tanto como sea posible cuando se incorpore al trabajo.
2. Ore para obtener información sobre el futuro para que pueda planificar sabiamente.
3. Comprométete primero con Dios, luego espera que Él guíe y fortalezca tus planes.
4. Sea agradecido y reconozca apropiadamente los dones que Dios le ha dado.
5. Incluso si otros reconocen que Dios está presente en tu vida y que tienes talentos especiales, no los publiques egoístamente para ganarte su respeto.
6. Recibir capacitación para hacer bien su trabajo y hacerlo bien.
7. Busca el bien de los demás de manera práctica, sabiendo que tú debes ser la bendición en la que Dios te ha puesto.
8. Hacer las cosas con justicia, especialmente en tiempos difíciles y profundamente perturbadores.
9. Si bien su trabajo ejemplar puede ayudarlo a salir adelante, recuerde su llamado principal como siervo de Dios. Tu vida no incluye el dinero que ganas por ti mismo.
10. Una piedad que valora las muchas obras honorables que necesita la sociedad.
11. Da generosamente los frutos de tu trabajo a aquellos que realmente lo necesitan, sin importar lo que pienses de ellos.
12. Acepte el hecho de que Dios puede traerlo a cierto campo de trabajo en condiciones extremadamente duras, no significa que haya sucedido algo terrible o que esté fuera de la voluntad de Dios.
13. Tenga la seguridad de que Dios lo hará apto para el trabajo.
14. Acepte el hecho de que a veces las personas deben elegir entre dos situaciones desagradables pero inevitables que creen que son las mejores.
15. Cree que lo que haces no solo beneficiará a aquellos que ves y conoces, sino que tu trabajo tiene el potencial de impactar las vidas de las generaciones venideras. Dios es

poderoso para hacer más de lo que pedimos o entendemos (**Efesios 3:20**).

La Relación de José con sus Hermanos. (Génesis 42-43)

Egipto estaba en crisis y los hermanos de José vinieron de Canaán a comprar comida, ya que la hambruna también estaba afectando severamente su tierra. No conocían a José, y él no reveló su identidad. Trata con sus hermanos principalmente en lenguaje comercial. La palabra dinero *(kesef)* aparece 20 veces en los capítulos 42-45, y la palabra grano *(shever)* aparece 19 veces. El comercio de este producto representa el marco dentro del cual tienen lugar complejas dinámicas individuales.

En este caso, el comportamiento de José es bastante astuto. Primero, ocultó su identidad a sus hermanos, lo cual, si bien no es necesariamente un engaño absoluto (la palabra hebrea *mirmah*, es lo mismo que Jacob en **Génesis 27:35**), en realidad es hipocresía. En segundo lugar, habló con dureza a sus hermanos sobre acusaciones que sabía que no tenían fundamento (**Génesis 42:7, 9, 14, 16; 44:3-5**). En resumen, Joseph usa sus poderes contra un grupo de personas en las que no sabe si puede confiar debido a su trato, y su motivación es discernir el carácter actual de las personas con las que está tratando. Durante veinte años, estaba harto de ellos y tenía motivos para desconfiar de sus palabras y hechos y de su compromiso con la familia.

Los métodos de José bordean el engaño. Oculta información importante, manipula los eventos de varias maneras y actúa como un duro detective de interrogatorios. No puede hacerlo de manera totalmente transparente, ni puede esperar que le proporcionen información fiable. El concepto bíblico de esta estrategia es astuto. La astucia puede usarse para bien o para mal. Por un lado, la serpiente era *"más astuta que las bestias del campo"* (**Génesis 3:1**) Utiliza métodos astutos para lograr fines desastrosamente malvados (el uso constante de la palabra *"astucia"* en la ***New American Standard Bible*** muestra claramente que la misma palabra se traduce del hebreo. La palabra se usa en todas las versiones en inglés). La palabra hebrea astuto (*ormah* y su calaña) también se traduce como "sabio", *"cauteloso" y "sabio"* (**Proverbios 12:23; 13:16; 14:8; 22:3; 27:12**), mostrando que el trabajo piadoso en circunstancias difíciles puede requerir cuidado y habilidad. Jesús mismo aconsejó a sus discípulos que fueran *"astutos como serpientes e inofensivos como palomas"* (**Mateo 10:16**). La Biblia a menudo aconseja ser astuto en la búsqueda de buenos fines (**Proverbios 1:4; 8:5, 12**).

La astucia de José tenía la intención de probar la integridad de sus hermanos, y ellos le devolvieron el dinero que José había escondido en secreto en su bolsa (**Génesis 43:20-21**). Más tarde, los probó de otra manera, tratando a Benjamín (el más joven) con más generosidad que a los demás, y demostraron que habían aprendido a no ser hostiles entre sí como lo habían sido cuando lo vendieron como esclavo.

Es superficial explicar a partir de las acciones de José que creer que estamos del lado de Dios siempre justifica el engaño. La larga labor y el sufrimiento de José en el servicio de Dios lo hicieron estar mejor informado que sus hermanos. Aparentemente, la promesa de Dios de convertirlos en una gran nación flota en el aire. José sabía que no tenía poder para salvarlos, pero usó la autoridad y la sabiduría que Dios le dio para servirlos y ayudarlos. En este caso, dos factores importantes diferenciaron a José, ya que decidió utilizar un método que de otro modo no sería recomendable. Primero, no obtiene nada de estas parcelas. Fue bendecido por Dios, y el único propósito de sus acciones fue ser una bendición para los demás. Podría haberse aprovechado de la desesperación de sus hermanos y haberles exigido maliciosamente más dinero sabiendo que no se detendrían ante nada para sobrevivir. En cambio, usa su conocimiento para salvarlos. Segundo, sus acciones son necesarias para proveer la bendición. Si él y sus hermanos hubieran sido más abiertos y honestos, no habría podido demostrar que se podía confiar en ellos en este asunto.

Judá se Convierte en Siervo de Dios (Génesis 44:1-45:15)

En el episodio final donde Joseph pone a prueba a su hermano, Joseph incrimina a Benjamín por un crimen ficticio y exige que siga siendo un esclavo. Cuando les pidió a los hermanos que enviaran a Isaac a casa sin Benjamín (**Génesis 44:17**), Judá se puso de pie para hablar por el grupo. ¿Qué le dio la oportunidad de asumir este papel? Traicionó la confianza de su familia al casarse con una mujer cananea (**Génesis 38:2**), criar a dos hijos tan malvados que Dios les quitó la vida (**Génesis 38:7, 10**) y tratar a sus nueras como prostitutas (**Génesis 38:24**), y planeó vender a su hermano como esclavo (**Génesis 37:27**). Sin embargo, la historia que Judas le contó a José muestra a un hombre cambiado. Es sorprendentemente comprensivo, habla de la trágica experiencia de la hambruna de su familia, el profundo amor de su padre por Benjamín y la promesa que le hizo a su padre de traer a Benjamín a casa para que Jacob I no muriera en agonía. Luego, en un acto final de misericordia, ¡Judá se ofreció a tomar el lugar de Benjamín! Si el gobernador permitía que Benjamín volviera con su padre, se ofreció a pasar el resto de su vida en Egipto como esclavo del gobernador (**Génesis 44:33-34**).

Al ver el cambio en la vida de Judá, José pudo bendecirlos de acuerdo con el plan de Dios. Les dijo toda la verdad: *"Yo soy José"* (**Génesis 45:3**). Parecía que José finalmente vio que se podía confiar en sus hermanos. Nosotros mismos debemos ser cautelosos en nuestro trato con aquellos que puedan aprovecharse de nosotros y engañarnos, y ser tan astutos como una serpiente y tan indefensos como una paloma, como Jesús enseñó a sus discípulos (Mateo 10:16). Como dijo una vez un escritor: "Para ganarte la confianza de los demás, debes ser digno de confianza." Todo lo que José planeó discutir con sus hermanos terminó de tal manera que pudo establecer la relación correcta con ellos. Él tranquiliza a sus aterrorizados hermanos al señalar el acto de Dios responsable de darle a José el dominio sobre todo Egipto (**Génesis 45:8**). *Waltke* explica la importancia de la interacción entre José y su hermano:

Esta escena expone la anatomía de la reconciliación. Es la lealtad a un familiar en necesidad, aun cuando parezca culpable; honrar a Dios al confesar el pecado y sus consecuencias; ignorar el favoritismo; dedicarse a salvar vidas; demostrar el amor verdadero a través de actos específicos de sacrificio que crean un ambiente de confianza; dejando de lado el conocimiento, el control y el poder, elijan estar cerca; abracen profundamente la compasión, la bondad, la sensibilidad y el perdón; y hablen entre sí. Una familia disfuncional que permita abrazar estas virtudes será una luz para el mundo.

Dios es perfectamente capaz de bendecir al mundo a través de personas profundamente defectuosas, pero debemos estar dispuestos a arrepentirnos continuamente de los errores que hemos cometido y pedirle a Dios que nos cambie, incluso si nunca nos limpiamos por completo de nuestros errores, debilidades y pecados en este la vida.

Contrariamente a los valores de la sociedad alrededor de Israel, la voluntad de los líderes de ofrecerse como sacrificio por los pecados de los demás fue diseñada para caracterizar el liderazgo entre el pueblo de Dios. Este aspecto fue evidente en Moisés cuando los israelitas pecaron contra el becerro de oro. Él oró: *"Ay, esta nación ha cometido un gran pecado: se han convertido en dioses de oro. Pero ahora, si quieres, perdona su pecado; si no, bórrame del libro que escribiste"* (**Éxodo 32:31-32**). Lo mismo le sucedió a David cuando vio al ángel del Señor haciendo daño al pueblo. Él oró: *"¿Qué han hecho? Ruego que tu mano caiga sobre mí y sobre la casa de mi padre"* (**2 Samuel 24:17**). Jesús el León de la tribu de Judá testificó de esto cuando dijo: *"Por eso el Padre me ama, porque yo doy mi vida y yo la tomaré de nuevo. Nadie me la quita, sino que yo la doy gratuitamente".* (**Juan 10:17-18**).

La familia de Jacob se Muda a Egipto (Génesis 45:16-47:12)

José y Faraón dieron generosamente a los hermanos de José *"lo mejor de todo Egipto"* (**Génesis 45:20**) y proporcionaron transporte para ellos y su familia de regreso a Canaán. Sin embargo, este final aparentemente feliz también tiene un lado oscuro. Dios prometió a Abraham y sus descendientes la tierra de Canaán, no Egipto. Algún tiempo después de la muerte de José, las relaciones entre Egipto e Israel cambiaron de hospitalarias a hostiles. Visto bajo esta luz, ¿cómo encaja la bondad de José con la familia en su papel como mediador de la bendición de Dios para todas las familias en la tierra (**Génesis 12:3**)? José fue un visionario que planeó para el futuro y realmente contribuyó con su porción de las bendiciones asignadas por Dios. Sin embargo, Dios no le reveló que habría un *"nuevo rey que no conocía a José"* (**Éxodo 1:8**). Cada generación debe ser fiel a Dios y recibir Su bendición a su debido tiempo. Desafortunadamente, los descendientes de José olvidaron la promesa de Dios y cayeron en la incredulidad. Sin embargo, Dios no se olvidó de Sus promesas a Abraham, Isaac, Jacob y sus descendientes. Dios levantará nuevos hombres y mujeres de entre ellos para entregar las bendiciones prometidas.

Dios Hace que Todo Obre para Bien (Génesis 50:15-21)

Las palabras de arrepentimiento de sus hermanos llevaron a José a uno de los mejores momentos teológicos de su vida, de hecho, de casi todo el libro del Génesis. Les dijo que no tuvieran miedo porque no se vengaría de ellos por haberlo maltratado. Él les dijo: *"Querían hacerme daño, pero Dios lo convirtió en algo bueno, así que sucederá como lo vemos hoy, y se salvarán muchas vidas. Así que no tengan miedo ahora, yo proveeré para ustedes y tus hijos"* (**Génesis 50:20-21**). La referencia de José a "mucho pueblo" hace eco de la promesa del pacto de Dios de bendecir a *"todas las familias de la tierra"* (**Génesis 12:3**). Desde nuestra perspectiva actual, podemos ver que las bendiciones de Dios superan lo que José pidió o imaginó *(ver Efesios 3:20).*

Lo que Dios hizo en ya través de José fue de valor real, práctico y significativo, y eso fue salvar vidas. Si tenemos la impresión de que Dios quiere que estemos en nuestro lugar de trabajo solo para presentarlo a los demás, o si tenemos la impresión de que la única parte del interés de Dios por nuestro trabajo es construir relaciones, el trabajo de José no lo es. Lo que hacemos en el trabajo es importante para Dios y para los demás. A veces es porque nuestro trabajo es parte de un todo más grande y perdemos de vista los resultados de nuestro trabajo. José tenía una visión más amplia de su trabajo y no se desanimó por los inevitables altibajos que experimentó.

Eso no quiere decir que las relaciones laborales no sean importantes. Quizás los cristianos tenemos un don especial de perdonar a otros en nuestro lugar de trabajo. La forma en que José consoló a sus hermanos fue un modelo de perdón. José obedeció las instrucciones de su padre y perdonó a sus hermanos, liberando así verbalmente su culpa. Pero su perdón, como todo perdón verdadero, fue más que palabrería. José usó los ricos recursos de Egipto que Dios había puesto bajo su control para ayudarlos económicamente a fin de que pudieran prosperar. Admitió que no debía juzgar, diciendo: *"¿Tomaré yo el lugar de Dios?"* (**Génesis 50:19**). En lugar de usurpar el papel de Dios como juez, ayuda a sus hermanos a conectarse con el Dios que los salva.

La relación de José con sus hermanos era tanto familiar como económica. No existe una línea divisoria clara entre estas áreas, pero el perdón es apropiado para ambas. Podríamos pensar que nuestros valores religiosos más preciados están destinados principalmente a funcionar en lugares de culto, como la iglesia local. Claramente, gran parte de nuestra vida laboral se desarrolla en la esfera pública, y debemos respetar el hecho de que otras personas no compartan nuestras creencias cristianas. Sin embargo, dividir la vida en compartimentos separados etiquetados como *"sagrado" y "secular"* está en desacuerdo con la cosmovisión bíblica. Entonces, sería correcto decir que perdonar es lo correcto en el lugar de trabajo.

Siempre habrá heridas y dolor en la vida, y ninguna empresa u organización es inmune. Sería ingenuo suponer que nadie causa daño intencionalmente con sus palabras o acciones. Podemos hacer lo que hizo José cuando se dio cuenta de que realmente tenían la intención de lastimarlo, y eso contiene la gran verdad del propósito de Dios para bien en la misma frase. Recordar esto cuando nos sentimos heridos puede ayudarnos a sobrellevar el dolor e identificarnos con Cristo.

José se vio a sí mismo como el representante de Dios, un instrumento para hacer la obra de Dios con su pueblo. Sabe que las personas son capaces de causar un gran daño y reconoce que a veces el peor enemigo de las personas son ellas mismas. Conoce historias familiares donde se mezclan la fe y la duda, el servicio leal y la autoconservación, la verdad y el engaño. También conocía las promesas de Dios a Abraham, la promesa de Dios de bendecir a su familia y la sabiduría de Dios al trabajar con su pueblo mientras los limpiaba con el fuego de la vida. No trató de ocultar los pecados de sus hermanos, sino que los absorbió en su conciencia de la gran obra de Dios. Somos conscientes de la providencia y la ineludible eficacia de las promesas de Dios para hacer rentable nuestro trabajo a cualquier precio.

Entre las muchas enseñanzas sobre el trabajo en Génesis, esta se destaca, explicando incluso la redención misma, la crucifixión del Señor de la gloria (**1 Corintios 2:8-10**). En nuestro entorno laboral, nuestros valores y carácter se revelan cuando tomamos decisiones que nos afectan a nosotros mismos y a quienes nos rodean. En Su sabiduría y poder, Dios puede arreglar nuestra falta de fe, ayudarnos a mejorar nuestras debilidades y usar nuestros fracasos para cumplir lo que tiene reservado para los que lo amamos.

Conclusiones de Génesis 12-50

Génesis 12-50 nos cuenta la historia de las primeras tres generaciones de la familia escogida de Dios a través de la cual Él traerá Sus bendiciones al mundo. Ellos mismos no tenían poder o posición especial, riqueza, fama, habilidad o superioridad moral, pero aceptaron el llamado, confiando en que Dios les proveería y cumpliría Su gran visión para ellos. Mientras Dios ha estado probando Su fidelidad, la fidelidad de ellos ha sido intermitente, temeraria, tonta y errática. Resultaron ser tan disfuncionales como cualquier familia, pero mantuvieron la semilla de fe que Dios había puesto en ellos, o al menos volvieron a ella. Aunque vivían en un mundo quebrantado rodeado de gente y poderes hostiles, hablaban de *"bendiciones futuras"* (**Hebreos 11:20**) por fe y vivían de acuerdo con las promesas de Dios. *"Por tanto, Dios no se avergüenza de llamarse Dios de ellos, porque les ha preparado una ciudad"* (**Hebreos 11:16**), y también trabajamos en la misma ciudad como "Jesús el Mesías, descendencia de Abraham" (**Mateo 1 :1**).

Introducción a Éxodo

Al principio y al final del Éxodo , vemos a los israelitas trabajando. Al principio, los israelitas trabajaron para los egipcios, y cuando terminaron, completaron la construcción del Tabernáculo como el Señor les había indicado (**Éxodo 40:33**). Dios no eximió a los israelitas del trabajo, les dio trabajo a los israelitas. Dios los liberó de la obra opresiva que les impuso el malvado rey de Egipto, y los puso en una nueva obra bajo Su divina gracia. Aunque el título de la Biblia cristiana es *"Éxodo"* (que significa *"salida"*), la naturaleza progresiva del libro nos llevaría razonablemente a concluir que se trata de la entrada, ya que vincula la entrada de Israel con el tratado mosaico. su existencia no sólo vagando por el desierto alrededor del Sinaí, sino estableciéndose en la Tierra Prometida. Este libro expresa cómo los israelitas deberían ver a su Dios y cómo deberían trabajar y adorar en su nueva tierra. En todo, Israel debe darse cuenta de que su vida bajo los mandamientos de Dios será diferente y mejor que aquellos que siguen a los dioses cananeos. Incluso hoy, lo que hacemos en el trabajo depende de por qué lo hacemos y para quién terminamos trabajando. A menudo es fácil encontrar ejemplos de opresión y trabajo duro en la sociedad. No hay duda de que Dios quiere que encontremos mejores formas de conducir nuestros negocios y tratarnos unos a otros, pero habilitar esta nueva forma de comportarnos depende de vernos como destinatarios de la salvación de Dios, sabiendo lo que es. Dios obra y nos prepara para seguir Su Palabra.

Éxodo comienza unos cuatrocientos años después del final de Génesis. En Génesis, Egipto era un lugar hospitalario donde Dios cuidó de José, capacitándolo para salvar la vida de los descendientes de Abraham (**Génesis 50:20**). En todo, los israelitas tenían que darse cuenta de que sus vidas bajo los mandamientos de Dios serían diferentes y mejores que aquellos que seguían a los dioses cananeos. Incluso hoy, lo que hacemos en el trabajo depende de por qué lo hacemos y para quién terminamos trabajando. Los ejemplos de opresión y trabajo duro a menudo son fáciles de encontrar en la sociedad. No hay duda de que Dios quiere que encontremos mejores formas de conducir nuestros negocios y tratarnos unos a otros, pero habilitar esta nueva forma de comportarnos depende de vernos como destinatarios de la salvación de Dios, sabiendo lo que es. Dios obra y nos prepara para obedecer Su Palabra.

Éxodo comienza unos cuatrocientos años después del final de Génesis. En Génesis, Egipto era un lugar hospitalario donde Dios cuidó de José para que pudiera salvar la vida de los descendientes de Abraham (**Génesis 50:20**).

El tema del cumplimiento parcial se repite en toda la Torá. Las intenciones de Dios se expresan en las promesas de Dios a los muchos descendientes de Abraham, una relación privilegiada con Dios y una tierra habitable, aunque todo está en juego en la narración. En el Pentateuco, Éxodo habla específicamente de la relación con Dios, incluyendo tanto la salvación del pueblo de Dios de Egipto como el pacto que Dios hizo con ellos en el Monte Sinaí. Esto es especialmente importante por la forma en que leemos este libro para encontrar ideas sobre nuestro trabajo actual. Valoramos la forma y el contenido de este libro mientras recordamos que nuestra relación con Dios a través de Jesucristo surge de lo que vemos aquí y guía toda nuestra vida y obra en torno a las intenciones de Dios.

Para captar el carácter de Israel como nación en transición, describimos el libro y evaluamos su contribución a la enseñanza del trabajo de acuerdo con las etapas geográficas del viaje, que comienza en Egipto, continúa en el Mar Rojo y procede a la Península del Sinaí En el camino, terminando en la Península del Sinaí.

Relaciones Israel-Egipto (Éxodo 1:1-13:16)

El maltrato de Israel por parte de los egipcios representa el contexto y el ímpetu para su liberación. Faraón los privó un poco de su libertad religiosa al no permitirles seguir a Moisés al desierto para adorar a Dios, pero lo que realmente llamó nuestra atención fue su opresión como trabajadores en el sistema económico egipcio. Dios escuchó el clamor de Su pueblo e hizo algo al respecto. Debemos recordar que los israelíes no se quejan del trabajo en general, sino del trabajo duro. En respuesta, Dios no los liberó de una vida de completo descanso, sino del trabajo opresivo.

El Duro trabajo de los Israelitas como Esclavos en Egipto (Éxodo 1:8-14)

El trabajo que los egipcios impusieron a los israelitas estaba motivado por el mal y era de naturaleza cruel. La escena inicial muestra la tierra llena de israelitas fructíferos. Esto hace eco del diseño de Dios para la creación (**Génesis 1:28; 9:1**) y Sus promesas a Abraham y su simiente escogida (**Génesis 17:6; 35:11; 47:27**). Como nación, su destino es beneficiar al mundo. En el gobierno anterior, los israelitas tenían permiso del rey para vivir y trabajar en la tierra, pero aquí el nuevo rey de Egipto decidió tratar a la población *"con astucia"* como una amenaza a su seguridad nacional, ellos (**Éxodo 1:10**) No dice exactamente si los israelitas eran una amenaza real. El foco está en el miedo destructivo del faraón, que lo llevó a empeorar primero sus condiciones de trabajo y luego a usar el infanticidio para frenar el crecimiento de la población.

El trabajo puede ser física y mentalmente agotador, pero eso no lo empeora. No era solo la esclavitud lo que hacía insoportable la situación en Egipto, sino su extrema dureza. Los egipcios obligaron a los israelitas a trabajar *"brutalmente" (befarekh, Éxodo 1:13, 14)* y les hicieron la vida *"dolorosa" (marar, Éxodo 1:14)* y "dura" *(qasheh, en el sentido de "brutal")*. (**Éxodo 1:14; 6:9**) la esclavitud. Como resultado, Israel se debilitó en sus "tribulaciones" y *"tribulaciones"* (**Éxodo 3:7**) y *"espíritus de dolor"* (**Éxodo 6:9**), uno de los principales propósitos y placeres de la existencia humana (**Génesis 1:27-31; 2:15**), convertido en dolor debido a la severa opresión.

La Labor de las Parteras y las Madres (Éxodo 1:15-2:10)

Apesar del trato hostil, los israelitas permanecieron fieles al mandato de Dios de ser fructíferos y multiplicarse (**Génesis 1:28**). Se trata de dar a luz, que a su vez depende del trabajo de las parteras. Además de su presencia bíblica, la partería también está claramente atestiguada en la antigua Mesopotamia y Egipto. Las parteras ayudan a las mujeres a dar a luz, cortan el cordón umbilical de los bebés, bañan a los bebés y se los entregan a las madres y los padres.

Las parteras de esta historia temen a Dios, lo que las lleva a desobedecer la orden del Faraón de matar a todos los bebés varones nacidos de mujeres hebreas (**Éxodo 1:15-17**). En general, el término bíblico *"temor del Señor"* (y expresiones relacionadas) se refiere a una relación sana y obediente con el Dios del pacto de Israel (*YHWH* en hebreo). Su *"temor de Dios"* era más fuerte que cualquier temor inculcado en ellos por los faraones egipcios. Además, su valentía puede provenir de su trabajo. ¿Podría ser que aquellos que nutrieron el nacimiento de una nueva vida todos los días se apegaron tanto a ella que el asesinato se volvió impensable, incluso si lo ordenó un rey?

La madre de Moisés, Jocabed (**Éxodo 6:20**), fue otra mujer que ideó soluciones creativas para decisiones aparentemente imposibles. Es difícil para nosotros imaginar su alivio cuando secretamente logra dar a luz a un niño, pero luego viene el dolor de tener que tirarlo al río y hacerlo de una manera que realmente podría salvarle la vida. Los paralelos con el Arca de Noé - la palabra hebrea para *"canasta"* se usa solo una vez en la Biblia, específicamente para referirse al *"arca"* de Noé - nos muestran que Dios no solo salvó a un infante, incluso salvó a una nación, y también redimió a todos creación a través de Moisés e Israel. Similar a la recompensa de la partera, Dios mostró Su bondad a la madre de Moisés. Ella recuperó a su hijo y lo cuidó hasta que tuvo la edad suficiente para ser adoptado como hijo de la hija del faraón. Todos sabemos que la obra piadosa de tener y criar hijos es compleja, difícil y loable (**Proverbios 31:10-31**). En Éxodo , no encontramos información sobre los problemas internos experimentados por la heroína olvidada, *Coggebe*. Narrativamente, la vida de Moisés es el tema principal, pero más adelante en la Biblia Jocabed y el padre de Moisés, Amram, son elogiados por poner la fe en acción (**Hebreos 11:23**).

Con demasiada frecuencia, se descuida el trabajo de tener y criar a los hijos. Muchas veces, las madres en particular reciben el mensaje de que la crianza de los hijos no es tan importante ni loable como otros trabajos. Aun así, cuando Éxodo habla de cómo seguir a Dios, lo primero que menciona es la abrumadora importancia de procrear, criar, proteger y ayudar a los niños. En el valiente primer acto de este libro de acción heroica, una madre, su familia y una partera actúan audazmente para salvar a su hijo.

Dios Llamó a Moisés (Éxodo 2:11-3:22)

Aunque era de ascendencia hebrea, Moisés se crió en la familia de un rey egipcio, nieto del faraón. Su disgusto por la injusticia estalla en el ataque mortal a un egipcio al que atrapó golpeando a un trabajador hebreo. El faraón descubrió el hecho, y Moisés huyó por seguridad para pastorear ovejas en Madián, cientos de millas al este de Egipto, al otro lado de la península del Sinaí. No sabemos cuánto tiempo vivió allí, pero durante ese tiempo se casó y tuvo un hijo. Además, sucedieron dos cosas importantes. Murió el rey de Egipto, y el Señor escuchó el clamor de su pueblo oprimido, recordando su pacto con Abraham, Isaac y Jacob (**Éxodo 2:23-25**). Este acto de memoria no significa que Dios se haya olvidado de su pueblo, sino que actuará en su nombre. Por esto llamó a Moisés.

Dios llamó a Moisés mientras trabajaba. El relato de cómo sucedió incluye seis elementos que forman un patrón claro en la vida de otros líderes y profetas de la Biblia. Por lo tanto, es útil examinar la narrativa de este llamado y considerar cómo nos afecta hoy, especialmente en el contexto de nuestro trabajo.

Primero, Dios confronta a Moisés y llama su atención a través de una zarza ardiente (**Éxodo 3:2-5**). Los incendios forestales en áreas semidesérticas no son nada especial, pero Moisés estaba particularmente asombrado por la naturaleza de este. Escuchó su propio nombre y respondió: *"Aquí estoy"* (**Éxodo 3:4**). Esta es una declaración de disponibilidad, no de ubicación. Segundo, el Señor se presentó como el Dios de los patriarcas y comunicó su intención de liberar a su pueblo de Egipto y llevarlo a la tierra que le había prometido a Abraham (**Éxodo 3:6-9**). Dios llamó a Moisés mientras trabajaba. El relato de cómo sucedió esto incluye seis elementos que forman un patrón claro en la vida de otros líderes y profetas bíblicos. Por lo tanto, es útil examinar la narrativa de este llamado y considerar cómo nos afecta hoy, especialmente en el contexto de nuestro trabajo.

Primero, Dios confronta a Moisés y llama su atención a través de una zarza ardiente (**Éxodo 3:2-5**). Los incendios forestales en áreas semidesérticas no son nada especial, pero Moses estaba particularmente sorprendido por la naturaleza de este. Escuchó su nombre y respondió: *"Aquí estoy"* (**Éxodo 3:4**). Esta es una declaración de disponibilidad, no de ubicación. En segundo lugar, Yahvé afirmó ser el Dios de los patriarcas y comunicó su intención de liberar a su pueblo de Egipto y llevarlo a la tierra que le había prometido a Abraham (**Éxodo 3:6-9**).

Tenga en cuenta que estas llamadas no son principalmente para el trabajo pastoral o religioso en la congregación. Gedeón era un líder militar. Isaías, Jeremías y Ezequiel eran críticos sociales y Jesús era un rey (aunque no en el sentido tradicional). En muchas iglesias hoy en día, el término *"llamado"* se limita a las vocaciones religiosas, pero eso no es cierto en la Biblia, y ciertamente no en Éxodo . Moisés mismo no era un sacerdote o un líder religioso (esos eran los roles de Aarón y Miriam), sino un pastor, estadista y gobernador. La pregunta que Yahweh le hizo a Moisés fue: *"¿Qué tienes en la mano?"* (**Éxodo 4:2**) Reutilizando las herramientas de pastoreo habituales de Moisés para propósitos que nunca se habían propuesto (**Éxodo 4:3-5**).

La Obra de Dios de Redimir a Israel (Éxodo 5:1-6:28)

En Éxodo , Dios es el obrero principal. La naturaleza y el propósito de esta obra divina establecieron la agenda para la obra de Moisés y, a través de Él, para la obra del pueblo de Dios. El llamado original de Dios a Moisés incluía una explicación de la obra de Dios, lo que llevó a Moisés a decirle a Faraón en nombre de Dios: *"Deja ir a mi pueblo"* (**Éxodo. 5:1**). La negativa de Faraón no fue meramente verbal, sino que oprimió a los israelitas con más fuerza que antes. Al final del episodio, incluso los mismos israelitas se habían vuelto contra Moisés (**Éxodo 5:20-21**). Fue en este momento crítico que Dios clarificó el diseño de su obra en respuesta al cuestionamiento de Moisés sobre todo el plan. Lo que leemos en Éxodo 6:2-8 no solo aborda el contexto inmediato de la opresión de Israel en Egipto, sino que establece una agenda que abarca toda la obra de Dios en la Biblia. Es importante que todos los cristianos tengan claro el alcance de la obra de Dios porque nos ayuda a comprender lo que significa orar para que venga el reino de Dios y que se haga su voluntad en la tierra como en el cielo (**Mateo 6:10**). Es asunto de Dios lograr estos fines. Para lograr esto, involucrará a toda su gente, no solo a aquellos que hacen trabajo *"religioso"*. Una comprensión más profunda de la obra de Dios nos permite considerar mejor la naturaleza de nuestro trabajo y la forma en que Dios quiere que lo hagamos.

Para comprender mejor este texto clave, haremos algunas breves observaciones sobre él y luego propondremos su relación con la enseñanza del trabajo. Después de una respuesta reconfortante inicial a la acusación de Moisés de la misión de Dios (**Éxodo 5:22-6:1**), Dios comienza y termina con las palabras ***"Yo soy el Señor"*** para enmarcar su larga respuesta comparativa. (**Éxodo 6:2, 8**). Es importante que todos los cristianos tengan claro el alcance de la obra de Dios porque nos ayuda a entender lo que significa orar para que venga el reino de Dios y para que se haga su voluntad en la tierra como en el cielo (**Mateo 6:10**). Es deber de Dios lograr estos objetivos. Para lograr esto, involucrará a todos los empleados, no solo a aquellos que trabajan en trabajos "religiosos". Una comprensión más profunda de la obra de Dios nos permite considerar mejor la naturaleza de nuestro trabajo y la forma en que Dios quiere que lo hagamos.

Para comprender mejor este texto clave, haremos algunas breves observaciones sobre él y luego propondremos su relación con la enseñanza del trabajo. Después de una respuesta consoladora inicial a la reprensión de Moisés por la misión de Dios (**Éxodo 5:22-6:1**), Dios comienza y termina con las palabras *"Yo soy el Señor"* para formar su extensa respuesta comparativa. (**Éxodo 6:2, 8**). Una es liberar trabajo. *"Os libraré de la carga de los egipcios, y os libraré de su servidumbre;*

extenderé mi brazo en gran juicio, y os redimiré" **(Éxodo 6:6)**. En el corazón de este trabajo liberador está el hecho claro de que existe opresión en todas sus formas en el mundo. A veces usamos la palabra salvación para describir esta obra de Dios, pero debemos tener cuidado de no interpretarla como que somos rescatados de la tierra y llevados al cielo (ni de lo físico a lo espiritual) o simplemente el perdón de los pecados. personas entrando en su mundo y efectuando cambios *"en su tierra"*, por así decirlo. Éxodo no solo muestra que Dios liberó a los israelitas del Faraón en Egipto, sino que también sienta las bases para que Jesús, el Rey Mesiánico, libere a su pueblo de sus pecados y derrote al mayor tirano, el Diablo **(Mateo 1:21; 12:28)**.

Segundo, el Señor formará una comunidad piadosa. *"Os tomaré como mi pueblo, y seré vuestro Dios"* **(Éxodo 6:7)**. Dios no libera a Su pueblo para que viva la vida que quiere, ni para convertirlos en individuos aislados. Quería crear una comunidad de naturaleza diferente, para que su pueblo viviera con él y unos con otros en la fidelidad a la alianza. Todas las naciones en la antigüedad tenían sus "dioses", pero el estatus de Israel como pueblo de Dios significaba un estilo de vida de obediencia a todos los decretos, mandamientos y leyes de Dios **(Deuteronomio 26:17-18)**. A medida que estos valores y comportamientos impregnen su trato con Dios y con los demás (incluso con aquellos que no forman parte del pacto), Israel demostrará cada vez más lo que realmente significa ser el pueblo de Dios. Nuevamente, este es el contexto en el que Jesús construyó su *"iglesia"*, no una estructura de mampostería, sino una nueva comunidad de discípulos de todas las naciones **(Mateo 16:18; 28:19)**.

Tercero, el Señor creará una relación permanente entre Él y Su pueblo. *"Y sabréis que yo soy Jehová vuestro Dios, que os saqué de debajo de la carga de los egipcios".* **(Éxodo 6:7)**. Todas las demás declaraciones sobre la voluntad de Dios comienzan con la palabra *"yo"*, excepto esta. Aquí, el foco está en ellos. Dios desea que Su pueblo se asocie con seguridad con Él, con Aquel que por Su gracia los ha salvado. Nos parece que conocimiento es en realidad sinónimo de información. El concepto bíblico de conocimiento engloba este concepto, pero también la experiencia interpersonal de conocer a los demás. Decir que Dios no se *"conocía"* a sí mismo como el ***"Señor"*** de Abraham no significa que Abraham no conociera el nombre divino "*YHWH*" **(Génesis 13:4 21:33)**. Esto significa que Abraham y su familia no experimentaron personalmente el significado del nombre como una descripción de su Dios, el que cumpliría su palabra y lucharía por su pueblo para liberarlos de la esclavitud a nivel nacional. En última instancia, esto fue aceptado por Jesús, cuyo nombre ***"Emanuel"*** en relación significa *"con nosotros"* **(Mateo 1:23)**.

Cuarto, Dios quiere que Su pueblo viva una buena vida. *"Os llevaré a la tierra que juré dar a Abraham, Isaac y Jacob, y os la daré en herencia"* **(Éxodo 6:8)**. Dios le prometió a Abraham la tierra de Canaán, pero simplemente decir que esta *"tierra"* es equivalente a nuestro concepto de *"territorio"* no es correcto. Es una tierra de promisión y provisión, a menudo descrita positivamente como *"que mana leche y miel"* (**Éxodo 3:8**), destacándola como símbolo del lugar donde Dios y su pueblo viven en condiciones ideales de sexo. , que entendemos como "vida enriquecida". Una vez más vemos que la obra redentora de Dios es una forma de reparar toda su creación: el entorno físico, la gente, la cultura, la economía, todo. Esta es también la misión de Jesús de iniciar la venida del reino de los cielos, donde los mansos heredarán la tierra y experimentarán la vida eterna (**Malaquías 5, 5; Juan 17, 3**). Esto se logra en la Nueva Jerusalén de Apocalipsis 21 y 22. De esta manera, Éxodo marca el camino para el resto de la Biblia.

Pensemos en cómo nuestro trabajo de hoy expresa estos cuatro propósitos redentores. Primero, es la voluntad de Dios liberar a las personas de las condiciones de vida opresivas y dañinas. Algunos de estos trabajos rescatan a personas del peligro físico, mientras que otros se enfocan en aliviar el trauma físico y emocional. El trabajo terapéutico afecta a los individuos, quienes elaboran soluciones políticas a nuestras necesidades pueden beneficiar a la sociedad en su conjunto ya diferentes tipos de personas. El personal policial y judicial debe disuadir y castigar a los infractores, proteger a las masas y cuidar a las víctimas. Dada la opresión que prevalece en el mundo, siempre habrá múltiples oportunidades y medios para luchar por la liberación.

El segundo y tercer propósito (comunidad y relaciones) están íntimamente relacionados. El trabajo piadoso que promueve la paz y la verdadera armonía en el cielo enriquecerá la misericordia y la justicia en la tierra. Esta es la esencia del mensaje de Pablo a los corintios: Dios nos ha dado el mensaje y el ministerio de la reconciliación por medio de Cristo al reconciliarnos consigo mismo (**2 Corintios 5:16-20**). Los cristianos han experimentado este tipo de reconciliación y por lo tanto tienen la motivación y los medios para hacer este tipo de trabajo. La obra de evangelización y desarrollo espiritual cumple con una dimensión del tema, la obra de paz y justicia cumple con el aspecto interpersonal. En esencia, los dos son inseparables, y aquellos que trabajan en estos campos hacen bien en recordar la totalidad de lo que Dios está haciendo. Jesús enseñó que somos la luz del mundo, por lo que debemos dejar que nuestra luz brille ante los demás (**Mateo 5:14-16**).

Construir relaciones y comunidad puede ser el enfoque de lo que hacemos, como organizadores comunitarios, trabajadores juveniles, directores sociales, planificadores de eventos, administradores de comunidades digitales, padres y familiares, y más. Pero estos aspectos también pueden formar parte de nuestro trabajo, sea cual sea nuestra profesión. Cuando damos la bienvenida y ayudamos a los nuevos empleados, cuando preguntamos y escuchamos a otros hablar sobre temas relevantes, cuando nos esforzamos por conocer a alguien en persona, cuando enviamos cartas de aliento, ambos propósitos laborales los cumplimos todos los días.

Compartiendo una foto memorable, trayendo una buena comida para compartir, involucrando a otra persona en una conversación o por muchos otros actos de camaradería.

Finalmente, el trabajo piadoso promueve una buena vida. Dios sacó a su pueblo de Egipto y lo llevó a la Tierra Prometida donde pudieron establecerse, vivir y prosperar. Aun así, lo que los israelitas experimentaron allí no se parecía en nada al ideal de Dios. Asimismo, lo que los cristianos experimentamos en el mundo no es lo que queremos que sea. La promesa de entrar en el reposo de Dios todavía está abierta (Hebreos 4:1), y todavía estamos esperando el cielo nuevo y la tierra nueva. Sin embargo, gran parte de la ley del pacto que Dios emitió a través de Moisés tiene que ver con el trato ético de unos a otros. Fundamentalmente, las bendiciones de Dios se dan en la forma en que vivimos y trabajamos con los demás. En el lado negativo, ¿cómo podemos razonablemente esperar que todas las familias en la tierra experimenten las bendiciones de Dios a través de nosotros (el pueblo de Abraham a través de la fe en Cristo) si nosotros mismos ignoramos las instrucciones de Dios? ¿Cómo vive Dios y hace nuestra obra? Como dijo *Christopher Wright*: *"Tanto en el Antiguo como en el Nuevo Testamento, el pueblo de Dios está llamado a ser una luz para las naciones, pero no hay luz para las naciones si las vidas transformadas del pueblo santo no brillan"*. Es claro que esta *"vida buena"* no tiene nada que ver con el egoísmo y la prosperidad excesiva o el consumo ostentoso, ya que engloba la vida amplia que Dios desea: llena de amor, justicia y misericordia.

Moisés y Aarón Anunciaron el Castigo de Dios hacia a Faraón (Éxodo 7:1-12:51)

Dios inició el proceso de liberación enviando a Moisés y a Aarón a decirle a Faraón que los dejara salir de su país (**Éxodo** 7:**2**). Para llevar a cabo esta misión, Dios le dio a Aarón la habilidad de hablar en público (**Éxodo 4:14;** 7:**1**). También dotó a Aarón con una capacidad superior a la de los oficiales más altos de Egipto (**Éxodo** 7:**10-12**). Esto nos recuerda que la misión de Dios es tanto verbal como física.

Faraón se negó a acatar la orden de Dios de liberar a los israelitas a través de Moisés. Al mismo tiempo, Moisés atribuyó el castigo de Dios a Faraón a través de una serie de catástrofes naturales que se sucedieron con rapidez y gravedad (**Éxodo** 7:**17-10:29**). Estos cataclismos causaron dolor a nivel individual, pero de manera más significativa, redujeron drásticamente la capacidad productiva de la tierra y de la población egipcia. La plaga mató a los animales de granja (**Éxodo 9:6**). Las cosechas se perdieron y los bosques quedaron devastados (**Éxodo 9:25**). Las pestes invadieron numerosos ambientes (**Éxodo 8:6, 24; 10:13-15**). En el libro de Éxodo, el desastre ecológico es la compensación de Dios por la tiranía y el abuso de Faraón. Hoy en día, la represión política y económica se ha convertido en un componente importante de la degradación ambiental y del desastre ecológico. Sería insensato creer que podríamos usurpar el poder de Moisés y declarar el juicio divino en alguna de estas áreas, sin embargo, es posible observar que igual que la economía, la política, la cultura y la sociedad requieren la redención, el medioambiente también lo requiere.

Al pasar cada una de estas advertencias, Faraón se volvió a negar a liberar a Israel, pero mientras tanto, se retractó. Finalmente, Dios permitió que todos los primogénitos de los individuos y animales de Egipto murieran (**Éxodo 12:29-30**). El terrible efecto de la esclavitud es que hace que los corazones sean insensibles a la compasión, la justicia y la conservación propia, lo que descubrió el Faraón en su primer encuentro con la situación (Éxodo 11:10). Por otra parte, el Faraón accedió a la petición de Dios de dejar salir a Israel. Al salir, los israelitas despojaron a los egipcios de sus objetos de metal y de sus ropas (**Éxodo 12:35-36**). Esto contrarrestó el efecto de la esclavitud, que era el despojo ilegal de los trabajadores explotadores. Cuando Dios libera individuos, Él restaura su derecho de trabajar por los beneficios que ellos mismos pueden obtener (**Isaías 65:21-22**). Dios se interesa profundamente por el trabajo y las condiciones en las que se lleva a cabo.

Israel cruzando el Mar Rojo hacia el Sinaí (Éxodo 13:17-18:27)

La manifestación más notoria del trabajo de Dios ocurrió de manera espectacular cuando Dios guió a Su pueblo a través del Mar Rojo, llevándolos de vuelta de la opresiva esclavitud de Egipto. Dios que había separado el caos del mar, y que había creado la tierra seca, que cuidó a la familia de Noé en el diluvio y los llevó a la tierra seca, se encargó de *"dividir"* el mar rojo y de guiar a Israel para que atravesaran por *"tierra seca"* **(Éxodo 14:21-22)**. La narración de la creación y redención de Dios está íntimamente relacionada con el viaje de Israel desde Egipto hacia el Sinaí. A pesar de que Moisés, Aarón y otros personajes intentan con ahínco, Dios es el verdadero responsable.

El Trabajo de Hacer Justicia Entre el Pueblo de Israel (Éxodo 18:1-27)

Al viajar de Egipto hacia el Sinaí, Moisés volvió a encontrarse con su tío Jetro. Para los judíos, era un desconocido, sin embargo, le brindó la recomendación que necesitaba el pueblo de Moisés para que la justicia prevaleciera en la sociedad. Dios hizo que Su obra de redención para Su pueblo se extendiera a la de justicia entre Su pueblo. Previamente, los israelitas habían sufrido la discriminación de los egipcios. Fuera de la iglesia, ellos mismos encontraron las respuestas de Dios para sus propios problemas. *Walter Brueggemann* ha mencionado que la fe bíblica no se limita a narrar la historia de las acciones de Dios, sino que también consiste en el *"riguroso y perseverante ejercicio de la sanación y restauración diaria"* y en el rechazo a los beneficios deshonestos.

Al conocer a Moisés, se nos enseñó que deseaba solucionar los conflictos entre las partes involucradas. Al principio, cuando Moisés intentó detener a Dios, los que se opusieron a él le respondieron: *"¿De quién eres el príncipe o el juez sobre nosotros?"* (**Éxodo 2:14**). Pero en este episodio se ve todo lo opuesto. Moisés es muy popular debido a que fue gobernador y juez, por lo tanto, una multitud de personas que querían escuchar su opinión se congregó a su alrededor desde la mañana hasta el atardecer *(Éxodo 18:14; ver también Deuteronomio 1:9-18)*. Se cree que el cometido de Moisés consiste en dos partes. El propósito del primero fue proveer soluciones legales a quienes tenían disputas legales. El segundo propósito era enseñarles a quienes buscaban orientación moral y espiritual sobre los estatutos de Dios. Jetro se dio cuenta de que Moisés era el único que realizaba esta labor noble, por lo que consideró que el procedimiento era insostenible. No es correcto lo que haces (**Éxodo 18:17**). Asimismo, era perjudicial para Moisés y no satisface a las personas que trataba de ayudar. La respuesta de Jetro fue dejar que Moisés continuara haciendo las mismas labores que solo él podía realizar: como representante de Dios, se encargaría de pedir clemencia a Dios por el pueblo, de instruirlos y de tomar decisiones en los momentos más difíciles. Todos los demás casos se delegaron a jueces de nivel inferior, quienes funcionaban en un sistema de administración judicial de cuatro niveles.

Las cualidades de estos jueces son esenciales para la sabiduría del plan, ya que no fueron seleccionados por su división tribal o su grado de madurez espiritual, sino que debían poseer cuatro características específicas (**Éxodo 18:21**). Para comenzar, debían ser capaces. La palabra hebrea *"hombres de hayil"* significa habilidad, dirección, planificación y seriedad. Segundo, se les debía exigir que fueran "cuidadosos de Dios". Tercero, se les debía exigir que fueran *"veraces"*. Debido a que la verdad es tanto un concepto abstracto como una conducta, estas personas debían tener un historial de comportamiento y carácter públicos honestos. Al final, debían aborrecer los beneficios ilegítimos. Tenían que entender cómo y por qué ocurre la corrupción, aborrecían el hecho de dar sobornos y se oponían a cualquier forma de subversión, además, debían proteger el sistema judicial de estos males de forma activa.

La delegación es crucial para el desempeño de los cargos de liderazgo. A pesar de que Moisés era el único que poseía la facultad de ser profeta, líder militar y figura religiosa, no tenía facultades ilimitadas. Cualquiera que crea que solo él o ella son dignos de realizar el trabajo divino ha olvidado lo que significa ser humano. Por lo tanto, la capacidad de liderazgo se relaciona con la habilidad de delegar autoridad a otros de manera apropiada. Al igual que Moisés, el líder debe identificar las necesidades de liderazgo, capacitar a los que van a ejercerla y crear un sistema de rendición de cuentas. Alguien debe supervisar al líder. En este episodio, Moisés hizo lo propio con Jetro, y la narración es sumamente explícita al describir cómo, aun el más grande de todos los profetas del Antiguo Testamento, debió enfrentarse con alguien para que lo juzgara por sus acciones. El liderazgo sabio, firme y comprensivo de Dios es una dádiva que todas las culturas humanas deben agradecer. Sin embargo, el pasaje de Éxodo evidencia que no se trata de que Dios ordene a un líder capacitado que asuma el poder sobre las personas, sino de que es el propio Dios quien quiere que una comunidad desarrolle estructuras de liderazgo en las que las personas capacitadas puedan tener éxito. La delegación es la única manera de incrementar la capacidad de una organización o comunidad y, al mismo tiempo, de formar líderes en el futuro.

La predisposición de Moisés para acatar este consejo de inmediato y sin cuestionamiento, puede ser un indicio de su desesperación. Sin embargo, en una perspectiva más amplia, también podemos percibir que Moisés (que era hebreo y heredero de las promesas de Abraham) estaba totalmente dispuesto a escuchar la sabiduría de Dios a través de un sacerdote de Madián. Esta apreciación puede estimular a los cristianos a aceptar y respetar los comentarios de diferentes tradiciones y religiones, principalmente en relación al trabajo. Realizar esto no implica necesariamente traicionar a Cristo, no implica falta de fe en Dios, tampoco es una forma de admitir religiones diferentes. Por el contrario, citar la Biblia con demasiada frecuencia podría resultar en un testimonio deficiente, ya que los demás podrían percibir que somos reacios y poco confiables. Los cristianos tenemos la responsabilidad de analizar con cuidado las instrucciones que recibimos, ya sean de dentro o de fuera, pero en el resultado final, tenemos la certeza de que *"toda verdad es la verdad de Dios"*.

Israel en el Monte Sinaí (Éxodo 19:1-40:38)

En el Sinaí, Dios le dio a Moisés los Diez Mandamientos. Según la Biblia de estudio de la NVI, *"los diez mandamientos son los componentes esenciales del pacto que Dios hizo con Israel en el Sinaí y que tienen un efecto crucial en la historia que sigue"*. Estos mandamientos son el sustento de los principios éticos que se encuentran en todo el hemisferio occidental y resumen lo que Dios, el único Dios verdadero, espera de su pueblo en cuanto a fe, adoración y conducta. A continuación, veremos que el rol de la ley de Israel en los cristianos es objeto de acalorados debates. A causa de esto, estaremos atentos al contenido del texto de Éxodo , ya que es lo que compartimos. Al mismo tiempo, esperamos ser conscientes y respetuosos de las diferentes formas en las que los cristianos ven la enseñanza de esta porción de la Biblia.

La Función de la Ley en Éxodo (Éxodo 19:1-24:18)

Es crucial entender que Éxodo forma parte de un todo mayor, que es la Biblia, no un elemento legal aparte. *Christopher Wright* escribió:

La creencia popular de que la Biblia es un manual de ética cristiana se queda corta en comparación con la realidad de lo que es y hace la Palabra. Básicamente, la Biblia es la historia de Dios, la tierra y la humanidad, es la historia de lo que ha salido mal, lo que Dios ha hecho para corregirlo y lo que espera en el futuro de acuerdo con el plan de Dios. Sin embargo, la educación moral es de vital importancia dentro de esta gran narrativa. La narración de la Biblia es el relato de la misión de Dios. La orden de la Biblia es que los individuos se adecúen apropiadamente. La misión de Dios es responder, y ciertamente nuestra misión incluye una dimensión ética de esa respuesta.

En español, la palabra *"ley"* significa lo mismo que la palabra hebrea "*torah*", pero es una traducción incorrecta. Este término es crucial para el debate y nos guiará en nuestra comprensión de cómo funciona realmente esta palabra hebrea en la Biblia. En el capítulo primero de Génesis, se encuentra la palabra *Torah* una sola vez, que significa el mandato de Dios que fue obedecido por Abraham. Un ejemplo de instrucciones es cuando alguien le dice a otro lo que tiene que hacer (**Salmo 78:1**). Sin embargo, cuando se refiere a algo que proviene de Dios, la palabra *Torah* en el Pentateuco y en el resto del Antiguo Testamento significa un estándar de conducta para el pueblo de Dios en relación a los oficios de adoración formal, además de leyes sobre la conducta civil y social. La noción bíblica de la Torá transmite el significado de *"enseñanza de parte de Dios"*. Este concepto difiere mucho de la visión moderna de la ley como un conjunto de reglas codificadas y promulgadas por los legisladores o leyes *"naturales"*. En ocasiones, para enfatizar la abundante información y el valor instructivo de la ley en Éxodo, no usaremos una traducción, sino que la llamaremos la Torá.

En el libro de Éxodo se evidencia que la Torá, en el sentido de un manual de instrucciones específicas, forma parte del pacto y no al contrario. En otras palabras, el pacto en su totalidad describe la relación que Dios ha establecido con Su pueblo a través de la obra de liberación que realizó en favor de ellos (**Éxodo 20:2**). Como el soberano del pacto de la gente, Dios establece los métodos de adoración y comportamiento que desea que Israel emplee y el compromiso de Israel de acatar es una respuesta al obsequio de Dios que consiste en el pacto (**Éxodo 24:7**). Esto tiene importancia en la enseñanza del trabajo. La manera en la que distinguimos la voluntad de Dios para nuestro desempeño laboral y como lo ponemos en práctica, está relacionada con la comunicación que Dios ha establecido entre Él y nosotros. En el cristianismo, amamos a Dios porque nosotros primero lo amamos, y para demostrar ese amor, lo tratamos como a nosotros nos gustaría que nos traten (**1 Juan 4:19-21**). La rotundidad del mandato divino de amar a nuestro prójimo conlleva que Dios quiera que lo hagamos en todo lugar, sin importar si estamos en una iglesia, un café, en casa, en un lugar público o en el trabajo.

La Función de la Ley para los Cristianos (Éxodo 20:1-24:18)

Para un fiel de la iglesia cristiana puede ser difícil redactar una lección a partir de un pasaje del libro de Éxodo o, específicamente, del Levítico, y después argumentar cómo se podría aplicar en la actualidad. Cualquier persona que quiera hacerlo, debe prever una respuesta como, "Claro, pero la Biblia también permite la esclavitud y prohíbe que comamos camarones ni tocino". Adicionalmente, no creo que Dios se preocupe realmente por si mis prendas de vestir están hechas de mezclilla y poliéster (**Éxodo 21:2-11; Levítico 11:7, 12; y Levítico 19:19, respectivamente**). Debido a que esto sucede en los círculos cristianos, no debería causarnos sorpresa encontrar problemas al aplicar las enseñanzas de la Biblia al tema del trabajo en el estado. ¿Cómo podemos saber qué funciona hoy y qué no? ¿Cómo evitamos que se nos acuse de ser inconsistentes cuando empleamos la Biblia? Más importante aún, ¿cómo podemos permitir que la Palabra de Dios tenga un verdadero impacto en todas las áreas de nuestras vidas? Uno de los problemas más grandes en este cometido es la variedad de leyes presentes en Éxodo y el Pentateuco. Otro proviene de la diversidad de enfoques que los cristianos hemos empleado para entender y aplicar la *Torá* y el Antiguo Testamento en relación con Cristo y el Nuevo Testamento. Sin embargo, la importancia del tema de la *Torá* en el cristianismo es crucial y debe abordarse para obtener cualquier aplicación que ofrezca este concepto en la Biblia acerca de nuestro trabajo. A continuación analizaremos el tema de una manera breve, pero con el objetivo de ser útil sin ser demasiado restrictiva.

La conexión entre el Nuevo Testamento y la ley es confusa. Incluye las palabras de Jesús que no se perderán ni una tilde ni una letra de la ley (**Mateo 5:18**), además de la afirmación de Pablo de que *"hemos sido liberados de la ley... en el espíritu nuevo, no en la letra arcaica"* (**Romanos 7:6**). Estas no son dos afirmaciones contradictorias, sino que más bien son dos maneras de expresar una misma realidad: la *Torá* continúa revelando a aquellos que han sido bendecidos por Dios con la justicia, la sabiduría y la transformación interior, el regalo de Dios se les hace presente a través de Cristo. La Torá fue entregada por Dios como una demostración de su santidad y como consecuencia de la trascendental liberación que realizó. Cuando leemos la Torá, nos damos cuenta de nuestra naturaleza pecaminosa inherente y de la necesidad de un remedio para que podamos vivir en armonía con Dios y con los demás. Dios espera que Su pueblo cumpla Sus órdenes al enfrentar problemas de la vida real, sean estos grandes o pequeños. La singularidad de ciertas leyes no implica que Dios sea un perfeccionista poco realista. Estas leyes nos enseñan que ningún problema es demasiado pequeño o insignificante para Dios. Además, la Torá no se limita al comportamiento externo, sino que también aborda temas del corazón, como la codicia (**Éxodo 20:17**). Más adelante, Jesús condenó no solo el homicidio y el adulterio, sino también las causas de la ira y la lujuria (**Mateo 5:22, 28**).

Sin embargo, es necesario obedecer la Torá y aplicarla a los problemas de la vida real, no es lo mismo repetir las acciones de Israel hace miles de años. Desde el libro sagrado de la Biblia, encontramos evidencia de que ciertos preceptos de la ley no estaban pensados para permanecer en el tiempo. Es indudable que el tabernáculo no era una estructura que permaneciera en pie, incluso el templo fue destruido por los enemigos de Israel (**2 Reyes 25:9**). Jesús mismo mencionó la muerte de Cristo en una conversación sobre Su propia muerte, al decir que en tres días restauraría el *"templo"* que había sido destruido (**Juan 2:19**). En cierta medida, Él encarnaba todo lo que el templo representaba, además de su sacerdocio y sus actividades. La afirmación de Jesús acerca del alimento —que no es lo que se ingiere, sino lo que se come— implica que las leyes específicas del pacto de Dios que se refieren a la comida ya no son válidas (Asimismo, en el Nuevo Testamento, el pueblo de Dios se distribuye por diferentes naciones y culturas en donde no tienen el poder legal de imponer castigos en la Torá. Los apóstoles debatieron sobre estas cuestiones y, guiados por el Espíritu Santo, decidieron que no todos los preceptos del judaísmo se aplicaban a los cristianos no judíos de manera general (**Hechos 15:28-29**).

Cuando se le preguntó a Jesús cuáles de los mandamientos eran más importantes, su respuesta no causó controversia en el contexto de la enseñanza de su época. *"Te amarás a ti mismo y a tu prójimo como a ti mismo"* y *"Adorarás a tu Dios con todo tu corazón, con toda tu alma, con toda tu mente, y con toda tu fuerza"*. La mayor parte del Nuevo Testamento respalda la *Torá*, más allá de sus prohibiciones contra el adulterio, el asesinato, el robo y la codicia, también hay prohibiciones a favor del amor mutuo (**Romanos 13:8-10; Gálatas 5:14**). Según *Timothy Keller*, la venida de Cristo no modificó la manera en que se adoraba, sino que, por el contrario, cambió la manera en que se vivía. Esto no es sorprendente, ya que en el nuevo pacto Dios afirmó que escribiría su ley en el corazón de Su pueblo y la pondría en sus mentes (**Jeremías 31:33; Lucas 22:20**). Israel era fiel al pacto de los Diez Mandamientos debido a que estaban comprometidos a cumplirlos. Al cabo de todo, solo Él pudo completarlo. Por otra parte, no es lo mismo para los que profesan el evangelio nuevo. Según Pablo, *"servimos a Dios de una manera nueva a través del Espíritu"* (**Romanos 7:6**).

Basándonos en nuestra consideración de la enseñanza del trabajo, la explicación anterior ofrece varios puntos que pueden ayudarnos a entender y a aplicar las leyes de Éxodo relacionadas con el trabajo. Las leyes que regulan el tratamiento adecuado de los empleados, animales y propiedades, son inherentes a la naturaleza misma de Dios. Se deben considerar con seriedad, pero no de manera absoluta. Por un lado, los diez preceptos de la Biblia se escribieron en un lenguaje genérico que se puede utilizar en cualquier situación. Por otra parte, las leyes concernientes a los esclavos, los animales y las lesiones representan las aplicaciones específicas en el contexto histórico y social de Israel antiguo, en particular en las zonas que eran controvertidas en ese momento. Estas leyes simbolizan la conducta correcta, pero no todas las posibles variantes. Los cristianos veneramos a Dios y a Su ley, no solo por medio de la regulación de nuestro comportamiento, sino también a través de la acción del Espíritu Santo, quien transforma nuestras creencias, deseos y motivaciones (**Romanos 12:1-2**). Hacer algo diferente equivale a evadir el trabajo y la voluntad de nuestro Señor y salvador. Siempre deberemos procurar que el amor guíe nuestras acciones y normas, sin importar cuál sea nuestra religión.

Recomendaciones para el Desempeño Laboral (Éxodo 20:1-17 y 21:1-23:9)

El *"libro del pacto"* de Israel (**Éxodo 24:7**) contiene los diez mandamientos, que también son conocidos como el Decálogo (palabra que significa literalmente las *"palabras"*, **Éxodo 20:1-17**), y las ordenanzas de Éxodo 21:1 al 23:19. Los diez mandamientos son una serie de reglas que rigen la conducta humana y que se dividen en dos grupos: lo que se puede hacer y lo que no. Las ordenanzas son un conjunto de leyes que se derivan de casos específicos, que se aplican usando los valores del Decálogo en situaciones específicas. Estas leyes se adaptan al contexto histórico y cultural de Israel en el siglo diecinueve antes de Cristo. No son estrictamente un código legal, sin embargo, sirven como modelo, reducen los peores excesos y sirven como precedente para casos difíciles.

Los Diez Mandamientos (Éxodo 20:1-17)

Los diez mandamientos son la expresión más sublime de la voluntad divina del Antiguo Testamento, por lo que merecen una consideración especial. No se deben considerar como los diez preceptos más importantes entre otros, sino que son la compilación de la *Torá*. La raíz de toda la *Torá* está en los Diez Mandamientos, y de estos podemos extraer toda la ley. Jesús explicó la unidad esencial de los diez mandamientos al igual que el resto de la ley cuando resumió la ley en las famosas palabras, *"Amarás a tu Dios con todo tu corazón, alma y mente"* Este es el primer y más grande mandamiento. El segundo es similar al primero: Atesorarás a tu prójimo más que a ti mismo. De estos dos preceptos surge toda la ley y los profetas (**Mateo 22:37-40**). Todos los preceptos de la ley (con excepción de los profetas) son exhibidos en cada ocasión en que se cumplen los diez mandamientos.

La unidad fundamental de los diez mandamientos con respecto al resto de la ley y su continuidad con el Nuevo Testamento, nos insta a aplicarlos al trabajo actual de manera integral en base al resto de la Escritura. En otras palabras, cuando obedecemos los diez mandamientos, tomaremos en cuenta pasajes de la Biblia que se relacionan y están tanto en el Antiguo como en el Nuevo Testamento.

"No Tendrás Otros Dioses Delante de Mí" (Éxodo 20:3)

El primer mandamiento indica que todo lo que está en la *Torá* surge del amor que profesamos a Dios, dicho amor es una respuesta al que Él siente por nosotros. Dios exhibió este amor al liberar a Israel de la esclavitud en Egipto (**Éxodo 20:2**). Ninguna otra cosa debería importarnos más que el deseo de Dios de que nos ame y que nosotros nos acerquemos a Él. Si tenemos otros objetivos más importantes que el de amar a Dios, no es que estemos quebrantando las reglas de Dios, sino que en realidad no tenemos una relación con Él. El otro objetivo, ya sea el dinero, el poder, la seguridad, el reconocimiento, el sexo o cualquier otro, se ha vuelto en nuestro dios. Este dios tendrá leyes propias que no se ajustan a las de Dios y, por ende, desobedeceremos la *Torá* al acatar sus mandatos. Solo es posible obedecer los diez mandamientos si primero se niega la existencia de otro dios que no sea Dios.

En el ámbito laboral, implica que no debemos permitir que el trabajo o sus consecuencias o resultados nos quiten de Dios como nuestra principal preocupación. *David Gill* afirma que "nunca permitas que nada ni nadie interfiera con el primer lugar de Dios en tu vida". Debido a que la gente en el trabajo busca principalmente el beneficio económico, es muy probable que el deseo desmedido de dinero sea el mayor peligro para el primer mandamiento. Jesús nos advirtió específicamente sobre este peligro. Nadie puede servir a dos amos... No podéis servir a Dios y al dinero (**Mateo 6:24**). Sin embargo, casi todo lo vinculado al empleo se puede entrometer con nuestros deseos, lo que a su vez causa que no nos apasione a Dios. ¿Cuántas historias trágicas de amor terminan porque el objetivo de alcanzar las metas por amor a Dios, como el poder político, la estabilidad financiera, el compromiso con la profesión, la posición de los demás o el desempeño superior, se vuelven el objetivo en sí mismo? Por ejemplo, cuando la importancia del reconocimiento en el trabajo supera a la del carácter, ¿no es este un indicio de que la reputación está desplazando a Dios del primer lugar?

Un criterio práctico es preguntarnos si nuestro amor por Dios se evidencia en la forma en la que tratamos a los demás en el ambiente laboral. Si alguien dice que ama a Dios, pero desprecia a su hermano, es un mentiroso, porque quien no ama a su semejante, que es quien lo ha visto, tampoco puede amar a Dios que no ha visto. Este mandato que tenemos de Él es que quien ama a Dios, también debe amar a su hermano. Si anteponemos nuestros propios deseos a los de los demás, en especial a los de aquellos que nos rodean, tenemos la posibilidad de convertir nuestros deseos personales en algo superior. En efecto, si consideramos a las personas como objetos con los que manipular, obstáculos que superar o medios con los que alcanzar nuestros objetivos, entonces estamos demostrando que no profesamos amor verdadero a Dios.

En este sentido, podemos identificar algunas acciones relacionadas con el empleo que tienen la capacidad de perturbar nuestra devoción por Dios. Por ejemplo, realizar una labor que atente contra nuestra moral; laborar en una institución que exige herir a otros para ser exitoso; trabajar tanto que no tengamos tiempo para rezar, adorar, descansar o fortalecer nuestra relación con Dios de otras maneras; trabajar en medio de personas que nos animan a bajar nuestros estándares morales o a amar algo diferente a Dios; trabajar en un lugar en el que el alcohol, el abuso de drogas, la violencia, el acoso sexual, la corrupción, el desprecio, el racismo y otros tipos de tratos inhumanos deterioren la imagen de Dios en nosotros y en las personas que encontramos en nuestro trabajo. Si es posible, sería inteligente encontrar maneras de evitar los peligros en el trabajo, incluso si esto implica buscar otro empleo. Si no es posible, al menos debemos admitir que necesitamos asistencia para conservar nuestro amor por Dios mientras realizamos nuestro trabajo.

"No te Harás Ídolo" (Éxodo 20:4)

El segundo mandamiento se ocupa de la adoración de ídolos. Los dioses que creamos son llamados ídolos, son dioses que no poseen nada que no hayamos creado nosotros mismos, son dioses que sentimos que los controlamos. En el pasado, la adoración de objetos era la forma más común de idolatría, pero el problema radica en la creencia y la devoción. ¿Qué es lo que más valoramos como la fuente de nuestra felicidad y éxito? Todo lo que no sea capaz de hacer que se cumpla nuestra esperanza, es decir, nadie más que Dios—es decir, un ídolo—sea o no un objeto físico. La narración de la familia que construyó un ídolo con el fin de manipular a Dios, y las desastrosas consecuencias que esto tuvo, son relatadas de manera memorable en los pasajes de Jueces 17 al 21.

En el mundo del trabajo, es común y correcto señalar que el dinero, la fama y el poder son ídolos potenciales. Estos como tal no representan ídolos, y de hecho pueden ser necesarios para que desempeñemos nuestros roles en el trabajo creativo y redentor de Dios en el mundo. Aun así, cuando nos imaginamos que tenemos el control absoluto sobre estos, o que al lograrlos garantizamos nuestra seguridad y prosperidad, hemos comenzado a caer en idolatría. Lo mismo puede ocurrir con casi todos los demás elementos del éxito, incluyendo la preparación, el trabajo duro, la creatividad, el riesgo, la riqueza y otros recursos, y las circunstancias favorables. Como trabajadores, debemos reconocer la importancia de estos aspectos; como hijos de Dios, debemos reconocer cuándo comenzamos a idolatrarlos. Por la gracia de Dios podemos vencer la tentación de adorar estos elementos que son buenos por sí mismos. La evolución de la sabiduría y la destreza piadosas en cualquier labor es para que tu fe esté en Dios *(Proverbio 22:19; énfasis agregado).*

La característica de la idolatría es que el ídolo por naturaleza es obra de un ser humano. En el ambiente laboral, la idolatría se genera cuando creemos que tenemos la capacidad de conocer la verdad absoluta. Cuando dejamos de evaluarnos a nosotros mismos con los estándares que establecemos para los demás, dejamos de escuchar las ideas de los demás o intentamos someter a quienes no piensan como nosotros, ¿no estamos comenzando a volvernos dioses?

"No Tomarás el Nombre del Señor tu Dios en Vano" (Éxodo 20:7)

El tercer mandamiento prohíbe a la gente usar indebidamente el nombre de Dios. Esto no se limita al nombre de *"Jehová"* (**Éxodo 3:15**), sino que incluye a Dios, Jesús, Cristo, etc. Sin embargo, ¿qué significa tomar el nombre de alguien en vano? Es evidente que se incluye el comportamiento ofensivo de blasfemar, maldecir y calumniar. Sin embargo, también conlleva la creencia de que Dios tiene la capacidad de forzar los acontecimientos humanos de forma equivocada. Esto nos prohíbe afirmar que nuestras acciones o decisiones son las órdenes de Dios. Desafortunadamente, parece que algunos cristianos creen que el hecho de seguir a Dios en el trabajo consiste en hablar de Dios a partir de su propia comprensión, en vez de hacerlo de forma respetuosa con los demás o hacerse cargo de sus acciones. Es muy arriesgado sostener que, *"es la intención de Dios que..."* Dios te está instando a... casi nunca es válido cuando se lo dice alguien que no pertenece a la comunidad de fe (**1 Tesalonicenses 5:20-21**). Desde este punto de vista, la aversión tradicional judía por pronunciar la palabra en español ***"Dios"*** —y en especial el nombre divino— evidencia una sabiduría que, a menudo, falta a los cristianos. Si fuéramos más cautelosos al no utilizar la palabra ***"Dios"*** de manera ligera, tal vez seríamos más prudentes al afirmar que conocemos la voluntad de Dios, en especial cuando se aplica a otros.

El tercer mandamiento también insta a honrar los nombres de las personas, esto es importante para Dios. El Buen Pastor llama a las ovejas por su nombre. A fin de cuentas, nadie debería utilizar incorrectamente el nombre de otra persona o se le debería llamar de manera irrespetuosa. Es inmoral utilizar los apellidos de las personas para maldecir, menospreciar, acechar, despojar y engañar. Cuando les damos un significado a los nombres, los empleamos para honrar, agradecer, cultivar empatía y recibir a otros. Solo recordar el nombre de alguien y decirlo es una bendición, en especial si la persona a la que se le recuerda es ignorada, invisible o sin importancia. ¿Conoces el nombre de la persona que saca su bote de basura, responde a su llamada de servicio o maneja su autobús? Sin embargo, estos ejemplos no se refieren al nombre de Dios, sino a aquellos que fueron modelados a su semejanza.

"Acuérdate del día de reposo para santificarlo. Seis Días Trabajarás" (Éxodo 20:8-11)

El día del descanso es problemático, además de estar presente en los libros de Éxodo y la Biblia Antigua, también se encuentra en la enseñanza y la práctica cristiana. La primera parte del mandato establece que los trabajadores deben tomarse un día de descanso cada siete días. Otras menciones a Sabbath en Éxodo están en el capítulo 16 (recogiendo el maná), **Éxodo 23:10-12** (en el séptimo año y el propósito del descanso semanal), Éxodo 31:12-17 (con la consecuencia de no cumplirlo), Éxodo 34:21 y Éxodo 35:1-3. En el transcurso de la cultura antigua, Israel poseía el día de reposo. Por un lado, era un obsequio único. Ningún otro pueblo antiguo disfrutó del privilegio de descansar por siete días consecutivos. Además, se necesitaba una fe ciega en la providencia divina. Seis días de labor debían ser suficientes para sembrar, cosechar, transportar agua, tejer y obtener su sustento a través de la creación. Mientras que Israel descansaba un día de cada semana, las naciones vecinas continuaban forjándose espadas, arreglando flechas y reclutando soldados. Israel se encomendó a Dios para que no permitiera que el día de descanso los llevara a una catástrofe económica y militar.

En la actualidad, estamos enfrentando el mismo problema de creer en Dios y que nos dé lo que necesitamos. Si respetamos el mandato de guardar el ciclo propio de Dios de trabajo y descanso, seremos capaces de participar en la economía moderna? ¿Debemos dedicar siete días a mantener un empleo (o dos o tres), limpiar la casa, preparar la comida, cortar el césped, lavar el automóvil, pagar las cuentas, terminar los deberes y comprar ropa, o podemos confiar en que Dios proveerá para nosotros, incluso si tomamos una semana cada vez? ¿Está permitido dedicar tiempo a adorar a Dios, orar y reunirse con otros para estudiar y animarse mutuamente, si así lo hacemos, esto nos hará más o menos productivos en general? El cuarto mandamiento no explica cómo Dios hará que las cosas salgan bien, tan solo nos indica que descansemos un día de cada siete.

Los cristianos han traducido el día libre como el día del Señor (el domingo, el día de la resurrección de Cristo), sin embargo, la intención de Sabbath no es escoger un día en particular de la semana sobre otro (**Romanos 14:5-6**). La verdadera polaridad que sustenta el *Sabbath* es el descanso y el trabajo. Tanto el empleo como el descanso están contemplados en el cuarto mandamiento. Seis días laborar son parte del mandato, al igual que el día de descanso. A pesar de que muchos cristianos están en riesgo de disminuir el tiempo de descanso en pos de mayor productividad, otros están en riesgo de lo contrario: aumentar el tiempo de descanso y tratar de llevar una vida ociosa y derrochadora. Es peor que faltar al Sabbath, ya que *"si alguien no cuida de sus semejantes, principalmente de los de su familia, entonces niega la fe y es peor que alguien que no crea en Dios"* (**1 Timoteo 5:8**). Necesitamos un ciclo adecuado de trabajo y descanso, lo que beneficia a todos nosotros, a nuestra familia, a nuestros empleados y a los visitantes. La cantidad de horas de descanso puede ser semanal o diaria, y puede o no incluir un día de descanso continuo todos los domingos (o sábados). Las proporciones pueden variar según sea necesario *(es decir, sacando un buey de un hoyo en el día de reposo, ver Lucas 14:5)*, o según sea necesario para las diferentes partes de la vida.

Si el mayor peligro que enfrentamos es el exceso de trabajo, deberíamos encontrar una manera de cumplir con el cuarto mandamiento sin crear un nuevo y falso legalismo, al mismo tiempo que se honra la espiritualidad (la adoración los domingos) se pone en contra de lo secular (el trabajo de lunes a sábado). Si nuestro objetivo es evadir las obligaciones, debemos aprender a encontrar placer y valor en el trabajo, como una forma de servir a Dios y a los demás (Efesios 4:28).

"Honra a tu Padre y a tu Madre" (Éxodo 20:12)

Existen diferentes maneras de honrar (o deshonrar) a los padres. En el transcurso de la vida de Jesús, los fariseos intentaron restringir su capacidad de hablar bien de sus padres, pero Jesús señaló que cumplir con este mandato implica trabajar para proveer para sus padres (Honramos a los demás al trabajar para su mejoramiento).

Para la mayoría de las personas, tener buenas relaciones con sus padres es una de las cosas más gratas de experimentar la vida; amarlos con devoción es placentero y es sencillo obedecer sus órdenes. Pero este mandato nos confronta cuando resulta difícil contribuir con el sustento de nuestros padres. Posiblemente no hayan recibido nosotros el mejor trato o la mejor atención. Posiblemente sean agresivos o intrusivos. Posiblemente estar cerca de ellos perjudique nuestra imagen personal, compromiso con nuestros cónyuges (incluyendo la responsabilidad del tercer mandamiento) y hasta nuestra relación con Dios. A pesar de que tengamos una relación cercana con ellos, es posible que en algún momento se vuelva un gran sacrificio cuidarlos a causa del tiempo y el esfuerzo que conlleva. Si la vejez o la demencia los despojan de la memoria, sus capacidades y su naturaleza bondadosa, cuidarlos se puede volver en una pesada carga.

Sin embargo, el quinto mandamiento contiene una promesa: que tus días sean extendidos en la tierra que el Señor tu Dios te da (**Éxodo 20:12**). De manera indirecta, honrar a los padres en estas formas concretas tiene como beneficio principal la posibilidad de darnos una vida más prolongada (es decir, sería más satisfactorio) en el reino de Dios. No se nos da una explicación de cómo sucederá esto, sin embargo, se nos indica que debemos aguardar que suceda y para ello es necesario confiar en Dios *(ver el primer mandamiento).*

Debido a que la orden es trabajar para el beneficio de los padres, es una orden que se relaciona naturalmente con el entorno laboral. Tal vez sea este el sitio en el que obtenemos ingresos para mantenerlos, o tal vez sea este el lugar en el que los ayudamos con sus quehaceres diarios. Ambos son oficios. Cuando se contrata a alguien porque se vive cerca de ellos, se les envía dinero, se utilizan sus valores y talentos o se logran objetivos que les fueron enseñados a ser importantes, se los está honrando. Cuando reducimos la extensión de nuestra carrera con el fin de estar con ellos, ayudarlos a limpiar, cocinar, bañarse y abrazarlos, llevarlos a los lugares que les gustan o disminuir sus miedos, los estamos honrando.

Asimismo, es importante reconocer que en muchas culturas, la labor de las personas fue forzada por sus padres y por las necesidades de la familia en lugar de ser algo que ellas mismas eligieran o desearan. En ocasiones, esto se torna en un gran conflicto para los cristianos, ya que consideran que los mandatos del primer y quinto mandamiento (respectar la orden de Dios) se oponen entre sí. Se ven forzados a tomar decisiones complejas que los padres no comprenden. Incluso Jesús sufrió un malentendido con sus padres cuando María y José no comprendieron por qué se quedó en el templo en lugar de marcharse a Jerusalén, cuando su familia ya había partido (**Lucas 2:49**).

En nuestra organización, tenemos la capacidad de aconsejar y ayudar a los demás a cumplir el quinto mandamiento, al mismo tiempo, nosotros mismos lo podemos acatar. Podemos recordar que todos los involucrados, tanto empleados como clientes, compañeros, jefes, proveedores y otros, también tienen familias, por lo tanto, es posible adaptar nuestras expectativas para apoyar sus esfuerzos por honrar a sus familias. Cuando los demás narran o se quejan de sus conflictos con sus padres, es posible escucharlos con empatía, brindarles apoyo práctico (por ejemplo, ofreciéndote a cubrir su turno), quizás ofrecer una visión piadosa que consideren, o solo reflejar la bondad de Cristo hacia aquellos que consideran que no están haciendo un buen trabajo como padres e hijos.

"No Matarás" (Éxodo 20:13)

Desafortunadamente, el sexto mandamiento tiene una importancia demasiado práctica en el entorno laboral actual, en donde el 10% de las muertes originadas en el trabajo son homicidios (en los Estados Unidos). Sin embargo, es poco probable que la amonestación de los lectores de este artículo a "no matar a nadie en el trabajo" tenga un efecto significativo en las estadísticas.

El homicidio no es la única forma de violencia en el entorno laboral, es solo la más extrema. Jesús afirmó que, además de ser inmoral, la ira constituye una ofensa al sexto mandamiento (**Mateo 5:21-22**). Como expresó Pablo, es posible que no podamos evitar sentir ira, sin embargo, sí es posible aprender a lidiar con ella. Airaos, pero no pecad; no se ponga el sol sobre vuestro enojo. Por consiguiente, es posible que la implicación más significativa del sexto mandamiento para el trabajo sea, "si te enfadas en el trabajo, solicita ayuda para controlar la ira". La mayoría de los individuos, iglesias, gobiernos estatales y locales y organizaciones sin ánimo de lucro brindan clases y asesoramiento sobre cómo lidiar con la ira, y su uso puede ser de gran utilidad para acatar el sexto mandamiento.

Quitarle la vida a alguien de manera premeditada es lo que se denomina asesinato, sin embargo, la ley que deriva de los casos y que se deriva del sexto mandamiento también indica la obligación de evitar las muertes no planificadas. Un ejemplo notorio es cuando alguien es corneado por un buey (un animal que se utiliza en el trabajo) y muere (**Éxodo 21:28-29**). Si el desenlace era previsible, el responsable del burro debería ser considerado un homicida. Para decirlo de otro modo, los encargados de la administración o los poseedores son responsables de garantizar la seguridad en el trabajo dentro de lo que sea posible. Este principio es legalmente establecido en la mayoría de países y es objeto de vigilancia gubernamental, autorregulación por parte de la industria y políticas y prácticas organizacionales. Aun así, muchos oficios siguen permitiendo o exigiendo que los empleados laboren en condiciones inseguras, innecesariamente. El sexto mandamiento les recuerda a los cristianos que tienen relación con el establecimiento de condiciones laborales, con la supervisión de trabajadores o con el diseño de métodos de trabajo, que la seguridad laboral es una prioridad mayor en el ámbito laboral.

"No Cometerás Adulterio" (Éxodo 20:14)

El trabajo es uno de los lugares más comunes para que ocurra el adulterio, no necesariamente porque ocurra en el trabajo, sino porque se deriva de las condiciones de trabajo y las relaciones con los compañeros de trabajo. Entonces, la primera aplicación en el lugar de trabajo es literal: las personas casadas no pueden tener relaciones sexuales en el trabajo, o por eso, tener relaciones sexuales con alguien que no sea su cónyuge. Obviamente, esta regla excluye trabajos como la prostitución, la pornografía y la terapia sexual, al menos en la mayoría de los casos. Cualquier trabajo que debilite el vínculo del matrimonio es una violación del séptimo mandamiento. Hay varias formas en que esto puede suceder: en un trabajo que fomenta fuertes lazos emocionales entre colegas pero que no respalda adecuadamente un compromiso con el cónyuge, como en un hospital, un programa empresarial, una institución académica o una iglesia; Condiciones de trabajo que dan como resultado que las personas estén en contacto físico cercano durante largos períodos de tiempo, o que no promueven un contacto razonablemente limitado fuera del horario laboral, como puede ocurrir en un trabajo de campo extenso; una política que expone a las personas al acoso sexual y a las relaciones sexuales con los supervisores un trabajo que se engrandece o se halaga a uno mismo, como celebridades, atletas famosos, magnates de los negocios, funcionarios gubernamentales de alto rango y los ricos; un trabajo que requiere demasiado tiempo lejos de su cónyuge (física, mental o emocionalmente) como para corroer el vínculo entre los cónyuges. Todos estos ejemplos pueden representar riesgos que enfrentan los cristianos que deben reconocer, evitar, mitigar o prevenir. Sin embargo, la solemnidad del séptimo mandamiento tiene menos que ver con el hecho de que el adulterio representa relaciones sexuales ilícitas que con el hecho de que rompe el pacto de Dios. Dios creó al marido y a la mujer para que fueran *"una sola carne"* **(Génesis 2:24)**, y el comentario de Jesús sobre el séptimo mandamiento enfatiza el papel de Dios en el pacto matrimonial: **"Lo que Dios unió, lo que ningún hombre juntó, lo divide" (Mateo 19:6)**. Así que el adulterio no es solo sexo con la persona equivocada sino un pacto con el Señor Dios. De hecho, el Antiguo Testamento a menudo usa la palabra adulterio y las metáforas que la rodean para referirse a la idolatría en lugar del pecado sexual. A menudo, los profetas se refirieron a la infidelidad de Israel al pacto de adorar solo a Dios como *"adulterio"* o *"prostitución"*, como en Isaías 57:3, Jeremías 3:8, Ezequiel 16:38 y Oseas 2:2, entre otros. muchos otros. Por lo tanto, cualquier traición contra el Dios de Israel es adulterio, involucre o no sexo ilícito. Este uso de la palabra *"adulterio"* reúne los mandamientos primero, segundo y séptimo, recordándonos que los Diez Mandamientos son una expresión de un pacto con Dios, no una especie de lista de las diez reglas más importantes.

Por lo tanto, es necesario evitar trabajos que nos lleven a adorar a otros dioses o nos exijan hacerlo. Es difícil imaginar cómo un cristiano podría ser un lector de cartas del tarot, un creador de arte o música idólatras, o un editor de libros blasfemos. A los actores cristianos les puede resultar difícil interpretar personajes profanos, antirreligiosos o poco espirituales. Todo lo que hacemos en la vida, incluido el trabajo, mejora o empeora nuestra relación con Dios de alguna manera. Durante largos períodos de tiempo, el estrés laboral constante que conduce a nuestro declive mental puede ser devastador. Sería bueno que tuviéramos esto en cuenta lo antes posible al tomar decisiones sobre nuestras carreras.

Los pactos rotos por el adulterio son únicos en el sentido de que son pactos con Dios. Pero, ¿no es cada promesa o acuerdo que un cristiano hace un pacto implícito con Dios? Pablo nos insta a hacer todo lo que se nos ocurra, ya sea de palabra o de hecho, en el nombre de Jesucristo (**Colosenses 3,17**). Es evidente que los contratos, promesas o acuerdos son cosas que se dicen o se hacen, o ambas cosas. Si todos los actos que realizamos están basados en el nombre de Jesús, entonces no es posible que ciertas promesas se cumplan porque son acuerdos con Dios, mientras que otras pueden ser incumplidas porque son solo de carácter humano. Todos tenemos que cumplir con nuestras obligaciones y no debemos tentar a los demás para que incumplan las suyas. Si combinamos el texto de Éxodo 20:14 con las enseñanzas que se desprenden del pasaje en el Antiguo y el Nuevo Testamento, podemos concluir que la mejor aplicación del séptimo mandamiento en el mundo laboral es *"cumplir sus promesas y ayudar a los demás a cumplir las suyas"*.

"No Hurtarás" (Éxodo 20:15)

El mandamiento número ocho también se centra en el empleo. El hurto es una violación al trabajo justificado, ya que se apropia de los frutos de la labor de otra persona. Asimismo, constituye una ofensa al mandato de trabajar siete días a la semana, ya que en la mayoría de los casos, el robo constituye una alternativa al trabajo honesto, lo que evidencia nuevamente la importancia de los diez mandamientos. Por tanto, podemos asumir que esta es la palabra de Dios: no se debe robar en el trabajo, ni a los jefes, ni a los compañeros, ni a nadie más.

El hurto se da en diferentes modalidades, además de la tradicional de robarle algo a alguien de manera directa. Se comete un hurto cuando se roba algo valioso de la persona que tenga la propiedad, sin su consentimiento. Robar consiste en malversar fondos o recursos con el fin de utilizarlos exclusivamente para nosotros mismos. Repetir un engaño para vender más, hacerse más popular o incrementar los precios es robar, ya que la falsedad implica que lo acordado con el comprador no es la realidad (consulte la sección sobre la sobreexposición en Verdad y Engaño para obtener más información sobre este tema). Asimismo, robar consiste en obtener un beneficio económico a expensas de la confianza que otras personas depositan en sus debilidades, indefensión o desesperación. Robar también es violar los derechos de patentes, derechos de autor y otros derechos de propiedad intelectual, ya que no se les paga a los propietarios de estas por sus creaciones bajo las leyes civiles.

Desafortunadamente, parece que muchos trabajos requieren que las personas se aprovechen de la ignorancia de los demás o de su incapacidad para encontrar alternativas, para forzar a las personas a participar en actividades que de otra manera no harían. Algunas personas, organizaciones, gobiernos y empresas tienen la capacidad de utilizar su poder para forzar a otros a aceptar injusticias en cuanto a sus salarios, precios, términos contractuales, condiciones laborales, cantidad de tiempo laborado o cualquier otro factor. Aun cuando tal vez no hurte bancos, tiendas ni a sus jefes, es muy probable que esté participando en prácticas ilegales o poco éticas que despojan a los demás de sus derechos legítimos. Es difícil y hasta perjudicial negarse a participar en estas prácticas, sin embargo, se nos pide que lo hagamos aun cuando no nos guste.

"No Darás Falso Testimonio Contra tu Prójimo" (Éxodo 20:16)

El noveno mandamiento honra el derecho a la imagen. Este es de gran importancia en los procedimientos legales, donde la persona que dice algo describe la realidad y afecta el futuro de otras personas. Las decisiones de los tribunales y otros procedimientos legales son poderosos, por lo tanto, manipularlos constituye un crimen grave que resta valor al tejido ético de la sociedad. *Walter Brueggemann* cree que este mandato reconoce que es imposible que la vida comunal exista a menos que haya una creencia pública de que la realidad social se describe y se comunica de manera veraz.

Aunque está redactado en un lenguaje jurídico, el noveno mandamiento también se extiende a una gran variedad de situaciones que se relacionan con prácticamente todos los aspectos de la vida. Nunca se debe mentir ni tergiversar la verdad para beneficio propio. *Brueggemann* tiene más ideas al respecto:

Durante las campañas electorales, los políticos se atacan entre sí de manera negativa, los columnistas de chismes lo hacen y en las casas de los cristianos se destruyen o mancillan reputaciones mientras se come un postre con una taza de café en vajilla fina. En verdad, estas son habitaciones de corte que no se rigen por la normativa, sino por el sentido común. Se acusa, se permite el chisme y se justifica la gran calumnia, el perjurio y los comentarios difamatorios sin cuestionamiento. Desprovisto de pruebas y sin defensor. Los cristianos están prohibidos de participar o tolerar conversaciones que difamen a alguien que no tenga la obligación de defender su nombre. No es lícito esparcir rumores de ninguna manera, ni como una petición de plegaria o preocupación ministerial. Más que no participar, los cristianos deben detener a quienes propagan rumores y a sus mensajeros.

A veces, los chismes se relacionan con asuntos ajenos al ambiente laboral, que ya es bastante desagradable. Pero ¿qué pasa con los casos en los que un empleado mancilla la reputación de un colega? ¿Realmente se puede encontrar la verdad cuando los que escuchan las chismes no están presentes para hablar por sí mismos? ¿Y las evaluaciones de desempeño? ¿Cuáles son las garantías necesarias para garantizar que los informes sean verdaderos y precisos? Un mayor grado de escalonamiento, la industria de la publicidad y las relaciones publicas opera en el espacio público entre organizaciones e individuos. ¿Hasta qué punto se puede mencionar la imperfección de los competidores sin tener en cuenta su perspectiva? ¿El derecho de *"otro"* también puede abarcar a compañías ajenas?

En verdad, la amplitud de nuestra economía global sugiere que este mandato podría tener una relevancia bastante grande. En un planeta en el que la apreciación suele ser considerada como la realidad, la retórica de la persuasión eficaz puede tener o no relación con la verdad genuina. El mandato divino que dio origen a este, nos recuerda que es posible que las personas no puedan detectar si la representación que hacemos de otros es exacta o no, sin embargo, Dios no se puede engañar. Es conveniente realizar lo correcto cuando no está uno supervisado. Con este mandato, entendemos que es necesario decir la verdad cuando la mayoría esté escuchando (*ver Verdad y Engaño* para más información acerca de este tema, en especial si la prohibición de *"mentir contra tu prójimo"* incluye todas las formas de engaño).

"No Codiciarás... Nada que Sea de tu Prójimo" (Éxodo 20:17)

La codicia y la envidia son capaces de presentarse en cualquier parte, incluso en el trabajo, donde el estatus, el salario y el poder son componentes habituales de las relaciones que tenemos con los demás. Es posible que tengamos buenas razones para desear el éxito, el progreso o la recompensa en el trabajo, sin embargo, la envidia no forma parte de ellas y tampoco lo hace el trabajar obsesivamente por la posición social que esto implica, ya que se basa en la motivación de la envidia.

Específicamente, en el trabajo enfrentamos la tentación de sobreestimar falsamente los logros de los demás a cambio de los nuestros. El remedio es sencillo, aunque a veces es complicado. Es necesario reconocer los logros de los demás y premiarlos sinceramente, además de hacer que sea una práctica habitual. Cuando comprendemos la alegría de los demás por sus logros o, al menos, los reconocemos, atacamos la raíz de la envidia y la codicia en el trabajo. Lo ideal es que, si aprendemos a trabajar en conjunto con el éxito de los demás, la codicia se reemplaza por la colaboración y la envidia por la unidad.

Leith Anderson, quien anteriormente fue pastor en la iglesia de Wooddale en *Eden Prairie, Minnesota*, describe que "ser el líder principal es como tener un suministro ilimitado de monedas en su bolsillo. Cada vez que le otorgo crédito a un miembro del personal por una buena idea, admiro el trabajo de un voluntario o le expreso gratitud a alguien, siento como si colocara una de mis monedas en su bolsillo. Mi función como líder es hacer que las monedas de mi bolsillo se introduzcan en los bolsillos de los demás, lo que hará que valoren más a los demás".

Leyes Derivadas de Casos en el Libro del Pacto (Éxodo 21:1-23:33)

A continuación, una lista de leyes que derivan de los Diez Mandamientos. En vez de detallar principios, ellas brindan ejemplos de cómo aplicar la ley de Dios en situaciones comunes que ocurren a diario. Debido a que son ejemplos, todos forman parte de las situaciones que debió enfrentar el pueblo de Israel. En efecto, es difícil extraer las leyes específicas de la narrativa y exhortación que se encuentra alrededor del Pentateuco (La Torá). En la actualidad, la ley derivada de casos se aplica en cuatro áreas que son particularmente relevantes al trabajo.

Esclavitud o Servidumbre (Éxodo 21:1-11)

A pesar de que Dios salvó a los hebreos de la esclavitud en Egipto, en la Biblia no se prohíbe la esclavitud. La esclavitud era aceptada en ciertas circunstancias, siempre y cuando los esclavos fueran considerados miembros de la comunidad **(Génesis 17:12)**, tuvieran los mismos periodos de descanso y vacaciones que los que no eran esclavos (**Éxodo 23:12; Deuteronomio 5:14-15; 12:12**) y fueran tratados humanamente (**Éxodo 21:7, 26-27**). Lo más relevante es que la esclavitud no era una condición permanente, sino que era una forma de vida temporal y voluntaria para quienes de otra manera sufrirían una gran marginación. Si adquieres un esclavo hebreo, te servirá por seis años, pero al séptimo saldrá libre sin pagar. La maldad del amo incentivaba que el esclavo fuera liberado de inmediato (**Éxodo 21:26-27**). Esto hizo que la esclavitud hebrea fuera más parecida a un empleo a largo plazo entre individuos que a la permanente explotación racial, étnica o de clase que ha caracterizado a la esclavitud en la actualidad.

La práctica de esclavizar mujeres hebreas era, en cierto sentido, incluso más beneficiosa. La razón primaria de la compra de una esclava era que se convirtiera en la esposa del dueño o en la descendencia del dueño (**Éxodo 21:8-9**). Como esposa, se convertía en la pareja del esclavista socialmente, y la adquisición se realizaba como cuando se daba un regalo. En efecto, la ley la denomina *"hermana"* (**Éxodo 21:10**). Asimismo, si el comprador no respetaba a la esclava como debería haber sido a una esposa común, debería dejarla ir. Ella saldrá de la cárcel sin abonar una tarifa. Por otro lado, las mujeres no tenían tanta protección como los hombres. Con el pasar del tiempo, incluso las mujeres que no estaban casadas se vieron forzadas a la posibilidad de ser compradas y vendidas como esposas, sin su consentimiento. A pesar de que se las consideraba esposas, no esclavas, ¿es menos condenable el matrimonio forzado que el trabajo forzado?

Asimismo, es evidente que no se podía comprar una mujer o niña como esposa de un esclavo, sino del dueño de los esclavos o de su hijo. Esto generaba una esclavitud permanente (**Éxodo 21:4**), aun si se cancelaba el contrato de esclavitud del esposo. La mujer era permanentemente una esclava del esclavista que no se casó con ella, además, este no le debía ninguna de las obligaciones que conlleva una esposa.

El amparo contra la esclavitud eterna tampoco cubría a los extranjeros (**Levítico 25:44-46**). Los individuos que eran capturados durante las guerras y que eran vendidos como botín, se convertían en propiedad de sus dueños. Las mujeres y niñas que fueron capturadas, aparentemente eran la mayoría de los prisioneros (**Deuteronomio 31:9-11, 32-35; Números 31:9-11, 32-35**) y tenían la misma condición que las esclavas hebreas (**Deuteronomio 21:10-14**), que eran obligadas a permanecer en esclavitud. También se podían adquirir esclavos en los territorios aledaños (**Eclesiastés 2:7**); no existían leyes que los resguardaran de la esclavitud permanente. Otros derechos de los esclavos hebreos se extendieron a los extranjeros, sin embargo, es probable que esta fuera una pequeña recompensa para quienes vivieron toda una vida de trabajos forzados.

En oposición a la esclavitud en los Estados Unidos, en donde la unión entre esclavos era generalmente prohibida, las reglas de Éxodo procuraban mantener intactas las familias. Si entró solo, saldrá solo; si tenía esposa, entonces su esposa saldrá con él (**Éxodo 21:3**). Aun así, como ya se ha mencionado, el verdadero resultado de las leyes fue el matrimonio forzado.

Independientemente de las disposiciones legales, la esclavitud no era una forma de vida conveniente. Los esclavos eran considerados como bienes, sin importar la cantidad de tiempo que hubiesen sido esclavizados. A pesar de las leyes, es probable que en la práctica la protección contra el abuso fuera mínima y que hubiera casos de maltrato. Como en la mayoría de las Escrituras, la palabra de Dios en Éxodo no anuló el orden económico y social existente, sino que exhortó al pueblo de Dios a que vivieran de manera justa y compasiva en sus circunstancias. A nuestro entender, las consecuencias de esta situación son abrumadoras y es justo percibirlas de esa manera.

Sin embargo, para no ser arrogantes, deberíamos examinar las condiciones laborales de la población de bajos recursos en todo el planeta, incluyendo países desarrollados. Los que tienen dos o tres empleos para subsistir, trabajan sin cesar, los que ejercen autoridad abusiva y se aprovechan de manera arbitraria, los que tienen negocios ilícitos y funcionarios corruptos, y los que participan en política de manera deshonesta, malversan los beneficios de su trabajo. Hoy en día, millones de personas laboran sin las limitaciones de la ley de Moisés. Si la intención de Dios era proteger a Israel de la explotación en el esclavismo, entonces, ¿qué espera Dios que hagamos los seguidores de Cristo por los que son oprimidos o peor por parte de Dios en la actualidad?

Restitución Comercial (Éxodo 21:18-22:15)

Las leyes del sofisma detallan las sanciones por infracciones, incluidas muchas sanciones relacionadas con el comercio, especialmente en el caso de responsabilidad por pérdidas o daños. La llamada ley de la represalia, que también se encuentra en Levítico 24:17-21 y Deuteronomio 19:16-21, es la base del concepto de represalia. Literalmente, la ley dice que vida por vida, ojo por ojo, diente por diente, mano por mano, pie por pie, quemadura por quemadura y herida por herida (**Éxodo 21, 23-25**). Esta lista es muy específica. Cuando los jueces israelíes están haciendo su trabajo, ¿podemos realmente confiar en que castiguen de esta manera? Si el acusado fuera quemado por la negligencia de otra persona, ¿realmente estarían satisfechos de ver quemar al culpable de la misma manera? Es interesante que en esta parte de Éxodo no vemos la ley de venganza aplicada de esta manera. En cambio, un hombre que hiere gravemente a otro en una pelea debe compensar a la víctima por el tiempo perdido y pagar su atención médica (**Éxodo 21:18-19**). El texto no dice que el agresor deba quedarse quieto y ser golpeado públicamente de manera similar por la víctima. Las leyes de represalias no parecen establecer una sanción estándar para los delitos mayores, sino que establecen un límite máximo para los daños que se pueden reclamar. *Gordon Wenham* señaló: *"No había policía ni fiscales en el Antiguo Testamento, por lo que el enjuiciamiento y el castigo tenían que ser realizados por la víctima y su familia. Por lo tanto, es muy probable que la parte lesionada no haya reclamado todos sus derechos bajo la ley de represalias, sino que negoció una compensación más baja, o incluso un perdón completo para el perpetrador. Algunos hoy en día pueden considerar bárbara esta ley, pero Alec Mortier señala que "cuando la ley inglesa cuelga a un hombre por robar ovejas, no es porque estén practicando el principio de 'ojo por ojo', sino porque lo han hecho. "olvidado."*

La pregunta que explica la ley de la represalia ilustra que puede haber una diferencia entre tomar la Biblia literalmente y aplicar lo que la Biblia enseña. Encontrar soluciones bíblicas a nuestros problemas no siempre es fácil. Los cristianos deben ser maduros y perspicaces, especialmente a la luz de la enseñanza de Jesús de eludir la ley de la venganza al no resistir el mal (**Mateo 5:38-42**). ¿El mensaje de Jesús se refería a una ética personal o esperaba que Sus seguidores la aplicaran en el mundo de los negocios? ¿El principio funciona mejor con faltas pequeñas o grandes? Además, tenemos la obligación de proteger y defender a quienes son víctimas de quienes cometen el mal (**Proverbio 31:9**).

Los lineamientos específicos sobre la compensación y las sanciones por robo tenían como finalidad primordial la restitución y la compensación. En primer lugar, culpaban al ladrón de devolver el objeto al dueño original o de compensarlo por completo. Segundo, el castigo consistía en castigar al ladrón y educarlo para que experimentara todo el dolor que le había causado a la víctima. Estos objetivos pueden ser el fundamento de la ley penal y civil en la actualidad. Actualmente, los procedimientos judiciales están regidos por leyes y reglamentos específicos que fueron impuestos por el estado, sin embargo, los jueces siguen teniendo cierto margen de maniobra para fijar condenas y sanciones. En los conflictos que no son resueltos por un tribunal, los abogados intentan llegar a un acuerdo que satisfaga a ambas partes. En los últimos tiempos, se ha popularizado una postura llamada "justicia restitutiva", que enfatiza la sanción que devuelve a la víctima a su estado original y, de ser posible, restaura al infractor a una posición productiva dentro de la sociedad. La descripción y el análisis de estas iniciativas es más extenso de lo que se puede abarcar en este ensayo, sin embargo, queremos indicar que la Biblia tiene mucho que decirnos sobre este tema en los sistemas de justicia actuales.

En ocasiones, los líderes deben mediar entre los empleados que tengan conflictos graves sobre el trabajo. Decidir lo correcto o lo justificado no solo afecta a quienes participan en la disputa, sino que también tiene un efecto en el entorno de la organización y, además, establece una pauta para los empleados en el futuro. La cuestión que se plantea es muy importante. Asimismo, cuando los cristianos tenemos que tomar decisiones de este tipo, los observadores que tenemos a nuestro alrededor toman como parte de sus consideraciones nuestras características personales y la legitimidad de la fe que rige nuestras vidas. Es evidente que no podemos prever todas las situaciones (y tampoco lo hace Éxodo) sin embargo, Dios espera que nosotros hagamos uso de sus instrucciones. Probablemente, la mejor manera de iniciar es pedirle a Dios que nos enseñe a amar a los demás como a nosotros mismos.

Oportunidades Productivas para las Personas Pobres (Éxodo 22:21-27 y 23:10-11)

La meta de Dios de proveer oportunidades a los pobres se puede evidenciar en las leyes que favorecen a los extranjeros, viudas y huérfanos (**Éxodo 22:21-22**). Lo que compartían todos ellos era que no tenían nada que comer. Con frecuencia, esto los llevaba a la pobreza, por lo que cuando el Antiguo Testamento menciona a *"los pobres"*, principalmente se refiere a los extranjeros, viudas y huérfanos. En el Deuteronomio, Dios se interesó en estos tres grupos de forma particular al ordenarles a Israel que los protegiera con justicia (**Deuteronomio 10:18; 27:19**) y les proporcionara comida (**Deuteronomio 24:19-22**). Algunas interpretaciones de la Biblia sobre este tema se encuentran en Isaías 1:17, 23; 10:1-2; Jeremías 5:28, 7:5-7; 22:3; Ezequiel 22:6-7; Zacarías 7:8-10; y Malaquías 3:5.

Una de las regulaciones más importantes es la que permite a los pobres recolectar el grano que quedaba en los campos cultivados y a los que no lo estaban, recolectar cualquier otra cosa que hubiese crecido en tierras que no estuvieran cultivadas. La práctica de espigar no era una donación, sino más bien una forma de sustento para los indigentes. A los poseedores de la tierra se les ordenaba no cultivar sus campos, viñedos y huertos durante un año de cada siete, y a los pobres se les permitía recolectar todo lo que crecía en ellos (**Éxodo 23:10-11**). Incluso en los campos de cultivo, los dueños dejaban algo del grano para que lo recolectaran los indigentes, en vez de segar hasta el final del lugar (**Levítico 19:9-10**). Por ejemplo, en un huerto o viñedo solo se podía recolectar una vez al año (**Deuteronomio 24:20**). Más adelante, los indigentes fueron autorizados a recolectar lo que quedaba, quizás lo que era de menor calidad o que demoraba más en madurar. Esta no solo era una demostración de amabilidad, sino que también era una necesidad de equidad. El libro de Rut se centra en la práctica de espigar de una manera encantadora *(ver "Rut 2:17-23")*.

Hoy en día, los agricultores, los productores y los distribuidores de alimentos se relacionan con los pobres de diferentes maneras. Algunos de ellos dan de comer al banco de alimentos o albergue que queda excedente de su comida del día. Otros hacen que la comida sea más económica al incrementar su propia productividad. Sin embargo, la agricultura ya no es la fuente de ingresos más importante para la mayoría de las personas (en los países desarrollados, al menos). Se necesitan alternativas para los habitantes de la pobreza en otros sectores. No se halla nada que escarbar en el lecho de la bolsa de valores, en un lugar de ensamblaje o en un espacio de programación, sin embargo, la premisa de proveer trabajos productivos a los trabajadores vulnerables sigue siendo válida. Las compañías pueden proveer trabajos productivos a personas con discapacidades mentales o físicas, o sin ellas, siempre y cuando cuenten con el apoyo del estado. Mediante la capacitación y la asistencia, las personas que provienen de entornos sociales desfavorecidos, los reos que vuelven a la sociedad y otros individuos que tienen dificultades para encontrar un empleo convencional, pueden convertirse en trabajadores productivos y ganarse la vida.

Asimismo, es posible que las personas que sean económicamente vulnerables se vean forzadas a depender de donaciones monetarias en vez de recibir trabajos. De nuevo, la situación actual es demasiado compleja como para aplicar de manera sencilla la ley bíblica, sin embargo, los principios que la componen pueden contribuir de manera significativa al diseño y a la ejecución de los sistemas de bienestar social, la caridad personal y la responsabilidad corporativa. La mayoría de los cristianos trabajan en puestos de gran relevancia en el diseño de políticas laborales o en la contratación de personas. El Éxodo nos enseña que proveer empleo a personas vulnerables es una parte fundamental de la vida en concordancia con el pacto de Dios. Los cristianos hemos sufrido la liberación de Dios, tal como ocurrió con el antiguo pueblo de Israel, pero no necesariamente de la misma manera. La simple gratitud por la misericordia de Dios es, sin duda, una poderosa fuente de motivación para encontrar formas creativas de servir a quienes más lo necesitan a nuestro alrededor.

Préstamos y Garantías (Éxodo 22:25-27)

Otras leyes derivadas de casos regían el dinero y las garantías (**Éxodo 22:25-27**). En este lugar, dos situaciones se dan. La primera se deriva de un creyente del pueblo de Dios que necesitaba dinero y recibió uno. Este préstamo no estaba sujeto a las normas comunes de préstamos, sino que se otorgaba sin *"ganancia"*. La palabra hebrea que significa *"morder"*, que en algunos contextos se traduce como *"neshekh"*, ha sido objeto de gran cantidad de investigaciones. ¿El término neshek se refería a un interés desmedido además de a la tasa económica necesaria para que la práctica del préstamo siguiera siendo viable económicamente? ¿O se trataba de cualquier préstamo? El documento no da explicaciones suficientes para resolver de manera definitiva esta cuestión, sin embargo, es probable que se refiriera a no cobrar intereses, ya que en el Antiguo Testamento, *neshek* se refiere a prestar dinero a personas en situaciones de necesidad y carencia, para ellos pagar cualquier interés sería una carga excesiva. Dejar que la gente pobre se endeude financieramente en un ciclo interminable hará que Dios, el Dios compasivo de Israel, intervenga. Aquí no se discute si la ley fue benéfica para la industria. Walter Brueggemann afirma que, *"la ley no discute sobre la posibilidad económica de esta práctica, solo exige que se cuiden formas concretas y espera que la sociedad se ocupe de los detalles prácticos"*. La segunda situación se origina a partir de un hombre que dona su propio abrigo como garantía para un crédito. Esta prenda debía devolverse por la noche para que el paciente durmiera sin poner en riesgo su integridad (**Éxodo 22:26-27**). ¿Esto implica que el prestamista debe acudir a usted en la mañana para recoger su abrigo durante el día y continuar con esta práctica hasta que pague el préstamo? En el marco de la tan notoria pobreza, un prestamista bondadoso podría haber evitado la absurdidad de este ciclo al no exigir ninguna garantía al deudor. Estas reglas pueden ser menos efectivas en el sistema bancario actual en general que en los sistemas de ayuda y protección para los desamparados actuales. Por ejemplo, en países de bajos ingresos, la microfinanciera creció a expensas de tasas de interés y garantías que se crearon con el propósito de atender las necesidades de personas pobres que de otra manera no podrían acceder a préstamos. El objetivo —en especial durante los primeros años de la década de 1970— no era maximizar el beneficio de los prestamistas, sino crear instituciones de crédito duraderas que ayudaran a las personas a salir de la pobreza. Aun así, la microfinanza lucha con balancear la necesidad de los prestamistas de tener un rendimiento sostenible y tasas de incumplimiento, con la necesidad de los deudores de tasas de interés razonables y términos de garantías no restrictivas.

La presencia de regulaciones específicas luego de los diez mandamientos implica que Dios quiere que Su pueblo lo honre poniendo en práctica sus instrucciones para atender necesidades reales. Una preocupación emocional que no lleve a acciones intencionales no les da a los pobres la clase de ayuda que necesitan. Como lo dice el apóstol Santiago, "así también la fe sin las obras está muerta" (**Santiago 2:26**). Estudiar las aplicaciones específicas de estas leyes en el antiguo pueblo de Israel nos ayuda a reflexionar acerca de las formas particulares en las que podemos actuar hoy en día; pero recordamos que incluso en ese entonces, estas leyes eran ilustraciones. Por tanto, *Terence Fretheim* afirma que *"la ley se ha abierto"*. Invita al oyente o al lector a que aplique el contenido del texto en todos los ámbitos de la vida, en donde se pueda dar injusticia. Parafraseando el texto: "*En otras palabras, la ley pretende superar la ley*".

Al estudiar las Escrituras con cuidado, encontramos tres razones por las que el pueblo de Dios debe acatar estas leyes y llevarlas a cabo en la actualidad. Comenzando por los israelitas, fueron maltratados como extranjeros en Egipto (**Éxodo 22:21; 23:9**). Parafrasear la historia no solo nos permite contemplar la restitución de Dios, sino que recordarla también se convierte en una fuente de motivación para tratar a los demás como a nosotros nos gustaría que nos traten (**Mateo 7: 12**). Segundo, Dios atiende los ruegos de quienes son oprimidos y toma medidas al respecto, en especial cuando nosotros no lo hacemos para ser santos, debemos ser el pueblo de Dios (**Éxodo 22:31; Levítico 19:2**).

El Tabernáculo (Éxodo 25:1-40:38)

Es posible que parezca que la labor de edificar el tabernáculo está fuera del alcance del proyecto de Enseñanza del Trabajo debido a su enfoque litúrgico. Sin embargo, es importante destacar que el libro de Éxodo no clasifica la vida de Israel de manera tan tajante como lo hacemos los humanos: la divide en categorías religiosas y profanas. Incluso si dividimos las ceremonias religiosas y no religiosas de Israel, no existe evidencia en Éxodo que sugiera que unas son más importantes que otras. Asimismo, la representación de lo que ocurrió en el tabernáculo no puede ser equiparada con la labor en la iglesia, que se lleva a cabo hoy en día. Es innegable que su edificación no se asemeja a ningún otro edificio de iglesias. Los pasajes de Éxodo que tratan sobre el tabernáculo son sumamente detallados y se centran en la creación de un solo objeto. A pesar de que el trabajo del tabernáculo prosiguiera año tras año, no se fusionaría con el del templo, cada uno de ellos sería considerado como el más importante y único. No eran animales que se pudieran domesticar para que formaran parte de la vida diaria de los israelitas. De hecho, la edificación y operación de templos en todo el planeta fue un gran perjuicio para la espiritualidad de la nación de Israel. Finalmente, el propósito del tabernáculo no era el de darle a Israel un sitio autorizado para adorar a Dios, sino que, en cambio, era la presencia de Dios presente entre ellos. Esto es evidente desde el principio en las palabras de Dios: *"Que construyan un santuario para mí, que yo pueda residir entre ellos"* (**Éxodo 25:8**). En la actualidad, los cristianos creen que Dios se acercó a nosotros en la forma de Su Hijo (**Juan 1:14**). A través de Su labor, toda la comunidad de creyentes se ha vuelto el templo de Dios, en donde reside el Espíritu de Dios (**1 Corintios 3:16**). Basándonos en estas observaciones, haremos dos afirmaciones que se relacionan con el empleo. La primera es que Dios es un artista y la segunda, que Dios provee herramientas a las personas para que realicen las tareas que les fue encomendadas.

La sección de Éxodo que habla sobre el tabernáculo tiene un orden que se basa en la orden de Dios (**Éxodo 25:1-31:11**) y la respuesta de Israel (**Éxodo 35:4-40:33**), sin embargo, Dios hizo más que solo decirle a Israel lo que querían de ellos. Él diseñó el artefacto. Esto es evidente en lo que Dios le dijo a Moisés: *"conforme a todo lo que te voy a mostrar, haréis conforme al diseño del tabernáculo y al de todos sus utensilios"* (**Éxodo 25:9**). La palabra que se utiliza en hebreo para designar al *"diseño" (tavnit)* en este pasaje, se relaciona con el edificio y sus componentes. Hoy en día, los arquitectos emplean planos para planificar la edificación, en un pasado no muy lejano, estos tenían la función de exhibir algún tipo de representación arquetípica. El templo era considerado frecuentemente como una réplica terrenal de un santuario celestial (**Isaías 6:1-8**).

Por el poder del Espíritu, el rey David fue instruido sobre el diseño del templo que luego le fue entregado a su hijo Salomón, quien financió la edificación del mismo (**1 Crónicas 28:11-12, 19**). A través de las siguientes descripciones, es evidente que el diseño arquitectónico de Dios es sutil y hábil. El fundamento de que Dios planificó antes de construir es válido para los santuarios de Israel, así como para la comunidad cristiana del Nuevo Testamento (**1 Corintios 3:5-18**). La ciudad futura que será reconstruida por Dios es una que solo Él pudo haber concebido (**Apocalipsis 21:10-27**). El propósito de Dios como arquitecto es honrar a esta profesión en particular, pero en términos generales, el pueblo de Dios puede llevar a cabo cualquier trabajo que escojan con la consciencia de que Dios también tiene un plan para ello. Para entender mejor el plan de Dios, es necesario comprender muchos de los detalles que se encuentran dentro de los límites de ese proyecto, sin embargo, el Espíritu Santo nos ayuda con esto.

Los relatos de Bezaleel, Aholiab y todos los trabajadores hábiles en el tabernáculo están llenos de palabras relacionadas con la labor (**Éxodo 31:1-11; 35:30-36:5**). La labor de Bezaleel y Aholiab es significativa no solo por el diseño del tabernáculo, sino también porque son un ejemplo de vida para *Hiram-abí* y Salomón, quienes edificaron el templo. El total de los oficios incluían oficios en oro, plata y bronce, además de oficios que involucraban piedra y madera. Para elaborar prendas de vestir se necesitaba lana, además de hilarla, teñirla, tejerla, diseñarlas y cosérselas a la persona que las usaba. Los empleados también fabricaban aceite para ungir e incienso aromático. Lo que las une todas es que Dios llenaba a los obreros con Su Espíritu. La palabra hebrea que se utiliza para *"habilidad"* y *"destreza"* en estos textos *(hokhmah)* se traduce como *"sabiduría"*, lo que hace que asociemos el uso de palabras y la toma de decisiones. El término es empleado para describir el trabajo que es eminentemente práctico, aunque también espiritual en su totalidad teológica (**Éxodo 28:3; 31:3, 6; 35:26, 31, 35; 36:1-2**).

La variedad de actividades de construcción que se presentan en este pasaje, aunque no es completa, ilustra la labor que involucraba esta actividad en el antiguo Oriente Próximo. Dado que Dios las animó, es seguro que Él deseaba que sucedieran y que las bendijera. Sin embargo, ¿es realmente necesario que haya textos como estos para garantizar que Dios apruebe este tipo de labor? ¿Qué pasa con las capacidades asociadas que no se han mencionado? Curiosamente, si el tabernáculo hubiera necesitado un sistema de enfriamiento, podemos sostener que Dios habría provisto planos para uno de este tipo. *Según Robert Banks*, es acertadamente aconsejado que, en las escrituras bíblicas, no se debe considerar de manera estricta o peculiar las analogías con el proceso moderno de construcción. *"Es posible llevarlo a cabo de vez en cuando, pero no de manera habitual"*. El punto no es que Dios tenga más aprecio por ciertas profesiones que por otras; la Biblia no tiene que describir detalladamente todas las profesiones nobles para que consideremos que son piadosas. De la misma manera que las personas no fueron diseñadas para el día de reposo, sino que este fue creado para ellas (**Marcos. 2:27**), las edificaciones y ciudades son creadas para los seres humanos. La norma que instaba a edificar hogares antiguos con un muro que protegiera la cúspide (**Deuteronomio 22:8**) ilustra la preocupación de Dios por la edificación cuidadosa que verdaderamente protege y atiende a las personas. Que el espíritu les otorgue habilidades a los obreros del tabernáculo, supone que Dios se preocupa por este proyecto y que tiene como objetivo principal el realizarlo. Basándose en esta verdad, la lección permanente que se puede extraer de nuestro trabajo actual es que, independientemente de la tarea que Dios encomiende, Él no la deja en nuestras manos sin preparación. Las maneras en las que Él nos provee de equipo para llevar a cabo Su labor son tan diversas como las labores que nos asigna. En la lealtad divina, Dios nos otorga dones espirituales que nos ayudarán a cumplir con su labor hasta el final (**1 Corintios 1:4-9**). Él nos da todas las bendiciones en abundancia para que podamos compartirlas en gran medida en toda buena obra (**2 Corintios 9:8**).

Conclusiones de Éxodo

En el pasaje de Éxodo , Dios libera a Su pueblo de la opresión y los transporta a la gloriosa libertad de los hijos de Dios. Esto no significa que se deba descuidar el trabajo, sino que es la capacidad de amar y servir a Dios a través del mismo en todos los aspectos de la vida. Dios provee una dirección para la vida y el trabajo que lo glorificará y bendecirá a Israel, además de proveer un sitio en donde Su presencia se hace presente, lo que bendice todo lo que hacen.

Introducción a Levítico

Levítico es un recurso útil para los que buscan dirección en el ámbito laboral; está repleto de instrucciones claras y aplicables, aun si la situación laboral se localiza en un lugar distinto al nuestro hoy en día. Además, es uno de los principales lugares donde Dios se revela a Sí mismo al igual que Sus intenciones para nuestra vida y nuestro trabajo. El libro está en el corazón del Pentateuco, el tercero de los cinco libros de Moisés que, juntos, conforman la narrativa y la base teológica del Antiguo Testamento. El segundo, Éxodo, relata como Dios guió a Su pueblo; Levítico explica lo que Dios llevó a él, una vida en presencia de Él. Con respecto al trabajo, Levítico es uno de los tópicos más esenciales, pues Dios prosigue presente con Su pueblo en nuestras labores del día de hoy. Además, el contenido de Levítico es primordial para las enseñanzas de Jesús y el resto del Nuevo Testamento. El mensaje de la gran comisión (**Marcos 12: 28-31**) proviene directamente de Levítico 19:18: *"Amarás a tu prójimo como a ti mismo"*. También el *"año de jubileo"* de Levítico 25, es el eje central de la misión de Jesús: *"el Espíritu del Señor está sobre mí, porque me ha ungido para proclamar el año favorable del Señor [de jubileo]"* (**Lucas 4:18-19**). El Señor declaró que *"ni el más mínimo detalle ni una tilde"* de la ley sería descartado (Mateo 5:18) –viéndose muchos de estos entresijos en Levítico–. Jesús presentó una visión nueva de la ley: cumplir con la ley es cooperar con los propósitos previstos por Dios cuando la dictó; debemos acatar no sólo la letra sino también el *"camino más excelente"* (**1 Corintios 12:31**), deviniendo mucho más allá de la ley. Con el objetivo de cumplir con el Espíritu de la ley, como hizo Jesús, debemos comenzar con el conocimiento de lo que significa la ley. Esto es lo que podemos encontrar en Levítico y, en parte, aplicable a nuestro trabajo.

Debido a que el libro de Levítico es fundamental en las enseñanzas de Jesús sobre el trabajo, al ser seguidores de Él, estamos en lo correcto al recurrir a dicho libro para hallar guía acerca de la voluntad de Dios en lo tocante a nuestro trabajo. Sin embargo, es importante considerar que los códigos establecidos en Levítico deben ser entendidos y aplicados a la sociedad actual, la cual no es comparable a la de antaño tanto a nivel estructural como en los pactos establecidos. Algunos ejemplos son que actualmente en la sociedad no hay mucha relevancia en conocer qué procedimientos realizar con los productos obtenidos por medio del sacrificio de animales, como así también el hecho de que ya no existe el sacerdocio levítico. A su vez, Cristo nos ha mostrado que el concepto de la ley es diferente al de la antigua sociedad de Israel. No se debe recurrir a Levítico simplemente cotizando un verso y afirmando "'así dice el Señor'", sino entender la intención que tiene Dios con cada precepto establecido en el libro para así poder aplicarlo de forma apropiada a la realidad actual. De esta forma conseguiremos que nuestras vidas reflejen la santidad de Dios y respeten sus intenciones, lo que a su vez permitirá crear una normatividad análoga a la del Reino Celestial en la Tierra.

La Noción Fundamental de Santidad en Levítico

El libro de Levítico se basa en la realidad de que Dios es sagrado. La palabra *qodesh* se encuentra más de cien veces en el texto hebreo de la Biblia. Decir que Dios es santo implica que está exento de toda clase de pecado o imperfección. Para graficarlo, Dios es completamente bueno y perfecto. El Altísimo es digno de ser honrado por completo, adorar exclusivamente y amarle de manera amorosa.

La nación de Israel se origina debido a que Dios los considera santos, además, el Señor espera que actúen de manera santificada en la vida diaria. Israel es honrado porque Dios es sagrado (**Levítico 11:44; 19:2; 20:7; 21:8**). Todos los diferentes artículos de Levítico que se refieren a aspectos religiosos, éticos, legales y criminales de la vida están basados en esta noción fundamental de la santidad.

Alexander Hill sigue el mismo patrón que Levítico al fundamentar su análisis de la ética cristiana de los negocios en la santidad, justicia y amor de Dios. Un acto de negocios es considerado como tal si refleja el carácter amoroso, justo y santo de Dios. Hill cree que los cristianos que profesan la religión de Jesucristo en el mundo de los negocios reflejan la santidad divina cuando son fervorosos por Dios, quien es su principal preocupación, por lo cual actúan con pureza, responsabilidad y humildad. Esto es lo que se intenta con Levítico en la actualidad, en vez de intentar recrear un código comercial que fue diseñado para una sociedad agrícola. No es ignorar las reglas, sino entender la manera en la que Dios las usa para guiarnos en el presente.

La santidad en Levítico no es una separación arbitraria, sino que tiene como objetivo principal que la comunidad del pueblo de Dios crezca y que cada miembro se vuelva a Dios. La santidad no se limita al comportamiento de los individuos que siguen las reglas, sino que también se trata de cómo cada acción afecta a toda la comunidad de Dios en su vida comunal y en su labor como representantes del reino de Dios. Basándose en esto, es totalmente justificado el llamado de Jesús a su pueblo a ser una *"sal"* y una *"luz"* para los demás (**Mateo 5:13-16**). Ser santo significa trascender la ley para amar a los demás, incluso a los enemigos, y ser *"tan perfectos como vuestro Padre celestial es perfecto"* (**Mateo 5:48, citado en Levítico 19:2**).

En pocas palabras, el antiguo pueblo de Israel no respetaba el libro de Levítico como si fuera un conjunto de reglas separadas, sino como una demostración de la presencia de Dios en su medio. Es tan importante para el pueblo de Dios de hoy en día como lo fue en el pasado. En Levítico, Dios incorpora a un grupo de pueblos nómadas que se desplazan a un pueblo sedentario. Asimismo, en la actualidad, cuando los cristianos asisten a sus lugares de trabajo, Dios influye en la cultura de las corporaciones, los grupos y las comunidades a través de nosotros. El mandato divino de ser santos, incluso más que Él, es una invitación a transformar la cultura para el bien.

Los Ofrendas de Israel (Levítico 1-10)

El libro de Levítico comienza con las normas para los sacrificios de Israel, expresadas desde dos perspectivas. La primera es la de los fieles laicos que llevan el sacrificio y participan en su ofrenda (capítulos 1 al 5). La segunda categoría era la de los sacerdotes, que llevaban a cabo los sacrificios (capítulos 6 al 7). A continuación, veamos cómo se ordenan los sacerdotes y comienzan su ministerio en el tabernáculo (capítulos 8 al 9), luego de esto, Dios les quita la vida a los sacerdotes Nadab y Abiú por haber infringido el mandato divino sobre sus responsabilidades religiosas (capítulo 10). No se puede asumir que este material solo exhibe ritos sin importancia para el mundo de los negocios modernos. En contraste, deberíamos observar la manera en que el pueblo de Israel resolvía sus problemas para así entender cómo nosotros, los individuos en Cristo, deberíamos hacer lo propio, a saber, lidiar con los problemas que involucran al trabajo y a las empresas.

La Casa de Dios en la Sociedad (Levítico 1-10)

La intención del ritual de purificación no era solamente solventar los errores ocasionales de santidad. La palabra quechua que significa "ofrenda" en hebreo es *"tzav"*, que significa *"llevar"* o *"traer"*. Llevar un sacrificio al lado del santuario, invitaba al devoto cerca de Dios. El problema no era el nivel de malicia de cada persona, sino más bien su conducta individual. La contaminación se origina por la impureza, que es un fenómeno que involucra a toda la sociedad, compuesta por algunos individuos que han cometido actos inmorales de forma voluntaria o involuntaria, además de la mayoría que ha dejado que los malignos se asentaran en ese lugar. El pueblo asume la responsabilidad colectiva por la sociedad corrupta, por lo que le da razones legítimas a Dios para que abandone el Santuario Nacional, lo que equivale a la destrucción de la nación. Para quienes profesan la religión cristiana y llaman a Jesucristo **"Emanuel"** *("Dios con nosotros")*, el objetivo sigue siendo la comunión con Dios. La forma en que Dios habita entre Su pueblo es de suma importancia.

Para llevar a cabo su labor, los cristianos deben buscar más que solo consejos espirituales, deben buscar lo que la sociedad considera como "éxito". Tener consciencia de que Dios es sagrado y desea residir en el epicentro de nuestras vidas, cambia la dirección de nuestro objetivo: la santidad, en el trabajo que Dios nos ha asignado. Esto no implica realizar actos de fe en el trabajo, sino, más bien, llevar a cabo todo nuestro cometido como si Dios fuera el que nos lo hubiera asignado. El trabajo no es la principal forma de disfrutar el producto de nuestro esfuerzo, sino que es una forma de experimentar la presencia de Dios. De igual forma, los sacrificios de Israel eran un **"aroma agradable para Jehová"** *(en Levítico 1:9 y 16 veces más)*, por lo que Pablo exhortó a los cristianos a "andar como es digno de Jehová, agradándole en todo" **(en Colosenses 1:10)**, ya que "fragante aroma de Cristo es para Dios". (**2 Corintios 2:15**).

En los proyectos en los que participo, ¿cuál sería la respuesta a la pregunta fundamental de *"¿en qué formas podría ser este un sitio apropiado para la santa presencia de Dios?"* ¿En la institución fomentan las personas la expresión de lo mejor que Dios les ha regalado? ¿Es un sitio en el que se respete a todos por igual? ¿Protege a los empleados de cualquier lesión? ¿Produce bienes y servicios que benefician a la comunidad de manera más significativa?

Todos el Pueblo Comparten las responsabilidades. (Levítico 1-10)

Levítico unificó los puntos de vista de dos grupos que solían estar en conflicto: los sacerdotes y el pueblo. Su función es unir a todos los miembros de la iglesia de Dios, sin importar sus diferentes grados de jerarquía. En las compañías más recientes, ¿cómo se debe tratar a los cristianos que son rechazados u ofendidos por personas que tengan más dinero o poder que ellos? ¿Acogemos con agrado la perpetración de abusos de poder cuando los resultados son ventajosos para nuestra carrera? ¿Participamos en la evaluación de colegas, en el chisme o en las murmuraciones, o intentamos llevar los reclamos a los sistemas imparciales? ¿Atendemos el perjuicio ocasionado por el hostigamiento y el favoritismo en el ámbito laboral? ¿ fomentamos una cultura positiva, promovemos la diversidad y construimos una organización saludable? ¿ promovemos la comunicación abierta y sincera, minimizamos la actividad política secreta y buscamos un mayor éxito? ¿Favorecemos un entorno que promueva la generación de nuevas ideas y la implementación de las mejores? ¿Enfocamos nuestra atención en el desarrollo sostenible?

Las ofrendas de Israel no solo procuraban satisfacer las necesidades espirituales de la nación, sino también las psicológicas y emocionales, lo que implicaba al individuo y a la sociedad en su totalidad. Los cristianos sabemos que los negocios tienen propósitos que no son inherentes a la religión, además, conocemos que las personas no son equivalentes a la labor que desempeñan o a lo que producen. Esto no disminuye nuestro compromiso de trabajar y ser productivos, sino que más bien nos recuerda que, como Dios nos perdonó, tenemos más razones que otros para ser considerados, justos y amables con todos. (**Lucas 7:47**; **Efesios 4:32**; **Colosenses 3:13**).

La Trascendencia de la Restitución por el Pecado (Levítico 6:1-7)

Cada sacrificio de Israel es importante, sin embargo, el sacrificio por la culpa (también conocido como el sacrificio de restitución) tiene un significado único que lo hace relevante para el mundo de los negocios. La ofrenda por la culpa de Levítico es el origen de la doctrina bíblica del arrepentimiento *(Números 5:5-10 es un pasaje paralelo)*. Según el Levítico, Dios exigía ofrendas en cada ocasión en que alguien engañara a otro sobre un depósito o algo que le fuera confiado, hurtara o defraudara, mintiera sobre la ubicación de algo que fue encontrado o hiciera un juramento falso (**Levítico 6:2-3**). No era una sanción impuesta por un órgano jurisdiccional, sino una restitución que un infractor que se escabulló de las consecuencias de su delito, pero que luego se arrepintió y ofreció una ofrenda, aceptó su culpa (**Levítico 6:4-5**). El sustento de la ofrenda por la culpa es la confesión del pecador, en lugar de la acusación de las autoridades.

Con frecuencia, los pecados de este tipo se habrían cometido en el contexto de otro negocio o empleo. La ofrenda por la culpa exhorta al pecador arrepentido a que devuelva lo que extrajo de manera ilegítima con un veinte por ciento adicional (**Levítico 6:4-5**). Solo después de haber sanado el contratiempo en el mundo físico, el pecador podía ser perdonado por Dios al entregarle un animal al sacerdote para el sacrificio (**Levítico 6:6-7**).

La ofrenda por la culpa resalta de manera excepcional varios preceptos acerca de la curación de vínculos personales que han sido perjudicados por el hurto monetario.

1. Para sanar el error no es suficiente una disculpa genérica o la completa restitución del objeto sustraído. Asimismo, se incorporó algo similar al concepto actual de ofrendas por la culpa, pero difiere de este en que, en lugar de que los infractores se obligaran a pagar el daño, lo asumían voluntariamente y compartían el dolor que causaron a la víctima.
2. Hacer todo lo posible por reparar un daño cometido a otra persona es beneficioso para ambas partes, además de que beneficia a la víctima. La ofrenda por la culpa reconoce el dolor que provoca la confesión de un crimen y sus consecuencias negativas, además, sirve como una forma de lidiar con el asunto de una manera más positiva, lo que genera un resultado positivo y calmante. Esta ofrenda simboliza la bondad de Dios, ya que el dolor y el daño se cancelan entre sí para que no se vuelvan más graves o violentos, sino

que permanezcan en un estado neutral. Asimismo, suprime la necesidad de la víctima (o de la familia de la víctima) de tomar el asunto en sus manos para exigir justicia.
3. Ninguna parte del sacrificio de Jesús en la cruz libera al pueblo de Dios de la obligación de pagar. Jesús enseñó a Sus discípulos que, si llevaban ofrenda al altar y se encontraban con que su hermano tenía algo contra ellos, deberían dejar la ofrenda en el lugar y luego acercarse para reconciliarse con su hermano antes de volver a presentar la ofrenda (**Mateo 5:23-24**). La ley exige que amemos a nuestros vecinos como a nosotros mismos (**Levítico 19:18 citado en Romanos 13:9**), y la restitución es una forma esencial de amor genuino. Jesús le otorgó la libertad a Zaqueo, un hombre rico que pagó más de lo que se requería legalmente, siendo este un ejemplo de aquellos que comprendieron el perdón. (**Lucas 19:1-10**).
4. Las palabras de Jesús en Mateo 5:23-24 también nos indican que una parte fundamental de hacer las cosas bien con Dios y vivir en paz, es intentar reconciliarnos con los demás. El perdón de Dios es superior, pero no reemplaza a la compensación que se le debe dar a quienes se han visto perjudicados (si es posible). En respuesta a la gracia de Dios, nuestros corazones se sienten motivados a realizar todo lo posible para reparar el mal que hayamos infligido a otros. Es poco frecuente poder revertir por completo el daño causado por el pecado, pero el amor de Cristo nos motiva a realizar todo lo posible.

La ofrenda por la culpa es una recordatoria contundente de que Dios no tiene el derecho de perdonar a cambio de que las personas que han sido perjudicadas por nuestros actos malos reciban el perdón. Él no nos proporciona la liberación psicológica de nuestra culpa para reemplazar de manera económica el dolor y la angustia causados.

Lo Sucio y lo Limpio (Levítico 11-16)

La lógica que subyace a toda esta sección, que se halla en el medio del texto, es mencionada en Levítico 11:45. *"Porque Yo soy el Señor, que os he hecho salir de la tierra de Egipto para ser vuestro Dios; por tanto, seréis santos porque Yo también lo soy"* (**Levítico 11:45**). Dios insta a Israel a reflejar Su santidad en todas las áreas de la vida. Los capítulos 11 al 16 de Levítico tratan sobre los alimentos "legítimos" e "ilegítimos" (capítulo 11) y los ritos de purificación (capítulos 12 al 15). Finalmente, encontramos la manera en la que se debía celebrar el día de la expiación para purificar a las personas y el santuario de Dios (capítulo 16).

Los cristianos también creemos que todos los aspectos de nuestra vida deben estar guiados por la santa presencia de Dios en nosotros, aunque las leyes de Levítico y sus temas y alcances suelen asombrarnos en la actualidad. ¿Existen principios éticos que se mantengan en estas reglas específicas? Por ejemplo, es complicado entender la razón por la que Dios permite que Israel se alimente de ciertos animales, pero no de otros. ¿Por qué hay preocupación por ciertas enfermedades específicas de la piel (que ni siquiera se puede identificar con certeza en la actualidad), pero no por otras más graves? ¿El moho es realmente el más severo de entre todos los males que aquejan a la humanidad? Al limitar nuestra atención a temas de interés, ¿es esperable que estos textos tengan algún significado para la industria de la alimentación, la medicina o la contaminación ambiental en hogares y espacios de trabajo? Como hemos mencionado anteriormente, encontraremos respuestas a las preguntas de si debemos acatar reglas hechas para un contexto diferente, en lugar de eso, buscaremos cómo los pasajes nos guían para contribuir con la felicidad de la sociedad.

Solo se Puede Ingerir Ciertos Animales (Levítico 11)

Hay varias teorías que pueden ser consideradas viables acerca de las reglas que rigen qué animales son comestibles en Levítico 11. Catorce de las dieciocho compañías tienen respaldo de afuera, pero ninguna ha sido aceptada por la mayoría. Encontrar el valor es una labor que está fuera de nuestro alcance, sin embargo, *Jacob Milgrom* tiene una perspectiva relacionada con la labor que puede ser de utilidad. Él menciona tres elementos principales: Dios restringió severamente la selección de Israel en cuanto a los alimentos de origen animal, les dio reglas específicas para matar animales y les prohibió consumir la sangre, que es vida y solo pertenece a Dios. A la luz de estos datos, *Milgrom* cree que el sistema israelí de alimentación es una forma de reprimir el instinto asesino de las personas. Sintetizando, a pesar de que pueden satisfacer su ansia por la comida, deben contener su ansia de poder. Dado que la vida es inmune, no se puede alterar de manera arbitraria. Si Dios tiene la intención de participar en los pormenores de los animales que pueden matar y cómo hacerlo, ¿cómo es posible no tomar en cuenta que el asunto de matar personas es mucho más acotado y está bajo la supervisión de Dios? Este planteamiento es más pertinente en la actualidad. Por ejemplo, si todos los centros de servicios relacionados con la agricultura, la ganadería y la alimentación tuvieran que rendir cuentas diariamente a Dios sobre el tratamiento y la condición de sus animales, ¿estarían más atentos a la seguridad y condiciones laborales de sus empleados?

A pesar de que existe un gran detalle en Levítico, que origina la discusión continua sobre la alimentación en la Biblia, sería incorrecto que un cristiano pretenda imponer sus creencias a los demás sobre la provisión, preparación y consumo de alimentos. No obstante, lo que comamos o no, *Derek Tidball* nos enseña de manera adecuada la importancia de la santidad. Cualquiera que sea el pensamiento sobre estas cuestiones complejas, no se puede desligar del compromiso cristiano por la santidad. La santidad nos insta a comer y beber "para la honra de Dios". Lo mismo sucede con la producción, preparación y consumo de alimentos y bebidas.

Conversación Acerca de las Dolencias de la Piel y los Hongos que las Causan (Levítico 13-14)

En contraste con las leyes que rigen la alimentación, las leyes que se ocupan de las enfermedades y la contaminación ambiental tienen como objeto primordial la salud. La salud es también de suma importancia en la actualidad, y seguiría siendo un interés noble y piadoso aun si el libro de Levítico no estuviera en la Biblia. No obstante, no sería sensato creer que el libro de Levítico contiene indicaciones que se puedan aplicar de manera directa a la actualidad para enfrentar enfermedades infecciosas y la contaminación ambiental. Debido a que estamos a miles de años luz de la época, no tenemos la certeza de que el pasaje se refiera a enfermedades específicas. Si las reglas específicas del Levítico no tienen influencia en la manera en que se llevan a cabo las tareas de la salud y el cuidado ambiental, ciertamente lo hace el mensaje perdurable del libro: que Dios es el Dios de la vida y que Él guía, honra y engrandece a quienes sanan a las personas y al ambiente.

La santidad (Levítico 17-27)

Algunas de las reglas del código de santidad solo son relevantes para la antigua nación de Israel, en tanto que otras parecen inmutables. Levítico 19:27 indica que los hombres no deben dañar los bordes de su barba con la otra mano, pero Levítico 19:15 indica que los jueces no deben juzgar a los demás de manera injusta en el tribunal, sino de manera imparcial. ¿Cómo podemos identificar cuáles son relevantes en la actualidad? Mary Douglas explica de manera útil que entender la santidad como un orden moral, fundamenta estas instrucciones en Dios y les da sentido.

La idea de santidad como equivalente al orden, y no al caos, mantiene la justicia y la rectitud como algo santo, y la contradicción y las negociaciones dobles como algo que está en contra de la santidad. El hurto, la mentira, el falso testimonio, las trampas en las medidas de peso y capacidad, y todas las formas de encubrimiento, como mentirle a otros (además de sonreírles) y odiar a un hermano que se les presente, son características que evidencian una contradicción entre lo que se dice y lo que se hace.

Algunos de los motivos por los cuales se mantiene un buen orden (ejemplo el orden de la barba) pueden ser importantes en un contexto, pero no en otro, y algunos de los motivos son esenciales en todas las situaciones. Podemos solucionar el problema preguntándonos qué es lo que contribuye al orden en el lugar en donde nos encontramos. En este ensayo analizaremos pasajes que estén directamente relacionados con el tópico de trabajo y economía.

Espigar (Levítico 19:9-10)

Aun cuando los métodos de recolección antiguos no eran tan efectivos como los actuales, en Levítico 19:9-10 se indica a los israelitas que lo sean aún menos. En primer lugar, no debían recolectar el grano que hubiese crecido en las partes más lejanas de sus campos. Se cree que la persona que poseía el terreno tenía la facultad de regular la extensión de este lugar. La primera regla era que no debían recolectar el producto que se encontraba en el piso. Esto se aplicaba cuando el recolector recogía un manojo de tallos y los sacaba con la hoz, de igual forma, cuando las uvas caían de un manojo que era cortado de la vid. Finalmente, debían recolectar sus vides una sola vez y solo recolectar las uvas maduras, dejando las que aún estaban en proceso de maduración para los indigentes y los inmigrantes que vivían cerca. Estas dos categorías de personas —los indigentes y los extranjeros residentes— no poseían tierra, por lo que dependían de su trabajo para obtener el sustento. En el antiguo Oriente Próximo, era común que las leyes protegieran a los más pobres, sin embargo, la ley de Israel fue la única que les otorgó este beneficio a los extranjeros. Esta fue una manera en la que el pueblo de Dios se diferenciaba de los demás pueblos. Otros textos señalan a la viuda y al huérfano como integrantes de esta categoría (algunas referencias bíblicas a la práctica de espigar se encuentran en Éxodo). **22:21-27**; **Deuteronomio 24:19-21**; **Jueces 8:2**; **Rut 2:17-23**; **Job 24:6**; **Isaías 17:5-6**; **24:13**; **Jeremías 6:9**, **49:9**; **Abdías 1:5**; **Miqueas 7:1**).

Podríamos catalogar la práctica de espigar como una manifestación de compasión o justicia, sin embargo, de acuerdo con Levítico, permitir que otros espiguen en sus propiedades es un indicio de santidad. Lo hacen porque Dios declara que es el Señor de vuestro Dios: *"Yo soy"* (**Levítico 19:10**). Esto evidencia la diferencia entre esta actividad y la acción de dar. Al realizar actos de bondad, los individuos dan algo voluntariamente a quienes lo necesitan. Es una buena noticia y un noble gesto, pero no se corresponde con lo dicho por Levítico. El espigar es un procedimiento en el que los poseedores de la tierra están obligados a permitir que los indigentes y marginados tengan acceso a sus medios de producción (en Levítico, la tierra) y trabajen por ellos mismos. La diferencia con la caridad es que no está condicionado a la donación de tierras por parte de sus dueños. En verdad, se asemejaba más a un gravamen que a una donación de caridad. Otra distinción con la caridad era que no se entregaban objetos directamente, sino que, a través de la práctica de espigar, los pobres lograban su sustento de la misma manera en que el dueño de la tierra lo hacía: trabajando en su campo por sí mismos. Solo se trató de un mandato que instaba a que todos tuvieran acceso al recurso provisto por Dios.

Es posible que no sea sencillo identificar cómo llevar a cabo los principios de la espigar en las sociedades actuales. Es evidente que en muchos países es necesario realizar una reforma agraria para que la tierra esté a disposición de los campesinos, en vez de estar en poder de personas arbitrarias o deshonestas, que se la apropiaron de forma ilegal. En países con mayor desarrollo industrial y científico, la tierra no constituye la principal fuente de producción. Es posible que los requerimientos de los pobres sean la educación, el capital, el producto y los mercados laborales, los sistemas de transporte y leyes y normas que no discriminen. Es esencial que las soluciones vengan de diferentes sectores de la sociedad, ya que tanto los cristianos como los no creyentes tienen la misma capacidad para determinar las alternativas más eficientes. Indudablemente, Levítico no contiene un plan para economías modernas, sin embargo, el sistema de espigar en el libro sí expone la obligación de los dueños de activos productivos de garantizar que las personas sin empleo tengan la posibilidad de laborar para subsistir. No es posible que un solo propietario brinde oportunidades a todos los desempleados o subempleados, además, de ser imposible para un agricultor en el antiguo pueblo de Israel, darle la oportunidad de espigar a toda la región. Sin embargo, es la persona que tiene la responsabilidad de proveer trabajos. Es posible que los cristianos en general también tengamos la obligación de valorar el trabajo que desempeñan los propietarios de negocios en su rol como impulsores de la creación de empleos en sus regiones.

(si quieres comprender más acerca del procedimiento de espigar en la Biblia, lee "22:21-27" en Éxodo y el Trabajo, y "Rut 2:17-23" en Rut y el Trabajo).

Actitud de Honestidad (Levítico 19:11-12)

Las prohibiciones de Levítico contra robar, mentir en acuerdos y profanar el nombre de Dios al hacer juramentos falsos están relacionadas con los diez mandamientos de Éxodo 20 . (para más información sobre la honestidad, sin embargo, algo único en Levítico es la frase en hebreo que sigue, "ni os mentiréis unos a otros" *(Levítico 19:11; énfasis agregado).* Literalmente, dice que "las personas no se mentirán unas a otras." Esto probablemente involucre a todos los demás miembros de la tribu de Israel, pero de acuerdo a Levítico 24:19 en el contexto de Levítico 24:17-22, también parece que involucra al extranjero que reside en el lugar. La moral y ética de Israel debían ser más elevadas que las de los países que las rodean, incluso más que la de los inmigrantes, que eran tratados de manera similar a los residentes.

En verdad, la cuestión radica en el vínculo que existe entre decir la verdad y mentir. Una falsedad no solo consiste en la falta de exactitud de un dato, sino también en traicionar a un compañero, amigo o a alguien más que esté relacionado con él. Lo que los demás se dicen entre sí debe provenir de la santidad de Dios en nosotros, no solo de un análisis para evitar las mentiras descaradas. Cuando el presidente de los Estados Unidos Bill Clinton dijo que no mantuvo sexo con la mujer, probablemente tenía una lógica confusa en su cabeza que justificaba su afirmación, sin embargo, los ciudadanos entendieron su error y tomaron como válido su reconocimiento posterior. Él no cumplió con su obligación de no decirle a otros la verdad.

En muchos trabajos, es necesario fomentar los aspectos positivos o negativos de un producto, servicio, persona, organización o situación. Los cristianos no deben evitar expresar sus creencias con firmeza, pero no deben mentir a los demás acerca de lo que piensan. Si las palabras que se dicen son técnicamente ciertas, pero en realidad crean una falsa impresión en la mente de alguien más, entonces no se ha cumplido con el deber de decir la verdad. En la práctica, cuando una discusión sobre la honestidad se convierte en un debate sobre la forma en que se dijo algo, es inteligente preguntarse si la discusión en realidad es sobre mentirle a alguien.

Trato Justo para los Empleados (Levítico 19:13)

"No maltratarás a tu semejante, tampoco le robarás. El jornalero no debe quedarse con el salario toda la noche, sino que debe ser devuelto a la mañana siguiente (**Levítico 19:13**). Las personas que trabajaban solo por un día, por lo general, eran las más pobres, ya que no poseían tierras propias para cultivar. Ellos requerían que les paguen inmediatamente por su labor, por lo que necesitaban que les entregaran su remuneración al finalizar cada jornada (Deuteronomio. En la actualidad, se observa una situación similar cuando los empleadores tienen la facultad de establecer los requisitos y condiciones del empleo, aprovechándose de la indefensión de los empleados. Por ejemplo, cuando los empleados son forzados a apoyar a los candidatos de sus superiores o a continuar con su labor después de que termine el turno. Estas prácticas son ilegales en la mayoría de los lugares, sin embargo, continúan siendo comunes.

Una situación más controvertida es la de los trabajadores por días que no poseen los documentos necesarios para ser considerados empleados legítimos. Este fenómeno se produce en todo el planeta y afecta a los refugiados, a los desplazados internos de un país, a los residentes rurales sin contar con un permiso de residencia, a los inmigrantes ilegales, a los niños menores de edad que deberían tener la edad suficiente para trabajar de forma legal y a otros. Con frecuencia, personas que no son especialistas trabajan en agricultura, jardinería, empleo a destajo, alimentación y otros oficios, además de realizar actividades ilícitas. Debido a que tanto los empleadores como los empleados se encuentran al margen de la ley, no existe protección para los trabajadores a través de contratos o regulaciones gubernamentales. Los empleadores pueden explotar la vulnerabilidad de los trabajadores indocumentados y pagarles menos de lo que les corresponde legalmente, negarles beneficios y ofrecer condiciones laborales peligrosas o poco favorables. Los empleados pueden ser víctimas de abuso o acoso sexual. En la mayoría de los casos, están bajo el control total de su empleador. ¿Está permitido que los empleadores los discriminen de esa manera? Probablemente no.

Pero, ¿qué pasa si las personas que se encuentran en estas situaciones trabajan de forma temporal en empleos precarios aparentemente por voluntad propia? En muchos lugares, las personas indocumentadas se desempeñan como empleadas de jardines, expendedoras de suministros, en mercados agrícolas o en otros sectores poblados. ¿Es lícito emplearlos? Si es así, ¿es el empleador responsable de proveer lo mismo que los trabajadores legales tienen derecho, como el salario mínimo, los beneficios de salud, los pagos de los planes de jubilación, el subsidio por enfermedad y la indemnización por despido? ¿Los cristianos deben ser estrictos en cuanto a la legalidad del empleo, o deben ser flexibles porque la legislación no se ha adaptado a la realidad? Es inevitable que los cristianos de pensamiento serio difieran en sus conclusiones sobre esto y es difícil justificar una solución única. Cualquiera sea el método que un cristiano emplee para resolver estos problemas, Levítico nos insta a que la santidad (y no la simple funcionalidad) sea el eje de nuestro pensamiento. La santidad en el campo laboral se origina en la consideración de los más necesitados.

Los Derechos de las Personas Discapacitadas (Levítico 19:14)

"No maldecirás al sordo, ni pondrás tropiezo delante del ciego", sino que tendrás temor de tu Dios", dijo el Señor (**Levítico 19:14**). Estos mandatos exhiben una visión realista de la forma en que se maltrataba a las personas con discapacidad. El sordo no podía oír una maldición, ni el ciego podía ver lo que lo llevaría a tropezar. A causa de esto, Levítico 19:14 exhorta a los israelitas a que "tomen en serio" a su Dios, quien escucha y observa el deplorable trato que reciben en el trabajo. Por ejemplo, aunque los discapacitados no necesitan los mismos muebles de oficina o equipos, sí necesitan la oportunidad de tener un empleo que mejore su productividad, al igual que los demás. En la mayoría de los casos, las personas con discapacidades no deben ser forzadas a dejar trabajos que sean apropiados para ellas. Vuelve a leerse el mandato de Levítico, en este caso no se trata de que el pueblo de Dios ayude a los demás, sino que la santidad de Dios les concede a todos los seres humanos que están modelados a su semejanza el derecho a tener trabajos apropiados.

Cumplir con lo Justo (Levítico 19:15-16)

"*No realizarás actos injustos en el juicio; no favorecerás al pobre ni complacerás al rico, sino que, en cambio, realizarás actos justos en el juicio hacia tu prójimo. No andarás como un calumniador entre tu pueblo, no harás nada para salvar la vida de tu prójimo. Yo soy el Señor"* **(Levítico 19:15-16)**.

Esta breve sección respalda el valor bíblico de la justicia, luego la amplia. El primer verso se dirige a los jueces, pero culmina dirigiéndose a todos. Para ser justo al juzgar casos, no se debe ser imparcial y tampoco se debe juzgar a los demás de manera distinta. La gramática hebrea fomenta la tentación de juzgar la apariencia de una persona o de una situación basándose en su apariencia. Levítico 19:15 especifica específicamente que no realizarás actos de injusticia en los juicios, no favorecerás al pobre ni complacientes al rico, sino que, en cambio, realizarás juicios justos hacia tu prójimo. Para ser justos, los jueces deben dejar de lado sus apreciaciones (la *"figura"* que ven) y considerar el problema de la imparcialidad. Lo mismo sucede en las interacciones sociales que tienen lugar en el ámbito laboral, escolar y social. En todos los lugares, existen personas que son privilegiadas y otras que son marginadas debido a los distintos tipos de prejuicios sociales. Imagínense la diferencia que causaría en los cristianos nuestra apresurada evaluación de las personas y las situaciones sin conocerlas a fondo. ¿Y si dedicáramos un tiempo a conocer a la persona fastidiosa que forma parte de nuestro equipo antes de quejarse de ella a sus espaldas? ¿Y si nos animáramos a compartir con personas que no sean de nuestra zona de confort en la escuela, la universidad o la vida civil? Y si buscamos publicaciones, programas de televisión y medios de comunicación que ofrezcan una visión distinta de la que estamos acostumbrados? ¿Puede el ir más allá de lo superficial brindarnos una mayor sabiduría con la finalidad de llevar a cabo nuestro trabajo de manera justa y correcta?

La segunda parte del verso Levítico 19:16 nos advierte que los prejuicios sociales no son algo insignificante. La palabra hebrea que significa literalmente "no te quedes cerca de la sangre de tu prójimo", se encuentra en el texto. En la jerga judicial del verso, una acusación sesgada ("calumnia") amenaza con dañar la vida del acusado. En ese caso, es incorrecto solo hablar palabras sesgadas, sino también es inmoral no participar como voluntario para testificar en contra de la persona que se ha acusado falsamente.

Con frecuencia, los gerentes deben desempañar la función de intermediario. Cuando los empleados ven una injusticia en el lugar de elaboración, es posible que se cuestionen si es correcto intervenir. En Levítico se afirma que proteger activamente a quienes son agredidos es un rasgo esencial de quienes forman parte del pueblo santo de Dios.

En una escala más amplia, Levítico trae su visión teológica de la santidad para toda la comunidad. La salud de nuestra comunidad y economía está en juego. *Hans Küng* señala la necesidad de la correlación entre los negocios, la política y la religión:

Es esencial recordar que la conducta y el pensamiento económico no son neutrales... De la misma manera, no se puede atribuir la responsabilidad social y ecológica a los políticos, tampoco se puede dejar en manos de la religión... Por lo tanto, la ética no solo debería formar parte de los planes de marketing, estrategias de venta, contabilidad ecológica y balances generales sociales, sino que debería ser el pilar fundamental de la conducta humana.

Todos los lugares de trabajo existentes —el hogar, la empresa, el gobierno, la educación, la medicina, la agricultura y otros— tienen un rol específico, pero la llamada a la santidad se extiende a todos. En Levítico 19:15-16, la santidad se basa en ver a los demás desde una perspectiva más allá de lo superficial, hasta lo profundo.

Valorar a los demás como uno mismo (Levítico 19:17-18)

Tal vez el verso más conocido del Levítico sea el mandato de amar a tu prójimo como a ti mismo (**Levítico 19:18**). Esta orden absoluta es tan drástica que los rabinos y Jesús la consideraban como uno de los dos *"principales"* mandamientos, el otro era "Escucha, oh Israel, el Señor es nuestro Dios, el Señor es uno" (**Marcos 12:29-31; Deuteronomio 6:4**). Al tomar como base el pasaje de Levítico 19:18, el apóstol Pablo sostuvo que el amor se resume a la ley (**Romanos 13:10**).

Trabajar para Otros como lo Haces para ti Mismo.

Lo más importante del mandato es la frase "como a ti mismo". Al menos en parte, la mayoría de nosotros trabajamos para suplir nuestras necesidades. El interés propio es un componente crucial del empleo; es obvio que si no trabajamos, no comeremos. La Biblia celebra esta motivación (**2 Timoteo 3:10**), sin embargo, el significado de *"cómo a ti mismo"* en Levítico 19:18 sugiere que deberíamos estar motivados de la misma manera para servir a otros a través de nuestro trabajo. Esta es una llamado de gran importancia: servir a los demás más que a uno mismo. Esto sería casi imposible si tuviéramos que trabajar más de lo necesario para lograrlo (por ejemplo, un turno al día para nosotros y otro para nuestro semejante).

Por fortuna, es posible amar a uno mismo y a los demás por medio del mismo esfuerzo, al menos en la medida en que este trabajo tenga un valor para los clientes, los ciudadanos, los estudiantes, las familias y otros consumidores. Un docente recibe un salario con el que cubre sus gastos y, al mismo tiempo, enseña conocimientos a los estudiantes y les ayuda a adquirir habilidades que serán de igual valor. Un encargado de llaves de un hotel percibe un salario mientras proporciona a los huéspedes un alojamiento limpio y un entorno saludable. En la mayoría de los casos, no tendremos un empleo por mucho tiempo si no brindamos algo de valor a otros, al menos equivalente al salario que percibimos. Pero, ¿qué pasa si tenemos la oportunidad de inclinar la balanza a nuestro favor? Algunas personas tienen la facultad de abonar salarios y bonos que exceden lo razonable. Los individuos que tienen vínculos con la política o que son corruptos, pueden obtener grandes beneficios para ellos mismos a través de contratos, subsidios, bonos y labores poco provechosas, sin embargo, le dan menos a los demás. En ocasiones, casi todos podemos trabajar menos y aun así recibir nuestro salario.

En general, ¿cuántas alternativas tenemos en el trabajo? Casi todos los oficios pueden servir a otros y complacer a Dios, sin embargo, esto no implica que todos los oficios y trabajos sean de servicio a los demás en la misma medida. Nos apreciamos a nosotros mismos cuando tomamos decisiones laborales que nos benefician económicamente, socialmente o profesionalmente, nos brindan seguridad, comodidad y un trabajo sencillo. Nos enamoramos de otros al escoger una labor que suministra bienes y servicios esenciales, brinda oportunidades a quienes están desposeídos, protege la creación de Dios, es justa y tiene como base la democracia, la verdad, la paz y la belleza. Levítico 19:18 indica que la segunda alternativa debería ser tan importante como la primera.

¿Ser bondadoso? (Levítico 19:33-34)

En vez de intentar alcanzar este gran propósito, es sencillo minimizar la forma en la que entendemos el *"amar a tu prójimo como a ti mismo"* y convertirlo en algo sin importancia como *"ser amable"*. Con frecuencia, la amabilidad es solo una fachada que sirve para alejarnos de los demás. En Levítico 19:17 se nos indica que hagamos todo lo contrario. Corrijan a sus semejantes cuando sea necesario para evitar que sean cómplices de sus pecados (**Levítico 19:17**). No es evidente que ambos mandamientos, el de amar y el de corregir a los demás, vayan juntos, sin embargo, se unen en el dicho popular, *"Mejor es la reprensión franca que el amor encubierto"* (**Proverbios 27:5**).

Lamentablemente, la enseñanza que recibimos en la iglesia es la de ser amables en todo momento. Si esto se convierte en el patrón de nuestro desempeño laboral, los resultados personales y profesionales pueden ser catastróficos. La amabilidad tiene la facultad de adormecer a los cristianos, de modo que les sea posible dejar que personas agresivas y depredadoras los controlen y abusen; asimismo, les ocurra lo mismo a otros. La amabilidad puede llevar a que los líderes cristianos obvien las deficiencias de los empleados en exámenes de desempeño, lo que les impediría adquirir nuevas habilidades y, finalmente, mantener sus puestos. La amabilidad puede desencadenar en resentimiento, enojo o deseo de venganza. Levítico indica que es posible amar a los demás y, a la vez, ser justo con ellos, pero no se puede justificar la insensibilidad. Cuando reprendemos a alguien, es importante hacerlo con delicadeza y empatía, ya que tal vez nosotros también debamos ser corregidos.

¿Quién es mi Semejante? (Levítico 19:33-34)

El Levítico indica que los israelitas no debían "**humillar**" a los extranjeros que vivían en su territorio (el verbo hebreo que se utiliza en Levítico 19:33 es el mismo que aparece en Levítico 25:17, *"no os hagáis mal el uno al otro"*). La orden continúa diciendo que *"el extranjero que habite con vosotros se considerará como uno de los tuyos, y lo amarás como a ti mismo, porque fuisteis extranjeros en la tierra de Egipto"* (**Levítico 19:34**). Yo, el Señor, soy vuestro Dios. Este pasaje ilustra con particular claridad la conexión inquebrantable que existe entre la moral de la ley y la propia divinidad de Dios, que se expresa en el versículo *"Yo soy el Señor vuestro Dios"*. Ustedes no maltratan a los visitantes extranjeros porque su Dios es sagrado.

Los extranjeros que residen en Israel, además de viudas y pobres *(ver Levítico 19:9-10)*, son los forasteros de poca importancia. En la actualidad, las disparidades de poder no solo se originan por la diferencia de género y nacionalidad, sino que también son producto de otros factores. Sea cual sea la causa, en la mayoría de los empleos se establece una jerarquía de poder que todos conocen, incluso si no es de forma explícita. A partir de Levítico 19:33-34, es posible concluir que los cristianos debemos tratar a los demás de forma justa en los negocios, como una forma de adorar verdaderamente a Dios.

Justicia en las transacciones comerciales (Levítico 19:35-36)

Este pasaje prohíbe que se haga trampa con medidas falsas de longitud, peso o calidad, y se enfoca específicamente en las escalas y las piedras, que son el equipamiento estándar de los negocios. Las distintas aproximaciones que se mencionan apuntan a que esta norma se extiende en una variedad de tamaños, desde secciones de tierra hasta la más pequeña cantidad de productos secos y líquidos. La palabra hebrea *tsedeq* (que se encuentra cuatro veces en Levítico 19:36) se traduce como "justo", lo que significa que tiene un carácter intachable y no se puede mancillar. Todos los cálculos debían ser exactos. Sintetizando, los individuos que compraban debían recibir la cantidad justa por el dinero que gastaron.

Existen diferentes maneras en las que los vendedores no entregan la cantidad de mercadería que los compradores esperan. Esto no se limita a mediciones falsas de peso, tamaño o volumen. La sobre-generalización, los datos falsos, las relaciones irrelevantes, las promesas incumplibles y los *"vaporware"* (productos que no se han creado pero que se promocionan) son solo algunos de los aspectos que componen el "iceberg".

Una mujer que labra para una compañía que emite tarjetas de crédito de renombre nos relata la historia a continuación de manera tajante.

Nuestro objetivo es otorgarles tarjetas de crédito a personas que no posean historial crediticio de alto puntaje y que sean de bajos recursos. A pesar de que los porcentajes que cobramos son elevados, el de los clientes es tan elevado que no recibimos ingresos aparte de los intereses. Para poder obtener otros recursos, debemos idear un método. Un contratiempo es que la mayoría de los clientes tienen miedo de endeudarse, por eso pagan sus deudas a tiempo. Cuando esto sucede, no recibimos pagos adicionales, por lo que tenemos una manera de sorprenderlos. Para el primer semestre, les enviamos el saldo de la cuenta el día 15 del mes, que finaliza el día 15 del mes siguiente. De esta manera, se familiarizan con la estructura y diligentemente nos entregan su pago el 14 de cada mes. El séptimo mes, les enviamos la cuenta el 12, que vence el 12 del mes siguiente. Ellos no perciben el cambio y nos entregan el pago el 14, como de costumbre, de esta manera, les ganamos. Les cobramos $30 por pago atrasado. Asimismo, debido a que son deudores, se puede incrementar su interés. El mes siguiente ya está en mora y entra en un ciclo que conlleva pagos mes a mes para nosotros.

Es difícil creer que aquellos que se proponen seguir a Dios sean capaces de realizar trabajos que requieran de la tergiversación o el engaño con el fin de obtener algún beneficio.

El Año de Reposo y el Año de Jubileo (Levítico 25)

Con el propósito de santificar la economía de Israel, Levítico 25 establece que cada siete años haya un año de descanso (**Levítico 25:1-7**), y cada cincuenta años haya un año de jubileo (**Levítico 25:8-17**). Durante el año sabático, todos los campos debían permanecer abandonados y ser usados para la agricultura. El año del jubileo era más radical. Cada cincuenta años, todas las tierras que se arrendaran o que se hipotecaran debían ser devueltas a sus dueños originales, además, todos los esclavos y los trabajadores que se adquirieran debían ser puestos en libertad (**Levítico 25:10**). Naturalmente, esto causaba problemas en las transacciones financieras y de tierras, por lo que se implementaron medidas especiales para solventarlos (**Levítico 25:15-16**), las cuales analizaremos más adelante. La intención primaria es la misma que la de la ley de espigar (**Levítico 19:9-10**), que es garantizar que todos tengan acceso a los medios de producción, ya sea que se trate de la tierra de la familia o solo de los frutos de su propio esfuerzo.

No se evidencia que Israel mantuviera el Jubileo o los preceptos asociados a la esclavitud *(ver Levítico 25:25-28, 39-41)*. Sin embargo, la profundidad de Levítico 25 demuestra con claridad que Israel fue capaz de poner en práctica estas leyes. En lugar de considerar el jubileo como una ficción literaria de ciencia ficción, es más probable que Israel no lo cumpliera, ya que los ricos no querían asumir los costos sociales y económicos que traería y que sería perjudiciales para ellos.

Protección para los Individuos que se Encuentran en Extrema Pobreza

Después de la conquista de Canaán, la tierra fue entregada a los linajes y familias de Israel, como se describe en Números 26 y Josué 15-22. Esta tierra no se podía vender para siempre, ya que era de Dios y no de los individuos (**Levítico 25:23-24**). Durante el jubileo, se impedía que las familias perdieran sus tierras a causa de la venta, hipoteca o arrendamiento permanente de la misma, asignada por el estado. En esencia, la venta de un terreno era un plazo de arrendamiento que no podía ser más extenso que el año jubilar (**Levítico 25:15**). Esta era la manera en que las personas más pobres lograban recursos económicos (alquilando sus tierras) sin despojar a las futuras generaciones de la propiedad de las tierras de origen. Las reglas de Levítico 25 no son fáciles de descifrar, pero la forma en la que *Milgrom* las percibe tiene sentido al definir tres etapas progresivas de la pobreza extrema.

1. La primera etapa se describe en Levítico 25:25-28. Solo era necesario que alguien se hundiera en la miseria. La supuesta localización es la de un granjero que tomó dinero prestado para comprar semillas, pero no recolectó la cantidad necesaria para pagar el préstamo. Es por ello que debe venderle una porción de su tierra a un comprador con el fin de solventar la deuda y comprar semillas para la próxima siembra. Si alguien de la familia del agricultor quería ser el *"redentor"*, podrían pagarle al comprador cuando se la devolvieran al agricultor, de acuerdo al número de cosechas anuales que quedaran hasta el año de jubileo. Hasta ese momento, la tierra era de quien la cultivaba, el redentor, y el agricultor solo trabajaba la tierra bajo su permiso.
2. La segunda etapa era más difícil (**Levítico 25:35-38**). Si la tierra no se redimía y el agricultor seguía endeudado, este debía entregarle su propiedad al prestamista. En este contexto, el prestamista debía proveer fondos al agricultor para que continuara cultivando en tierras arrendadas, pero no debía cobrarle intereses. El granjero canceló el préstamo con los ingresos de sus cosechas y, en algunos casos, canjeó el capital adeudado por los bienes cultivados. En el hipotético caso de que lo consiguiera, el agricultor volvería a su propiedad. Si no se pagaban todas las cuotas del préstamo, el agricultor o sus herederos recibían de nuevo la tierra en el año jubilar.
3. La etapa tres era aún más difícil (**Levítico 25:39-43**). En el transcurso de la etapa previa, si el agricultor no podía costear el préstamo ni sustentarse a sí mismo ni a su

familia, se lo vendía al prestamista. Al laborar, el total de su salario se destinaba enteramente a disminuir la deuda. En el año del jubileo, recuperaría su tierra y su libertad (**Levítico 25:41**). A lo largo de los siglos, el prestamista no podía explotarlo como esclavo, vendérselo como tal o ejercer dominio sobre él de manera excesiva (**Levítico 25:42-43**). El prestamista debía tener miedo de Dios al aceptar que todos los habitantes del pueblo de Dios son esclavos de Dios (*"siervos"* en LBLA) que fueron tomados de Egipto. Ningún otro podría poseerlos, ya que Dios ya es su dueño.

El propósito de estas reglas es que los israelitas nunca deberían convertirse en propiedad de otros israelitas. Sin embargo, era posible que los israelitas de escasos recursos se vendieran a sí mismos como esclavos a los extranjeros adinerados que residían en el territorio (**Levítico 25:47-55**). Aun cuando se diera este escenario, la transacción no debía ser duradera. Los individuos que se vendían a sí mismos, debían conservar la facultad de comprarse a sí mismos para liberarse de la esclavitud, en el caso de que funcionaran. En el caso de que no fuera así, un pariente cercano podría desempeñar el papel de "representante" y pagarle al forastero en función del número de años restantes hasta el jubileo, cuando los israelitas más pobres debían ser liberados. Durante ese lapso, no se los debía tratar con rudeza sino que se los debía considerar empleados contratados.

¿Qué Significa el Año de Jubileo en la Actualidad?

El año sabático se encontraba dentro del marco del sistema de parentesco de Israel, con el propósito de proteger el derecho inalienable de la familia a laborar la tierra ancestral, que consideraban como una propiedad de Dios que les pertenecía por derecho divino. Estas circunstancias sociales y económicas ya no existen, y en términos bíblicos, Dios ya no utiliza la redención como una condición política. Para comprender el jubileo, es necesario mirar las cosas desde nuestra posición actual.

Diversos puntos de vista se enfocan en la manera correcta de utilizar el jubileo (o no) en las sociedades actuales. Para ilustrar un asunto que se relaciona con la actualidad, Christopher Wright ha escrito extensamente sobre la toma de las leyes del Antiguo Testamento por parte del cristianismo. Busca en las leyes antiguas principios implícitos que se apliquen a la actualidad, y lo hace desde tres perspectivas: teológica, social y económica.

A modo de enseñanza, el jubileo afirma que el Señor no solo es el Dios que gobierna la tierra de Israel, sino que también tiene el poder sobre el tiempo y la naturaleza. El propósito de redimir a su pueblo de Egipto lo llevó a proveer para ellos en todos los aspectos, ya que ellos eran de propiedad suya. Por lo tanto, Israel celebraba el día y la fecha del reposo y el año del jubileo como un acto de obediencia y fe. En términos prácticos, el año sabático simbolizaba la seguridad que todos los israelitas tenían de que Dios los protegería en el presente y en el futuro. Al mismo tiempo, insta al acaudalado a creer que es beneficioso tratar a los prestamistas con respeto.

En el ángulo social, la más pequeña unidad de la estructura de parentesco era la familia que incluía de tres a cuatro generaciones. El jubileo era una solución socioeconómica que permitían mantener la unidad familiar aun en tiempos de calamidad económica. La deuda familiar era común en épocas pasadas, así como lo es en la actualidad, y sus consecuencias son una lista abrumadora de males sociales. El propósito del jubileo fue limitar el impacto negativo de estas consecuencias sociales limitando el tiempo que duraría, de esta manera, las siguientes generaciones no tendrían que cargar con los problemas de sus predecesores.

El ángulo económico revela los dos principios que se pueden aplicar en la actualidad. En primer lugar, Dios desea que la tierra tenga una distribución equitativa de sus recursos. De acuerdo con su plan, la tierra de Canaán fue dividida equitativamente entre los individuos. El jubileo no se enfocaba en la redistribución, sino en la restauración. Según Wright, "el jubileo no solo critica la acumulación masiva privada de tierra y riqueza relacionada con ella, sino también las formas de comunismo o nacionalización de la tierra que destruyen cualquier sentido de propiedad personal o familiar". La tercera regla era que las familias debían tener la facultad de subsistir a través de sus recursos.

En la mayoría de los países, no se puede vender a una persona como si fuera un objeto para pagar una deuda. Las leyes de bancarrota ayudan a quienes están endeudados de manera impagable y a sus descendientes no se les exige pagar los compromisos de sus predecesores. La base primordial para subsistir se puede proteger contra la confiscación. No obstante, Levítico 25 tiene más fundamento que las leyes actuales de bancarrota. Se basa en la simple protección de la libertad personal y en las propiedades que benefician a los individuos en condición de pobreza extrema, no obstante, busca garantizar que todos tengan acceso a los recursos necesarios para subsistir y escapar de la pobreza heredada por varias generaciones. Las leyes de espigar en Levítico ilustran que la solución no es dar limosna ni apropiarse de la propiedad en masa, sino que son las estructuras y valores sociales los que permiten a cada persona trabajar de manera productiva. ¿Las culturas contemporáneas son más avanzadas que el antiguo pueblo de Israel en este sentido? ¿Cuántas personas fueron esclavizadas o trabajaron en condiciones forzadas hace millones de años, en el caso de que las leyes contra la esclavitud no se respeten de manera adecuada? ¿Qué es necesario para que los cristianos ofrezcan soluciones genuinas?

Conclusiones de Levítico

La más importante de las enseñanzas de Levítico es que la misión de la nación de Dios es reflejar la santidad de Dios en su labor. Esto incentiva a no participar en las acciones de quienes están cerca y se oponen a los métodos de Dios. Cuando veneramos la santidad de Dios, nos encontramos con nosotros mismos en Su presencia, ya sea que estemos en el templo, la casa, la iglesia o en la sociedad. No reflejamos la santidad de Dios al decorar con pasajes bíblicos, rezar, llevar cruces o ser amables. Lo hacemos cuando apreciamos a los colegas, clientes, estudiantes, inversionistas, competidores, adversarios y a todos los que se crucen en nuestro camino, más que a nosotros mismos. En términos concretos, significa realizar actos positivos que beneficien a otros a través de nuestro trabajo, al igual que lo hacemos con nosotros mismos. Esto incrementa nuestra motivación, nuestra dedicación y el ejercicio de nuestro poder, además de desarrollar nuestras habilidades, sin duda alguna, también escoge nuestro trabajo. Esto implica trabajar para el bien de la sociedad en su conjunto y en conjunto con los demás, de manera que dependa de nosotros. Además, implica luchar para modificar las estructuras y los sistemas de la sociedad con el fin de reflejar la santidad de Dios, que libertó a Israel de la opresión y esclavitud. Cuando lo hacemos, descubrimos que gracias a Dios, Sus palabras se cumplen. "Además, haré morada en medio de vosotros y no os aborreceré. Andaré entre vosotros y seré vuestro Dios, y vosotros seréis mi pueblo. (**Levítico 26:11-12**).

Al reflejar la santidad de Dios en nuestro trabajo, cumplimos con la misión de la nación de Dios de liberar a la humanidad de la opresión y las prácticas contrarias a Dios. Representamos la verdad y nos comprometemos con principios como la honestidad, el amor, la justicia y la igualdad. Actuamos espiritualmente de manera que reflejemos Su santidad al defender a los más débiles, obedecer Sus mandamientos así como restaurar la justicia en la tierra.

Introducción a Números

El libro de Números hace una contribución significativa a la forma en que entendemos y trabajamos cuando vemos al pueblo de Dios, Israel, tratando de hacer la voluntad de Dios en tiempos difíciles. En su lucha, experimentan conflictos de identidad, autoridad y liderazgo a medida que avanzan por el desierto hacia la tierra prometida de Dios. Las ideas que podemos aplicar a nuestro trabajo no se encuentran en una serie de mandatos sino en ejemplos donde podemos ver lo que agrada a Dios y lo que le desagrada.

En español, el libro se llama "Números" porque registra el censo que Moisés hizo de las tribus de Israel. Se realiza un censo para estimar los recursos humanos y naturales disponibles para los asuntos económicos y gubernamentales, incluido el servicio militar (**Números 1:2-3; 26:2-4**), la práctica religiosa (**Números 4:2-3, 22-23**), impuestos (**Números 3:40-48**), y asuntos agrícolas (**Números 26:53-54**). La asignación efectiva de recursos depende de tener los datos correctos. Sin embargo, estos censos sirven como marco para una historia que va más allá del simple informe de números. Las estadísticas a menudo se usan incorrectamente en las historias, lo que lleva a la división, la rebelión y el malestar social. El problema no es el razonamiento cuantitativo per se—pues Dios mismo ordenó un censo (**Números 1:1-2**)—sino que cuando se usa como excusa para apartarse de la Palabra del Señor, se avecina el desastre (**Números 14:20-25**). En los escándalos actuales que involucran balances y crisis financieras, podemos ver ecos lejanos de esta manipulación digital que reemplaza el razonamiento moral genuino.

La historia de Números tiene lugar en una región desértica que no es ni Egipto ni la Tierra Prometida. El título hebreo del libro es *bemidbar*, abreviatura de "En el desierto del Sinaí" (**Números 1:1**), y describe la acción principal del libro: el viaje de los israelitas a través del desierto. La nación avanza desde la península del Sinaí hasta la Tierra Prometida al este del río Jordán. Vinieron a este lugar porque la "mano poderosa" de Dios (**Éxodo 6:1**) los liberó de la esclavitud en Egipto, como se registra en Éxodo. Resulta que sacar a la gente de la esclavitud es muy diferente a sacar a la gente de la esclavitud. En resumen, Números se trata de vivir con Dios mientras se embarcan en un viaje a un lugar donde verán cumplidas Sus promesas, un viaje que continuamos como pueblo de Dios. De la experiencia de Israel en el desierto, encontramos recursos para enfrentar los desafíos en los que vivimos y trabajamos hoy, y podemos encontrar aliento en la ayuda de Dios que siempre está ahí.

Dios Cuenta y Organiza la Nación de Israel (Números 1:1-2:34)

Israel nunca fue una nación antes del Éxodo. Israel comenzó con Abraham, Sara y sus descendientes, quienes prosperaron como familia bajo José pero cayeron en la esclavitud como minoría en Egipto. La población de israelitas en Egipto creció hasta el tamaño de una nación (**Éxodo 12:37**), pero debido a que eran esclavos, no se les permitía tener instituciones u organizaciones estatales. Al salir de Egipto, un grupo de refugiados vagamente organizado (**Éxodo 12:34-39**) ahora debe reorganizarse para funcionar como una nación. Dios guió a Moisés a contar la población (*el primer censo,* **Números 1:1-3**) y establecer un gobierno provisional de jefes tribales (**Números 1:4-16**). Más tarde, bajo la dirección de Dios, Moisés nombró a un grupo religioso, los levitas, y les dio los recursos para construir el Tabernáculo del Pacto (**Números 1:48-54**). También estableció un campamento para que vivieran todos, organizó a los que estaban en edad de luchar según una jerarquía militar y nombró comandantes y oficiales (**Números 2:1-9**). También creó una burocracia, delegó poder a líderes calificados y estableció un sistema de justicia civil y tribunales de apelación (*esto se registra en* **Éxodo 18:1-27**, *no en Números*). Para conquistar la Tierra Prometida (Génesis. 28:15) y cumplir su misión de bendecir a las naciones (**Génesis. 18:18**), Israel debe ser mandado efectivamente.

El trabajo de Moisés para organizar, dirigir, administrar y desarrollar recursos es paralelo a las actividades de casi todos los sectores de la sociedad actual, incluidos los negocios, el gobierno, el ejército, la educación, la religión, las organizaciones sin fines de lucro con fines de lucro, las asociaciones comunitarias e incluso las familias. En este sentido, Moisés es el padre de todos los administradores, contadores, estadísticos, economistas, militares, gobernadores, jueces, policías, directores, organizadores comunitarios y muchos otros. El enfoque detallado del libro de Números sobre la organización de trabajadores, la capacitación de líderes, la construcción de instituciones cívicas, el desarrollo de capacidades logísticas, la construcción de defensas y el desarrollo de sistemas de contabilidad muestra que Dios continúa guiando y empoderando la organización, el gobierno, los recursos y el mantenimiento de las estructuras sociales en la actualidad.

Los Levitas y la Obra de Dios (Números 3-8)

El libro de Números de los capítulos 3 al 8 se centra en el trabajo de los sacerdotes y los levitas (los de la tribu de los levitas servían como sacerdotes. En la mayor parte de Números, "sacerdotes" y "levitas" son intercambiables). Su papel básico es ser mediadores de la redención de Dios para todos (**Números 3:40-51**). Al igual que otros trabajadores, estaban listados y organizados en unidades de trabajo, con la única diferencia de que estaban exentos del servicio militar (**Números 4:2-3; 22-23**). Su trabajo parece ser más importante que el trabajo de otras personas porque "se trata de las cosas más santas" (**Números 4:4**). De hecho, el papel de los sacerdotes parece ser superior al de los demás debido a la atención detallada a la tienda de reunión y sus utensilios, pero el texto describe su trabajo en estrecha relación con el de la Iglesia de Todo Israel. Los levitas ayudan a todas las personas a vivir y trabajar en armonía con la ley y la voluntad de Dios. Además, el trabajo que los levitas hacían en la tienda era muy similar al de la mayoría de los israelitas: acampar, mudarse, acampar, encender fogatas, lavar sábanas, ofrecer animales y procesar el grano. Así que el punto es combinar el trabajo de los levitas con el trabajo de los demás. El libro de Números presta especial atención a la labor del sacerdote como mediador de la presencia de Dios, no porque la labor religiosa sea el oficio más importante, sino porque Dios es el centro de todos los oficios.

Dedicar los Productos del Trabajo Humano a Dios (Números 4 y 7)

El Señor dio instrucciones detalladas para construir el Tabernáculo, donde estaría con los israelitas. El Tabernáculo requería una variedad de materiales de mano de obra: cuero fino, tela azul, tela escarlata, tapices, palos, platos, cucharas, tazones, tinajas, candelabros, lámparas, tenazas, aceite y tinajas para transportarlo, altares de oro, cenicero, tenedor, pala e incienso (**Números 4:5-15**) (para una descripción similar, ver "**El Tabernáculo" en Éxodo 31:1-12**). Durante el culto, la gente traía más productos del trabajo humano, como libaciones (**Números 4:7** y otros), cereales (**4:16** y otros), aceite (**7:13** y otros), corderos y ovejas. (**6:12** y otros), cabras (**7:16** y otros), y metales preciosos (**7:25** y otros). Casi todas las ocupaciones de los israelitas —de hecho, casi todas las personas— eran necesarias para adorar a Dios en el Tabernáculo.

Los levitas utilizaron principalmente parte de los sacrificios para mantener a sus familias. Estos les fueron asignados porque a diferencia de otras tribus no tenían tierra para **cultivar (Números 18:18-32)**. Los levitas recibieron los sacrificios no porque fueran santos, sino porque presidían los sacrificios, trayendo a todas las personas a una relación santa con Dios. El pueblo, no los levitas, eran los principales beneficiarios de los sacrificios. De hecho, todo el sistema ritual en sí mismo es una parte integral del sistema de suministro de alimentos. Aparte de la porción quemada en el altar y la porción de los levitas mencionada anteriormente, la porción principal de los sacrificios de cereales y animales estaba designada para el consumo de quienes los traían. Todos los israelitas comieron parte del sacrificio. En general, los sacrificios no aislaban algunas cosas sagradas de otras producciones humanas, sino que comunicaban la presencia de Dios a la vida y obra de toda una nación.

Asimismo, hoy, todos los productos y servicios del pueblo de Dios son manifestaciones del poder de Dios obrando en los seres humanos, o al menos deberían serlo. El Nuevo Testamento desarrolla este tema del Antiguo Testamento de maneras específicas. "Mas vosotros sois simiente escogida, real sacerdocio, nación santa, pueblo dado por Dios, para que anunciéis las virtudes de aquel que os llamó de las tinieblas a su luz admirable" (**1 Pedro 2:9**). Todo nuestro trabajo es trabajo sacerdotal al proclamar la bondad de Dios. Todo lo que surge de nuestro trabajo, ya sea cuero y ropa, platos y platos, materiales de construcción, planes de lecciones, proyecciones financieras y todo lo demás, es producto del sacerdocio. Nuestro trabajo —lavar la ropa, cultivar, criar a los hijos y todas las demás formas de trabajo legítimo— es un servicio sacerdotal a Dios. Todos debemos preguntarnos acerca de nuestro trabajo: "¿Cómo refleja la bondad de Dios, lo hace visible para aquellos que no lo conocen y cumple su propósito en el mundo?" Todos los creyentes, no solo los grupos de pastores, ambos son descendientes de sacerdotes y levitas que hacen la obra de Dios todos los días.

Declaración de Culpabilidad e Indemnización (Números 5:5-10)

Un papel fundamental del pueblo de Dios es llevar la reconciliación y la justicia a la escena del conflicto y el abuso. Aunque los israelitas habían prometido guardar los mandamientos de Dios, a menudo fallaban, tal como lo hacemos hoy. Esto a menudo se manifiesta como abuso de los demás. "Si alguno, hombre o mujer, peca y hiere a otro, se rebela contra el Señor y es culpable" (**Números 5:6**). A través de la obra de los levitas, Dios proporcionó los medios para el arrepentimiento, la reparación y la reconciliación después de que se cometieron estos errores. Un elemento esencial es que la parte culpable no solo devuelva una cantidad igual al daño que causó, sino que también pague un 20% más (**Números 5:7**), posiblemente como una forma de simpatizar con la víctima por la pérdida (Este pasaje es paralelo la ofrenda por el pecado descrita en Levítico; ver ***"La Importancia de la Ofrenda por el Pecado"*** en las Obras, en Levítico).

El Nuevo Testamento proporciona un buen modelo de cómo funciona este principio. Cuando Zaqueo, el recaudador de impuestos, fue salvo por Cristo, estaba dispuesto a pagar cuatro veces el impuesto que cobraba de más a su prójimo. Un ejemplo más moderno, aunque sin una base bíblica explícita, es la práctica cada vez más popular en los hospitales de reconocer los errores, disculparse y brindar una compensación financiera inmediata y asistencia a los pacientes y las familias involucradas. Pero no es necesario ser recaudador de impuestos o trabajar en el departamento de salud para cometer errores. Todos tenemos muchas oportunidades para admitir nuestros errores y corregirlos. Gran parte de este desafío ocurre en el lugar de trabajo, pero ¿realmente estamos haciendo esto o estamos tratando de encubrir nuestras deficiencias y minimizar nuestras responsabilidades?

Bendición de Aarón para Israel (Números 6:22-27)

Uno de los roles principales de los levitas era orar por la bendición de Dios. El Señor mandó estas palabras para la bendición sacerdotal:

Que el Señor te bendiga, te bendiga;

Jehová hace resplandecer su rostro sobre ti,

ten piedad de ti;

El Señor levanta su rostro hacia ti y te da paz. (**Números 6:24-26**).

Dios bendice a las personas de varias maneras, incluidas las espirituales, mentales, emocionales y materiales, pero el enfoque aquí es bendecir a las personas a través de las palabras. Nuestras amables palabras se convierten en expresiones de la gracia de Dios en la vida de los demás. Dios prometió: "Así invocarán a los israelitas en mi nombre, y yo los bendeciré" (**Números 6:27**).

Las palabras que usamos en el trabajo tienen el poder de bendecir o maldecir, de construir o destruir a otros. Las palabras que elegimos a menudo tienen más poder del que nos damos cuenta. La bendición en **Números 6:24-26** declara que Dios te guardará, tendrá misericordia de ti y te dará paz. En el trabajo, nuestras palabras pueden "salvar" a otras personas, es decir, pueden consolarlas, protegerlas y apoyarlas. "Si necesitas ayuda, aquí estoy y no te culparé después." Nuestras palabras pueden estar llenas de gracia y pueden mejorar una situación. Por ejemplo, podemos aceptar la responsabilidad por los errores compartidos, en lugar de culpar a los demás minimizando nuestro papel. nuestras palabras pueden traer paz y reparar relaciones rotas. Por ejemplo, "Sé que las cosas apestan entre nosotros, pero quiero encontrar una manera de que volvamos a estar bien." Por supuesto, hay momentos en el trabajo en los que objetamos, criticamos, corregimos e incluso sancionamos. Aun así, podemos elegir si criticar la mala conducta o condenar a la persona. Asimismo, cuando alguien hace algo bueno, podemos alabar en lugar de callar, aunque esto pueda poner en riesgo nuestra reputación o nuestra apariencia seria.

Retiro del Servicio Regular (Números 8:23-26)

El libro de Números contienen el único pasaje de la Biblia que especifica un límite de edad para trabajar. Los levitas comenzaron su servicio cuando eran jóvenes, cuando eran lo suficientemente fuertes para levantar y transportar el Tabernáculo y todos sus objetos sagrados. El censo de **Números 4** no incluye los nombres de los levitas mayores de cincuenta años, mientras que **Números 8:25** indica que a esa edad se retiran los levitas. Además del hecho de que el tabernáculo era demasiado pesado para transportarlo, el trabajo de los levitas incluía un examen cuidadoso de las enfermedades de la piel (**Levítico 13**). En una época sin anteojos para leer, casi nadie podía ver tan de cerca a los cincuenta años. El punto no es decir que 50 es la edad de jubilación en todos los casos, pero el punto llega cuando el cuerpo no se desempeñará tan bien en el trabajo como envejece. El proceso varía mucho entre individuos y profesiones. Moisés tenía ochenta años cuando comenzó a dirigir a Israel (**Éxodo.** 7:7). La jubilación, sin embargo, no significó el fin de la obra de los levitas. El objetivo no es relevar a los trabajadores de la producción, sino reorientar sus servicios en una dirección más madura de acuerdo con sus condiciones ocupacionales. Incluso después de la jubilación, podían "ayudar a sus hermanos en sus deberes en la tienda de reunión" (**Números 8:26**). A veces, las habilidades (juicio, sabiduría, tal vez perspicacia) mejoraron con la edad. Al "ayudar a sus hermanos", los levitas mayores servían a su comunidad de una manera diferente. El concepto de jubilación moderna, cese del trabajo y ocio completo, no se encuentra en la Biblia.

Al igual que los levitas, no debemos tratar de detener por completo el trabajo productivo en la vejez. Puede que tengamos que renunciar a nuestro lugar, pero nuestras habilidades e inteligencia siguen siendo valiosas. Podemos continuar sirviendo a otros en nuestra industria a través de asociaciones comerciales líderes, organizaciones cívicas, comités directivos y organismos de acreditación. Podemos asesorar, formar, enseñar o preparar. Finalmente podemos tener tiempo para servir plenamente en nuestras iglesias, clubes, cargos electos u organizaciones de servicio. Podemos pasar más tiempo con nuestras familias o, si es demasiado tarde, podemos invertir en la vida de otros niños y jóvenes. A menudo, nuestro nuevo servicio más valioso es capacitar y animar (bendecir) a los trabajadores jóvenes (**ver Números 6:24-27**).

Dadas estas posibilidades, la vida posterior puede ser uno de los momentos más gratificantes de la vida. Lamentablemente, muchos se jubilan en un momento en que sus talentos, recursos, tiempo, experiencia, conexiones, influencia y sabiduría serían de gran utilidad. Algunos deciden buscar solo ocio y entretenimiento, o simplemente perder la esperanza en la vida. Otros encuentran que las regulaciones relacionadas con la edad y la marginación social no les permiten trabajar tan plenamente como les gustaría. Hay poco material en la Biblia sobre una enseñanza específica de la jubilación, pero a medida que envejecemos, todos pueden prepararse para la jubilación tan cuidadosamente o más cuidadosamente que lo hacen para el trabajo. Cuando somos jóvenes, podemos respetar y aprender de nuestros colegas experimentados. En todas las edades, todos podemos trabajar para lograr políticas y prácticas de jubilación más justas y productivas para los trabajadores jóvenes y mayores.

El Pueblo Cuestiona el Liderazgo de Moisés (Números 12)

En **Números 12**, los hermanos de Moisés, Aarón y Miriam, intentan rebelarse contra su autoridad. Parece que tu queja está justificada. Moisés enseñó que los israelitas no deben casarse con extranjeras (**Deuteronomio 7:3**), pero su esposa era extranjera (**Números 12:1**). Si esto fuera una preocupación real para ellos, podrían haber hablado con Moisés o con el nuevo Concilio de Presbiterianos (**Números 11:16-17**). En cambio, decidieron chismear y querían tomar el lugar de Moisés como jefe del país. En realidad, sus quejas fueron solo una excusa para montar una rebelión a gran escala para alcanzar una posición de poder absoluto.

Dios respondió castigándolos severamente en defensa de Moisés. Les recordó que había elegido a Moisés para que fuera su representante en Israel, para hablarle "cara a cara" y confiarle "toda mi casa" (**Números 12, 7-8**). Él preguntó: "¿Entonces por qué no tienes miedo de hablar mal de mi siervo, y de hablar mal de Moisés?" (**Números 12:8**). Cuando no hay respuesta, Números nos dice que "la ira del Señor se encendió contra ellos" (**Números 12:9**). Su castigo recayó primero en Miriam, que contrajo lepra, y Aarón le rogó a Moisés que los perdonara (**Números 12:10-12**). La autoridad del líder escogido por Dios debe ser respetada, porque traicionar a ese líder es traicionar a Dios mismo.

Cuando Tenemos una Denuncia Contra las Autoridades

Bajo el liderazgo de Moisés, Dios estuvo presente de una manera especial. "Desde entonces no se levantó en Israel profeta como Moisés, a quien Jehová conoció cara a cara" (**Deuteronomio 34:10**). Los líderes de hoy no demuestran la autoridad de Dios al encontrarse con Dios cara a cara como lo hizo Moisés. Aun así, Dios nos manda a respetar la autoridad de todos los líderes, "porque no hay autoridad sino de parte de Dios" (**Romanos 13:1-3**). Esto no significa que los líderes nunca deban ser cuestionados, responsabilizados o reemplazados. Esto significa que siempre que nos quejemos de aquellos que tienen autoridad legítima, como Moisés, nuestro trabajo es discernir cómo su liderazgo refleja la autoridad de Dios. Debemos respetarlos como verdaderas autoridades dadas por Dios, incluso cuando tratamos de corregirlos, ponerles límites e incluso quitarlos del poder.

Un detalle de la historia es que el propósito *de Aaron y Miriam* es obtener poder. El deseo de poder nunca puede ser un motivo legítimo para rebelarse contra la autoridad. Si vamos a quejarnos de nuestro jefe, lo primero que debemos esperar es resolver el asunto con él o ella. Si esto no es posible debido al abuso o la incompetencia del jefe, nuestro próximo paso es encontrar a alguien con integridad y competencia para ocupar su lugar. Pero si nuestro objetivo es ganar más poder, entonces el objetivo es incorrecto y ni siquiera podemos sentir si el jefe está haciendo lo correcto. Nuestros propios deseos nos impiden discernir la autoridad de Dios en esta situación.

Cuando Otros Desafían Nuestra Autoridad

Aunque Moisés tenía poder y autoridad, respondió a los desafíos a su autoridad con mansedumbre y humildad. "Moisés era sumamente humilde, sobre todos los hombres sobre la faz de la tierra" (**Números 12:3**). Se quedó en el plató con Aaron y Miriam de principio a fin, incluso cuando empezaron a recibir lo que les correspondía. También oró a Dios para restaurar la salud de Miriam y logró conmutar su sentencia de muerte por siete días de prisión fuera del campamento (**Números 12:13-15**). Finalmente, les permite seguir formando parte de la máxima dirección del país.

Si estamos en una posición de autoridad, es probable que enfrentemos oposición como lo hizo Moisés. Suponiendo que a nosotros, como a Moisés, se nos otorgó autoridad legalmente, podemos ver el disenso como una ofensa, e incluso reconocerlo como una ofensa contra la voluntad de Dios para con nosotros. Podemos tener derecho a defender nuestra posición y derrotar a quienes la atacan. Pero, como Moisés, debemos ante todo preocuparnos por aquellos a quienes Dios nos da poder, incluidos aquellos que se oponen a nosotros. Tal vez sus quejas sobre nosotros estén justificadas, o tal vez anhelen el poder. Tal vez podamos resistirlos, tal vez no. Podemos o no seguir trabajando en la organización como ellos. Es posible que encontremos puntos en común o que no podamos restablecer una buena relación de trabajo con nuestros homólogos. Aun así, todos tenemos la responsabilidad de ser humildes en cada situación, y eso significa actuar en interés de aquellos que Dios nos ha confiado, incluso a expensas de nuestra comodidad, poder, prestigio e imagen propia. Cuando nos encontramos intercediendo por aquellos que se oponen a nosotros, sabemos que estamos cumpliendo la tarea, tal como lo hizo *Moisés por Miriam*.

Cuando el Ejercicio del Poder conduce a la Desaprobación (Números 13 y 14)

En **Números 13 y 14** encontramos la autoridad de Moisés desafiada nuevamente. Yahweh le dijo que enviara espías a la tierra de Canaán para preparar la conquista. Había que obtener información de inteligencia militar y económica y nombrar espías de todas las tribus (**Números 13:18-20**). Esto significaba que los informes de los espías podían usarse no solo para planificar la conquista, sino también para iniciar discusiones sobre la distribución de la tierra entre las tribus de Israel. Los informes de los espías confirmaron que la tierra era muy buena, "que mana leche y miel" (**Números 13:27**). Sin embargo, los espías también informaron que "el pueblo que habita en la tierra es fuerte, y las ciudades son fuertes y muy grandes" (**Números 13:28**). Moisés y su lugarteniente Caleb usaron esta información para planear un ataque, pero los espías estaban aterrorizados y dijeron que conquistar la tierra era imposible (**Números 13:30-32**). Los israelitas creyeron a los espías, traicionaron el plan de Dios y estaban decididos a encontrar un nuevo líder que los guiara de regreso a la esclavitud en Egipto. *Solo quedaron con Moisés Aarón, Caleb y un joven llamado Josué.*

Sin embargo, a pesar de la impopularidad del plan, Moisés se levantó a toda prisa. La gente está a punto de reemplazarlo, pero él continúa tomando las decisiones a su derecha para revelar. Se une a Aarón para suplicar al pueblo que detenga la rebelión, pero fue en vano. Finalmente, Jehová castigó a los israelitas por su falta de fe y anunció que los heriría con una plaga mortal (**Números 14:5-12**). Al abandonar sus planes, se dirigen a algo peor: la destrucción total inminente. Solo Moisés, quien estaba decidido en su intención original, supo prevenir desastres. Se volvió al Señor para perdonar al pueblo, como lo había hecho antes (vemos en Números 12 que Moisés siempre estaba dispuesto a poner el bienestar de los demás en primer lugar, incluso a expensas de sí mismo). El Señor cedió, pero anunció que habría consecuencias inevitables para el pueblo, ya que los que participaron en la rebelión no podrían entrar a la Tierra Prometida (**Números 14:20-23**).

Las acciones de Moisés demuestran que los líderes necesitan un fuerte compromiso para evitar que se dejen llevar por las modas pasajeras. Si somos líderes, nuestra tarea puede ser solitaria y podemos estar tentados a escuchar la opinión pública. Cierto, los buenos líderes escuchan a los demás, pero cuando un líder conoce el mejor curso de acción y pone a prueba ese conocimiento lo mejor que puede, tiene el deber de hacer lo mejor, no lo que es más popular. .

En el caso de Moisés, la manera correcta de hacer las cosas estaba muy clara. Jehová le ordenó a Moisés que conquistara la Tierra Prometida. Como hemos visto, Moisés se mantuvo humilde, pero no vaciló en su línea. De hecho, no logró cumplir el mandato del Señor. Un líder no puede cumplir su misión solo si la gente no lo sigue. En este caso, la consecuencia para el pueblo fue que toda una generación no podría conocer la tierra prometida que Dios había escogido para ellos, pero al menos Moisés no contribuyó al desastre cambiando sus planes en respuesta a la opinión popular.

La era actual está llena de ejemplos de líderes que se inclinaron ante la voluntad del pueblo. Podemos recordar la rendición del primer ministro británico *Neville Chamberlain* a las demandas de *Hitler en Munich* en 1938. Por el contrario, la firme negativa de Abraham Lincoln a inclinarse ante la opinión popular y aceptar las divisiones de la Guerra Civil Estadounidense lo convirtió en uno de los grandes presidentes. nación. Si bien reconoce humildemente la posibilidad de estar equivocado *("Como Dios nos Muestra lo que es Correcto"),* también tiene el coraje de hacer lo que cree que es correcto bajo una tremenda presión. *Liderazgo sin fronteras por Ronald Heifetz y Martin Lynskey* examina los desafíos de permanecer abierto a las opiniones de los demás y firme en el liderazgo durante tiempos difíciles (más sobre este episodio Para obtener información, consulte "*La Negación de entrada de Israel a la Tierra Prometida*" en **Deuteronomio 1: 19-45** *a continuación*).

Presentar Nuestras Mejores Ofrendas a Dios (Números 15:20-21; 18:12-18)

Sobre la base de los sacrificios descritos en **Números 4 y 7**, dos pasajes en **Números 15 y 18** describen la ofrenda de los primeros frutos del trabajo y la tierra a Dios. Además de los sacrificios antes mencionados, los israelitas debían ofrecer a Dios todas las primicias de su tierra" (**Números 18:13**). Ya que Dios tiene soberanía sobre todas las cosas, todo el producto de la tierra y el pueblo mismo. En realidad ya pertenecía a Dios. Cuando las personas traen las primicias al altar, se dan cuenta de que Dios es dueño de todo, no solo de lo que queda después de que todas sus necesidades hayan sido satisfechas. Al traer las primicias, expresan su respeto por la soberanía de Dios y expresan su esperanza de que Dios bendecirá su labor y la continua productividad de sus recursos.

Las ofrendas y sacrificios de los israelitas no eran lo mismo que nuestras ofrendas y sacrificios para la obra de Dios hoy, pero el concepto de ofrecer nuestras primicias al Señor aún se aplica. Cuando le damos a Dios primero, reconocemos que Él tiene todo lo que tenemos. Por eso te damos lo mejor. De esta manera, ofrecer las primicias se convierte en nuestra bendición, al igual que los antiguos israelitas.

Mensajes de Recuerdo del Pacto (Números 15:37-41)

Un pasaje en Números 15 instruye a los israelitas a atar un cordón azul a cada lado de sus vestiduras, "para que cuando lo veas, te acuerdes de todos los mandamientos de Jehová y los cumplas". siempre la tentación de "entregarse al impulso de su corazón y al deseo de sus ojos" (**Números 15:39**). De hecho, cuanto más nos enfocamos en nuestro trabajo ("*ojos*"), es más probable que seamos influenciados en nuestro trabajo por cosas que no son del Señor ("*corazón*"). La respuesta no es dejar de concentrarse en el trabajo o dejar de tomarlo en serio. En cambio, podría ser una buena idea publicar recordatorios que nos ayuden a pensar en Dios y sus caminos. Puede que no sea un fleco, pero puede ser una biblia que puedas ver, una alarma que te recuerde orar con frecuencia o un letrero que puedas usar o llevar donde llame tu atención. El propósito no es mostrar a los demás, sino traer "tu propio corazón" de regreso a Dios. Es algo pequeño, pero puede hacer una gran diferencia. Esto es bueno, "para que os acordéis y guardéis todos mis mandamientos, santos a vuestro Dios" (**Números 15:40**).

Moisés Fracasa en Meriba (Números 20:2-13)

El mayor fracaso de Moisés fue cuando los israelitas volvieron a quejarse, esta vez por la comida y el agua (**Números 20:1-5**). Moisés y Aarón decidieron quejarse al Señor, y el Señor les dijo que tomaran su vara y ordenaran una roca en la presencia del pueblo para proporcionar suficiente agua para el pueblo y su ganado (**Números 20:6-8**). Moisés hizo lo que el Señor le ordenó, pero agregó dos gestos propios. Él los reprendió a todos, diciendo: " Y reunieron Moisés y Aarón a la congregación delante de la peña, y les dijo: *¡Oíd ahora, rebeldes! ¿Os hemos de hacer salir aguas de esta peña?*" **10**), pero Jehová estaba muy disgustado con Moisés y Aarón.

El castigo de Dios es severo. "Por cuanto no creísteis en mí, para santificarme delante de los hijos de Israel, no meteréis a este pueblo en la tierra que yo les doy" (**Números 20:12**). Moisés y Aarón, como todos los rebeldes contra el plan de Dios (**Números 14:22-23**), no pudieron entrar a la Tierra Prometida. En cualquier comentario general, uno puede encontrar una discusión académica sobre el acto exacto por el cual Moisés fue castigado, pero el texto de Números 20:12 apunta directamente al crimen principal, "porque no creísteis en mí". momentos vacilaron cuando dejó de confiar en Dios y comenzó a actuar según sus impulsos.

Glorificar a Dios en el liderazgo, la meta a la que deben aspirar todos los líderes cristianos, es una responsabilidad terrible. Ya sea que dirijamos un negocio, una clase, una agencia de ayuda, nuestra familia o cualquier otra organización, debemos tener cuidado de no confundir nuestra autoridad con la de Dios. ¿Qué podemos hacer para mantener nuestra obediencia a Dios? El enfoque que adoptan algunos líderes es reunirse regularmente con grupos de rendición de cuentas (o socios), orar diariamente sobre los mandatos de liderazgo, observar el sábado semanal para descansar ante Dios y buscar la perspectiva de otros sobre las relaciones con la guía de Dios. Aun así, la tarea de liderar con firmeza mientras se confía completamente en Dios está más allá de las capacidades humanas. Si el hombre más humilde de la tierra (**Números 12:3**) puede fallar así, nosotros también. Por la gracia de Dios, incluso un fracaso tan grave como el fracaso de Moisés en Meriba, con consecuencias desastrosas para su vida, no nos apartará del cumplimiento final de las promesas de Dios. Moisés no entró en la Tierra Prometida, pero el Nuevo Testamento lo declara fiel *"en toda la familia de Dios"* y nos recuerda que todos nosotros en la familia de Dios tenemos plena confianza en el logro redentor de Cristo (**Hebreos 3:2-6**).

Cuando Dios se Expresa a Través de Canales Inesperados (Números 22-24)

En **Números 22 y 23**, el protagonista no es Moisés sino Balaam, un hombre que vivía cerca del camino cuando Israel se acercaba lentamente a la Tierra Prometida. Aunque no era israelita, era sacerdote o profeta de Jehová. El rey de Moab vio el poder de Dios en las palabras de Balaam y dijo: "*Sé que a quien bendigas será bendito, y a quien maldigas será maldito*". El rey de Moab tenía miedo del poder de los israelitas y envió mensajeros a pide a Balaam que venga a Moab y maldiga a los israelitas para acabar con la amenaza que representan (**Números 22:1-6**).

Dios le dijo a Balaam que había elegido a Israel como una nación bendecida y le ordenó que no fuera a Moab y que no maldijera a Israel (**Números 22:12**). Sin embargo, ante la insistencia del rey de Moab, Balaam decidió ir a Moab. Sus amos trataron de sobornarlo para que maldijera a Israel, pero Balaam les advirtió que solo haría lo que Dios le ordenara (**Números 22:18**). Dios parecía estar de acuerdo con este plan, pero cuando Balaam montó su burro hacia Moab, el ángel del Señor le bloqueó el camino tres veces. El ángel es invisible para Balaam, pero la burra puede ver al ángel y se desvía del camino varias veces. Balaam se enojó con el burro y comenzó a golpearlo con un palo. "Jehová abrió la boca del asna y dijo a Balaam: 'Tres veces me has golpeado, ¿qué te he hecho?'" (**Números 22:28**). Balaam habla con la burra y se da cuenta de que la burra entiende la guía de Dios mejor que él mismo. Los ojos de Balaam se abrieron, vio al ángel y recibió instrucciones de Dios sobre cómo tratar con el rey de Moab. El Señor le recordó: "Ve con la gente, pero di sólo lo que yo te diga" (**Números 22:35**). **En los capítulos 23 y 24**, el rey de Moab continúa implorando a Balaam que maldiga a Israel, pero cada vez Balaam responde que el Señor declara a Israel una nación bendecida. Finalmente, logró disuadir al rey de atacar a Israel (**Números 24:12-25**), evitando así la destrucción inmediata de Moab por *Jehová*.

Balaam se parecía a Moisés en que, a pesar de sus fracasos ocasionales, se las arregló para seguir la guía de Jehová. Al igual que Moisés, desempeñó un papel importante en el cumplimiento del plan de Dios de llevar a Israel a la Tierra Prometida. Pero Balaam también es muy diferente de Moisés y muchos otros héroes de la Biblia hebrea. Él mismo no era israelita, y su principal logro fue salvar a Moab, no a Israel, de la destrucción. Por estas dos razones, los israelitas se sorprenderían mucho al leer que Dios habló a Balaam tan clara y directamente como lo hizo con los profetas y sacerdotes de Israel. Aún más sorprendente, tanto para Israel como para el mismo Balaam, fue el momento decisivo en el que Dios dirigió a través de la palabra de un animal: un burro. Vemos de dos maneras sorprendentes que la dirección de Dios no es a través de las formas preferidas de las personas, sino a través de los propios recursos escogidos por Dios. Si Dios decide hablar a través de un enemigo potencial o incluso de una bestia, debemos prestar atención.

Este pasaje no nos dice que el principal medio de Dios para guiarnos sean necesariamente profetas extranjeros o burros, pero sí nos dice algo acerca de escuchar la voz de Dios. Solo a través de los medios que conocemos podemos escuchar fácilmente la voz de Dios. Esto a menudo significa que solo escuchamos a aquellos que piensan, hablan y actúan como nosotros o pertenecen a nuestro círculo social. También puede indicar que nunca prestamos atención a quienes no están de acuerdo con nosotros. Es fácil creer que Dios nos está diciendo lo que ya estamos pensando. Los líderes a menudo refuerzan esto rodeándose de un pequeño número de mayordomos y asesores de ideas afines. Tal vez somos más como Balaam de lo que nos gustaría ser, pero por la gracia de Dios, ¿podemos de alguna manera aprender a escuchar lo que Dios nos dice, a través de personas en las que no confiamos o fuentes con las que no estamos familiarizados?

Tomar posesión de la Tierra y los Derechos de Propiedad (Números 26-27; 36:1-12)

A medida que pasaba el tiempo y cambiaba la demografía, se hizo necesario otro censo (**Números 26:1-4**). Un propósito importante de este censo fue comenzar el desarrollo de la estructura socioeconómica del nuevo país. La producción económica y el orden gubernamental estaban organizados por tribus, con distintos clanes y unidades familiares. La tierra debía distribuirse entre las tribus según el tamaño de la población (**Números 26:52-56**), y la distribución era aleatoria. El resultado fue que a cada familia (familia extensa) se le dio un terreno lo suficientemente grande para alimentarse. A diferencia de Egipto y más tarde del Imperio Romano y la Europa medieval, no se suponía que la tierra perteneciera a la aristocracia, ni que fuera cultivada por clases más débiles, como plebeyos o esclavos. En cambio, cada familia posee sus propios medios de producción agrícola. Fundamentalmente, la familia nunca perdió permanentemente su tierra por deudas, impuestos o incluso una venta voluntaria *(consulte el Nivel 25 para conocer las protecciones legales que evitan que las familias pierdan su tierra)*. Incluso si una generación de una familia no puede cultivar y se endeuda, la próxima generación puede adquirir la tierra que necesita para llegar a fin de mes.

El censo es por cabeza de tribu y clan masculino, y cada cabeza de familia recibe un paquete. Pero en los casos en que las mujeres eran cabeza de familia (por ejemplo, si sus padres morían antes de recibir su parte de la tierra), podían poseer la tierra y pasarla a sus descendientes (**Números 27:8**). Sin embargo, esto podría complicar la organización de Israel, ya que sería posible que una mujer se casara con un hombre de otra tribu, lo que cambiaría la tierra de la mujer de la tribu de su padre a la de su esposo, debilitando a su familia. estructura social temporal. Para evitar que esto suceda, Dios decretó que aunque las mujeres pueden casarse con "cualquier hombre que crean conveniente" (**Números 36:6**), "no se traspasará herencia de una tribu a otra" (**Números 36:9**). La Ley defiende el derecho de todas las personas, incluidas las mujeres, a poseer tierras y casarse con quien elijan, equilibrando la necesidad de mantener el tejido social. La tribu debe respetar los derechos de sus miembros, y el cabeza de familia debe respetar las necesidades de la sociedad.

En la economía actual, la propiedad de la tierra no es el principal medio de subsistencia y las estructuras sociales no están organizadas en tribus y clanes; por lo tanto, las disposiciones específicas de Números y Levítico no se aplican directamente. Las condiciones actuales requieren diferentes soluciones específicas. Las leyes inteligentes, justas y aplicadas con justicia que respeten la propiedad y las estructuras económicas, los derechos individuales y el bien común son esenciales en todas las sociedades. Según el Programa de las Naciones Unidas para el Desarrollo, "promover el estado de derecho a nivel nacional e internacional es esencial para el crecimiento económico inclusivo y sostenido, el desarrollo sostenible, la erradicación de la pobreza y el hambre, y la plena observancia de todos los derechos humanos y libertades fundamentales ". Los cristianos pueden hacer mucho para contribuir al buen gobierno de la sociedad, no solo aprobando leyes, sino también orando y cambiando vidas. Un número creciente de cristianos está descubriendo que al trabajar juntos podemos brindar oportunidades efectivas para que los grupos vulnerables tengan acceso sostenido a los recursos que necesitan para prosperar económicamente. Un ejemplo es Agros International, una organización guiada por una "brújula moral" cristiana que ayuda a las familias rurales pobres de América Latina a adquirir y cultivar tierras de manera eficiente.

Organizar el Relevo de Responsabilidades entre las Personas Involucradas (Números 27:12-23)

Construir una organización sostenible, en este caso, el Estado de Israel, requiere una transición ordenada del poder. Sin continuidad, la gente se vuelve confundida y temerosa, las estructuras laborales colapsan y los trabajadores se vuelven ineficientes, "como ovejas sin pastor" (**Números 27:17**). Preparar un sucesor llevará tiempo. Los líderes mediocres pueden tener miedo de desarrollar a sus sucesores, pero los grandes líderes como Moisés comienzan a desarrollar a sus sucesores mucho antes de que se vayan. La Biblia no nos dice qué proceso usó Moisés para identificar y preparar a Josué, solo dice que oró a Dios para que lo guiara (**Números 27:16**). Los números muestran que Moisés se aseguró de reconocerlo y apoyarlo públicamente y de pasar por procedimientos regulares para confirmar su autoridad (**Números 27:17-21**).

Como vimos en **Números 27:21**, la planificación de la sucesión es responsabilidad de los funcionarios actuales *(como Moisés)* y de los que ejercen autoridad adicional *(como Eleazar y los líderes de la congregación)*. Las organizaciones, ya sean tan grandes como un país o tan pequeñas como un grupo de trabajo, necesitan procesos efectivos de capacitación y sucesión.

El Ofrecimiento Diario por el Pueblo: Una Expresión de Gratitud por los Dones Recibidos (Números 28 y 29)

Mientras que los individuos y las familias ofrecían sacrificios en tiempos señalados, también había sacrificios diarios que representaban a naciones enteras (**Números 28:1-8**). En el Sábado (**Números 28:9-10**), Luna Nueva (**Números 28:11-25**), Pascua (**Números 28:16-25**) y la Fiesta de las Semanas (**Números 28:26-31**), el Día de las Trompetas (**Números 29:1-6**), el Día de la Expiación (**Números 29:7-10**) y la Fiesta de los Tabernáculos (**Números 29:12-40**). A través de estas ofrendas compartidas, las personas se benefician de la presencia y el favor del Señor, incluso cuando no están adorando en persona.

Los sacrificios de los israelitas ya no se realizan hoy, y es imposible aplicarlos directamente a la vida y el trabajo de hoy. Sin embargo, permanece la importancia de ofrecer sacrificios, ofrendas y adoración para beneficio de los demás (**Romanos 12:1-6**). Algunos creyentes, especialmente ciertos monjes y monjas, pasan gran parte del día orando por aquellos que no adoran ni oran por sí mismos o que son incapaces de hacerlo. No debemos descuidar nuestras responsabilidades laborales para concentrarnos en la oración, pero cuando tenemos la oportunidad de orar, podemos orar por aquellos con quienes trabajamos, especialmente cuando sabemos que nadie más está orando por ellos. Después de todo, estamos llamados a traer bendiciones al mundo que nos rodea (**Números 6:22-27**). Ciertamente podemos aplicar **Números 28:1-8** orando diariamente. Orar todos los días, o varias veces al día, nos acerca a la presencia de Dios. la fe no es solo el sábado.

Cumplir con lo Acordado (Números 30)

N**úmeros 30** proporciona un sistema exhaustivo para determinar la validez de promesas, juramentos y juramentos. Sin embargo, la posición básica es simple: predica con el ejemplo.

Si alguno jura por el Señor, o jura para imponerse una obligación, no faltará a su palabra; hará todo lo que salga de su boca (**Números 30:2**).

Hay descripciones detalladas de cómo se manejan las excepciones cuando alguien hace promesas fuera de su ámbito (las reglas en el texto tratan con ciertas mujeres que están sujetas a ciertos ámbitos masculinos). Si bien las excepciones son válidas *(no se puede obligar a una persona a cumplir una promesa si, en primer lugar, no tenía el poder para cumplirla)*, cuando Jesús comentó este pasaje, sugirió una regla más simple: no haga promesas. eso no se puede hacer O no obedecerán (**Mateo 5:33-37**).

En los compromisos relacionados con el trabajo, podemos tratar de acumular explicaciones, requisitos, excepciones y razones para no cumplir con nuestros compromisos. Sin duda, muchas cláusulas están justificadas, como las cláusulas de fuerza mayor en los contratos que liberan a una parte de no poder cumplir con sus obligaciones en caso de una orden judicial, un desastre natural, etc. Pero no se trata solo de seguir lo que dice el contrato. Muchos acuerdos se alcanzan con un apretón de manos. A veces hay lagunas. ¿Podemos aprender a respetar el propósito de los acuerdos y no solo la letra de la ley? La confianza es lo que hace que un lugar de trabajo funcione, y si prometemos más de lo que podemos cumplir o entregamos menos de lo que prometemos, entonces no hay confianza. Esto no es solo un hecho de la vida, sino también un mandato del Señor.

Planificación Urbana de las Ciudades Levitas (Números 35:1-5)

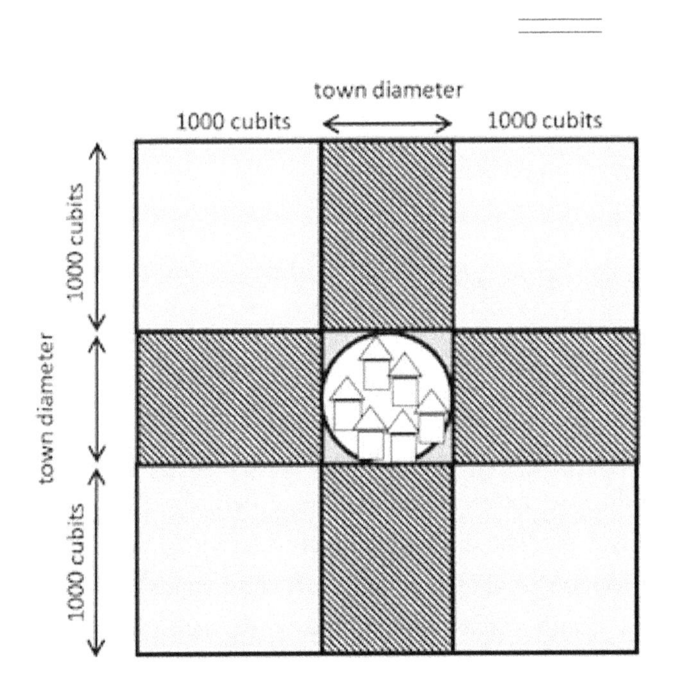

A diferencia de otras tribus, los levitas tenían que vivir en ciudades esparcidas por toda la Tierra Prometida, donde pudieran enseñar sus leyes al pueblo y aplicarlas en los tribunales locales. **Números 32:2-5** detalla el número de pastos que debe tener cada pueblo. Medidos desde cualquier extremo del pueblo, los pastos se extienden mil codos *(unos 450 m)* en cada dirección este, sur, oeste y norte. *Jacob Milgrom* señala que este trazado geográfico es una práctica real en la planificación urbana. El diagrama muestra un pueblo con campos de hierba que se extienden más allá del diámetro del pueblo en todas las direcciones. A medida que se expandió el diámetro del pueblo y se tomaron los pastos cercanos, se incorporaron pastos adicionales para que siguieran cubriendo los 1000 codos más allá de los límites del pueblo en cada dirección *(el área sombreada en la figura sigue siendo del mismo tamaño)*. Al mismo tiempo se extiende hacia el exterior, pero el área no sombreada se expande con la expansión del centro de la ciudad.

Y mida fuera de la ciudad, dos mil codos al lado oriente, dos mil codos al lado sur, dos mil codos al lado oeste, y dos mil codos al lado norte, teniendo la ciudad por centro (**Números 35:5**).

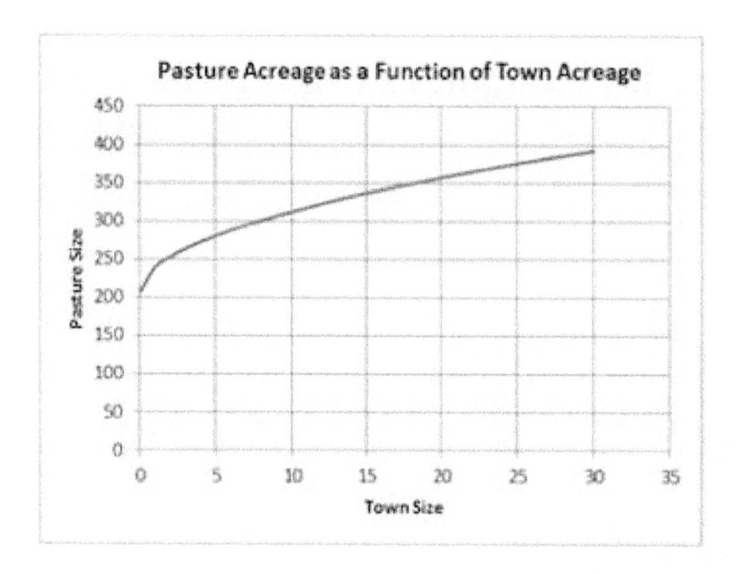

Matemáticamente, a medida que crece una ciudad, también crece su área de rancho, pero a un ritmo más lento que el centro de la ciudad, el área donde vive la gente. Esto significa que las poblaciones están creciendo más rápido que las áreas en las que se dedican a actividades agrícolas. Para seguir logrando este objetivo, se debe aumentar la productividad agrícola por metro cuadrado. Cada pastor tiene que alimentar a más personas, lo que significa que más trabajadores pueden asumir otras tareas, como tareas industriales y de servicios. Esta es exactamente la necesidad del desarrollo económico y cultural. Una aclaración es que la planificación municipal no aumenta la productividad, En cambio, crea una estructura socioeconómica adaptada para aumentar la productividad. Este es un ejemplo extremadamente complejo de política cívica que crea las condiciones para un crecimiento económico sostenible.

Este pasaje de **Números 35:5** muestra una vez más que Dios otorga un gran valor al trabajo humano que proporciona a las personas un sustento y crea bienestar económico. ¿No instruye Dios incansablemente a Moisés para que planee ciudades basadas en el crecimiento semi-geométrico de los pastizales, no indica esto que el pueblo de Dios hoy debe ser resuelto en sus actividades? ¿Profesiones, oficios, artes, investigación y otras disciplinas que sostienen y prosperan comunidades y naciones? Quizás las iglesias y los cristianos podrían hacer más para animar y celebrar la excelencia de sus miembros en varios campos. Tal vez los cristianos podamos esforzarnos más para sobresalir en nuestro trabajo como un servicio a nuestro Señor. ¿Hay alguna razón para creer que la excelencia en la planificación municipal, la economía, el cuidado de los niños o el servicio al cliente no le da tanta gloria a Dios como la alabanza sincera, la oración o el estudio de la Biblia?

Conclusiones de Números

El libro de Números muestra a Dios organizando la nueva nación de Israel a través de Moisés. La primera parte del libro se centra en el culto, que depende del trabajo de los sacerdotes, así como del trabajo de todas las demás profesiones. El trabajo esencial de quienes representan al pueblo de Dios no es realizar ceremonias, sino bendecir a todos con la presencia de Dios y el amor reconciliador. Todos tenemos la oportunidad de traer bendición y reconciliación a través de nuestro trabajo, ya sea que nos consideremos pastores o no.

La segunda parte de Números traza el orden de la sociedad a medida que la gente viajaba a la Tierra Prometida. Los pasajes en números pueden ayudarnos a obtener una perspectiva piadosa sobre los problemas laborales contemporáneos, como dedicar los frutos de nuestro trabajo a Dios, la resolución de conflictos, la jubilación, el liderazgo, los derechos de propiedad, la productividad económica, la planificación de la sucesión, las relaciones sociales, el cumplimiento de nuestro Compromiso y la Planificación Municipal. .

Los líderes en Números, especialmente Moisés, representan ejemplos de poder seguir la dirección de Dios y no poder hacerlo. Los líderes deben estar abiertos a la sabiduría de otros y posiblemente de fuentes inesperadas, pero también deben ser firmes en su comprensión clara de la guía de Dios y su firmeza en seguirla. Deben enfrentarse al rey, pero ser lo suficientemente humildes como para aprender de la bestia. Nadie en Números tiene éxito completo en esta tarea, pero Dios permanece fiel a su pueblo a través de sus éxitos y fracasos. Nuestros errores tienen consecuencias negativas reales, pero no eternas, y buscamos la esperanza más allá de nosotros mismos para cumplir el amor de Dios por nosotros. Vemos al Espíritu de Dios guiando a Moisés, y escuchamos la promesa de Dios de dar Su Espíritu a los líderes después de Moisés. Esto puede animarnos a buscar la guía de Dios en las oportunidades y desafíos de nuestro trabajo. No importa lo que hagamos, podemos estar seguros de que Dios está con nosotros mientras trabajamos, porque Él nos dice: "Yo, el Señor, habito entre los hijos de Israel" (**Números 35:34**), y en estos pasos caminamos.

Introducción a Deuteronomio

La labor es un tema principal en Deuteronomio, y algunos de los aspectos destacados son:

- El significado y valor del trabajo. La misión de Dios es trabajar para el beneficio de los demás, las bendiciones del trabajo para cada individuo y comunidad, las consecuencias del fracaso y los peligros del éxito, y la responsabilidad de representar a Dios ante los demás.
- Relaciones laborales. La importancia de las buenas relaciones, el desarrollo de la dignidad y el respeto por los demás, y el deber de no lastimar a los demás ni hablar injustamente de ellos en nuestro trabajo.
- dirigir. El ejercicio juicioso del liderazgo y la autoridad, la planificación y capacitación de la sucesión, y la responsabilidad de los líderes de trabajar en beneficio de aquellos a quienes lideran.
- Justicia económica. Respeto a la propiedad, los derechos de los trabajadores y de los tribunales, el uso productivo de los recursos, el otorgamiento y recepción de crédito, y la honestidad en los acuerdos comerciales y el comercio justo.
- *Trabajo y descanso.* Las exigencias del trabajo, la importancia del descanso y la invitación a la confianza que Dios nos brinda, ya sea que estemos trabajando o descansando.

A pesar de los cambios dramáticos en los negocios y las carreras, Deuteronomio puede ayudarnos a comprender mejor cómo responder al amor de Dios y servir a los demás a través de nuestro trabajo.

La introducción dramática y unificada del libro lo hace especialmente memorable. Jesús citó extensamente Deuteronomio; de hecho, la primera vez que citó las Escrituras fueron tres pasajes de Deuteronomio (**Mateo 4:4, 7, 10**). El Nuevo Testamento menciona a Deuteronomio más de cincuenta veces, un número superado solo por los Salmos e Isaías. Deuteronomio contiene la primera expresión del mayor mandamiento: "Amarás al Señor tu Dios con todo tu corazón, con toda tu alma y con todas tus fuerzas" (**Deuteronomio 6:4-5**).

El pacto de Israel con el único Dios verdadero forma la base de todos los temas de Deuteronomio. Todo en el libro comienza con el fundamento del pacto: "Yo soy el Señor tu Dios... no tendrás dioses ajenos delante de mí" (**Deuteronomio 5:6-7**). Cuando las personas adoran solo a Dios, el resultado suele ser un buen gobierno, trabajo productivo, comercio ético, bienestar social y trato justo para todos. El trabajo y la vida tocan fondo cuando las personas ponen otros motivos, valores e intereses por encima de Dios.

Deuteronomio cubre el mismo material que los otros libros de la *Torá (Éxodo, Levítico y Números)*, pero enfatiza el enfoque en el trabajo, especialmente los Diez Mandamientos. Al relatar eventos y enseñanzas de otros libros, Moisés parece haber sentido la necesidad de enfatizar la importancia del trabajo en la vida del pueblo de Dios. Quizás, en cierto sentido, esto anuncia el creciente enfoque en el trabajo entre los cristianos de hoy. Mirando la Biblia con nuevos ojos, descubrimos que el trabajo es más importante para Dios de lo que pensábamos, y que la Palabra de Dios guía nuestro trabajo más de lo que pensábamos.

La Rebeldía y la Independencia (Deuteronomio 1:1-4:43)

Al comienzo del libro de Deuteronomio, Moisés vuelve a relatar los acontecimientos más relevantes de la historia reciente de Israel, los cuales sirven como base para las lecciones que da y que exhorta a la gente a que obedezca y confíe en la fidelidad de Dios (**Deuteronomio 4:40**). Hay dos partes que son cruciales para la enseñanza del trabajo: la primera es la rebelión y la segunda es la autosuficiencia, ambas de las cuales se oponen a la fe en Dios.

Israel se Niega a Ingresar a la Tierra Prometida. (Deuteronomio 1:19-45)

En el territorio árido, la falta de fe de los israelitas los llevó a alejarse de Dios. Como consecuencia, se opusieron al propósito de Dios de ingresar a la tierra que le fue prometida a Abraham, Isaac y Jacob. Dios los había rescatado de la esclavitud en Egipto, les había dado la ley en el Monte Horeb (Sinaí) y los había traído a un lugar cercano a la tierra prometida (**Deuteronomio 1:19-20**). Según el texto bíblico de Números, Dios le pide a Moisés que envíe espías a la tierra que les entregará a los israelitas, a cambio de que exploren el lugar (Nm 13:1-3). Sin embargo, otros judíos se aprovechan de esta misión de exploración para desafiar a Dios. Ellos le piden a Moisés que envíe espías con el fin de posponer la acción militar que Dios había ordenado, cuando los espías regresan con un reporte favorable, los israelitas continúan negándose a avanzar (**Deuteronomio 1:26**). Les dijeron a Moisés que la multitud era más grande y más alta que ellos, que las ciudades eran grandes y fortificadas hasta el cielo, y que estaban aterrorizados (A pesar de que Moisés le asegura al pueblo que Dios luchará por ellos, igual que lo hizo en Egipto, el pueblo no cree que Dios cumpla sus **promesas (Deuteronomio 1:29-33)**. El temor origina la insubordinación, lo que conduce a una sanción extrema.

Debido a que no obedecieron a Dios, no es posible que los israelitas de esta generación accedan a la tierra prometida. Ninguno de estos hombres, esta generación perversa, disfrutará de la buena tierra que juré entregar a sus predecesores (**Deuteronomio 1:35**). Las únicas excepciones son Caleb y Josué, los únicos individuos de la expedición de exploración que instaron a los israelitas a obedecer la orden de Dios (**Números 13:30**). Al no poder ingresar a la tierra, Moisés se encuentra privado de un acto diferente de rebeldía. En Números 20:2-12, le pide a Dios que le brinde una fuente de agua y Dios le responde que ordene a una roca que se convierta en una fuente. En vez de eso, Moisés golpeó la roca dos veces con su vara. Si Moisés hubiera conversado con la roca, tal y como Dios le ordenó, el prodigio resultante habría satisfecho tanto la sed física de los israelitas como su necesidad de creer que Dios los protegía, pero se pierde la oportunidad cuando Moisés golpea la roca para abrirla. Al igual que los israelitas en Deuteronomio 1:19-45, Moisés fue castigado por su falta de fe, lo que causó su desobediencia. Dios afirmó: «Porque no me creísteis para venerarme como a un dios entre los israelitas, por lo cual no guiarán a este pueblo a la tierra que les di» (**Números 20:12**).

Al percatarse de que no tenían por qué vivir en el desierto tan difícil como en realidad era, sino que, además, perdieron la oportunidad de disfrutar de la "bonita" tierra que Dios les había prometido (**Deuteronomio 1:25**), los israelitas decidieron atacar a los amorreos. Dios declaró: "No suban ni peleen, porque Yo no estoy con ustedes. De esta manera, evitarán ser derrotados por sus enemigos" La falta de fe en las promesas de Dios, causa que Israel pierda los privilegios que Dios les había asignado.

Cuando comprendemos lo correcto, pero nos vemos arrastrados a no acatarlo, la fe en Dios es la única cosa que nos permite acatar la voluntad de Dios. Esto no es un asunto de ética personal. Si ni siquiera Moisés pudo confiar en Dios por completo, ¿en verdad creemos que lo lograremos? En contraste, es la misericordia de Dios. Podemos pedir a Dios que nos ayude a defender lo correcto y a pedir perdón cuando seamos culpables. En concordancia con Moisés y el pueblo hebreo, la falta de fe en Dios puede ser perjudicial para la vida, sin embargo, al final, la gracia divina rescata nuestro fracaso. *(en el capítulo 13 de Números, se explica más detalladamente este episodio).*

Cuando el Éxito Conduce a la Autosuficiencia (Deuteronomio 4:25-40)

En el desierto, la gente ya no cree en Dios, no solo por miedo, sino también por el éxito. En este punto de la Parte I, Moisés describe la prosperidad que le espera a una nueva generación para entrar en la Tierra Prometida, señalando que es probable que el éxito genere autosuficiencia espiritual, que es más peligrosa que el fracaso. "Si tienes hijos y nietos, y vives mucho tiempo en el mundo, te corrompes y haces ídolos, toda clase de ídolos... estás acabado." (**Deuteronomio 4:25-26**). Veremos la idolatría misma en Deuteronomio 5:8, pero el punto aquí son los peligros espirituales de la autosuficiencia. Después de tener éxito, las personas dejan de temer a Dios y comienzan a creer que el éxito es su derecho de nacimiento. En lugar de estar agradecidos, imaginamos que tenemos derecho a lo que recibimos. El éxito por el que nos esforzamos no es malo, pero es un riesgo moral. De hecho, el éxito requiere una combinación de un poco de habilidad y trabajo duro, además de una buena cantidad de circunstancias afortunadas y la gracia de Dios. De hecho, no podemos satisfacer nuestros propios deseos y seguridad. El éxito no es permanente; realmente no es satisfactorio. Una ilustración dramática de esta realidad se puede encontrar en la vida del rey Uzías en 2 Crónicas. "Con la gran ayuda de Dios, Uzías se hizo muy poderoso, y su fama se extendió por todas partes. Sin embargo, a medida que aumentaba su poder, Uzías se volvió arrogante, lo que lo llevó a la desgracia" (**2 Crónicas 26: 15-16**). Solo en Dios podemos encontrar verdadera seguridad y plenitud (**Salmo 17:15**).

Puede parecer sorprendente que el producto de la autosuficiencia no sea el ateísmo sino la idolatría. Moisés profetizó que si los israelitas le daban la espalda a Jehová, no serían espiritualmente libres. Seguirán a "dioses hechos con manos de madera y piedra, que no pueden ver, oír, comer ni oler" (**Deuteronomio 4:28**). Quizás en los días de Moisés nadie pensó en no practicar ninguna religión, pero en nuestros días sí lo hay. La creciente tendencia secularista busca liberarse de lo que percibe —ya veces con razón— que corrompe las cadenas de dominación, creencia y práctica de las instituciones religiosas. Pero, ¿conducirá esto a la verdadera libertad, o la adoración a Dios será reemplazada necesariamente por la adoración a los dioses creados por el hombre?

Esta pregunta, aunque suene abstracta, tiene consecuencias reales en el trabajo. Por ejemplo, antes de la segunda mitad del siglo XX, las dudas sobre la ética empresarial se resolvían consultando la Biblia. La práctica está lejos de ser perfecta, pero otorga un estatus importante a quienes pierden en las luchas de poder relacionadas con el trabajo. Quizás el caso más dramático es que Gran Bretaña y Estados Unidos se opusieron a la esclavitud por razones religiosas y finalmente lograron abolir la trata de esclavos y la esclavitud misma. En las instituciones secularizadas, no hay autoridad moral a la que apelar. En cambio, las decisiones morales deben basarse en la ley y la "costumbre moral", como dijo Milton Friedman. Partiendo de las costumbres jurídicas y éticas, partiendo de la construcción artificial, la ética empresarial se ha reducido a la ley hecha por el poder y el público. A nadie le gusta un lugar de trabajo dominado por una élite religiosa, pero ¿un lugar de trabajo totalmente laico abre la puerta a otro tipo de explotación? Por supuesto, los creyentes pueden traer las bendiciones de la fidelidad de Dios a su lugar de trabajo sin tratar de imponerse el privilegio a sí mismos.

Esto no quiere decir que el éxito conduzca necesariamente a la autosuficiencia. Si podemos recordar que la gracia de Dios, Su Palabra y Su guía son la raíz de todos nuestros logros, entonces seremos agradecidos, no autosuficientes. Por lo tanto, el éxito que experimentamos puede llevarnos a la gloria y el gozo de Dios. Es importante notar que, en el curso de la historia, el éxito parece ser espiritualmente más peligroso que la adversidad. Moisés advierte de los peligros para la futura prosperidad de Israel en Deuteronomio 8:11-20.

La Ley de Dios y su Aplicación (Deuteronomio 4:44-30:20)

Deuteronomio presenta una segunda parte, que contiene la parte principal del libro. Esta sección se enfoca en el pacto de Dios con los israelitas, especialmente las leyes o principios y reglas que gobiernan la vida de los israelitas. Después de la introducción (**Deuteronomio 4:44-49**), esta sección consta de tres partes. En la primera parte, Moisés expone los Diez Mandamientos (**Deuteronomio 5:1-11:33**). En la segunda parte, detalla los "estatutos y decretos" que Israel debe obedecer (**Deuteronomio 12:1-26:19**). En la tercera sección, Moisés describió las bendiciones que los israelitas experimentarían si guardaban el pacto, y la maldición que los destruiría si no lo hacían (**Deuteronomio 27:1-28:68**). Por lo tanto, la segunda parte sigue el patrón de enunciar primero los principios rectores más amplios (**Deuteronomio 5:1-11:32**), seguido de reglas específicas (**Deuteronomio 12:1-26:19**), seguidas de obediencia y Consecuencias de la desobediencia (**Deuteronomio 27:1-28:68**).

Los Diez Mandamientos de la Ley (Deuteronomio 5:6-21)

Los Diez Mandamientos contribuyen en gran medida a la enseñanza del trabajo. Estos describen los requisitos básicos del pacto de Israel con Dios y los principios básicos que gobiernan el trabajo de la nación y el pueblo. La explicación de Moisés comienza con una de las líneas más memorables del libro: "Escucha, oh Israel, el SEÑOR es nuestro Dios, el SEÑOR solo. Amarás al SEÑOR tu Dios con todo tu corazón, con toda tu alma y con toda tu fuerza" (**Deuteronomio 6:4-5**). Como Jesús señalaría siglos después, este es el mayor mandamiento de toda la Biblia. Jesús luego citó Levítico 19:18, "En segundo lugar: ama a tu prójimo como a ti mismo" (**Mateo 22:37-40**). Aunque el "segundo" gran mandamiento no se expresa específicamente en Deuteronomio, veremos que los Diez Mandamientos sí nos llevan a amar a Dios y al prójimo.

Este pasaje es casi idéntico a Éxodo 20:1-17, con algunas diferencias gramaticales, excepto por el cuarto mandamiento *(guardar el sábado)*, el quinto mandamiento *(honrar a tu padre y a tu madre)* y el décimo mandamiento *(codicia)*. Sorprendentemente, existen variaciones de estos mandamientos específicamente para el trabajo. Ahora repetiremos la nota de Éxodo y agregaremos algo de contenido explorando las diferencias entre los relatos de Éxodo y Deuteronomio.

"No Tendrás Otros dioses Delante de Mí" (Deuteronomio 5:7; Éxodo 20:3)

El primer mandamiento nos recuerda que todo en la Torá brota de nuestro amor por Dios, que a su vez es una respuesta a Su amor por nosotros. Dios demostró este amor al liberar a Israel de la "casa de la esclavitud" en Egipto (**Deuteronomio 5:6**). Nada en la vida nos interesa más que nuestro deseo de amar y ser amados por Dios. Si tenemos otros intereses además de amar a Dios, no es tanto que violamos las reglas de Dios como que no tenemos una relación real con él. Otros intereses, ya sea el dinero, el poder, la seguridad, la aprobación, el sexo o cualquier otra cosa, se han convertido en nuestros dioses. Este dios falso tendrá sus propios mandamientos que son inconsistentes con los mandamientos de Dios, e inevitablemente violaremos la Torá al obedecer sus demandas. Solo aquellos que comienzan a adorar solo al Señor pueden guardar los Diez Mandamientos.

En el mundo del trabajo, esto significa que nunca debemos permitir que el trabajo, o sus demandas y resultados, reemplacen a Dios como nuestro mayor interés en la vida. Como dijo David Gill: *"Nunca permita que nada ni nadie amenace con reemplazar la primacía de Dios en su vida"*.

Dado que la motivación principal para que muchas personas trabajen es la ganancia financiera, el deseo excesivo de dinero es probablemente el riesgo más común del primer mandamiento. Jesús nos advierte específicamente de este peligro. "Nadie puede servir a dos señores... No podéis servir a Dios y a las riquezas" (**Mateo 6:24**). Sin embargo, casi todo lo relacionado con el trabajo puede enredarse tanto con nuestros deseos que interfiere con nuestro amor por Dios. ¿Cuántas carreras han terminado trágicamente porque los medios para un fin por el amor de Dios, como el poder político, la sostenibilidad financiera, el compromiso laboral, la igualdad de estatus o la excelencia, se convirtieron en un fin en sí mismos? Por ejemplo, cuando el reconocimiento en el trabajo se vuelve más importante que el carácter en el trabajo, ¿es esto una señal de que la reputación está reemplazando al amor de Dios como la principal preocupación?

“No Te Harás Ídolo” (Deuteronomio 5:8; Éxodo 20:4)

El segundo mandamiento plantea la cuestión de la idolatría. Los ídolos son dioses de nuestra propia creación, dioses que creemos que pueden satisfacer nuestros deseos. En la antigüedad, la idolatría se manifestaba como la adoración de objetos físicos, pero el tema real era la confianza y la devoción. ¿En qué se basan principalmente nuestras esperanzas de felicidad y éxito? Cualquier cosa que no cumpla con nuestras esperanzas, es decir, cualquier cosa que no sea Dios, es un ídolo, ya sea un objeto tangible o no. La historia de la falsificación de ídolos por parte de una familia para manipular a Dios, y las desastrosas consecuencias personales, sociales y económicas de esto, se narra de manera memorable en Jueces 17-21.

En el mundo del trabajo, es común y correcto señalar que el dinero, la fama y el poder son ídolos potenciales. Estos no representan ídolos en sí mismos, y en realidad pueden ser necesarios para que desempeñemos nuestro papel en la obra de creación y redención de Dios en el mundo. Aun así, cuando imaginamos que lograr estos objetivos garantizará nuestra seguridad y prosperidad, hemos comenzado a caer en la idolatría. La idolatría comienza cuando ponemos nuestra confianza y esperanza en estas cosas en lugar de en Dios. Lo mismo es cierto para casi todos los demás elementos del éxito, incluida la preparación, el trabajo duro, la creatividad, el riesgo, la riqueza y otros recursos, e incluso la oportunidad. ¿Nos damos cuenta cuando empezamos a adorar estas cosas? Por la gracia de Dios, podemos vencer la tentación de adorarlos y colocarlos en el lugar del Señor.

"No Tomarás el Nombre del Señor tu Dios en Vano" (Deuteronomio 5:11; Éxodo 20:7)

El tercer mandamiento prohíbe el mal uso del nombre de Dios. Esto no se limita al nombre "***Jehová***" (**Deuteronomio 5:11**), sino que también incluye "Dios", "Jesús", "Cristo", etc. Pero, ¿qué significa tomar Su nombre en vano? Por supuesto, esto incluye el uso irreverente de palabrotas, calumnias y blasfemias. Pero nuevamente, incluye atribuir falsamente el diseño del hombre a Dios. Esto nos prohíbe afirmar que nuestras acciones o decisiones tienen la autoridad de Dios. Desafortunadamente, parece que algunos cristianos piensan que seguir a Dios en el trabajo consiste en hablar de Dios de acuerdo con su propio entendimiento personal, en lugar de trabajar con los demás de manera respetuosa o asumir la responsabilidad de sus acciones. Decir "Es la voluntad de Dios..." o "Dios te está haciendo..." es muy peligroso, y casi nunca será efectivo sin el discernimiento de una comunidad de fe (**1 Tesalonicenses 5:20-21**). Visto desde este punto de vista, la reticencia de los judíos tradicionales a pronunciar siquiera la palabra inglesa "Dios" —y mucho menos el nombre de Dios mismo— sugiere una sabiduría de la que a menudo carecen los cristianos. Si fuéramos un poco más cuidadosos de no usar la palabra Dios a la ligera, podríamos ser más cuidadosos al afirmar que sabemos cuál es la voluntad de Dios, especialmente cuando se aplica a otras personas.

El tercer mandamiento también nos recuerda que honrar los nombres de las personas es importante para Dios. El Buen Pastor "llama a sus ovejas por su nombre" (Juan 10:3), mientras nos advierte que si llamamos a otro "idiota" entonces "estamos en peligro de caer en el fuego del infierno" (**Malaquías. 5: 22**). Con esto en mente, no debemos abusar de los nombres de otras personas ni llamarlos con nombres irrespetuosos. Maldecir, insultar, oprimir, condenar al ostracismo y defraudar a otros está mal. Usamos correctamente los nombres cuando los usamos para animar, agradecer, sembrar unidad y acoger a los demás. El simple hecho de recordar el nombre de alguien y decirlo puede ser una bendición, especialmente cuando a menudo se lo considera anónimo, invisible o insignificante. ¿Sabe el nombre de la persona que vació el bote de basura, respondió la llamada de servicio al cliente o condujo el autobús? Los nombres de las personas no son los mismos que los nombres del Señor, pero son los nombres de los creados a su imagen.

"Acuérdate del Día de Reposo para Santificarlo" (Deuteronomio 5:12; Éxodo 20:8-11)

El tema del sábado es complejo, no solo en Deuteronomio y Éxodo y el Antiguo Testamento, sino también en la enseñanza y la práctica cristianas. La forma exacta en que los creyentes gentiles aplican el cuarto mandamiento ha sido tema de debate desde los tiempos del Nuevo Testamento (**Romanos 14:5-6**). Sin embargo, los principios generales del sábado se aplican directamente al tema del trabajo.

El Sábado y Nuestro Trabajo (Deuteronomio 5:13)

La primera parte del mandamiento ordenaba dejar de trabajar un día de cada siete. Por un lado, fue un regalo como ningún otro para ellos. Ningún otro pueblo antiguo tenía el privilegio de siete días de descanso. Por otro lado, esto requiere una extraordinaria confianza en la provisión de Dios. Seis días de trabajo deberían ser suficientes para sembrar, cosechar, acarrear agua, tejer y obtener alimento de la creación. Los israelitas descansaban un día a la semana mientras las naciones vecinas continuaban forjando espadas, cortando flechas y entrenando soldados. Israel debe confiar en que Dios no permitirá que un día de descanso conduzca al desastre económico y militar.

Hoy enfrentamos el mismo problema de confianza en la provisión de Dios. ¿Seremos capaces de competir en la economía moderna si guardamos los mandamientos y obedecemos el ciclo de trabajo y descanso de Dios? ¿Debemos pasar 7 días haciendo un trabajo (o dos o tres), limpiando la casa, preparando comidas, cortando el césped, lavando el auto, pagando las cuentas, haciendo la tarea, comprando ropa, o podemos confiar en Dios? ¿Nos alimentará aunque nos tomemos un día libre cada semana? ¿Podemos tomar tiempo para adorar a Dios, orar y reunirnos con otros para aprender y alentar? Si hacemos esto, ¿aumentará o disminuirá nuestra productividad general? El cuarto mandamiento no explica cómo Dios hace que todo funcione para nosotros, simplemente nos dice que descansemos un día de cada siete.

Los cristianos traducen el sábado como día del Señor (domingo, el día de la resurrección de Cristo), pero la esencia del sábado no es elegir un día de la semana sobre otro (**Romanos 14:5-6**). Las polaridades que realmente subyacen al sábado son el trabajo y el descanso. Tanto el trabajo como el descanso están incluidos en el cuarto mandamiento: "Seis días trabajarás y harás toda tu obra" (**Deuteronomio 5:13**). Seis días de trabajo son parte del mandamiento, al igual que los días de descanso. Mientras muchos cristianos corren el peligro de permitir que el trabajo reduzca el tiempo de descanso, otros corren el peligro de lo contrario, reduciendo el tiempo de trabajo e intentando vivir una vida de ociosidad y desperdicio. Esto es peor que violar el sábado, porque "cualquiera que no sostiene a su familia, y especialmente si no sostiene a su familia, es un apóstata de la fe y es peor que un incrédulo" (**1 Timoteo 5:8**). Lo que necesitamos son tiempos y lugares para trabajar y descansar que sean buenos para nosotros, nuestras familias, nuestros trabajadores y nuestros visitantes. Esto puede o no incluir un descanso continuo de veinticuatro horas el domingo (o sábado). La proporción se puede cambiar según las necesidades temporales o las necesidades de las estaciones cambiantes de la vida.

Si nuestro principal peligro es el exceso de trabajo, debemos encontrar la manera de guardar el cuarto mandamiento sin crear un nuevo y falso legalismo que separe lo espiritual *(culto dominical)* de lo secular *(trabajar de lunes a sábado)* uno contra el otro. Si nuestro peligro es evitar el trabajo, debemos aprender a encontrar alegría y sentido en nuestro trabajo como servicio a Dios y al prójimo (**Efesios 4:28**).

El Sábado y el Trabajo de Nuestros Empleados

La mayoría de las diferencias entre las dos versiones de los Diez Mandamientos son adiciones al cuarto mandamiento en Deuteronomio. Primero, la lista de los que no deberían ser obligados a trabajar en sábado se amplió para incluir "ni vuestros bueyes, ni vuestros asnos, ni vuestro ganado" (**Deuteronomio 5:14**). En segundo lugar, se agregó otra razón para que el esclavo no fuera obligado a trabajar ese día: "Deja que el siervo descanse como tú. Acuérdate que fuiste esclavo en Egipto" (**Deuteronomio 5:14-15**). Un último recordatorio de que la capacidad de descansar en paz en medio de la competencia militar y económica con otras naciones es un regalo de Dios, que protege a Israel "con mano fuerte y brazo extendido" (**Deuteronomio 5:15**).

Una diferencia importante entre los dos textos sobre este mandamiento es que uno se basa en la creación y el otro en la redención. En Éxodo, el sábado se basa en seis días de la creación seguidos de un día de descanso (**Génesis 1:3-2:3**). Deuteronomio añade el elemento de la redención de Dios. "Jehová tu Dios te sacó de allí con mano fuerte y brazo extendido; por tanto, Jehová tu Dios te ha mandado que guardes el día de reposo" (**Deuteronomio 5:15**). Al integrarlos, vemos que la observancia del sábado se basa tanto en cómo Dios nos creó como en cómo nos redimió.

Estas adiciones resaltan la preocupación de Dios por aquellos que trabajan bajo la autoridad de otros. El descanso no era solo un deber, debía darse a quienes trabajaban para él, a sus esclavos, a otros israelitas e incluso a los animales. Cuando "recuerdas que fuiste esclavo en la tierra de Egipto", no ves tu propio descanso como un privilegio especial, sino como un recordatorio de que debes hacer descansar a los demás como el Señor te ha dado. No importa qué religión practiquen o qué decidan hacer con su tiempo. Son trabajadores, y Dios nos manda que dejemos descansar a los que trabajan. Puede que estemos acostumbrados a querer descansar guardando el sábado, pero ¿con qué frecuencia pensamos en hacer descansar a quienes nos sirven? Las horas de trabajo de muchas personas interfieren con las relaciones, los patrones de sueño y las oportunidades sociales para hacer que la vida de los demás sea más cómoda.

Las llamadas "leyes azules" que solían proteger a las personas -o detenerlas, según se mire- siempre han estado vigentes, pero han desaparecido en la mayoría de los países desarrollados. Sin duda, esto abre muchas nuevas oportunidades para trabajadores y empleadores. Pero, ¿deberíamos estar alguna vez en él? Cuando compramos tarde en la noche, jugamos al golf un domingo por la mañana o vemos un evento deportivo que termina después de la medianoche, ¿hemos considerado cómo podrían verse afectados los que trabajan esas horas? Tal vez nuestro comportamiento ayude a crear una oportunidad de trabajo que de otro modo no existiría, pero por otro lado, podríamos estar pidiéndole a alguien que trabaje horas horribles a pesar de que podría haber trabajado en un horario más conveniente.

La cadena de comida rápida Chick-fil-A es conocida por estar cerrada los domingos. Esto a menudo se atribuye a la interpretación del cuarto mandamiento del fundador Truett Cathy, pero según el sitio web de la compañía, "sus decisiones son tan prácticas como espirituales. Él cree que todos los trabajadores de franquicias y empleados de restaurantes de Chick-fil-A deberían tener oportunidades". descansar, pasar tiempo con la familia y los amigos, y practicar la religión si así lo desean". Por supuesto, interpretar el cuarto mandamiento como una forma de cuidar a los empleados es una interpretación personal, pero no es sectaria ni conformista. La pregunta es compleja y no hay una respuesta universal, pero nosotros como consumidores y (en algunos casos) como empleadores tomamos decisiones que afectan las horas y condiciones de trabajo y descanso de otros.

"Honra a tu Padre y a tu Madre" (Deuteronomio 5:16; Éxodo 20:12)

El quinto mandamiento dice que debemos respetar la autoridad humana más básica: la de los padres sobre sus hijos. En otras palabras, la paternidad es uno de los trabajos más importantes del mundo y merece y requiere el máximo respeto. Hay muchas maneras de honrar (o humillar) a tus padres. En los días de Jesús, los fariseos querían impedir que hablara bien de sus padres, pero Jesús señaló que guardar este mandamiento requería trabajar duro para mantenerlos (**Marcos 7:9-13**). Respetamos a los demás cuando trabajamos para su beneficio.

Para muchas personas, una buena relación con sus padres es una de las grandes alegrías de la vida, es un placer servirles con amor y es fácil obedecer. Pero este mandamiento nos prueba cuando nos cuesta trabajar por el bien de nuestros padres. Es posible que no estemos recibiendo el mejor tratamiento o atención de ellos. Pueden ser controladores o entrometidos. Estar con ellos puede dañar nuestra propia imagen, nuestro compromiso con nuestro cónyuge (incluidas nuestras responsabilidades bajo el tercer mandamiento) e incluso nuestra relación con Dios. Aunque tenemos una gran relación con nuestros padres, cuidarlos puede ser una gran carga en ciertos momentos, simplemente por el tiempo y el trabajo que requiere. Cuidarlos puede convertirse en una profunda agonía si la edad o la demencia les roban la memoria, las habilidades y la naturaleza afectuosa.

Sin embargo, el quinto mandamiento lleva consigo la promesa: "Largos sean vuestros días, y seréis benditos en la tierra que Jehová vuestro Dios os da" (**Deuteronomio 5:16**). Al respetar genuinamente a sus padres, los niños aprenden a respetar genuinamente en todas sus demás relaciones, incluidas sus futuras relaciones en el lugar de trabajo. La obediencia a esta misión nos permite vivir mucho tiempo y hacerlo bien, porque desarrollar buenas relaciones de respeto y autoridad es fundamental para el éxito personal y el orden social.

Siendo esta una instrucción de trabajar en beneficio de los padres, es una orden intrínsecamente relacionada con el lugar de trabajo. Podría ser donde ganamos dinero para apoyarlos, o podría ser donde los ayudamos con su trabajo diario. todo el trabajo. Cuando aceptamos un trabajo porque nos permitirá vivir más cerca de ellos, enviarles dinero, utilizar los valores y talentos que desarrollaron en nosotros o lograr cosas importantes que nos enseñaron, los respetamos.

Los respetamos cuando limitamos nuestras ocupaciones para poder estar con ellos, ayudarlos a limpiar y cocinar, bañarlos y acurrucarlos, llevarlos a lugares que aman o aliviar sus miedos.

Por lo tanto, los padres tienen la responsabilidad de ser dignos de confianza, respetuosos y obedientes. Criar niños es trabajo, y ningún lugar de trabajo exige estándares más altos de integridad, compasión, justicia y equidad. Como dijo el apóstol Pablo: "Padres, no provoquéis a ira a vuestros hijos, sino criadlos en la disciplina y disciplina del Señor" (**Efesios 6:4**). Solo por la gracia de Dios uno puede ser padre correctamente, demostrando nuevamente que adorar a Dios y obedecer sus caminos es el fundamento de todo Deuteronomio.

En nuestros lugares de trabajo, podemos ayudar a otros a obedecer el quinto mandamiento y podemos obedecerlo nosotros mismos. Podemos recordar que los empleados, clientes, colegas, jefes, proveedores y otros también tienen familias, y luego podemos ajustar nuestras expectativas para apoyar sus esfuerzos por honrar a sus familias. Cuando otros hablan o se quejan de sus peleas con sus padres, podemos escucharlos con compasión, apoyarlos de manera práctica (por ejemplo, ofreciéndoles turnarse para pasar tiempo con sus padres) u ofrecerles una perspectiva piadosa para compartir. considerar. Por ejemplo, si un compañero de trabajo enfocado en su carrera nos revela una crisis familiar, tenemos la oportunidad de orar por su familia y animarlo a considerar ajustar su horario familiar y laboral.

"No Matarás" (Deuteronomio 5:17; Éxodo 20:13)

Desafortunadamente, la aplicación del sexto mandamiento es demasiado práctica en el lugar de trabajo moderno, donde el 10% de las muertes relacionadas con el trabajo son asesinatos (en los EE. UU.). Desafortunadamente, la aplicación del sexto mandamiento es demasiado práctica en el lugar de trabajo moderno, donde el 10% de las muertes relacionadas con el trabajo son asesinatos (en los EE. UU.). Desafortunadamente, la aplicación del sexto mandamiento es demasiado práctica en el lugar de trabajo moderno, donde el 10% de las muertes relacionadas con el trabajo son asesinatos (en los EE. UU.). Desafortunadamente, la aplicación del sexto mandamiento en el lugar de trabajo moderno es demasiado práctica, y el diez por ciento de las muertes relacionadas con el trabajo son asesinatos (en los EE. UU).

El asesinato no es la única forma de violencia en el lugar de trabajo, es solo la más extrema. Una forma más práctica de verlo es recordar que Jesús dijo que incluso la ira es una violación del sexto mandamiento (**Mateo 5:21-22**). Como señala Paul, es posible que no podamos evitar los sentimientos de ira, pero podemos aprender a lidiar con ellos. "Airaos y no pequéis; no os enfadéis hasta que se ponga el sol" (**Efesios 4:26**). Entonces, quizás la implicación laboral más importante del sexto mandamiento es: "Si está enojado en el trabajo, busque ayuda para controlar la ira". ser una forma muy eficaz de obedecer el sexto mandamiento.

Quitar intencionalmente la vida de alguien es un acto que definimos como homicidio, pero las leyes derivadas de los casos del sexto mandamiento también nos muestran la obligación de prevenir la muerte accidental. Un caso particularmente vívido es el de un hombre que fue corneado por un buey (un animal de trabajo parcial) que resultó en su muerte (**Éxodo 21:28-29**). Si el hecho era previsible, el dueño del ganado sería considerado un asesino. En otras palabras, es responsabilidad del propietario o del gerente hacer que el trabajo sea lo más seguro posible. Este principio está bien establecido en las leyes de la mayoría de los países, y la seguridad en el lugar de trabajo es objeto de supervisión gubernamental, autorregulación de la industria y política y práctica de la organización. Aun así, muchos tipos de trabajos continúan requiriendo o permitiendo que los trabajadores realicen trabajos en condiciones innecesariamente inseguras. El sexto mandamiento recuerda a los cristianos que, con sus roles relacionados con el establecimiento de condiciones de trabajo, la supervisión de los trabajadores o el diseño de prácticas laborales, las condiciones de trabajo seguras deben ser su máxima prioridad en el mundo del trabajo.

"No Cometerás Adulterio" (Éxodo 20:14; Deuteronomio 5:18)

El trabajo es uno de los lugares más comunes para que ocurra el adulterio, no necesariamente porque ocurra en el trabajo, sino porque se deriva de las condiciones de trabajo y las relaciones con los compañeros de trabajo. Entonces, la primera aplicación en el lugar de trabajo es literal: las personas casadas no pueden tener relaciones sexuales en el trabajo, o por eso, tener relaciones sexuales con alguien que no sea su cónyuge. Algunos trabajos, como la prostitución y la pornografía, casi siempre violan este mandamiento porque, en muchos casos, resultan en que las personas casadas tengan relaciones sexuales con personas que no son sus cónyuges. Cualquier trabajo que debilite el vínculo del matrimonio es una violación del séptimo mandamiento. Hay varias maneras en que esto puede suceder: en un trabajo que fomenta fuertes lazos emocionales entre compañeros de trabajo, el compromiso con el cónyuge no se apoya adecuadamente, como podría suceder en hospitales, En lugares como programas empresariales, instituciones académicas o lugares de culto, donde las condiciones de trabajo conducen a períodos prolongados de contacto físico cercano entre las personas, o no promueven límites razonables para el contacto fuera del horario laboral, como puede ocurrir en un trabajo de campo extenso; a Trabajos en los que hay presión para acosar sexualmente y tener relaciones sexuales con ejecutivos; Trabajos en los que se infla o halaga el ego, como celebridades, atletas famosos, magnates de los negocios, funcionarios gubernamentales de alto rango y personas adineradas; Un trabajo que requiere demasiado tiempo lejos de un cónyuge *(física, mental o emocional)* que erosiona la relación entre los cónyuges. Todos estos ejemplos pueden representar riesgos para los cristianos que deben reconocer, evitar, mitigar o prevenir.

“No Hurtarás” (Éxodo 20:15; Deuteronomio 5:19)

El octavo mandamiento también tiene como tema el trabajo. El robo es una violación del trabajo justo porque priva a las víctimas de los frutos de su trabajo. Trabajar seis días a la semana también va en contra de los mandamientos porque robar es en la mayoría de los casos un atajo para evitar el trabajo honesto, lo que nuevamente nos muestra cómo los Diez Mandamientos están interrelacionados. Así que podemos tomar esto como la palabra de Dios: no debemos robar a nuestros jefes, colegas u otras personas en el trabajo.

El mismo concepto de "robo" implica la existencia de propiedad y derechos de propiedad. Solo hay tres formas de adquirir cosas: crearlas, obtenerlas mediante el intercambio voluntario de bienes y servicios (comercio o regalos) con otros, y obtenerlas mediante el robo de bienes, de los cuales el robo es la forma más común. Abiertamente (cuando alguien toma cosas y se va). Sin embargo, la retención también ocurre en una escala mayor y más compleja cuando una empresa defrauda a sus clientes o cuando el gobierno ordena a sus ciudadanos pagar impuestos que los llevarían a la quiebra. Estas instituciones no respetan los derechos de propiedad. No examinamos aquí qué es el comercio monopólico justo o los impuestos legales excesivos, pero el octavo mandamiento nos dice que ninguna sociedad puede prosperar cuando los individuos, las bandas criminales, las corporaciones o los gobiernos violan los derechos de propiedad con impunidad.

En la práctica, esto significa que el robo ocurre de muchas maneras distintas a la tradicional de tomar algo directamente de alguien. Cometemos robo cuando tomamos algo de valor del propietario legítimo sin su consentimiento. Robar es la apropiación indebida de recursos o fondos para nuestro uso personal. Usar el engaño para vender, ganar cuota de mercado o subir los precios es robar porque la tergiversación significa que un acuerdo con un comprador no es lo que realmente es De igual manera, robar es aprovecharse del consentimiento dado por alguien por miedo, vulnerabilidad, impotencia o desesperación por obtener ganancias económicas. El robo también viola las leyes de patentes, derechos de autor y otras leyes de propiedad intelectual, ya que no permite que los propietarios reciban compensación por sus creaciones según las disposiciones del derecho civil.

Respetar la propiedad y los derechos de los demás significa que no debemos tomar sus cosas ni interferir en sus asuntos. Sin embargo, eso no significa que solo nos cuidemos a nosotros mismos. Deuteronomio 22:1 dice: 'No verás las ovejas y los rebaños de tu hermano descarriados y no los cuidarás; ciertamente los traerás a tu hermano. Decir "no es asunto mío" no es una excusa para la insensibilidad.

Desafortunadamente, parece que muchos trabajos requieren que las personas se aprovechen de la ignorancia de los demás o de su falta de alternativas, obligándolos a participar en negocios en los que de otro modo no estarían involucrados. Algunas empresas, gobiernos, individuos, sindicatos y otros actores pueden usar su poder para obligar a otros a aceptar desigualdades en sus salarios, precios, términos financieros, condiciones de trabajo, horas de trabajo y otros factores. Si bien es posible que no estemos robando bancos, tiendas o nuestros jefes, es posible que estemos involucrados en un comportamiento injusto o poco ético que prive a otros de sus derechos. Resistir estas prácticas puede ser difícil e incluso limitar nuestras carreras, pero todos estamos llamados a hacerlo de todos modos.

“No Darás Falso Testimonio Contra tu Prójimo” (Éxodo 20:16; Deuteronomio 5:20)

El noveno mandamiento respeta el derecho a la reputación. Esto tiene aplicaciones importantes en los procesos judiciales, ya que lo que la gente dice describe la realidad y determina el curso de la vida humana. Las decisiones judiciales y otros procesos legales conllevan una gran cantidad de poder, por lo que manipularlos constituye un delito bastante grave ya que va en detrimento del tejido moral de la sociedad. Este mandamiento, dice Walter Brueggemann, reconoce que "la vida comunitaria es imposible a menos que el público confíe en que la realidad social será descrita e informada de manera confiable".

Aunque está formulado en lenguaje judicial, el noveno mandamiento también se aplica a una amplia gama de situaciones relacionadas con casi todos los aspectos de la vida. Nunca debemos decir o hacer nada que distorsione la imagen de otro. Brueggemann contribuyó con más pensamientos sobre esto:

Los políticos tratan de destruirse unos a otros en campañas negativas; los columnistas de chismes alimentan las calumnias; y una taza de café y postre en porcelana fina arruina o empaña una reputación en una sala de estar cristiana. Estos son en realidad tribunales que funcionan sin los procedimientos exigidos por la ley. Se hacen acusaciones; los rumores están permitidos; la difamación, el perjurio y las declaraciones calumniosas no se impugnan. Sin pruebas, sin defensa. Como cristianos, debemos abstenernos de entablar o aprobar cualquier conversación que calumnie a una persona que no está allí para defenderse. Difundir rumores está mal de cualquier manera, incluso las solicitudes de oración o los asuntos pastorales. No solo la no participación, los cristianos deben detener los rumores y aquellos que difunden rumores.

También muestra que los chismes en el lugar de trabajo son un delito grave. A veces se difunden rumores sobre problemas personales fuera del trabajo, lo cual es bastante cruel. Pero, ¿qué pasa si un empleado empaña la reputación de un colega? ¿Se puede realmente encontrar la verdad cuando la persona que está siendo criticada no habla por sí misma? ¿Qué pasa con las evaluaciones de desempeño? ¿Qué salvaguardas deben implementarse para garantizar la imparcialidad y precisión de los informes? A mayor escala, la industria del marketing y la publicidad opera en un espacio común entre organizaciones e individuos. Para presentar mejor sus propios productos y servicios, ¿en qué medida puede señalar los defectos y debilidades de sus competidores en lugar de incorporar sus puntos de vista ¿Pueden los derechos de "tu vecino" incluir los derechos de otras empresas? De hecho, el alcance de nuestra economía global sugiere que este mandato puede tener aplicaciones bastante amplias.

Este mandamiento prohíbe específicamente decir mentiras sobre los demás, pero la pregunta que surge es si siempre debemos decir la verdad en todas las circunstancias. ¿La violación del noveno mandamiento también genera estados financieros falsos o engañosos? ¿Qué sucede si el anuncio no menosprecia falsamente a la competencia, sino que es exagerado? ¿Qué pasa con las garantías de la gerencia de engañar a los empleados sobre despidos inminentes? En un mundo donde la percepción a menudo se descarta como realidad, la retórica de la persuasión puede preocuparse poco por la verdad. El origen divino del noveno mandamiento nos recuerda que Dios no debe ser burlado. Al mismo tiempo, reconocemos que el engaño a veces se practica, se acepta e incluso se aprueba en el registro bíblico.

"No Codiciarás... Nada que Sea de tu Prójimo" (Éxodo 20:17; Deuteronomio 5:21)

El Décimo Mandamiento dice que no debemos codiciar *"nada que sea de nuestro prójimo"* (**Deuteronomio 5:21**). Ver algo bonito en posesión de otra persona no se trata de intentar obtenerlo legalmente. La codicia ocurre cuando alguien ve la prosperidad, los logros o los talentos de otra persona y se resiente o quiere quitárselos, o quiere castigar a los que tienen éxito. Lo que está prohibido es no querer tener algo, sino hacer daño a otra persona, al *"prójimo"*.

Tenemos dos opciones: dejar que el éxito de los demás nos motive o codiciarlo. La primera elección genera un deseo de ser cuidadoso y trabajar duro. El segundo genera pereza, excusas para el fracaso y fomenta la apropiación indebida. Si creemos que la vida es un juego de suma cero en el que saldremos perjudicados de alguna manera si los demás lo hacen bien, entonces nunca alcanzaremos el éxito. Nunca lograremos grandes cosas si no nos esforzamos y nos comprometemos a soñar que los logros de los demás son nuestros. Una vez más, la base principal de este mandamiento es la adoración únicamente a Dios. Si Dios es el centro de nuestra adoración, entonces el deseo por él reemplaza todo deseo codicioso e impío por cualquier otra cosa, incluyendo lo que pertenece a nuestro prójimo. Como dijo el apóstol Pablo: "Estoy contento en todas las circunstancias" (**Filipenses 4:11**).

Deuteronomio agrega las palabras "ni era su campo" a la lista en Éxodo. Como las otras adiciones a los Diez Mandamientos de Deuteronomio, esta nos lleva a pensar en el trabajo. El campo es el lugar de trabajo, y codiciar un campo es codiciar los recursos productivos ajenos.

Los celos y la codicia son especialmente peligrosos en el trabajo, donde el estatus, la paga y el poder son factores regulares en nuestras relaciones con las personas con las que salimos regularmente. Es posible que tengamos muchas buenas razones para desear el éxito, el ascenso o las recompensas en el trabajo, pero los celos no son una de ellas, y tampoco lo es trabajar obsesivamente por el estatus debido a los celos.

Específicamente, en el trabajo nos enfrentamos a la tentación de exagerar falsamente nuestros propios logros a expensas de los demás. El antídoto es simple, pero a veces difícil. Debemos reconocer los logros de los demás, darles el debido crédito y convertirlo en una práctica constante. Cuando aprendemos a regocijarnos en el éxito de los demás, o al menos reconocerlos, atacamos la naturaleza misma de la envidia y la codicia en el trabajo. Mejor aún, si aprendemos a trabajar para que nuestro éxito vaya de la mano con el éxito de los demás, la cooperación reemplazará a la codicia y la unidad reemplazará a la envidia.

"Ser el pastor principal es como tener cambio infinito en el bolsillo", dijo Leith Anderson, ex pastor de la Iglesia Wooddale en Eden Prairie, Minnesota. Al agradecer a alguien, es como poner una moneda mía en el bolsillo. Es mi trabajo como pastor. líder para poner una moneda en mi bolsillo en el bolsillo de otra persona y aumentar el aprecio de los demás por ellos".

Reglamentos y Decretos (Deuteronomio 4:44-28:68)

En la segunda parte de la segunda parte, Moisés detalla los "estatutos y decretos" que Dios dio a Israel (**Deuteronomio 6:1**). Estas reglas abordan una variedad de temas, que incluyen la guerra, la esclavitud, el diezmo, las festividades religiosas, los sacrificios, la comida kosher, la profecía, la monarquía y el santuario central. Este material contiene varios pasajes que hablan directamente de la enseñanza del trabajo, y consideraremos estos pasajes en el orden en que aparecen en las Escrituras.

Las Bendiciones de la Obediencia al Pacto con Dios (Deuteronomio 7:12-15; 28:2-12)

Si los mandamientos, estatutos y decretos del pacto con Dios parecen una carga para Israel, Moisés nos recuerda que su propósito principal es bendecirnos.

Y será así, por cuanto obedecéis estos decretos y los guardáis y los cumplís, el Señor vuestro Dios guardará su pacto con vosotros y las misericordias que juró a vuestros padres. Él te amará, te bendecirá, te multiplicará; y en la tierra que juró a tu padre y a tu madre que te daría, también bendecirá el fruto de tu vientre y el fruto de tu tierra, tu grano, tu mosto, tu aceite, el crecimiento de vuestras vacas y de vuestros rebaños (**Deuteronomio 7:12-13**).

Si obedeces a Jehová tu Dios: serás bendito en la ciudad, y serás bendito en el campo. Bendito el fruto de tu vientre, y el fruto de tu tierra, y el fruto de tu ganado, y la crianza de tus vacas, y de tus corderos. Bendice tu cesta y tu pesebre. Bendito serás en tu entrar, y bendito en tu salir... El SEÑOR te hará rico en riquezas, con el fruto del vientre, con el fruto del ganado, con el fruto de la tierra ¿Qué te darán tus padres? El SEÑOR te abrirá su buen tesoro, los cielos, para enviar lluvia sobre tu tierra a su tiempo, y para bendecir toda la obra de tus manos. (**Deuteronomio 28:2-7; 11-12**).

El propósito de guardar los convenios es ser una fuente de bendición, prosperidad, gozo y salud para el pueblo de Dios. Como dijo Pablo: "La ley es santa, y el mandamiento santo, justo y bueno" (**Romanos 7:12**), "el amor es la ley perfecta" (**Romanos 13:10**).

No confundas esto con el llamado "evangelio de la prosperidad", que afirma falsamente que Dios inevitablemente otorga riqueza y salud a quienes se ganan su favor. Esto significa que si el pueblo de Dios guarda el pacto, el mundo será un lugar mejor para todos. Por supuesto, los cristianos somos testigos y no podemos cumplir la ley por nuestra cuenta. Por eso en Cristo hay un nuevo pacto en el que la gracia de Dios se pone a nuestra disposición a través de la muerte y resurrección de Jesús, y no estamos limitados por nuestra propia obediencia. Viviendo en Cristo, encontramos nuestra capacidad de amar y servir a Dios, después de todo, lo que hacemos es bendecido, como lo describió Moisés, de una manera hoy, y lo será cuando Cristo traiga a Dios Plenamente bendecido cuando el reino se realice.

En cualquier caso, el tema principal a lo largo de Deuteronomio es el pacto de obediencia a Dios. Al igual que con estos tres pasajes, este tema es evidente en muchas secciones breves a lo largo del libro, y Moisés vuelve a él en los últimos versículos al final de su vida, los capítulos 29 y 30.

Los peligros de la Abundancia (Deuteronomio 8:11-20)

La obediencia gozosa a Dios es exactamente lo contrario de la arrogancia que a menudo acompaña a la prosperidad. Esto es similar a los peligros de la autosuficiencia de los que nos advierte Moisés en Deuteronomio 4:25-40, pero con un énfasis en el orgullo activo en lugar de las expectativas pasivas de privilegio.

No sea que te sacies y edifiques una casa y habites en ella, y aumenten tus ganados y vacas, y aumente tu oro y plata y todo lo que tienes, y te enorgullezcas en tu corazón, y te olvides de Jehová Dios, que te trajo. de la tierra de Egipto, de la casa de servidumbre. (**Deuteronomio 8:12-14**).

Cuando alguien ve que su negocio o carrera, proyecto de investigación, crianza de los hijos u otro trabajo tiene éxito después de años de arduo trabajo y sacrificio, tiene motivos para estar orgulloso. Sin embargo, no podemos permitir que el orgullo feliz se convierta en arrogancia. Deuteronomio 8:17-18 nos recuerda: "Para que no digas en tu corazón: 'Estas riquezas son obra de mi poder, la fortaleza de mis manos'". Pero acuérdate de Jehová tu Dios, porque él te ha dado para ganar riquezas. poder, para confirmar el pacto que juró hoy a vuestros padres. Como parte de su pacto con su pueblo, Dios nos ha dado la capacidad de ser económicamente productivos, pero debemos recordar que esto es un regalo de Dios. Cuando atribuimos el éxito a nuestras habilidades y esfuerzos, nos olvidamos que esas habilidades y la vida misma provienen de Dios. No somos nuestros propios creadores. La ilusión de la autosuficiencia endurece nuestros corazones. Como siempre, el antídoto se encuentra en la adoración correcta y la conciencia de la dependencia de Dios (**Deuteronomio 8:18**).

La Generosidad (Deuteronomio 15:7-11)

El tópico de la amabilidad se encuentra en *el capítulo 15 de Deuteronomio, versículos 7 al 8.* Si alguien menesteroso está contigo, no te endurecerás ni cerrarás tu mano a tu hermano necesitado, sino que lo abrirás libremente. La amabilidad y la empatía son la base del acuerdo. "Darás con generosidad, y no te dolerá el corazón, porque el Señor tu Dios te bendecirá en todo lo que hagas". La bendición de Dios solo llega a nuestro trabajo cuando es compartida por otros. Pablo afirma que el amor es semejante a la ley.

La mayoría de nosotros tenemos la posibilidad de ser generosos gracias al salario que percibimos por nuestro empleo. ¿Realmente lo estamos usando generosamente? Además, ¿hay alguna forma en que podamos ser generosos en el trabajo? Este pasaje habla de la generosidad, especialmente como un aspecto del trabajo *("todo tu trabajo").* Si un colega necesita ayuda para desarrollar una habilidad o habilidad, o necesita una referencia honesta, o necesita paciencia con sus deficiencias, ¿son estas oportunidades generosas? Estas formas de generosidad pueden desperdiciar nuestro tiempo y dinero, o pueden requerir que reconsideremos nuestra propia imagen, examinemos nuestra complicidad y cuestionemos nuestros motivos. Si podemos hacer estos sacrificios con buena actitud, ¿podemos abrir una nueva puerta para que Dios bendiga a otros a través de nuestro trabajo?

La Esclavitud (Deuteronomio 15:12-18)

Un tema difícil en Deuteronomio es la esclavitud. El hecho de que la esclavitud estuviera permitida en el Antiguo Testamento ha suscitado muchos debates que no podemos resolver aquí. Pero tenga en cuenta que la esclavitud en Israel no es lo mismo que la esclavitud moderna, incluida la esclavitud estadounidense, donde los africanos fueron secuestrados de su tierra natal, vendidos como esclavos y sus descendientes convertidos en esclavos de por vida. El Antiguo Testamento condenó esta práctica (**Hechos 1:6**) e impuso la pena de muerte (**Deuteronomio 24:7; Éxodo 21:16**). Los israelitas se convirtieron en esclavos unos de otros no por secuestro o nacimiento desafortunado, sino por deudas o pobreza ("*Él se vendió a ti como esclavo*" **Deuteronomio 15:12**). Mejor ser esclavo que morir de hambre, la gente podía venderse para pagar sus deudas y al menos tener un lugar donde vivir. Pero la esclavitud no estaba destinada a durar toda la vida. "Si tu hermano hebreo, sea varón o hembra, se vendiere a ti como esclavo y te sirviere seis años, al séptimo año lo soltarás" (**Deuteronomio 15:12**). Después de la liberación, las personas compartirán la riqueza que han creado a través de su trabajo. "Cuando lo sueltes, no lo dejarás ir con las manos vacías. Lo apacentarás con abundancia de tu rebaño, de tu era y de tu lagar; te bendecirá como te bendecirá el Señor tu Dios" (**Deuteronomio 15:13 -14**).

En algunas partes del mundo, los padres a menudo venden a sus hijos en condiciones de servidumbre, una forma de trabajo esclavo aunque se llame de otra manera. Otros pueden ser atraídos al comercio sexual, lo que dificulta, si no imposibilita, escapar. En algunos lugares, los cristianos están liderando movimientos para erradicar estas prácticas, pero aún queda mucho trabajo por hacer. Imagine la diferencia si más iglesias e individuos cristianos hicieran de esto una prioridad para las misiones y la acción local.

En los países más desarrollados, los trabajadores desesperados no se venden para trabajos forzados, sino que aceptan cualquier trabajo que puedan encontrar. Si Deuteronomio contenía protecciones para los esclavos, ¿no deberían aplicarse también a los trabajadores? Deuteronomio requiere que los anfitriones cumplan con los términos del contrato y las regulaciones laborales, incluidas las fechas de liberación establecidas, la provisión de alimentos y alojamiento, y la responsabilidad por las condiciones de trabajo. Las horas de trabajo deben ser razonablemente limitadas, incluidos los días de descanso semanal (**Deuteronomio 5:14**). Lo más importante es que los amos deben tratar a sus esclavos por igual ante los ojos de Dios, recordando que todo el pueblo de Dios son esclavos redimidos. "Acuérdate que fuiste esclavo en la tierra de Egipto, y que Jehová tu Dios te redimió; por eso te mando hoy" (**Deuteronomio 15:15**).

Los empleadores modernos pueden abusar de los trabajadores desesperados de manera similar a como los antiguos amos abusaban de los esclavos. ¿Perdieron los trabajadores estas protecciones simplemente porque no fueron llamados esclavos? De lo contrario, al menos los patrones tienen la obligación de no tratar a los trabajadores peor que a los esclavos. Los trabajadores vulnerables de hoy pueden enfrentar horas extras no pagadas, dar propinas a los gerentes, trabajar en condiciones peligrosas o tóxicas, pagar pequeños sobornos para obtener turnos, sufrir acoso sexual o trato degradante, recibir beneficios inferiores o soportar discriminación ilegal y otras formas de requisitos de abuso. Incluso los trabajadores bien posicionados pueden enfrentarse a situaciones en las que se les niega injustamente una parte justa de los frutos de su trabajo.

Puede parecer incomprensible para los lectores modernos que la Biblia acepta la esclavitud temporal, y si bien admitimos que la esclavitud antigua era diferente de la esclavitud entre los siglos XVI y XIX, podemos estar agradecidos de que la esclavitud, al menos técnicamente disponible en todo el mundo, es ilegal hoy. Pero en lugar de descartar la enseñanza bíblica sobre la esclavitud como obsoleta, se deben hacer esfuerzos para abolir las formas modernas de esclavitud involuntaria y promover protecciones bíblicas para los miembros económicamente desfavorecidos de la sociedad.

La Corrupción y el Soborno (Deuteronomio 16:18-20)

Con frecuencia, la efectividad de los derechos de propiedad y las leyes laborales se relaciona con los sistemas judiciales y la aplicación de la ley. La solicitud de Moisés para los funcionarios y jueces es crucial cuando se trata de laborar. "No harás que la justicia se vuelva contra ti, no harás que la ley sea diferente para unos y para otros, tampoco no aceptarás soborno, ya que el soborno oscurece la mente del sabio y cambia el significado de las palabras del justo". Sin la justicia imparcial, sería imposible vivir y poseer la tierra que el Señor Dios nos concede (**Deuteronomio 16:20**).

Los sobornos, la corrupción y los prejuicios siguen siendo parte de la cultura laboral y de las sociedades modernas, al igual que lo era el pueblo de Israel antiguo. Según la ONU, el principal obstáculo para el desarrollo económico de los países menos adelantados es la falta de justicia institucional. Donde abunda la corrupción, puede que no sea posible ganarse la vida, viajar por el país o disfrutar de la paz sin pagar sobornos. Esto parece sugerir que, en general, quienes tienen derecho a exigir sobornos tienen más culpa que quienes los dan, ya que está prohibido aceptar un soborno y no darlo. Aun así, cualquier acción que tomen los cristianos para reducir la corrupción, ya sea al recibir o al dar, es una contribución a un *"juicio justo"* (**Deuteronomio 16:18**), que es sagrado para el Señor de (para estudio adicional). (Para obtener más detalles sobre la aplicación económica del estado de derecho, consulte "Acaparamiento de tierras y derechos de propiedad" en los Artículos 26-27 anteriores; 36:1-12).

Aceptación de las Decisiones de los Tribunales Judiciales (Deuteronomio 17:8-13)

Moisés estableció un sistema de tribunales y tribunales de apelación con una estructura inquietantemente similar a los tribunales judiciales de hoy, y ordenó al pueblo obedecer sus decisiones. "Según los términos de la ley que os enseñaron, y según el juicio que os pronunciaron, debéis hacer esto; y no os desviéis a la izquierda ni a la derecha de la palabra que os han dictado" (**Deuteronomio 17:11**).

El lugar de trabajo actual se rige por leyes, reglamentos y prácticas, con procedimientos de apelación, tribunales y procedimientos para interpretarlos y aplicarlos correctamente. Pablo también dijo que debemos acatar estas estructuras legales (**Romanos 13:1**). En algunos países, los que están en el poder ignoran habitualmente las leyes y reglamentos o los eluden mediante el soborno, la corrupción y la violencia. En otros países, las empresas y otros lugares de trabajo rara vez infringen la ley a sabiendas, pero pueden intentar hacerlo mediante acciones legales onerosas, favores políticos o cabildeo contra el bien común. Sin embargo, los cristianos están llamados a respetar el estado de derecho, obedecerlo, defenderlo y buscar fortalecerlo. Eso no significa que nunca deba haber desobediencia civil. Algunas leyes son injustas y deben romperse si el cambio no es factible, pero son raras y siempre involucran sacrificios personales por el bien común. Por otro lado, violar la ley por interés propio no está justificado.

Según Deuteronomio 17:9, los sacerdotes y los jueces —o, como decimos hoy, el espíritu y la letra— son la base de la ley. Si estamos enfocados en usar tecnología legal para defender prácticas problemáticas, tal vez necesitemos un buen teólogo y un buen abogado. Debemos reconocer que las decisiones que toma la gente en el trabajo "secular" son asuntos teológicos, no solo legales y técnicos. Imagine a un cristiano de hoy en día pidiéndole a su pastor que lo ayude a considerar una decisión laboral importante cuando el problema ético o legal parece complejo. Para que esta obra sea fructífera, el pastor debe comprender que es una tarea profundamente espiritual y debe aprender a ser útil a sus trabajadores. Tal vez el primer paso sea simplemente preguntarle a la gente a qué se dedican. "¿Qué acciones y decisiones tomas todos los días?" "¿Qué desafíos enfrentas?" "¿Sobre qué temas quieres hablar con la gente?" "¿Cuáles son tus peticiones de oración?”

Ejercicio Justo del Poder del Gobierno (Deuteronomio 17:14-20)

Así como los individuos y las instituciones no deben oponerse a la autoridad legítima, los que están en el poder no deben usar su poder ilegalmente. Moisés se ocupó exclusivamente del caso del rey.

Vuestra Majestad no tiene muchos caballos... ni muchas mujeres... ni mucho oro y plata. Cuando ascienda al trono de su reino, escribirá para sí una copia de esta ley en un libro... lo llevará consigo y lo leerá... observará atentamente todas las letras de esta ley la ley y estos estatutos , para que no se levante, acordaos de vuestro hermano; no os desviéis a la derecha ni a la izquierda, y dejéis los mandamientos. (**Deuteronomio 17:16-20**).

En este pasaje, vemos dos restricciones al ejercicio del poder: quienes están en el poder no pueden estar por encima de la ley, deben obedecerla y defenderla, y además, no deben abusar de su poder para su propio beneficio personal.

Hoy en día, las personas en posiciones de poder pueden tratar de colocarse por encima de la ley; por ejemplo, cuando los oficiales de policía y los trabajadores judiciales "arreglan" sus propias multas de tránsito o las de sus amigos, o cuando los altos funcionarios públicos o los empleados corporativos no obedecen las leyes. de los demás Debe cumplir con la política de pago cuando. Asimismo, los funcionarios pueden usar su poder para enriquecerse a través de sobornos, exenciones de licencia y zonificación, acceso a información privilegiada o uso personal de propiedad pública o privada. A veces, se otorgan beneficios especiales a los que están en el poder, ya sea por política o por ley, pero eso en realidad no elimina la anarquía. El mandato de Moisés a los reyes no fue obtener sanción legal por sus excesos, sino evitar tales excesos por completo. Cuando los que están en el poder usan su poder para obtener privilegios al mismo tiempo que crean monopolios para sus propios secuaces, se apoderan de vastos territorios y bienes y encarcelan, torturan o asesinan a sus oponentes, lo que está en juego es la vida misma. No existe una diferencia esencial entre el mínimo abuso de poder y la opresión totalitaria, solo el grado en que se aplican.

Cuanto más poder tengas, más probabilidades tendrás de aparecer por encima de la ley. Moisés prescribe aquí un antídoto: el rey debe leer la ley (o palabra) de Dios todos los días. Al hacerlo, aprende a temer al Señor ya cumplir con las responsabilidades que Dios le ha encomendado, recordándose así mismo que él también está bajo la autoridad de los demás. Dios no te ha dado el privilegio de hacer leyes por ti mismo, sino el deber de cumplir las leyes de Dios para el bien de todos.

Lo mismo se aplica a los que están en autoridad hoy. Para ejercer el liderazgo de manera justa, debe consultar la Biblia todos los días de su vida y practicar su aplicación en su entorno laboral cotidiano. Sólo a través de la práctica constante del arte de no inclinarnos ni a la derecha ni a la izquierda podemos superar el impulso de abusar del poder. El resultado es que los líderes sirven a la comunidad (**Deuteronomio 17:20**), no al revés.

Uso de los Bienes para el Bien Común (Deuteronomio 23:1-24:13).

Deuteronomio requiere explícitamente que los propietarios de activos productivos los usen para el beneficio de la comunidad. Por ejemplo, los propietarios deben permitir que sus vecinos usen su tierra para ayudar a satisfacer sus necesidades inmediatas. Cuando entres en la viña de tu prójimo, podrás comer las uvas que quieras hasta saciarte, pero no pondrás uvas en un cesto. Cuando entres en la cosecha de tu prójimo, podrás recoger espigas de trigo. con tus manos, pero no debes cortar la cosecha de su prójimo con la hoz" (**Deuteronomio 23:24-25**). Esta es la ley que permitió a los discípulos de Jesús recolectar grano de los campos locales en el camino (**Mateo 12:1**). Quienes practicaban esta actividad eran los encargados de recolectar alimentos para ellos mismos, y los hacendados eran los encargados de facilitarles el acceso a los campos. *(Ver "La Espiga" en Levítico 19:9-10).*

Asimismo, quienes hacen préstamos de capital no deben exigir condiciones que pongan en peligro la salud o la vida del prestatario (**Deuteronomio 23:19-20; 24:6, 10-13**). En algunos casos, incluso tenían que estar dispuestos a pedir dinero prestado cuando podían perder dinero, simplemente porque la necesidad de la otra parte era demasiado grande (**Deuteronomio 15:7-9**) *(Para obtener más información, consulte "Préstamos y garantías" Éxodo 22: 25-27).*

Dios nos pide que demos nuestros recursos a los necesitados y al mismo tiempo que seamos buenos administradores de los recursos que Él nos ha dado. Por un lado, todo lo que poseemos pertenece a Dios, y es su mandato que usemos lo que es suyo para el bien de la comunidad (**Deuteronomio 15:7**). Por otro lado, Deuteronomio no dice que la tierra de uno sea propiedad pública, la gente no puede conseguir todo lo que quiere. En un sistema donde la propiedad privada es el principal medio de producción, se establece la obligación de contribuir al bien público. Si bien la Biblia no puede imponer normas sobre el equilibrio de la propiedad pública y privada y la sustentabilidad de varios sistemas económicos en la sociedad actual, sí puede brindar principios y valores al respecto.

Justicia Económica (Deuteronomio 24:14-15; 25:19; 27:17-25)

Las diferencias en la tradición y la clase social pueden conducir a la injusticia. La justicia exige un trato justo a los trabajadores. En Deuteronomio 24:14, vemos este mandato: "No oprimirás al trabajador pobre y necesitado, ya sea de tu país o del extranjero que vive en tu tierra o en tu ciudad". para desafiar a los terratenientes en los tribunales, por lo que eran vulnerables a los abusos. Santiago 5:4 contiene información similar. Los empleadores deben considerar sus obligaciones para con todos los empleados como sagradas e inevitables.

La justicia también exige un trato justo a los clientes. "Tu bolsa no tendrá diferentes pesos, grandes y pequeños" (**Deuteronomio 25:13**). El peso en cuestión se usa para medir granos y otras mercancías para la venta. Es rentable para los compradores pesar los granos con pesos más ligeros *(pesos pequeños)* de lo que parecen ser. Los vendedores se beneficiarán del uso de pesos más pesados *(pesos grandes)*. Deuteronomio requiere que siempre uses el mismo peso, ya sea que estés comprando o vendiendo. La protección contra el fraude no se limita a las ventas, sino que se aplica a todo tipo de transacciones con todos los que nos rodean.

Maldito el que cambia los límites de su prójimo. (**Deuteronomio 27:17**).

Maldito el que descarría al ciego. (**Deuteronomio 27:18**).

Malditos los que violen los derechos de los extranjeros, los huérfanos y las viudas. (**Deuteronomio 27:19**).

Maldito el que acepta soborno y quita la vida a un inocente. (**Deuteronomio 27:25**).

Esencialmente, estas reglas prohíben todo tipo de fraude. Asimismo, hoy, una empresa puede vender un producto que sabe que es defectuoso, olvidándose de las implicaciones morales. Los clientes pueden abusar de la política de devolución de una tienda para mercancías usadas. Las empresas pueden emitir estados financieros que violen los principios de contabilidad generalmente aceptados. Los trabajadores pueden atender asuntos personales o descuidar su trabajo durante el tiempo pagado. Estas prácticas no solo son injustas, sino que violan el mandato de adorar solo a Dios, *"seréis un pueblo que ofrecerá sacrificios a Jehová vuestro Dios"* (**Deuteronomio 26:19**).

El Último Pedido de Moisés fue Obedecer a Dios. (Deuteronomio 29:1-30:20)

Moisés concluye la tercera sección con un llamado final a guardar el pacto de Dios que conducirá a la prosperidad humana. Esto refuerza sus exhortaciones anteriores en Deuteronomio 7:12-15 y 28:2-12. Deuteronomio 30:15 lo resume muy bien: *"He aquí, hoy pongo delante de ti la vida y el bien, la muerte y el mal".* La obediencia a Dios trae bendiciones y vida, la desobediencia a Dios trae maldiciones y muerte. En este caso, la *"obediencia a Dios"* significaba guardar el pacto en el Sinaí y, por lo tanto, era la única obligación de Israel. Sin embargo, la obediencia a Dios trae bendiciones es un principio eterno, no limitado a los antiguos israelitas, sino que también se aplica al trabajo y la vida de hoy. Si amamos a Dios y obedecemos sus mandamientos, encontraremos que este es el mejor plan para nuestra vida y obra. Esto no quiere decir que seguir a Cristo nunca será difícil y necesario *(los cristianos pueden ser perseguidos, marginados o encarcelados)*; significa que aquellos que son verdaderamente piadosos y rectos les irá bien, no solo por su buen carácter, y porque están bajo la bendición de Dios. Incluso en tiempos malos, cuando la obediencia a Dios puede llevar a la persecución, el dulce fruto de las bendiciones del Señor supera al amargo fruto de la complicidad con el mal. En general, siempre estamos mejor en los caminos de Dios que en cualquier otro lugar.

Plan de Sucesión (Deuteronomio 31:1-32:47)

Después de las palabras de Moisés, Josué lo sucedió como líder de Israel. "Entonces Moisés llamó a Josué y le dijo delante de todo Israel: Sé fuerte y valiente, porque entrarás en la tierra con este pueblo" (**Deuteronomio 31:7**). Moisés hizo la transición públicamente por dos razones. Primero, Josué tendrá que admitir frente a la nación que acepta las responsabilidades que se le encomiendan. Segundo, todos deben reconocer a Josué como el único sucesor legal de Moisés. Más tarde, Moisés dejó su cargo por completo después de su muerte. Cualquier organización, ya sea un país, una escuela, una iglesia o una empresa, si no se resuelve el tema de la sucesión legal, habrá caos.

Tenga en cuenta que la decisión de elegir a Josué como su sucesor no fue una decisión caprichosa o de última hora. Moisés había estado preparando a Josué durante mucho tiempo para que ocupara su lugar, bajo la dirección de Jehová. Hace mucho tiempo, en Deuteronomio 1:38, el Señor llamó a Josué Moisés "asistente". Poco después de salir de Egipto, Moisés observó la destreza militar de Josué y rápidamente le confió el liderazgo del ejército (**Deuteronomio 31:3**). Moisés se dio cuenta de que Josué podía ver las cosas desde la perspectiva de Dios y estaba dispuesto a arriesgar su propia seguridad para defender la justicia (**Números 14:5-10**). Durante el incidente con el rey de los amorreos, Moisés entrenó a Josué en el arte de gobernar (**Deuteronomio 3:21**). Un elemento importante del programa de entrenamiento de Moisés fue la oración por Josué (**Deuteronomio 3:28**). Cuando Josué sucedió a Moisés, estaba bien preparado para liderar y el pueblo estaba bien preparado para seguirlo (**Deuteronomio 34:9***). (Vea el pasaje paralelo en Números 27:12-23 para más información).*

Moisés también cantó su último cántico (**Deuteronomio 32:1-43**), un versículo profético que advertía a los israelitas que no guardarían su pacto, que sufrirían grandes sufrimientos, pero que al final habrá salvación a través del poderoso acto de Dios. Finalmente, Moisés exhortó al pueblo por última vez a tomar la ley muy en serio (**Deuteronomio 32:46-47**).

Acto Final de Moisés (Deuteronomio 32:48-34:12)

En el himno de Deuteronomio 33:1-29, la escena final de Moisés antes de dejar Israel y el mundo está bendiciendo a la nación tribu por tribu. La canción es similar a la bendición de muerte de Jacob a las tribus (**Génesis 49:1-27**), lo cual es apropiado porque Jacob era el padre biológico de las doce tribus, pero Moisés era el padre espiritual de las tribus. Además, Moisés dejó a los israelitas con este cántico de bendición, no con palabras de reprensión y exhortación. *"Murió Moisés, siervo del Señor"* (**Deuteronomio 34:5**). Las escrituras honran a Moisés con el título humilde y exaltado de *"Siervo del Señor"*. No era perfecto, e Israel no era un país perfecto bajo su liderazgo, pero fue genial. Aun así, no es insustituible. Israel está aquí para quedarse, y los líderes que vengan después de él tendrán sus propios éxitos y fracasos. Cuando las personas en cualquier institución creen que su liderazgo es insustituible, es un desastre.

Conclusiones a Deuteronomio

Deuteronomio describe claramente la importancia del trabajo en el cumplimiento del pacto de Dios con su pueblo al relatar eventos en la historia temprana de Israel y la ley de Dios. El tema general del libro es la necesidad de confiar en Dios, obedecer sus mandamientos y acudir a él en busca de ayuda. Renunciar a cualquiera de estos aspectos es caer en la idolatría, adorando dioses falsos de nuestra propia creación. Aunque estos temas pueden parecer abstractos o filosóficos al principio, emergen de manera concreta y práctica tanto en el trabajo como en la vida cotidiana. Cuando confiamos en Dios, le agradecemos por las cosas buenas que producimos porque Él nos da poder. Reconocemos nuestras limitaciones y buscamos la guía de Dios. Respetamos a los demás. Mantenemos un ritmo de trabajo y descanso para refrescarnos a nosotros mismos y a quienes trabajan para nosotros. Obedecemos diligentemente a la autoridad con un adecuado sentido de la justicia y ejercemos el poder sabiamente para el bien común. Limitamos nuestras opciones al hacer un trabajo que sirva a los demás sin dañarlos, que fortalezca a las familias y las comunidades sin destruirlas. Usamos generosamente los recursos que Dios nos ha dado y no malversamos los recursos que pertenecen a otros. Somos honestos en nuestros acuerdos con los demás. Nos preparamos para regocijarnos en el trabajo que Dios nos ha dado, no para envidiar a los demás.

Todos los días tenemos la oportunidad de mostrar gratitud y generosidad en el trabajo, de hacer que nuestros lugares de trabajo sean más justos y libres, de enriquecer a aquellos con quienes trabajamos y de trabajar por el bien común. De manera diferente, cada uno tiene la oportunidad -grande o pequeña- de cambiarse a sí mismo, a su familia y comunidad, y a las naciones del mundo, haciendo prácticas idolátricas como la esclavitud y la explotación del trabajador, la corrupción, la injusticia y la indiferencia ante la escasez de recursos afectada por los pobres.

Sin embargo, si Deuteronomio fuera solo una lista de verificación de lo que se debe y no se debe hacer en nuestro trabajo, la carga sería insoportable. ¿Quién puede obedecer la ley, aunque sea sólo en el campo del trabajo? Por la gracia de Dios, Deuteronomio no es una lista de reglas, sino una invitación a una relación con Dios. "Buscarás al Señor tu Dios; si lo buscares de todo tu corazón y de toda tu alma, lo hallarás" (**Deuteronomio 4:29**). "Porque tú eres pueblo santo a Jehová tu Dios; Jehová tu Dios te ha escogido para ser su pueblo de entre todos los pueblos de la tierra" (**Deuteronomio 7:6**). Si encontramos que nuestro trabajo no cumple con los estándares de Deuteronomio, que nuestra respuesta no sea resolver esforzarnos más, sino aceptar con gusto la invitación de Dios a una relación más cercana con Él. Vivir con Dios es la única habilidad que debemos aceptar para vivir por Su Palabra. Por supuesto, este es el evangelio enseñado por Jesús, profundamente arraigado en Deuteronomio. Como dijo Jesús: "Mi yugo es fácil y ligera mi carga" (**Mateo 11:30**). Esta no es una lista de exigencias imposibles, sino una invitación a acercarse a Dios. Esto hace eco de las palabras de Moisés: *"Ahora, oh Israel, ¿qué pide de ti el SEÑOR tu Dios, sino que temas al SEÑOR tu Dios, que andes en todos sus caminos, que lo ames y le sirvas de todo tu corazón"* (**Deuteronomio 10:12**).

Introducción a Josué y Jueces

Los libros de Josué y Jueces cuentan la historia del antiguo Israel tomando posesión de la tierra que Dios prometió a Abraham, Isaac y Jacob (**Génesis 15:18-21; 28:13**) y de la formación de confederaciones tribales allí... El tema general del libro es que cuando el pueblo de Dios obedece Sus mandamientos y Su guía, el trabajo va bien y experimentan paz y gozo. Sin embargo, cuando hacen lo que les place y creen que son la autoridad suprema, la pobreza, el conflicto y todo tipo de maldad les traerá tristeza y dolor.

La función de los líderes asignados por Dios, los profetas, ejércitos y el pueblo entero de Israel era conquistar, asentarse y gobernar un territorio. A pesar de que existe una gran cantidad de evidencia que demuestra que estos libros contribuyen al entendimiento del trabajo desde una perspectiva bíblica, es necesario realizar un esfuerzo adicional para descubrir cómo el trabajo que se ve en Josué y en los Jueces se relaciona con las situaciones de nuestro trabajo actual *(recuerde que no estamos considerando la nación-estado moderna de Israel, ni sus vecinos, que es un tema que no está en el foco de nuestra investigación).*

Sin embargo, si miramos de cerca, podemos ver que ciertos eventos en el texto emergen con ideas aplicables a los temas en cuestión, incluido el desarrollo de liderazgo y gestión, el compromiso relevante del trabajo arduo, la guía de Dios para que alcancemos nuestras metas, conflicto y recursos Relacionados, la tensión entre avanzar para alcanzar el éxito y servir a los demás, la dirección de Dios para nuestro trabajo, y el riesgo constante de convertir nuestro trabajo en un ídolo. Los eventos en Josué y Jueces nos brindan ejemplos de cómo resolver conflictos en el lugar de trabajo, motivar a los empleados, enfrentar los desafíos de elegir un cargo y planificar nuevos líderes para reemplazar a los existentes, tanto buenos como malos ejemplos. Dejan sus puestos. Los personajes que conocemos en el libro demuestran la extraordinaria valentía del liderazgo femenino, el impacto económico de la guerra y la complicidad de las autoridades en el maltrato de los más vulnerables en el trabajo.

El hilo narrativo principal de los libros de Josué y Jueces es que aunque el pueblo escogido de Dios se rebeló repetidamente, decidió servir a otros dioses y olvidó el pacto con Dios, el Señor siempre estuvo listo para responder a su crisis y cumplir la promesa. Sólo cuando ya no quieren ni siquiera la bendición de Dios, descienden a la miseria y la destrucción social. También es un mensaje particularmente moderno. A menudo nos alejamos de Dios cuando decidimos cómo manejar las oportunidades y los desafíos que surgen en el trabajo. Descubrimos que habíamos antepuesto otros asuntos a recibir su amor y amarlo y servirlo a través de nuestro trabajo. El mensaje de Josué y Jueces es que, aquí y ahora, Dios está listo para que regresemos a Él y recibamos Sus bendiciones en nuestra vida y obra.

Organizaremos nuestro estudio de estos libros en torno a cuatro temas principales que corresponden más o menos al curso de la narración: Conquista, Coordinación, Pacto y Caos.

El Triunfo de la Toma de Posesión (Josué 1-12)

En el libro de Josué, Dios primero reafirma la Tierra Prometida y la presencia de Dios a Josué.

Mi siervo Moisés ha muerto; levántate ahora, tú y todo este pueblo, y cruza el Jordán a la tierra que di a los hijos de Israel. Os he dado todos los lugares donde ha pisado la planta de vuestro pie, como Le dije a Moisés: Desde el desierto y este Líbano hasta el gran río Éufrates, desde todas las tierras de los heteos hasta el mar hasta la puesta del sol será tu territorio. En todos los días de tu vida nadie podrá hacer frente a Ti. Como estuve con Moisés, así estaré contigo, no te dejaré ni te desampararé. (**Josué 1:2-5**)

Se destacan Josué, la tierra y la presencia de Dios, como veremos en las siguientes secciones.

Quien es Josué (Josué 1)

Josué fue el sucesor de Moisés y reemplazó al líder de Israel. Si bien no fue un rey, presagió de alguna manera a los reyes que gobernaron Israel en los siglos posteriores. Condujo a la nación a la batalla, actuó como juez cuando fue necesario y trabajó para que el pueblo obedezca los mandamientos del pacto de Dios con Israel en el Monte Sinaí.

En términos modernos, podríamos decir que la transición de Moisés a Josué ejemplifica una buena planificación de la sucesión. Bajo la guía de Dios, Moisés nombró a Josué como un líder que coincidía con el carácter de fidelidad a Dios del propio Moisés. Se le describe como un hombre valiente y sabio, fuerte y valiente (**Josué 1:6-7**), conocedor y obediente a la ley de Dios (**Josué 1:8-9**), y sobre todo, un hombre espiritual. En última instancia, la base del liderazgo de Josué no fue su propia fuerza, ni siquiera las enseñanzas de Moisés, sino la guía y el poder de Dios. Dios te promete: *"Dondequiera que vayas, el Señor tu Dios estará contigo"* (**Josué 1:9**). *(Para obtener más información sobre los preparativos de Josué para suceder a Moisés, consulte "Planificación de la sucesión" en* **Números 27:12-23***)*.

Quizás la característica más importante de Josué, quien puede servir como modelo para los líderes de hoy, es su deseo de continuar creciendo en virtud a lo largo de su vida. A diferencia de Sansón, que parecía caer en la obstinación infantil, Josué pasó de ser un joven temerario (**Números 14:6-10**) a un comandante militar (**Josué 6:1-21**), el administrador supremo de la nación (**Josué 20**), y finalmente se convirtió en un profeta visionario (**Josué 24**). Estaba más que dispuesto a someterse a un entrenamiento a largo plazo con Moisés y aprender de aquellos con más experiencia que él (**Números 27:18-23; Deuteronomio 3:28**). No tuvo miedo de tomar las decisiones cuando actuó, pero continuó compartiendo el liderazgo en un equipo que incluía a Eleazar el sacerdote y los ancianos de las doce tribus (*por ejemplo,* **Josué 19:51**). Nunca parecía rechazar ninguna oportunidad de mejorar su carácter o beneficiarse de la sabiduría de los demás.

En Cuanto a la Tierra (Josué 2-12)

A lo largo de los libros de Josué y Jueces, esta tierra es tan importante que es casi una característica en sí misma: *"la tierra descansó"* (**Jueces 3:11, 30**, *etc.*). El contenido principal del libro de Josué es que los israelitas conquistaron la tierra que Dios les había prometido a sus antepasados (**Josué 2:24**, *comenzando con 1:6*). Esta tierra fue el escenario central de los eventos entre Dios e Israel y fue parte de las promesas de Dios a la nación de Israel. La misma ley mosaica está estrechamente relacionada con la tierra. Si Israel no estuviera en la tierra, muchas de las disposiciones principales de la ley no tendrían sentido, y el castigo principal bajo el pacto sería la expulsión de la tierra.

Destruiré la tierra y aterrorizaré a los enemigos que viven en ella. Pero a vosotros os esparciré entre las naciones, y os cazaré a espada, y vuestra tierra será asolada, y vuestras ciudades serán asoladas. (**Levítico 26:32-33**).

La tierra, el suelo bajo nuestros pies, es donde existimos. Las promesas de Dios a su pueblo no son abstracciones inmateriales, sino lugares concretos donde se cumple su voluntad y en su presencia. Aquí es donde encontramos a Dios y donde podemos continuar su obra. La creación puede ser un lugar donde el bien y el mal coexisten. Debemos hacer el bien en la creación y en la cultura en la que vivimos. Josué recibió la tarea de santificar la tierra de Canaán cumpliendo su pacto con Dios allí, y también tenemos la tarea de santificar nuestros lugares de trabajo trabajando de acuerdo con el pacto de Dios.

Laborar la tierra (Josué 5)

Claramente, la tierra era fértil según los estándares del antiguo Cercano Oriente, pero las bendiciones de la tierra iban más allá de un clima agradable, abundante agua y otros beneficios naturales de la mano de su Creador. Israel también heredaría la infraestructura desarrollada por los cananeos. *"Y os doy la tierra baldía y las ciudades sin edificar en que habitéis; viñas y olivares que no plantasteis, pero que coméis"* (**Josué 24:13, Deuteronomio 6:10-11**). Incluso la famosa descripción de la tierra "que mana leche y miel" (**Josué 5:6, cf. Éxodo 3:8**) asume ciertas prácticas de manejo de ganado y apicultura.

Por tanto, la tierra y el trabajo tienen un vínculo indisoluble. La productividad proviene no solo de nuestra capacidad o trabajo duro, sino también de los recursos que tenemos. Por otro lado, la tierra en sí no se trabaja. Tenemos que sudar para obtener nuestro pan (**Génesis 3:19**). Esto se afirma claramente en **Josué 5:11-12.** *"Y el día después de la Pascua, ese mismo día, comieron del producto de la tierra, panes sin levadura y cereal tostado. Y el maná cesó el día después que habían comido del producto de la tierra, y los hijos de Israel no tuvieron más maná, sino que comieron del producto de la tierra de Canaán durante aquel año".*

Los israelitas sobrevivieron a la deriva del desierto gracias al regalo de Dios del maná, pero Dios no diseñó esta solución para que fuera un suministro permanente. La tierra debe ser cultivada. Los recursos suficientes y el trabajo productivo son elementos esenciales de la Tierra Prometida. Este punto puede parecer obvio, pero es razonable mencionarlo. Si bien Dios a veces puede proveer milagrosamente para nuestras necesidades materiales, la regla es que nos mantengamos con los frutos de nuestro trabajo.

La Conquista de la Tierra (Josué 6-12)

El hecho de que la economía productiva de Israel se basara en el despojo de la tierra de los cananeos plantea algunas preguntas incómodas. *¿Dios aprueba (o aprueba) la conquista como una forma para que una nación adquiera su tierra? ¿Perdona Dios las guerras raciales? ¿Los antiguos israelitas merecían más esta tierra que los cananeos?* Un análisis teológico completo de la conquista está más allá del alcance de este artículo. Si bien no deseamos responder muchas de las preguntas que surgen, tenga en cuenta lo siguiente:

1. Dios decidió revelarse a Su pueblo durante un tiempo de agitación en el antiguo Cercano Oriente, donde los ejércitos formados contra Israel eran enormes y feroces.
2. La obra de conquista militar es ciertamente la más destacada en el libro de Josué, pero no se presenta como modelo para ninguna obra posterior. En Josué y Jueces encontramos aspectos de trabajo o liderazgo que se aplican hoy, pero despojar a la gente de su tierra no es uno de ellos.
3. El mandato de desposeer a los cananeos (**Josué 1:1-5**) estaba dirigido al antiguo Israel y no indica un arreglo general de los mandamientos de Dios para Israel o cualquier otro grupo de población.
4. El motivo de la perdición de los cananeos fue su vicio reconocido. Los cananeos eran conocidos por el sacrificio de niños, la adivinación, la hechicería y la hechicería, prácticas que Dios no tolera, y que escoge para bendecir al mundo (**Deuteronomio 18:10-12**). La idolatría debe ser erradicada de la faz de la tierra para que el mundo tenga la oportunidad de ver la verdadera naturaleza del único Dios verdadero, el Creador del cielo y la tierra.
5. Los cananeos arrepentidos como Rahab (**Josué 2:1-21; 6:22-26**) fueron perdonados; de hecho, la suposición de la destrucción masiva de los cananeos nunca se realizó por completo (ver más abajo).
6. A su vez, los israelitas cometieron muchas de las malas acciones de los cananeos. Esto responde a la pregunta de si Israel merece más la tierra. Al igual que los cananeos, los israelitas también fueron desplazados por la conquista de otros, que la Biblia también atribuye a la mano de Dios. Israel también fue juzgado por *Dios (ver por ejemplo* **Amós 3:1-2***).*
7. Toda la ética cristiana relacionada con el poder no se encuentra en el Libro de Josué, está encarnada en la vida, muerte y resurrección de Jesús, quien encarna toda la Palabra

de Dios. El patrón supremo del poder bíblico no es Dios conquistando naciones para su pueblo, sino el Hijo de Dios dando su vida por todos los que vinieron a él (**Marcos 10:42; Juan 10:11-18**). En última instancia, la ética bíblica del poder se basa en la humildad y el sacrificio.

Recordando la Presencia de Dios en la Tierra (Josué 4:1-9)

La mayor bendición para el mundo es que Dios está con ellos. La bendición se celebra pasando por el Arca del Señor, la morada de Su presencia, y dejando una piedra conmemorativa en el río Jordán. La prosperidad y seguridad de Israel en esta tierra debe venir de la mano de Dios. La obra de Israel siempre se debió a la obra anterior de Dios para ellos; cada vez que dejaban la presencia de Dios, su trabajo se interrumpía. Note la advertencia solemne en **Jueces 2:10:** *"Y aquella generación volvió a sus padres; y después de ellos se levantó una generación que no conoció a Jehová, ni lo que él había hecho por Israel"*. Los problemas posteriores de Israel surgieron de su falta de reconocimiento lo que Dios había hecho por ellos.

También podemos preguntarnos si reconocemos lo que Dios ha hecho por nosotros. La pregunta aquí no es si estamos trabajando bien para Dios, sino si podemos verlo trabajando para nosotros. En el trabajo, la mayoría de las personas encuentran que existe una tensión entre la superación personal y el servicio a los demás o, como dice *Laura Nash* en su excelente estudio sobre el tema, entre el *"sistema egocéntrico"* y *"el bienestar de los demás"*. ¿Podría ser que nos esforzamos demasiado por tener éxito en ese sistema egoísta porque tememos que nadie se preocupe por nosotros?

¿Qué pasaría si nos acostumbráramos a registrar lo que Dios ha hecho por nosotros? Muchos de nosotros recordamos nuestros logros laborales: premios, placas, fotografías, premios, certificados y más. ¿Qué pasaría si pensáramos, "Dios está conmigo todos los días", en lugar de pensar, *"Tengo todo lo que necesito para tener éxito"*, cada vez que los veamos? ¿Nos hace preocuparnos más por las necesidades de los demás mientras nos asegura que Dios se preocupa por nosotros? Una manera fácil de comenzar es anotar mentalmente e incluso escribir todas las cosas buenas e inesperadas que sucedieron durante el día, ya sea que te sucedieran a ti o a través de ti a otras personas. Cada uno de estos sitios puede ser una piedra conmemorativa para Dios, como las piedras que los israelitas dejaron en el agua del río Jordán para recordar cómo Dios los llevó a la Tierra Prometida. Según las Escrituras, este es un poderoso recordatorio para ellos de que *"han permanecido allí hasta el día de hoy"* (**Josué 4:1-9**).

Deja que el Señor Involucre Nuestras Decisiones (Josué 9:12-15)

E*l capítulo 9* de Josué describe cómo los gabaonitas engañaron a los israelitas. Su intención era convencer a los israelitas de que vivían lejos de la tierra de Canaán y, por lo tanto, no representaban una amenaza, cuando en realidad vivían muy cerca. Para engañarlos, decidieron ponerse ropas viejas y sandalias gastadas, y traer alimentos para demostrar que habían recorrido un largo camino.

El pan aún estaba caliente cuando lo sacamos de la casa para comer el día que salimos a verte; pero he aquí, ahora está seco y quebradizo. Estos odres que hemos empacado son nuevos, y he aquí que están gastados; nuestra ropa y nuestras sandalias están desgastadas por el largo viaje. Los israelitas tomaron su propia comida sin consultar al SEÑOR. Josué hizo la paz con ellos e hizo un pacto con ellos para preservar sus vidas. Los líderes de la congregación también le hicieron un juramento. (**Josué 9:12-15**).

Los israelitas fueron engañados porque optaron por confiar en sus sentimientos en lugar de "buscar el consejo de Jehová". Esto también nos puede pasar a nosotros hoy. Sacamos conclusiones y tomamos decisiones rápidas basadas en nuestras creencias, pero nos olvidamos de buscar la guía de Dios. Cuando creemos que entendemos una situación, es fácil confiar en nuestras propias ideas en lugar de pedirle a Dios que nos muestre su perspectiva.

Coordinación Limítrofe (Josué 13-22)

L*a longitud textual de Josué 13-22* que describe la distribución de la tierra refleja el papel fundamental de la tierra en la formación de la identidad de Israel, aunque puede ser aburrido de leer si no miramos el panorama general. Estos capítulos detallan el proceso de establecimiento de límites, asignación de ciudades y resolución de conflictos: el trabajo de organizar y nutrir sociedades para la prosperidad social y la gloria de Dios. Josué tomó medidas duras para asegurar una distribución justa (**Josué 14:1-2**). Estos pasajes nos recuerdan que el trabajo productivo depende en gran medida de la cooperación y el juego limpio, es decir, la organización y la equidad. Los israelíes deben saber qué pertenece a quién para poder organizar sus comunidades de manera pacífica y productiva. Abordar las realidades de la geografía y la organización social requiere trabajo *(en este caso, mucho trabajo).*

Estas realidades se pueden entender de manera particular en Josué 22, cuando las tribus al otro lado del río Jordán son acusadas de separatismo luego de erigir un altar en su territorio. Al final resultó que, erigir un altar fue un movimiento inteligente para estas tribus, ya que les ayudó a mantener su estatus dentro de Israel.

Si es rebelión, o deslealtad al Señor, que Él no nos salve hoy. Si construimos un altar para nosotros y nos apartamos de seguir al Señor, u ofrecemos holocaustos u ofrendas de cereal, o sacrificios de ofrendas de paz sobre él, que el Señor mismo lo reclame de nosotros. De hecho, lo hacemos por temor, diciendo: Mañana sus hijos pueden decir a nuestros hijos: ¿Qué tienen ustedes que ver con el SEÑOR, el Dios de Israel? Porque el SEÑOR ha hecho el río Jordán entre nosotros y ustedes. La línea divisoria entre los hijos de Ben y los hijos de Gad; ustedes no tienen parte con el Señor. Para que sus hijos puedan hacer que nuestros hijos dejen de temer a Dios Por eso decimos: Ahora hemos edificado altar, no para ofrecer holocaustos, ni ofrendas de comunión, sino para testimonio entre nosotros y vosotros, y para nuestra posteridad, de que le serviremos delante de Jehová con nuestros holocaustos. con nuestras ofrendas de comunión, para que vuestros hijos no digan mañana a nuestros hijos: *'No tenéis parte en el Señor'* (**Josué 22:22-27**).

Como puede verse en los detalles, la distribución justa de la tierra, el establecimiento de agencias gubernamentales, la resolución de conflictos y el mantenimiento de misiones son un proceso complejo. Joshua estaba a cargo, pero todos hicieron su parte, e incluso se necesitó una confrontación y un posicionamiento astutos para lograr la armonía en una nación defectuosa. Esto puede darnos una idea de la ciencia y la práctica actual de la gestión. Por ejemplo, construir una cadena de suministro internacional requiere alinear intereses, comunicar estándares, compartir ideas, abordar intereses que compiten y cooperan, aumentar la rentabilidad sin perder dinero, atraer y motivar a empleados calificados y superar obstáculos. Los líderes israelíes tenían que hacerlo. Esta es también la realidad de las universidades, las agencias gubernamentales, los bancos, las cooperativas agrícolas, las empresas de telecomunicaciones y casi todos los lugares de trabajo. La sociedad también depende de quienes estudian y enseñan métodos de gestión para influir en las políticas empresariales y gubernamentales.

Si Dios guió a Josué, a los otros líderes ya los israelitas, ¿puede guiar a los administradores de hoy? Tenemos recursos bíblicos, oración, adoración, estudio en grupos pequeños y otras habilidades cristianas. ¿Cómo diablos podemos incorporar estos recursos en la forma en que recibimos la guía de Dios en nuestra administración, gestión y liderazgo?

Si bien la propiedad de la tierra y el gobierno del pueblo fueron cruciales para los israelitas, los capítulos finales de esta sección muestran que ni la conquista de la tierra ni la organización de la nación fueron completas. Capítulo tras capítulo, escuchamos la frase pegadiza "no expulsados" que se refiere a las diversas tribus cananeas en su territorio (**Josué 15:63, 16:10, 17:12-13**). **Yahweh** ordenó a los israelitas que expulsaran a los cananeos para establecer un nuevo orden que no fuera distorsionado por las acciones atroces de los ocupantes anteriores. La existencia continua de los cananeos se convirtió en una de las principales razones de la deslealtad de Israel al pacto de Dios, aunque esto no ocurrió durante el período que cubre el libro de Josué.

Renovación del Pacto (Josué 23-24)

El libro de Josué termina con la renovación del pacto de Dios con Israel. El clímax llega en el capítulo final, cuando el poderoso desafío de Josué motiva a las personas a comprometerse a servir solo a Dios. Su presentación es un modelo de comunicación. Primero, relata las maravillosas obras de Dios para Israel en Egipto, el desierto y la Tierra Prometida. Entonces les preguntó, ¿por qué siguen teniendo ídolos y falsos dioses? Luego los desafió con lo que hoy podríamos llamar psicología inversa: *"Si a vosotros os parece que no es bueno servir al Señor, hoy podéis elegir a quién sirváis"* (**Josué 24:15**). Esto llama tu atención. *"No podemos dejar al Señor y servir a otros dioses"* (**Josué 24:16**). Pero Josué los desafió aún más, diciendo: *"No podéis servir a Jehová, porque él es un Dios santo"* (**Josué 24:19**). *"Si dejáis a Jehová y sirviereis a dioses ajenos, él se volverá para haceros daño, y después de haberos mostrado favor, os destruirá"* (**Josué 24:20**). Esto los lleva a un punto de inflexión donde deciden: *"No, serviremos al Señor"* (**Josué 24:21**). Josué sugirió que lo pusieran por escrito y que la gente firmara y atestiguara el juramento (**Josué 24:25-27**). Más recientemente, *John Wesley* introdujo un servicio de renovación de pactos que se usa ampliamente en la actualidad, y muchas iglesias han desarrollado sus propias formas de renovar los pactos con Dios.

Cuando las personas parecen vacilar en su compromiso, los líderes pueden verse tentados a restar importancia a la tarea en cuestión o engañar a las personas para que piensen que las cosas serán más fáciles de lo que realmente son. A veces, esta técnica puede conducir a una obediencia temporal, pero como argumenta *Ronald Heifetz* en Liderazgo sin respuestas fáciles, los seguidores engañados pueden quitarle poder rápidamente a un líder. Esto sucede no solo porque los seguidores eventualmente descubren el engaño, sino también porque no se les permite contribuir a resolver las dificultades del grupo. A menos que el líder conozca las soluciones a todos los desafíos (lo cual es extremadamente improbable), las soluciones deben provenir de la creatividad y el compromiso de los miembros del equipo. Pero si los líderes confunden a las personas sobre la naturaleza del problema, no pueden contribuir a encontrar una solución. Esto sólo garantiza el fracaso del líder. Por el contrario, los líderes que son abiertos con sus seguidores sobre la dificultad del desafío tienen la oportunidad de involucrarlos en el desarrollo de soluciones. A través de su relación con Dios, Josué establece un excelente ejemplo para los líderes que buscan formular un compromiso con cursos de acción difíciles a través de la honestidad y la transparencia en lugar de reservas y falsas esperanzas.

El Caos Luego de la Muerte de Josué (Jueces 1-21)

Después de la muerte de Josué, Israel no tenía un liderazgo nacional permanente. En cambio, cuando surge el peligro, por ejemplo, un ataque militar, hombres y mujeres emergen como líderes en cada crisis. El término "jueces" no refleja completamente el papel desempeñado por estas personas (la palabra hebrea *shopet*, a menudo traducida como "juez", se refiere a un mediador en un conflicto, un comandante militar y un gobernador de un territorio). Los jueces resuelven las disputas, pero también asumen la responsabilidad de los asuntos militares y políticos al enfrentarse a los pueblos hostiles de los alrededores. Si bien conservaremos los nombres tradicionales de los jueces, el adjetivo *"libertadores"* describe con mayor precisión a estos líderes.

Encontramos una visión más oscura del liderazgo de Israel en Jueces que en Josué. Gradualmente, la calidad de la sucesión de jueces declinó, lo que eventualmente llevó a Israel al caos. El libro termina con una historia de violación, asesinato y guerra civil, con un final impactante y melancólico: *"En aquellos días Israel no tenía rey; cada uno hacía lo que quería"* (**Jueces 21:25**). Cuando las escrituras dicen que hicieron lo que cada uno pensó que era correcto, no significa que las personas encomiables actuaron por su propia voluntad, sino que actuaron imprudentemente para su propio beneficio, en otras palabras. Esto significa desobedecer el mandato de Dios a través de Josué, *"Este libro de la ley no se apartará de tu boca, sino que meditarás en él de día y de noche, para que cuides de poner por obra todo lo que en él está escrito"* (**Josué 1:8**). La tarea es hacer lo que es correcto a los ojos de Dios, no lo que parece correcto según nuestros propios prejuicios y percepciones egoístas. Los jueces fallaron en llevar a Israel a obedecer la ley de Dios y, por lo tanto, fallaron en administrar justicia y gobernar sobre el pueblo.

Desalojo Fallido (Jueces 1-2)

Jueces 1 y 2 continúan la historia de Josué 13-22 con el fracaso de Israel en expulsar a los cananeos de la tierra. *"Cuando los israelitas se fortalecieron, hicieron sufrir a los cananeos, pero no los expulsaron por completo"* (**Josué 17:13**). Es algo irónico que los israelitas liberados se convirtieran en dueños de esclavos en cada oportunidad. La principal razón por la que Israel tuvo que expulsar a los cananeos fue para evitar que la idolatría infectara a su pueblo. Como las serpientes en el jardín, la idolatría cananea probaría la lealtad de Israel a Dios y su pacto. Pero Israel no es mejor que Adán o Eva. Al no poder eliminar la tentación representada por los paganos, pronto *"sirvieron"* a los dioses cananeos Baal y Astartes (**Jueces 2:11-13; 10:6**, etc.) (Algunas versiones, como la NVI, traducen el término hebreo como *"adoración"*, pero otras lo traducen con mayor precisión como *"servir"*). No se trata solo de inclinarse ocasionalmente ante ídolos o rezar a dioses extranjeros. Esto significaba que los israelitas vivían y trabajaban en vano al servicio de los ídolos, convencidos de que el éxito de su trabajo dependía de complacer a los dioses cananeos locales.

Gran parte de nuestro trabajo hoy está dedicado a servir a alguien o algo que no sea el Dios de Israel. Las empresas sirven a clientes y socios. Los gobiernos trabajan para los ciudadanos. Las escuelas trabajan para los estudiantes. A diferencia de adorar a los dioses cananeos, servir a estos súbditos no es inherentemente malo; de hecho, servir a los demás es una de las formas en que servimos a Dios. Pero si servir a los clientes, socios, ciudadanos, estudiantes y otros se vuelve más importante que servir a Dios, o si simplemente se convierte en un medio de engrandecimiento personal, entonces estamos siguiendo la adoración a Dios de los antiguos israelitas. Falso. *Tim Keller* señala que los ídolos no son reliquias obsoletas de religiones antiguas, sino una forma de espiritualidad falsa pero compleja que encontramos todos los días.

¿Qué es un ídolo? Es algo más importante para ti que Dios, algo que ocupa más tu corazón e imaginación que Dios, algo que buscas y que solo Dios puede darte. Un dios falso es algo tan importante e importante para tu vida que si lo pierdes, la vida ya no tendrá tanto significado. Un ídolo es tan dominante en tu corazón que puedes ponerle mucho entusiasmo, energía, emoción y dinero sin pensarlo. Los ídolos pueden ser la familia y los hijos, las carreras y ganar dinero, los logros y el reconocimiento, o mantener la reputación y el estatus social. Podría ser una relación amorosa, aprobación de los compañeros, capacidad y habilidad, comodidad y seguridad, su belleza o inteligencia, grandes causas sociales o políticas, su moral y virtudes, o incluso en el éxito del ministerio cristiano.

Por ejemplo, los funcionarios electos tienen un deseo legítimo de servir al público. Para hacerlo, deben seguir teniendo un público al que servir, lo que significa permanecer en sus puestos y continuar ganando elecciones. Si servir al público se convierte en su objetivo final, todo lo que sea necesario para ganar una elección se vuelve justificable, incluido el compromiso de complacer a los demás, el engaño, la intimidación, las acusaciones falsas y hasta el fraude electoral. Un deseo ilimitado de servir al público, la creencia inquebrantable de que él era el único que podía hacerlo de manera efectiva, pareció ser lo que llevó al presidente de los Estados Unidos, *Richard Nixon*, a las elecciones de 1972. Haz lo que sea necesario, incluso si requiere espiar al DNC en el *Hotel Watergate*. Esto, a su vez, resultó en su despido, pérdida de posición y humillación. Servir a los ídolos siempre termina en desastre.

Cualquiera en cualquier trabajo, incluso en la familia, como cónyuge, padre o hijo, enfrenta la tentación de priorizar las cosas buenas sobre el servicio a Dios. La idolatría se cuela en nuestras vidas cuando trabajar por cosas buenas se convierte en el objetivo principal en lugar de una expresión de servicio a Dios. Para obtener más información sobre los peligros del trabajo de adoración, consulte la sección sobre el primer y segundo mandamiento en Éxodo y Trabajo (*"No tendrás dioses ajenos delante de mí"*, **Éxodo 20: 3**; *"No te harás a ti mismo"* **Éxodo 20 :4**), y "Deuteronomio y Trabajo" (*"No tendrás dioses ajenos delante de mí"* **Deuteronomio 5:8**)

Los Jueces (Jueces 3-16)
Débora (Jueces 4-5)

Débora fue la mejor de todos los jueces. La gente reconoce su sabiduría y recurre a ella en busca de consejo y ayuda en la resolución de conflictos (**Jueces 4:5**). La jerarquía militar la reconoce como comandante supremo y de hecho combate bajo su mando (**Jueces 4:8**). Su gobierno fue tan bueno que *"la tierra estuvo en paz durante cuarenta años"* (**Jueces 5:31**), lo cual es raro en toda la historia de Israel.

Algunos podrían sorprenderse hoy al ver que una mujer que no era ni viuda ni hija de un gobernante podría haber sido la jefa de estado de una nación premoderna. Sin embargo, Jueces la coloca a la par con el líder más grande de Israel (basado en sus propios méritos). Ella era la única mujer entre los jueces y fue llamada profetisa (**Jueces 4:4**), mostrando cuán similar era a Moisés y Josué, a quienes Dios también les habló directamente. Ninguna de las mujeres, incluida la agente encubierta Jael, ni ninguno de los hombres, incluido el *General Barack*, expresaron preocupación alguna por tener una líder femenina. El servicio de Débora como profetisa y jueza de Israel muestra que Dios no ve el liderazgo político, judicial o militar de las mujeres como un problema. También es evidente que su esposo, Lapidot, y su familia inmediata no tienen problemas para compartir las tareas del hogar, por lo que ella tiene tiempo para sentarse debajo de la palmera de Débora cuando *"los hijos de Israel se acercan a ella" "hace su trabajo para juzgar".* (**Jueces 4:5**).

En algunas sociedades de hoy, en muchos sectores laborales y en algunas organizaciones, el liderazgo femenino se ha vuelto tan indiscutible como el liderazgo de Débora. Sin embargo, en muchas otras culturas, industrias y organizaciones contemporáneas, las mujeres no son aceptadas como líderes ni experimentan limitaciones impuestas a los hombres. ¿Es posible que examinar el liderazgo de Débora entre el antiguo Israel nos ayude a los cristianos a aclarar nuestro pensamiento sobre el propósito de Dios en estas situaciones? ¿Podemos servir a nuestras organizaciones y a nuestra sociedad ayudando a eliminar las barreras indebidas que enfrentan las mujeres en el liderazgo? ¿Es nuestro interés personal encontrar más mujeres como jefas, mentoras y modelos a seguir en nuestro trabajo?

Impacto Económico de la Guerra (Jueces 6:1-11)

Después de Débora, la calidad de los jueces comenzó a decaer. **Jueces 6:1-11** ilustra una característica común de la vida israelí en ese momento: las dificultades económicas causadas por la guerra.

Los israelitas hicieron lo malo ante los ojos del SEÑOR, y el SEÑOR los entregó en manos de los madianitas por siete años. El poder de los madianitas era mayor que el de los israelitas. Los israelitas se escondieron en montañas, cuevas y fortalezas a causa de los madianitas. Porque cuando los israelitas estaban sembrando, los madianitas subieron contra ellos con los amalecitas y los orientales. Acamparon delante de ellos, y destruyeron la tierra hasta Gaza, y no dejaron comida entre los israelitas, ni bueyes, ni ovejas, ni asnos. Porque subieron con sus ganados y sus tiendas, y entraron como langostas, y ellos y sus camellos eran innumerables; Vinieron a la tierra para destruirla. Los israelitas estaban extremadamente pobres a causa de los madianitas, y los israelitas clamaron al SEÑOR.

El impacto de la guerra en el trabajo se puede sentir hoy de varias maneras. Además de los daños causados por atacar directamente objetivos económicos, la inestabilidad provocada por los conflictos armados puede trastornar la forma de vida de las personas. Los agricultores de las zonas devastadas por la guerra pueden verse desplazados hasta la cosecha y, por lo tanto, son reacios a plantar cultivos. Los inversionistas ven al país devastado por la guerra como demasiado riesgoso para gastar recursos en mejorar la infraestructura. Con pocas esperanzas de desarrollo económico, las personas pueden verse arrastradas a facciones armadas que compiten por los recursos restantes. Y así continúa el ciclo deprimente de guerra y destrucción. Sin embargo, la paz precede a la prosperidad.

Bajo el yugo de los madianitas, la situación económica de Israel era tan precaria que encontramos a Gedeón, el futuro juez, *"sacudiendo el trigo en el lagar y escondiéndolo de los madianitas"* (**Jueces 6:11**). *Daniel Blocks* explica la lógica de este comportamiento.

La trilla de granos sin técnicas modernas implica primero golpear las espigas del tallo cortado con un mayal, luego desechar el tallo y arrojar la mezcla de paja y grano al aire para que se la lleve el viento. Los granos más pesados caen al suelo. En las difíciles circunstancias del antiguo Israel, obviamente no era prudente hacerlo, ya que trillar en las colinas atraería la atención de los madianitas que merodeaban. Entonces Gedeón decidió machacar el grano en un recipiente para prensar uvas. Las prensas de vino generalmente requieren que se corten dos agujeros en la piedra, uno encima del otro. Las uvas se colocan en el superior y se trituran, mientras que una tubería drena el jugo de uva al inferior.

Hoy, cristianos y no cristianos casi están de acuerdo en que es inmoral realizar negocios de una manera que prolongue el conflicto armado. Un ejemplo actual es la prohibición internacional de los *"diamantes de sangre"*. El punto es, ¿estamos los cristianos liderando tal proyecto? ¿Estamos buscando si la empresa, el gobierno, la universidad u otra institución en la que trabajamos está incurriendo en violencia sin saberlo? ¿Corremos el riesgo de plantear cuestiones como esta cuando nuestros superiores prefieren ignorar la situación? ¿O, como Gideon, nos escondemos bajo la excusa de que solo estamos haciendo nuestro trabajo?

El Liderazgo Indeterminado de Gedeón (Jueces 6:12-8:35)

Gideon es un ejemplo perfecto de la naturaleza paradójica de los jueces israelíes y las lecciones ambiguas que ofrecen para el liderazgo en el trabajo y más allá. El nombre Gedeón significa literalmente *"leñador"* y parecía ir en la dirección correcta cuando derribó el ídolo de su padre en **Jueces 6:25-7** (de hecho, lo hizo de noche por miedo es un detalle inquietante). Sin embargo, aunque Dios prometió estar con él, Gedeón siguió buscando milagros, especialmente el incidente de la lana en **Jueces 6:36-40**. En este caso, Dios lo patrocina y lo afirma, pero este no es un modelo a emular, ya que muchos cristianos modernos tienen esta actitud cuando se trata de orientación, especialmente orientación profesional. Más bien, es una señal del compromiso vacilante que lo lleva hacia la idolatría al final de la historia. Para una discusión más profunda sobre el discernimiento de Gedeón.

El punto de inflexión en la historia es la asombrosa victoria de Gedeón sobre los madianitas (**Jueces** 7), pero su posterior fracaso en el liderazgo es menos conocido (**Jueces 8**). Los residentes de Sukkot y Peniel se negaron a ayudar a su gente después de los combates y la brutal destrucción de estas ciudades parecía desproporcionada con el crimen. Gideon una vez más hace honor a su nombre, pero ahora se trata de destruir a cualquiera que encuentre. Aunque dijo que no quería ser rey, se convirtió en un verdadero tirano (**Jueces 8:22-26**). Pero lo más preocupante es que ha descendido a la idolatría. El efod que ella hizo se convirtió en la *"corrupción"* de su familia, y *"todo Israel cometió adulterio allí"* (**Jueces 8:27**). ¡Qué grandes héroes caen!

La lección para nosotros hoy puede ser que debemos estar agradecidos por los dones de los demás, no adorarlos. Al igual que Gedeón, un general puede llevarnos a la victoria en la guerra pero demostrar que es un tirano en tiempos de paz. La genialidad puede dar lugar a conocimientos musicales o cinematográficos extraordinarios, pero también puede desorientarnos en temas como la paternidad o la política. Los líderes empresariales pueden salvar un negocio en crisis y destruirlo en calma. Incluso podemos encontrar esa misma discontinuidad dentro de nosotros mismos. Tal vez sobresalgamos en diferentes categorías en el trabajo pero tengamos conflictos en casa, o viceversa. Podemos demostrar nuestra competencia como individuos en el trabajo, pero cuando somos gerentes, fallamos. Quizás, muy probablemente, cuando estamos inseguros de nosotros mismos, confiamos en Dios, logramos muchas cosas buenas, pero cuando el éxito nos hace autosuficientes, hacemos estragos. Como jueces, todos somos seres humanos con contradicciones y debilidades. Nuestra única esperanza, o desesperación, es el perdón y la conversión que podamos tener en Cristo.

El Fiasco Encabezado por Jueces (Jueces 9-16)

El fracaso de Gedeón fue reforzado por jueces posteriores. El hijo de Gedeón, Abimelec, unificó a los que lo rodeaban después de matar a sus setenta hermanos, que eran su estorbo (**Jueces 9**). Jefté comenzó como un forajido y luego rescató al pueblo de los amonitas, pero destruyó a su propia familia y su futuro con una terrible promesa que resultó en la muerte de su hija (**Jueces 11**). Sansón, el juez más famoso, causó estragos entre los filisteos, pero desafortunadamente sucumbió a la tentación de la mujer pagana Dalila, lo que lo llevó a su ruina (**Jueces 13-16**).

¿Cómo pensamos todo esto con respecto a nuestro trabajo hoy? Primero, la historia de los Jueces confirma el hecho de que Dios obra a través de seres humanos imperfectos. Esto es cierto porque varios jueces —*Gedeón, Barac, Sansón y Jefté*— son alabados junto con Rahab en el Nuevo Testamento (**Hebreos 11:31-34**). Jueces no duda en señalar que el Espíritu de Dios les dio poder para llevar a cabo una poderosa liberación en circunstancias difíciles (**Jueces 3:10; 6:34; 11:29; 13:25; 14:6-9; 15:14**). Además, no fueron meros instrumentos en las manos del Señor, ya que respondieron positivamente al llamado de Dios de liberar a Israel, ya través de ellos el Señor liberó a Su pueblo una y otra vez.

Aun así, el contenido general de Jueces no nos anima a considerar a estos hombres como modelos a seguir. La esencia del libro es que Israel es un desastre comprometido cuyos líderes se han decepcionado al romper el pacto de Dios. Una lección más pertinente es que el éxito, incluso el éxito otorgado por Dios, no conduce necesariamente al favor de Dios. Cuando nuestros esfuerzos en el trabajo son bendecidos, especialmente en circunstancias adversas, es fácil pensar: *"Bueno, aparentemente Dios interviene en esto, así que debe estar recompensándome por ser una buena persona"*. Jueces muestra que Dios obra cuando quiere, como quiere y por medio de quien quiere. Él actúa según su plan, no según nuestros méritos o carencias. No podemos atribuirnos el mérito de ello, como si mereciéramos la bendición del éxito. Asimismo, no podemos juzgar a los que consideramos indignos del favor de Dios, como nos recuerda Pablo en **Romanos 2:1**.

Israel está en Declive (Jueces 17-21)

Revelando el Evangelio de la Prosperidad en su Forma Original (Jueces 17)

Si la parte central de Jueces nos muestra al héroe imperfecto atrapado en un ciclo depresivo de opresión y liberación, los capítulos finales muestran a un hombre caído sin esperanza aparente de redención. **Jueces 17** en realidad comienza con la imitación de la idolatría. Un hombre llamado Micaía tenía mucho dinero, que su madre usó para hacer un ídolo, y Micaía contrató a un levita independiente para que fuera su sacerdote personal. No es sorprendente que las enseñanzas vulgares de Micaía tengan una teología igualmente terrible. "*Y Micaía dijo: Ahora sé que el SEÑOR me bendecirá, porque tengo un levita por sacerdote*" (**Jueces 17:13**). En otras palabras, al tener la autoridad religiosa bendiciendo su idolatría, Micaía creía que podía conseguir que Dios le diera lo que quería. Aquí, el ingenio humano se desperdicia de la peor manera posible en dioses falsos que actúan como una tapadera para la codicia y la arrogancia.

El impulso de convertir a Dios en una máquina de prosperidad nunca dejó de existir. Una forma muy conocida hoy en día es el llamado Evangelio de la Prosperidad o Evangelio de la Prosperidad, que declara que aquellos que profesan creer en Cristo están obligados a ser recompensados con riqueza, salud y felicidad. En cuanto al trabajo, esto ha llevado a algunas personas a descuidar su trabajo y caer en el libertinaje esperando que Dios los colme de riquezas. También lleva a otros, aquellos que esperan que Dios prospere en el trabajo, a descuidar a sus familias y comunidades, a maltratar a sus compañeros de trabajo, a realizar negocios deshonestos y a confiar en el favor de Dios para salvarlos de la moralidad común.

La Exposición de la Caída del Hombre y la Complicidad de las Autoridades Religiosas (Jueces 18-21)

El episodio final de Jueces es el evento más impactante en el largo viaje de Israel hacia la depravación, la idolatría y la anarquía. Algunos de la tribu de Dan huyeron con todo el establecimiento religioso de Miqueas, incluidos los levitas y los ídolos (**Jueces 18:1-31**). El levita tomó una concubina de un pueblo distante (coincidentemente Belén), pero después de la confusión familiar, ella regresó a la casa de su padre. El levita viajó a Belén por ella, y después de cinco días de borracheras orgías con su suegro, tomó a su concubina y sus sirvientes y tontamente emprendió el viaje a casa antes del atardecer. Por la noche, se encuentran solos en la plaza del pueblo perteneciente a la tribu de Benjamín. Nadie los recibió hasta que por fin un anciano les ofreció un lugar para pasar la noche.

Esa noche, gente de la ciudad rodeó la casa y le pidieron al anciano que sacara al extranjero y lo violara (**Jueces 19:22**). El anciano trata de protegerlo, pero la idea de que proteja a los turistas es repugnante, en pocas palabras. Para salvar a los levitas, el anciano sacrificó a sus hijas ya las concubinas de los levitas a los hombres y las violó a ellas, no a los hombres. Los propios levitas expulsaron a las concubinas de sus hogares, quizás el registro más antiguo de la complicidad de una autoridad religiosa en el abuso sexual. Entonces *"la injuriaron toda la noche hasta la mañana"* (**Jueces 19:25**). Los levitas luego desmembraron su cuerpo y esparcieron los pedazos entre las tribus de Israel, quienes en represalia casi aniquilaron a la tribu de Benjamín (**Jueces 20-21**). Esto completa la conversión de los israelitas a los cananeos.

La oración al final del libro resume estos eventos sucintamente. *"En aquellos días no había rey en Israel; cada uno hacía lo que quería"* (**Jueces 21:25**). Si no fuera obvio, esto muestra que sin un liderazgo basado en las enseñanzas de Dios, las personas siguieron sus propias estrategias y deseos malvados; no significa que la guía moral interna de las personas las lleve a hacer lo correcto sin la supervisión necesaria.

Las amenazas contra los desarmados, incluido el abuso de mujeres y extranjeros, siguen siendo muy comunes en nuestro mundo laboral actual. Individualmente, debemos decidir si defender a quienes enfrentan la injusticia, poniéndonos en riesgo, o quedarnos sentados y no hacer nada hasta que el daño haya terminado.

Como organizaciones y sociedades, tenemos que decidir si queremos trabajar por sistemas y estructuras que frenen el flagelo del comportamiento humano, o quedarnos de brazos cruzados mientras la gente hace lo que cree que es correcto. Incluso nuestras actitudes negativas pueden conducir a un comportamiento abusivo en nuestros lugares de trabajo, especialmente cuando no estamos en posiciones de autoridad. Cuando otras personas piensan que tienes cierta cantidad de poder, ya sea por tu edad, porque llevas más tiempo allí, te vistes mejor, a menudo te ven hablando con tu jefe, perteneces a una raza o grupo lingüístico privilegiado, eres más educado o él es más expresivo: no defiende a los que están siendo abusados, está contribuyendo al sistema de abuso. Por ejemplo, si alguien te pide ayuda, significa que tienes mucho poder en sus ojos. Por lo tanto, si no se opone cuando alguien cuenta un chiste degradante o se acosa a un nuevo empleado, está aumentando la carga de la víctima y allanando el camino para el próximo abuso.

Leer los horrores de los capítulos finales de Jueces puede hacernos sentir agradecidos de no haber vivido en esos tiempos. Sin embargo, si somos plenamente conscientes, es posible ver que el simple hecho de ir a trabajar es tan significativo desde el punto de vista moral como el trabajo de cualquier líder o individuo en el antiguo Israel.

Conclusiones de Josué y Jueces

Nuestro viaje a través de los libros de Josué y Jueces nos ha enseñado muchas lecciones. Comenzamos con el ejemplo inspirador de Josué, en quien se combinaron la habilidad, la sabiduría y las virtudes piadosas. El mismo Señor condujo a los israelitas a la Tierra Prometida, y ellos se comprometieron a seguirlo toda su vida. Dios les dio una sociedad libre de la carga de la tiranía, un nuevo comienzo libre de corrupción, dominación e injusticia institucionalizada. En tiempos de necesidad, desarrolló líderes como Joshua y Deborah, sabios, valientes y unánimes, que liberaron a su pueblo de una amenaza tras otra.

Vemos a los primeros líderes y al pueblo de Israel construir las estructuras necesarias para la paz y la prosperidad de la tierra. Asignan los recursos de manera justa y productiva. Buscan una misión unificada mientras mantienen una cultura diversa y flexible. Continúan responsabilizándose mutuamente mientras asignan poder y aprenden a resolver conflictos de manera productiva y creativa. Prosperan y disfrutan de la paz.

Pronto, sin embargo, vemos a Israel degenerar de una nación respetuosa del pacto, segura, bien organizada y bien gobernada en una turba violenta y rebelde. Cada aspecto de sus vidas, incluyendo su trabajo, se corrompió porque abandonaron los mandamientos y la presencia de Dios. Dios les dio una buena tierra, lista para el trabajo productivo, pero se olvidaron de lo que Dios había hecho por ellos y malgastaron sus recursos en ídolos. Se volcaron a la guerra, lo que resultó en una situación económica precaria, y pronto comenzaron a aceptar todo el mal en los pueblos de los alrededores. Al final, se convierten en sus propios peores enemigos.

Entonces, la lección principal para nosotros es la misma que Juan terminó su primera carta siglos después: *"Hijos míos, manténganse alejados de los ídolos"* (**1 Juan 5:21**). Cuando trabajamos fielmente para Dios, guardamos sus convenios y buscamos su guía, nuestras labores hacen un bien inimaginable para nosotros y nuestra sociedad. Pero cuando rompemos nuestro pacto con el Dios que obra por nosotros y comenzamos a practicar las injusticias que tan fácilmente aprendemos de la cultura que nos rodea, encontramos que nuestras labores son tan vacías como los ídolos que adoramos.

Introducción al libro de Rut

El libro de Ruth cuenta la historia extraordinaria de la fidelidad de Dios para Israel en la vida y el trabajo de tres personas comunes: Noemí, Rut y Booz. En sus labores en medio de la dificultad económica y la prosperidad, vemos la mano de Dios claramente en su trabajo de producción agrícola, en la administración generosa de los recursos para el bien de todos, en el trato respetuoso entre compañeros de trabajo, en la creatividad para enfrentar la necesidad y en la concepción y crianza de los hijos. A lo largo de toda la historia, la fidelidad de Dios hacia ellos crea oportunidades para trabajar de forma fructífera y su fidelidad a Dios trae la bendición de la provisión y la seguridad entre ellos y con el pueblo a su alrededor.

Los eventos del libro de Rut ocurren durante la fiesta de la siega de cebada (**Rut 1:22**; **2:17**, **23**; **3:2**, **15**, **17**), en la que se celebraba el vínculo entre la bendición de Dios y el trabajo del ser humano. El origen del festival se encuentra en dos pasajes de la Torá:

*Guardarás la fiesta de la siega de los primeros frutos de tus labores, de lo que siembres en el campo. (**Éxodo 23:16**; énfasis agregado)*

*Entonces celebrarás la fiesta de las semanas al Señor tu Dios con el tributo de una ofrenda voluntaria de tu mano, la cual darás según el Señor tu Dios te haya bendecido. Y te alegrarás delante del Señor tu Dios, tú, tu hijo, tu hija, tu siervo, tu sierva, el levita que habita en tus ciudades, y el forastero, el huérfano y la viuda que están en medio de ti, en el lugar donde el Señor tu Dios escoja para poner allí su nombre. Y te acordarás de que tú fuiste esclavo en Egipto; cuídate de guardar estos estatutos. (**Deuteronomio 16:10–12**; énfasis agregado)*

Estos pasajes juntos establecen el fundamento teológico para los eventos del libro de Rut.

1. La bendición de Dios es la fuente de la productividad humana ("según el Señor tu Dios te haya bendecido").
2. Dios concede Su bendición de la productividad a través del trabajo humano ("frutos de tus labores").
3. Dios demanda que se provean oportunidades para que las personas pobres y vulnerables ("el forastero, el huérfano y la viuda") trabajen y sean productivos ("te acordarás de que tú fuiste esclavo en Egipto", es una alusión a la liberación de Dios de

Su pueblo cuando eran esclavos en Egipto y Su provisión para ellos en el desierto y en la tierra de Canaán).

En resumen, la productividad del trabajo humano es una extensión del trabajo de Dios en el mundo. Además, la bendición de Dios para el trabajo del ser humano está profundamente ligada al mandato de Dios de proveer generosamente para aquellos que no tienen los medios para sustentarse. Estos principios forman la base de libro de Rut. El libro no es un tratado teológico sino que es un relato, y la historia es fascinante.

La tragedia azota la familia de Rut y Noemí (Rut 1:1-22)

La historia comienza con una hambruna "en los días en que gobernaban los jueces" (**Rut 1:1**). En este tiempo, el pueblo de Israel había abandonado las enseñanzas de Dios, había caído en idolatría, en condiciones sociales terribles y en una guerra civil desastrosa, como se relata en Jueces en los capítulos inmediatamente anteriores al libro de Rut en la Biblia cristiana (el orden de los libros es diferente en la Biblia hebrea). Ciertamente, Israel no había seguido los mandatos de la Torá respecto al trabajo ni a ningún otro aspecto. Debido a esto, la nación estaba perdiendo las bendiciones de Dios, como lo reconocieron varias personas, entre ellas Noemí (**Rut 1:13**, **20–21**). Esto resultó en la desintegración del tejido socioeconómico y la devastación de la tierra por causa de la hambruna.

En respuesta a la hambruna, Elimelec, su esposa Noemí y sus dos hijos se mudaron a Moab —una medida desesperada, teniendo en cuenta la enemistad prolongada entre Israel y Moab—, en donde creían que las posibilidades de trabajar de forma productiva serían mejores. No sabemos si lograron encontrar empleo allí, pero sabemos que los hijos encontraron sus esposas. Sin embargo, en un periodo de diez años tuvieron que soportar la tragedia social y económica —la muerte de los tres hombres dejó viudas a Noemí y sus dos nueras (**Rut 1:3–5**). Las tres viudas tuvieron que sustentarse a sí mismas sin los derechos legales y económicos que se les concedían a los hombres en su sociedad. En pocas palabras, no tenían esposos, no eran propietarias de ningún terreno y no tenían recursos con los cuales sustentarse. El lamento de Noemí refleja la severidad de su situación: "Llamadme Mara [amarga], porque el trato del Todopoderoso me ha llenado de amargura" (**Rut 1:20**).

Así como los extranjeros y los huérfanos, las viudas recibían bastante atención en la ley de Israel. Al perder la protección y el apoyo de sus esposos, eran blancos fáciles para el abuso económico y social y la explotación. Muchas recurrían a la prostitución simplemente para sobrevivir, una situación que también es demasiado común entre las mujeres vulnerables en la actualidad. Noemí no solo se había convertido en viuda, sino que también era extranjera en Moab. Pero, si regresaba a Belén con sus nueras, las jóvenes serían viudas y extranjeras en Israel. Tal vez por causa de la vulnerabilidad que enfrentaban sin importar el lugar donde estuvieran, Noemí les insistió que regresaran al hogar de sus padres y oró que el Dios de Israel le concediera a cada una de ellas la seguridad en el hogar de un esposo (moabita) (**Rut 1:8–9**). Aun así, Rut, una de las nueras, no pudo soportar separarse de Noemí fuera cual fuera la adversidad. Lo que le dijo a su suegra demuestra la profundidad de su amor y lealtad:

"No insistas que te deje o que deje de seguirte; porque adonde tú vayas, iré yo, y donde tú mores, moraré. Tu pueblo será mi pueblo, y tu Dios mi Dios. Donde tú mueras, allí moriré, y allí seré sepultada". (**Rut 1:16–17**).

La vida puede ser difícil, y estas mujeres enfrentaban las más grandes dificultades.

La bendición de Dios es la fuente de la productividad humana (Rut 2:1-4)

Las Escrituras presentan a Dios como el Trabajador divino, que es el referente para el trabajo del ser humano. La Biblia comienza mostrando a Dios en el trabajo —hablando, creando, formando, construyendo. A lo largo de la Biblia hebrea, Dios no solo aparece como el sujeto que acompaña muchos verbos de "trabajo", sino que con frecuencia las personas se refieren a Él de forma metafórica como "Trabajador". En la versión del Éxodo del Decálogo, el mandato del Sabbath fundamenta el patrón de trabajo de 6 + 1 de Israel en el patrón divino (**Éxodo 20:9–11**).

Aun así, en Dios, la dificultad no significa desesperanza. Aunque el pueblo de Israel había olvidado su pacto con Dios y había experimentado la consecuencia del colapso social y económico, Dios siguió siendo fiel a Su pueblo. Mucho antes, Dios le había prometido a Abraham, "Te haré fecundo en gran manera, y de ti haré naciones, y de ti saldrán reyes" (**Génesis 17:6**). El Señor cumplió Su promesa al restaurar la productividad agrícola de Israel (**Rut 1:6**) a pesar de la infidelidad de Su pueblo. Cuando Noemí se enteró de esto, decidió regresar a Belén para tratar de encontrar alimento. Cumpliendo su palabra, Rut fue con ella, con la intención de encontrar un empleo para sustentarse a sí misma y a Noemí. Mientras se desarrolla la historia, las bendiciones de Dios se derraman sobre las dos —y a la larga sobre toda la humanidad— a través del trabajo de Rut y sus resultados.

La fidelidad de Dios con nosotros es la base de toda productividad

Aunque no hay intervenciones milagrosas en el libro de Rut, la mano de Dios está presente de forma clara. En esta historia, Dios trabaja en todo momento, especialmente a través de los actos de personas fieles. A lo largo de la Biblia hebrea, no solo vemos a Dios trabajando de distintas maneras sino también demandando que el pueblo de Israel trabaje de acuerdo con el patrón divino (**Éxodo 20:9–11**). Esto significa que Dios trabaja directamente y que trabaja por medio de las personas.

Los personajes principales reconocen que Dios es el fundamento de su trabajo a través de la forma en la que se bendicen unos a otros y de sus declaraciones de fe. Algunas de estas expresiones son alabanzas por actos que Dios ha realizado (no ha dejado de mostrar Su bondad, **Rut 2:20**; proporcionó un pariente redentor, **Rut 4:14**). Otras son peticiones por la bendición (**Rut 2:4, 19**; **3:10**), la presencia (**Rut 2:4**) o la bondad divina (**Rut 1:8**). Un tercer grupo abarca peticiones más específicas: que el Señor conceda descanso (**Rut 1:9**), y que Dios haga a Rut como a Raquel y Lea (**Rut 4:11–12**). La bendición en **Rut 2:12** es particularmente significativa: "Que el Señor recompense tu obra y que tu remuneración sea completa de parte del Señor, Dios de Israel, bajo cuyas alas has venido a refugiarte". Todas estas bendiciones expresan la seguridad de que Dios trabaja para proveer para Su pueblo.

Rut deseaba recibir la bendición de Dios de la productividad, ya fuera de parte de Dios mismo (**Rut 2:12**) o por medio de un ser humano en "cuyos ojos halle gracia" (**Rut 2:2**). A pesar de ser moabita, ella era más sabía que muchos del pueblo de Israel al reconocer la mano del Señor en su trabajo.

Una de las bendiciones de Dios más importantes en la historia es que le dio a Booz un terreno productivo (**Rut 2:3**). Booz estaba totalmente consciente del rol de Dios en su trabajo, como se demuestra en las formas en las que invoca la bendición del Señor repetidamente (**Rut 2:4**; **3:10**).

Dios Usa Eventos Que Parecen Casualidades Para Habilitar El Trabajo De Las Personas

Una de las formas en las que Dios cumple Su promesa de productividad es Su control sobre las circunstancias del mundo. La construcción peculiar de, "y dio la casualidad" (que se traduce como "y resultó" en la RVC) en **Rut 2:3** es intencional. En español diríamos, "lo que quiso su suerte". Sin embargo, esta declaración es irónica. El narrador usa intencionalmente una expresión que obliga al lector a preguntarse cómo fue posible que Ruth "resultó" en el terreno de un hombre que no solamente extendió gracia (**Rut 2:2**) sino que también era un pariente (**Rut 2:1**). En el desarrollo de la historia, vemos que la llegada de Rut al campo de Booz era una evidencia de la mano providencial de Dios y se puede decir lo mismo de la aparición del pariente más cercano justo cuando Booz estaba sentado en la puerta, en **Rut 4:1–2**.

Qué triste sería tener que ir al trabajo todos los días esperando alcanzar solamente lo que podemos lograr nosotros mismos. Debemos depender del trabajo de otros, de la oportunidad impredecible, de la explosión de creatividad, de la bendición inesperada. Seguramente, una de las bendiciones más reconfortantes de seguir a Cristo es Su promesa de que cuando vamos al trabajo, Él va con nosotros y nos ayuda a llevar la carga. "Tomad mi yugo sobre vosotros... Porque mi yugo es fácil y mi carga ligera" (**Mt 11:29–30**). Aunque Rut no escuchó las palabras de Jesús, vivió por fe creyendo que bajo las alas de Dios encontraría todo lo que necesitaba (**Rut 2:12**).

La productividad humana es un fruto de nuestra fidelidad a Dios

La fidelidad de Dios para Israel se reflejó en la fidelidad de Rut a Noemí. Rut había prometido, "Adonde tú vayas, iré yo, y donde tú mores, moraré. Tu pueblo será mi pueblo, y tu Dios mi Dios" (**Rut 1:16**). La promesa de Rut no representaba una súplica para convertirse en consumidora pasiva de lo que quedaba de la tierra de Elimelec, sino un compromiso de proveer todo lo que pudiera para su suegra. Aunque no era israelita, parece que vivió conforme a la ley de Israel, como se expresa en el quinto mandamiento, "Honra a tu padre y a tu madre". La restauración del trabajo productivo para ella y su familia comenzó con su compromiso de trabajar siendo fiel a la ley de Dios.

Dios concede Su bendición de la productividad a través del trabajo del ser humano (Rut 2:5-7)

Aunque la fidelidad de Dios es la base de la productividad humana, las personas deben hacer su trabajo. Este fue el diseño de Dios desde el principio (**Génesis 1:28**; **2:5**, **15**). Rut estaba deseosa de trabajar duro para sustentarse a sí misma y a Noemí. Ella le imploró diciendo, "Te ruego que me dejes ir al campo" y cuando tuvo la oportunidad de trabajar, las personas que trabajaban con ella dijeron que había "permanecido desde la mañana hasta ahora; sólo se ha sentado en la casa por un momento" (**Rut 2:7**). Su trabajo era excepcionalmente productivo. Cuando regresó a casa luego de su primer día de trabajo y desgranó la cebada, su cosecha dio un efa completo de grano (**Rut 2:17**). Esto equivalía a aproximadamente cinco galones de cebada. Tanto Dios como Booz la elogiaron (y recompensaron) por su fe y su laboriosidad (**Rut 2:12**, **17–23**; **3:15–18**).

En un mayor o menor grado, todos somos vulnerables a las circunstancias que pueden dificultar o imposibilitar que nos ganemos la vida. Factores como desastres naturales, despidos, desempleo, prejuicios, lesiones, enfermedades, bancarrota, trato injusto, restricciones legales, barreras del lenguaje, falta de entrenamiento o experiencia relevante, edad, sexo, mala administración económica del gobierno o la industria, barreras geográficas, la necesidad de cuidar miembros de la familia, entre otros, pueden privarnos de trabajar para sustentarnos a nosotros mismos y a las personas que dependen de nosotros. Sin embargo, Dios espera que trabajemos tanto como sea posible (**Éxodo 20:9**).

Aunque no encontremos un trabajo que cumpla nuestros requisitos, estamos llamados a trabajar. Rut no tenía un trabajo estable con horario común y un salario. A ella le preocupaba si su condición sería suficiente para hallar "gracia" (**Rut 2:13**) en su lugar de trabajo y no estaba segura necesariamente de que ganaría lo suficiente para alimentar a su familia. Aun así, decidió ir a trabajar. Muchas de las condiciones que enfrentamos hoy día por causa del desempleo y el subempleo son profundamente desalentadoras. Si la falta de trabajos altamente cualificados solo nos da oportunidades aparentemente insignificantes, si la discriminación evita que consigamos el trabajo para el que estamos calificados, si las circunstancias no permiten que tengamos acceso a la educación que necesitamos para tener un buen trabajo e incluso si las condiciones hacen que el trabajo parezca desalentador, el ejemplo de Rut nos muestra que de todas formas debemos trabajar. Al comienzo puede que nuestro trabajo ni siquiera produzca ganancias, en caso de que sea un voluntariado para ayudar a otros, cuidar a los miembros de la familia, acceder a la educación o entrenamiento, o cuidar de nuestro hogar.

La gracia salvadora es que Dios es el poder detrás de nuestro trabajo. No dependemos de nuestra propia habilidad o de las circunstancias para proveer para nuestras necesidades. En vez de eso, trabajamos fielmente en lo que está a nuestro alcance, sabiendo que la fidelidad de Dios a Su promesa de productividad es lo que nos da la confianza de que nuestro trabajo es valioso, incluso en las situaciones más adversas. Muy pocas veces tenemos la capacidad de ver de antemano cómo Dios puede usar nuestro trabajo para cumplir Sus promesas, pero Su poder se extiende mucho más allá de lo que podemos ver.

Para recibir la bendición de Dios de la productividad es necesario respetar a los compañeros de trabajo (Rut 2:8–16)

Como se relata en **Rut 2:1**, Booz era "un hombre de mucha riqueza". Esto puede tener diferentes connotaciones en la actualidad, pero en el caso de Booz significaba que era uno de los mejores jefes en la Biblia. Su estilo de liderazgo comenzó con el respeto. Cuando salió al campo donde sus hombres estaban trabajando, los saludó con una bendición ("El Señor sea con vosotros") y ellos le respondieron del mismo modo ("Que el Señor te bendiga" **Rut 2:4**). El lugar de trabajo de Booz era extraordinario en muchos niveles. Él era el propietario y el administrador de una empresa que dependía de los empleados que contrataba. El controlaba el ambiente de trabajo de otros. A diferencia de muchos ambientes de trabajo en donde los supervisores y propietarios tratan a sus trabajadores con desdén y los trabajadores no respetan a sus jefes, Booz había propiciado una relación de confianza y respeto mutuo.

Booz respetaba a sus trabajadores al proveerles agua mientras trabajaban (**Rut 2:9**), comer con ellos y sobre todo compartir su comida con la persona que era considerada como la menos importante de todas (**Rut 2:14**). Después vemos que en el tiempo de la cosecha, Booz, el dueño del terreno, separó el grano de la paja con sus cosechadores y durmió con ellos afuera en el campo (**Rut 3:2–4**, **14**).

Booz demostró que veía a cada ser humano como una imagen de Dios (**Génesis 1:27**; **Proverbio 14:31**; **17:5**) por la forma sensible en la que trataba a la mujer extranjera en su lugar de trabajo. Cuando la vio entre los trabajadores preguntó con gentileza, "¿De quién es esta joven?" (**Rut 2:5**), dando por sentado que ella estaba con un hombre o dependía de alguno —ya fuera como esposa o hija—, tal vez el propietario de un campo cercano. Sorprendentemente, cuando supo que era una mujer moabita que había regresado de su lugar de origen con Noemí (**Rut 2:6**) y que había pedido permiso para espigar tras los cosechadores (**Rut 2:7**), las primeras palabras que dijo fueron "Oye, hija mía" (**Rut 2:8**). Compartir su alimento con una mujer extranjera (**Rut 2:14**) fue un acto más significativo de lo que parece. Los hombres honorables que poseían tierras no acostumbraban conversar con las mujeres extranjeras, como lo indica la misma Rut (**Rut 2:10**). Un hombre que estuviera más interesado en las apariencias sociales y oportunidades de negocios y menos en ser compasivo con alguien en situación de necesidad, pudo haber aprovechado la primera oportunidad para sacar a una intrusa moabita de su campo. Sin embargo, Booz estuvo más que dispuesto a apoyar a una trabajadora vulnerable sin importar la reacción que tuvieran los demás.

Ciertamente, en este relato podemos encontrar la primera política registrada en el mundo en contra del acoso sexual en el lugar de trabajo. Tal vez Booz estaba consciente de que muchos dueños de tierras y trabajadores eran abusadores y quizá es por esto que le informó a Rut sobre la orden que le había dado a sus hombres de no tocarla (**Rut 2:9**). Noemí demuestra que temía por la seguridad de su nuera cuando dice, "Es bueno, hija mía, que salgas con sus criadas, no sea que en otro campo te maltraten" (**Rut 2:22**). Los términos de la política de Booz son claros:

1. Los trabajadores no debían "molestar" a esta mujer. Normalmente, la palabra *naga* significa "tocar", pero aquí funciona de forma más general como "golpear, acosar o maltratar". Booz reconoce que la forma en la que una persona percibe el toque de alguien más, determina lo que implica dicha acción.
2. Rut debía tener el mismo acceso al agua (**Rut 2:9**) y a la mesa de almuerzo (**Rut 2:14**). En el momento de compartir la comida, Booz invitó a Rut a sentarse con él y sus trabajadores y a mojar un pedazo de pan en su vinagre (**Rut 2:14**). Luego, él mismo le sirvió hasta que estuvo más que satisfecha. La elección del verbo *nagash*, "acercarse", indica que por ser extranjera, Rut había mantenido su distancia de forma intencional y apropiada (de acuerdo con la costumbre). La política de Booz en contra del acoso sexual no es simplemente restrictiva (que prohíbe ciertos actos) sino que es positiva en su intencionalidad, lo que significa que la respuesta del que está en peligro de ser acosado es lo que indica qué pueden hacer o no hacer los demás. Booz indagó si Rut se sentía segura para saber si le estaba ofreciendo la protección que ella necesitaba. Él demostró con su ejemplo cómo esperaba que las trabajadoras vulnerables fueran respetadas.
3. Los empleados habituales de Booz no debían avergonzarla (**Rut 2:15**) ni reprenderla (**Rut 2:16**). Junto con la palabra *molestar* en el versículo 2:9, estas expresiones demuestran que el acoso se presenta de muchas maneras: física, emocional y verbal. De hecho, Booz representa un ejemplo positivo espectacular con su vehemente declaración de bendición para Rut (**Rut 2:12**).
4. Los empleados habituales debían hacer que el ambiente de trabajo de Rut fuera lo más seguro posible y esforzarse por ayudarla a cumplir sus tareas laborales (**Rut 2:15–16**). En el lugar de trabajo, la prevención del acoso va más allá de crear un ambiente seguro. También implica eliminar lo que obstaculiza la productividad, el avance y sus recompensas inherentes. Booz pudo haber provisto seguridad para Rut manteniéndola

> lejos de los hombres que trabajaban allí, pero esto le habría negado el acceso al agua y al alimento, y podría haber causado que perdiera la oportunidad de recoger cierta cantidad de grano por causa del viento o de los animales. Booz se aseguró de que las garantías que había creado le permitieran ser totalmente productiva.

Aparentemente, los trabajadores de Booz se contagiaron de su espíritu generoso. Cuando su jefe los saludó con una bendición, ellos le respondieron con una bendición (**Rut 2:4**). Cuando Booz preguntó por la identidad de la mujer que había aparecido en su campo, el supervisor de los trabajadores reconoció que Rut era moabita, pero habló con un tono amable (**Rut 2:6–7**). El hecho de que Rut trajera un *efa* completo de grano a casa para Noemí, testifica que los trabajadores respondieron de forma positiva al encargo de Booz de tratar bien a Rut. No solo era evidente que habían cortado bastante grano para ella, sino que también habían aceptado a esta mujer moabita como compañera de trabajo durante la cosecha (**Rut 2:21–23**).

Los efectos positivos del liderazgo de Booz se extendieron más allá del lugar de trabajo. Cuando Noemí vio los resultados del esfuerzo de Rut, bendijo al empleador que le había dado trabajo y alabó a Dios por Su bondad y generosidad (**Rut 2:20**). Más adelante, es evidente que la buena reputación de Booz en la comunidad trajo armonía social y gloria a Dios (**Rut 4:11–12**). Todos los líderes —de hecho todos los trabajadores— moldean la cultura en la que trabajan. Aunque podemos pensar que nuestra cultura nos obliga a ajustarnos a las formas de trabajo injustas, sin sentido o improductivas, la realidad es que la forma en la que trabajamos influencia profundamente a los demás. Booz, un hombre con recursos en medio de una sociedad corrupta e incrédula (**Rut 1:1**, donde decir, "en los días en que gobernaban los jueces" es decir brevemente que era una sociedad corrupta), logró crear un negocio honesto y exitoso. El supervisor de la cosecha desarrolló prácticas igualitarias en una sociedad llena de misoginia y racismo (Jue 19–21). Ante una gran pérdida y la dificultad, Rut y Noemí conformaron una familia amorosa. Cuando sentimos la presión de conformarnos a un mal ambiente en el trabajo, la promesa de la fidelidad de Dios puede triunfar sobre todas las dudas que tengamos por causa de la disfunción cultural y social a nuestro alrededor.

Dios demanda que se provean oportunidades para que las personas pobres trabajen de forma productiva (Rut 2:17–23)

La forma más importante en la que Dios destruye los obstáculos para nuestra productividad es por medio de las acciones de otras personas. En el libro de Rut lo vemos tanto en la ley de Dios en sociedad como en la forma en que guía a las personas de manera individual.

La ley de Dios exige que las personas con recursos provean oportunidades económicas para los pobres

La trama del libro de Rut se centra en la acción de espigar, la cual era uno de los elementos más importantes de la ley para la protección de las personas pobres y vulnerables. Los requerimientos se establecen en Levítico, Deuteronomio y Éxodo:

Cuando siegues la mies de tu tierra, no segarás hasta los últimos rincones de tu campo, ni espigarás el sobrante de tu mies. Tampoco rebuscarás tu viña, ni recogerás el fruto caído de tu viña; lo dejarás para el pobre y para el forastero. Yo soy el Señor vuestro Dios.

Cuando siegues tu mies en tu campo y olvides alguna gavilla en el campo, no regresarás a recogerla; será para el forastero, para el huérfano y para la viuda, para que el Señor tu Dios te bendiga en toda obra de tus manos. Cuando sacudas tus olivos, no recorrerás las ramas que hayas dejado tras de ti, serán para el forastero, para el huérfano y para la viuda. Cuando vendimies tu viña, no la repasarás; será para el forastero, para el huérfano y para la viuda. Recordarás que tú fuiste esclavo en la tierra de Egipto; por tanto, yo te mando que hagas esto. (**Deuteronomio 24:19–22**) Seis años sembrarás tu tierra y recogerás su producto; pero el séptimo año la dejarás descansar, sin cultivar, para que coman los pobres de tu pueblo, y de lo que ellos dejen, coman las bestias del campo. Lo mismo harás con tu viña y con tu olivar. (**Éxodo 23:10–11**; ver **Éxodo 22:21–27 y 23:10–11** en "***Éxodo y la Enseñanza del Trabajo***"

La base de la ley es el propósito de que todas las personas tengan acceso a los medios de producción necesarios para sustentarse a sí mismos y a sus familias. En general, todas las familias (excepto las de la tribu sacerdotal de los levitas, que se sustentaban con diezmos y ofrendas) debían tener una parcela de tierra a perpetuidad, la cual nunca perderían (**Números 27:5–11**; **36:5–10**; **Deuteronomio 19:14**; **27:17**; **Levítico 25**). Por lo tanto, todos en Israel tendrían los medios para cultivar su alimento. Sin embargo, era poco común que los extranjeros, las viudas y los huérfanos heredaran tierras y por esta razón eran vulnerables a la pobreza y el abuso. La ley de espigar les daba la oportunidad de proveer para sí mismos cosechando el grano y el producto en los rincones de los campos, el que no había madurado o se había pasado por alto durante la cosecha inicial y todo el que creciera en los campos que estaban en descanso por un año. Todos los propietarios de tierras debían proveer el acceso para espigar de forma gratuita.

Estos pasajes señalan tres fundamentos de las leyes de espigar. La generosidad hacia los pobres (1) era un prerrequisito para que Dios bendijera el trabajo de las personas (**Deuteronomio 24:19**), (2) debía ser motivada por el recuerdo de la experiencia de Israel bajo los esclavistas crueles y abusivos en Egipto (**Deuteronomio 24:22**) y (3) es un tema de obediencia a la voluntad de Dios (**Deuteronomio 24:22**). Estas tres motivaciones son evidentes en los actos de Booz cuando (1) bendijo a Rut, (2) recordó la gracia de Dios para Israel y (3) la elogió por ponerse a sí misma en las manos de Dios (**Rut 2:12**). Aunque no es claro qué tanto se hacían cumplir las leyes de la tierra y la cosecha en el antiguo pueblo de Israel, Booz las cumplió de una forma ejemplar.

Cuando se ponían en práctica, las leyes de espigar proporcionaban una red de apoyo excepcional para las personas pobres y marginadas. Ya hemos visto que la intención de Dios es que las personas reciban Su bendición de la productividad por medio del trabajo. Esto era exactamente lo que hacía el espigar, que proporcionaba una oportunidad de trabajo productivo para aquellos que de otra manera hubieran tenido que depender de la mendicidad, esclavitud, prostitución u otras formas de degradación. Los que espigaban conservaban las habilidades, la autoestima, la condición física y los hábitos de trabajo que los ayudarían a ser productivos en la actividad agrícola común en caso de que surgiera la posibilidad del matrimonio, la adopción o que pudieran regresar a su país de origen. Los dueños de las tierras proporcionaban oportunidades pero no tenían la posibilidad de explotar a las personas. No era un trabajo forzado. El beneficio estaba disponible localmente, en todas partes en la nación, sin la necesidad de una burocracia molesta y propensa a la corrupción. Sin embargo, sí dependía de la formación del carácter de cada propietario que cumpliera la ley de espigar y no debemos romantizar las circunstancias que enfrentaban las personas pobres en el antiguo pueblo de Israel.

En el caso de Booz, Rut y Noemí, las leyes de espigar funcionaban como se habían diseñado. Si no fuera por la posibilidad de espigar, Booz habría enfrentado dos alternativas al enterarse de la pobreza de Rut y Noemí. Él pudo haberlas dejado morir de hambre o pudo hacerles llegar a la puerta de su casa el alimento ya preparado (pan). El primero es inaceptable, pero el segundo, aunque hubiera aliviado su hambre, las habría hecho mucho más dependientes de Booz. Sin embargo, debido a la oportunidad de espigar, Rut no solo pudo trabajar para cultivar, sino que también pudo usar el grano para hacer pan por medio de su propio esfuerzo. El proceso preservaba su dignidad, hacía uso de sus talentos y habilidades, las liberaba a ella y a Noemí de la dependencia a largo plazo y las hacía menos vulnerables a la explotación.

En los debates teológicos, sociales y políticos actuales acerca de la pobreza y las reacciones a la misma por parte del sector público y privado, vale la pena tener presentes y debatir con firmeza estos aspectos de la actividad de espigar. Los cristianos están en desacuerdo unos con otros en cuanto a preguntas como las responsabilidades sociales frente a las individuales, los medios privados frente a los públicos y la distribución de las ganancias. Es improbable que la reflexión cuidadosa en el libro de Rut resuelva estos desacuerdos, pero tal vez puede resaltar metas e intereses comunes. Puede que la sociedad moderna no se ajuste a la actividad de espigar en el sentido literal agrícola pero, ¿se pueden incorporar estos elementos en las formas en las que las sociedades cuidan a la población pobre y vulnerable hoy en día? Particularmente, ¿cómo podemos proporcionar oportunidades para que las personas tengan acceso a medios de trabajo productivo en vez de verse asfixiadas por la dependencia o la explotación?

Dios guía individuos a que provean oportunidades económicas para los pobres y vulnerables (Rut 2:17–23)

Booz fue mucho más allá de lo que la ley requería respecto a la provisión para los pobres y vulnerables. Las leyes de espigar apenas les exigían a los propietarios de tierras que dejaran algo de su producto en los campos para que lo recogieran los extranjeros, huérfanos y viudas. Por lo general, esto significaba que los pobres y vulnerables tenían un trabajo difícil, peligroso e incómodo, como era cosechar el grano en los rincones de los campos o en lo más alto de los olivos. El producto que obtenían de esta manera usualmente era de menor calidad, como las uvas y olivas que habían caído al suelo o que no habían madurado completamente. Sin embargo, Booz les ordena a sus trabajadores que sean generosos de forma activa. Debían tomar el grano de primera calidad de los tallos que habían cortado y dejarlo allí para que Rut solo tuviera que recogerlo. El interés de Booz no era cumplir de la forma más mínima una norma, sino proveer genuinamente para Rut y su familia.

Además, él insistió en que ella espigara en sus campos (por supuesto, permitiendo que ella y Noemí se quedaran con lo que cosechaba) y la hizo una de sus trabajadores. No solamente le dio acceso a su campo, sino que la convirtió en parte del grupo que había contratado, incluso al punto de asegurarse que ella recibiera una parte equitativa de la cosecha (**Rut 2:16**).

En un mundo en el que cada nación, cada sociedad, tiene personas desempleadas o subempleadas que necesitan oportunidades de trabajo, ¿cómo podemos los cristianos imitar a Booz? ¿Cómo podemos animar a las personas a usar sus habilidades y talentos dados por Dios para crear bienes y servicios que les den un empleo productivo a los demás? ¿Cómo podemos moldear la formación del carácter de las personas que son dueñas y administran los recursos de la sociedad para que de forma ávida y creativa provean oportunidades para los pobres y marginados?

¿Cómo aplican estas preguntas para nosotros? ¿Cada uno de nosotros es una persona con recursos, incluso si no somos ricos como Booz? ¿Las personas de la clase media tienen la posibilidad y la responsabilidad de proveer oportunidades para los pobres? ¿Lo pueden hacer los que son pobres? ¿A qué nos podría guiar Dios para que traigamos Sus bendiciones de productividad a otros trabajadores y trabajadores en potencia?

La bendición de Dios se multiplica cuando las personas trabajan de acuerdo con Sus enseñanzas (Rut 3:1–4:18)

En el episodio en el que vemos a Rut espigando en el campo de Booz, él demuestra compasión y generosidad mientras representa un ejemplo extraordinario de reconciliación étnica. Esto plantea las preguntas, ¿por qué el corazón de Booz fue tan suave hacia Rut y por qué creó este ambiente en donde todos, incluso una mujer moabita, se pudieran sentir en casa? De acuerdo con las palabras del mismo Booz, Rut representaba nobleza y fidelidad al Dios verdadero (**Rut 2:10-11**). Como resultado, le dijo, "Que el Señor recompense tu obra y que tu remuneración sea completa de parte del Señor, Dios de Israel, bajo cuyas alas has venido a refugiarte" (**Rut 2:12**). Aunque nació en Moab, ella había decidido buscar la salvación en el Dios de Israel (**Rut 1:16**). Booz reconoció que las alas de Dios estaban sobre ella y estuvo dispuesto a ser el instrumento de Dios para bendecirla. Al cuidar a una forastera desfavorecida, Booz honró al Dios de Israel. En las palabras del proverbio israelita: "El que oprime al pobre afrenta a su Hacedor, pero el que se apiada del necesitado le honra" (**Proverbio 14:31;** *ver también* **Proverbio 17:5**). El apóstol Pablo expresó este tema siglos después: "Así que entonces, hagamos bien a todos según tengamos oportunidad, y especialmente a los de la familia de la fe" (**Gálatas 6:10**).

Mientras avanzaba la historia, Booz comenzó a ver a Rut como algo más que una trabajadora diligente y fiel nuera de Noemí. En su momento, extendió las alas de su manto sobre Rut (**Rut 3:9**) —una metáfora adecuada del matrimonio, reflejando el amor y el compromiso que representan las alas de Dios. Hay un aspecto relacionado con el trabajo en esta historia de amor, ya que habían propiedades de por medio. Noemí todavía tenía cierto derecho sobre la tierra que le pertenecía a su difunto esposo y, de acuerdo con la ley de Israel, su pariente más cercano tenía el derecho de adquirir la tierra y mantenerla en la familia casándose con ella. Booz, a quien Noemí mencionó como un pariente de su marido (**Rut 2:1**), era en efecto el segundo en línea para adquirir tal derecho. Él le informó al pariente más cercano sobre el derecho que tenía, pero cuando el hombre supo que adquirir la tierra implicaba traer a Ruth la moabita a su casa, decidió renunciar a su derecho (**Rut 4:1-6**).

En cambio, Booz estaba encantado de ser escogido por Dios para mostrarle gracia a esta mujer, sin importar que ella fuera considerada inferior social, económica y racialmente (**Rut 4:1-12**). Él ejerció el derecho de redimir la propiedad, no casándose con la anciana Noemí por conveniencia, sino casándose con Rut con el permiso de Noemí, combinando el amor y el respeto. Al casarse con esta mujer moabita, cumplió en su manera un poco de la promesa de Dios a Abraham de que "en tu simiente serán bendecidas todas las naciones de la tierra" (**Génesis 22:18**). Él también adquirió más propiedades y podemos suponer que las administró tan productiva y generosamente como la propiedad que ya tenía, anunciando las palabras de Cristo de que "al que tiene, se le dará más" (**Marcos 4:25**). Como veremos pronto, es totalmente apropiado que Booz fuera una imagen anticipada de Jesús. En el camino, los eventos de la historia revelan aún más acerca de cómo Dios está trabajando en el mundo para bien.

Dios trabaja por medio de la osadía humana (Rut 3:1-18)

Una vez más, la necesidad llevó a Noemí a ir más allá de los límites de lo convencional al incitar el cortejo entre Booz y Rut. Ella envió a Rut a la era de Booz durante la noche a descubrir sus pies y acostarse (**Rut 3:4**). A pesar del significado de "pies" en **Rut 3:4**, **7**, **8**, **14** —que podría ser un eufemismo sexual —, la estrategia que Noemí ideó era sospechosa desde la perspectiva de la costumbre y la moralidad, y era muy peligrosa. La preparación de Rut y la elección del lugar para el encuentro parecían indicar las acciones de una prostituta. Bajo circunstancias normales, si un hombre que se respete y sea noble moralmente como Booz, y que esté durmiendo en el campo de trillar despertara a medianoche y descubriera una mujer a su lado, seguramente la echaría fuera, asegurando que no tenía nada que hacer con mujeres como ella. La petición de Rut de que Booz se casara con ella era similarmente osada desde la perspectiva de la costumbre: una extranjera insinuándose a un israelita; una mujer insinuándose a un hombre; una joven insinuándose a una persona mayor; una trabajadora desprovista de tierras insinuándose a un propietario adinerado. No obstante, en vez de ofenderse frente a la audacia de Rut, Booz la bendijo, la alabó por su compromiso con el bienestar de su familia, la llamó "hija mía", la tranquilizó diciéndole que no temiera, le prometió hacer lo que ella le pidiera y la declaró una mujer honorable (**Rut 3:10-13**). Esta reacción extraordinaria se le atribuye a la inspiración de Dios que llenaba su corazón.

Dios trabaja por medio de procesos legales (Rut 4:1-12)

Booz aceptó la petición de Rut de casarse con ella si su pariente más cercano renunciaba al derecho de hacerlo. Él no perdió tiempo organizando la resolución legal de la cuestión (**Rut 4:1-12**). En este punto de la historia, el lector sabe que nada en este libro pasa por casualidad, y cuando al día siguiente el pariente más cercano pasa junto a la puerta en donde Booz se había sentado, es evidente que es gracias a la mano de Dios. Si Rut hubiera estado presente en los procedimientos legales en aquella puerta, su corazón se habría entristecido cuando el hombre que tenía el derecho anunció que tomaría la tierra de Elimelec. Sin embargo, cuando Booz le recordó que también debía tomar a Rut, cambió de opinión, y las esperanzas de ella habrían regresado. ¿Por qué ocurrió este cambio de opinión? Él dijo que justo había recordado una obligación legal que no le permitía hacerlo: "No puedo redimirla para mí mismo, no sea que perjudique mi heredad" (**Rut 4:6**). La excusa era incoherente y débil, aunque fue suficiente para Booz, cuyo discurso de aceptación del veredicto es un modelo de claridad y lógica. Fácilmente, el caso habría podido tener un resultado diferente, pero parece que el resultado fue guiado por Dios desde el comienzo.

Dios trabaja por medio de la productividad de tener hijos (Rut 4:13-18)

En **Rut 4:13** encontramos la segunda vez que se atribuye un evento especialmente a la mano de Dios en el libro (la primera está en **Rut 1:6**). "Booz tomó a Rut y ella fue su mujer, y se llegó a ella. Y el Señor hizo que concibiera, y ella dio a luz un hijo". Aunque el término hebreo para la concepción y el embarazo (*herayon*) se encuentra únicamente en otros dos lugares, que son **Génesis 3:16** y **Oseas 9:11**, la expresión específica de "*conceder o dar la concepción*" solo se encuentra aquí. Debemos interpretar esta declaración teniendo en cuenta el trasfondo de los diez años del matrimonio de Rut con Mahlón, en el cual aparentemente no hubo hijos (**Rut 1:4**). Después de la fidelidad de Rut al ir a Israel con Noemí, luego de la fidelidad de Booz al proveer para Rut para espigar sus campos y su fidelidad al servir como su pariente redentor, después de la oración de fe de los testigos en la puerta (**Rut 4:11-12**), y aparentemente tan pronto como Rut y Booz consumaron el matrimonio, Dios le concedió un hijo a Rut. Todos los esfuerzos humanos, incluso las relaciones sexuales, dependen de Dios para lograr las metas deseadas (**Rut 4:13-15**; cf. **1:4**).

El nacimiento de cualquier hijo es un regalo de Dios, pero la historia en el nacimiento del hijo de Rut y Booz, Obed, es más grande. Él se convertiría en el abuelo de David, el rey más grandioso de Israel (**Rut 4:22**) y en ancestro de Jesús el Mesías (**Mt 1:5**, **16-17**). De esta manera, Rut se convirtió en una bendición para Israel y para todos los que siguen a Jesús hasta el día de hoy.

Conclusiones de Rut

El libro de Rut presenta una historia poderosa de Dios trabajando, dirigiendo eventos en todas partes para cuidar de Su pueblo, y aún más importante, para alcanzar Sus propósitos. La fidelidad —tanto la de Dios a Su pueblo como la del pueblo hacia Dios— se representa por medio del trabajo y de la productividad resultante. Los personajes en el libro trabajan de forma diligente, justa, generosa, ingeniosa, de acuerdo con la ley y la inspiración de Dios. Ellos reconocen la imagen de Dios en los seres humanos y trabajan juntos en armonía y con compasión.

A partir de los eventos del libro de Rut, podemos concluir que los cristianos en la actualidad debemos reconocer no solo la dignidad, sino también el valor del trabajo. El trabajo le da la gloria a Dios. Trae beneficios para otros. Es un servicio para el mundo en el que vivimos. Como cristianos, podemos estar acostumbrados a reconocer la mano de Dios más claramente en el trabajo de los pastores, misioneros y evangelistas, pero su trabajo no es el único legítimo en el reino de Dios. El libro de Rut nos recuerda que el trabajo común, como por ejemplo el de la agricultura, es un llamado lleno de fe, ya sea que lo realicen los propietarios adinerados de tierras o los extranjeros que han sido abatidos por la pobreza. Alimentar a nuestras familias es un trabajo santo y todo el que pueda ayudar a otros a alimentar a sus familias se convierte en una bendición de Dios. Todas las ocupaciones lícitas son trabajo de Dios. Por medio de nosotros Dios hace, diseña, organiza, embellece, ayuda, lidera, cultiva, cuida, sana, empodera, informa, decora, enseña y ama. Nosotros somos las alas de Dios.

Nuestro trabajo honra a Dios cuando tratamos a nuestros compañeros con honor y dignidad, sea que tengamos el poder de darle forma a las condiciones laborales de otros o que nos pongamos a nosotros mismos en riesgo al defender a los demás. Vivimos nuestro pacto con Dios cuando trabajamos por el bien de los demás seres humanos, especialmente los que son marginados social y económicamente. Honramos a Dios cuando pensamos en los intereses de los demás y hacemos todo lo que está a nuestro alcance para que su trabajo sea afable y para fomentar su bienestar.

Introducción a los Libros Samuel, Reyes y Crónicas

L*os libros 1 y 2 de Samuel; 1 y 2 de Reyes; y 1 y 2* de Crónicas muestran un gran interés en lo que respecta a la labor. El enfoque principal está en el trabajo del rey, incluidos los aspectos políticos, militares, económicos y religiosos. Gobernar, en la forma de "*ejercer dominio*", es una de las tareas originales que Dios le dio al hombre (**Génesis 1:28**), y la cuestión del liderazgo o gobierno sale a relucir en *Samuel 1 y 2, Reyes 1 y 2, y 1 y 2 Crónicas.* ¿Cómo serán gobernados los israelitas, por quién y con qué propósito? Cuando las organizaciones tienen un buen gobierno, las personas prosperan. Cuando no hay un buen gobierno, todos sufren.

En estos libros, no solo vemos reyes en acción. Primero, el trabajo del rey afecta el trabajo de muchos otros, como soldados, constructores, artesanos y sacerdotes, y los libros de Samuel, Reyes y Crónicas toman en cuenta cómo el trabajo del rey afecta a estas otras personas. En segundo lugar, los propios reyes tenían que ocuparse de otras tareas además del gobierno, incluida la prueba de paternidad, que era un tema particularmente interesante. Finalmente, como historia de Israel, estos libros son de interés para el pueblo en su conjunto, y en muchos casos esto significa hablar de aquellos cuyos trabajos no tienen nada que ver con la monarquía.

Siguiendo los ejemplos del libro, nos centraremos específicamente en las tareas de liderazgo y gobierno del Rey de Israel, mientras exploramos muchos otros tipos de trabajadores. Incluyen soldados, comandantes, jueces y líderes cívicos (comúnmente llamados "*ancianos*"), padres, sacerdotes, granjeros, cocineros y panaderos, perfumistas, administradores de viñedos, músicos, artistas, inventores, negocios domésticos y diplomáticos (tanto formales como informales), Protestantes o activistas, asesores políticos, artesanos, arquitectos, supervisores, canteros, albañiles, metalúrgicos, carpinteros, fabricantes de armas, administradores de pozos, comerciantes de petróleo, curanderos, esclavas, mensajeros, leñadores y contadores. También se incluyen profetas y sacerdotes, pero para centrar la enseñanza laboral en el trabajo no religioso, limitaremos su papel al trabajo no religioso. Como veremos, juegan un papel importante en los asuntos políticos, militares y económicos.

Casi todos los tipos de trabajos de hoy se encuentran en Samuel, Reyes y Crónicas, o pueden encontrar una aplicación práctica para ellos. En general, descubrimos cómo el buen gobierno y el liderazgo se aplican a nuestros trabajos, en lugar de buscar instrucciones sobre cómo realizar nuestro trabajo en particular, a menos que el gobierno o el liderazgo sean nuestro trabajo.

El Contexto Histórico de los Libros de Samuel, Reyes y Crónicas

El interés de estos libros se centra en la obra del rey cuando Israel se convirtió en monarquía. La historia comienza con las doce tribus de Israel violando crónicamente las reglas establecidas por Dios, los principios morales, las metas y las virtudes de liderazgo para ellos, que se pueden encontrar en los libros desde Génesis hasta Deuteronomio. Después de casi 200 años de deterioro del gobierno de varios "*jueces*" (líderes temporales), Israel estaba en ruinas. Los libros de Samuel, Reyes y Crónicas registran la intervención de Dios en el gobierno de Israel cuando su pueblo pasó de ser una confederación tribal débil a una monarquía prometedora, lo que llevó al fracaso cuando los reyes sucesivos abandonaron a Dios y sus enseñanzas. Desafortunadamente, la historia termina con la destrucción de la nación de Israel, que nunca fue restaurada en los tiempos bíblicos.

Este no parece ser un contexto prometedor para estudiar el arte del dominio o el liderazgo, sin embargo, la guía de Dios siempre es evidente en la narración, ya sea que las personas decidan seguirla o no. Podemos aprender tanto de sus éxitos como lo hizo de sus fracasos al leer su historia miles de años después.

La posición teológica básica de estos libros es que si el rey es fiel a Dios, la nación prosperará económica, social y militarmente. Si el rey es desleal, ocurrirá un desastre nacional. Así, en términos modernos, la historia del pueblo de Dios se cuenta principalmente a través de las acciones de los más altos líderes gubernamentales. El gobierno es necesario en comunidades o instituciones de todo tipo, ya sean políticas, cívicas, comerciales, sin fines de lucro, académicas o de otro tipo. Estos libros ofrecen lecciones que son aplicables a todos los sectores del gobierno en la sociedad actual y contribuyen a una fructífera investigación sobre liderazgo, mostrando cómo las vidas de muchos dependen de las palabras y acciones de los líderes.

Originalmente, los eruditos creían que cada par de libros (*1 y 2 Samuel, 1 y 2 Reyes y 1 y 2 Crónicas*) era un solo libro dividido en dos volúmenes. Los rollos de *Samuel y Reyes* presentan una historia política completa de la monarquía israelí. Por su parte, *Las Crónicas* cuentan la misma historia que los reyes, pero se centran en los aspectos sacerdotales o de culto de la historia hebrea. Narraremos en tres actos: (1) transición de la confederación tribal a la monarquía, (2) época dorada de la monarquía y (3) transición de la monarquía fallida al exilio.

El Cambio de la Organización Tribu-Comunal a una Monarquía (1 Samuel)

El primer libro de Samuel narra la transición de Israel de una confederación tribal inestable a una monarquía con un gobierno central en Jerusalén. La historia comienza con el nacimiento y la vocación del profeta Samuel, y continúa con la vocación y el reinado de Saúl y David. Esta es una historia de formación del estado, la concentración de poder y culto, y el establecimiento de nuevos órdenes sociales, militares y políticos.

Los Riesgos de la Autoridad Transmitida de Generación en Generación (1 Samuel 1-3)

Por la última frase de Jueces y el primer capítulo de *1 Samuel*, sabemos que Israel no tenía líder y estaba lejos de Dios. El más cercano a los líderes estatales era el sacerdote Eli, quien con sus hijos presidía el templo de *Shiro*. La prosperidad económica, militar y política de los israelitas dependía de su devoción a Dios, por lo que la gente llevaba sus ofrendas y sacrificios al templo. Sin embargo, la interacción del sacerdote con Dios es una farsa. "*Los hijos de Eli eran indignos... porque el mundo menospreció la ofrenda del Señor*" (**1 Samuel 2:12, 17**). No son confiables como líderes humanos y no honran a Dios en sus corazones. Aquellos que vienen a adorar descubren que están siendo robados por aquellos que se supone que deben guiarlos a la experiencia de adoración.

Los Riesgos de la Autoridad Transmitida de Generación en Generación

Lo primero que notamos es que heredar el poder en sí mismo es peligroso, lo cual es preocupante para un país que se acerca a la monarquía. Hay dos razones para esto: Primero, incluso los descendientes de los más grandes líderes no tienen garantía de competencia y lealtad. La segunda es que heredar el poder en sí mismo a menudo es corrupto, ya que a menudo conduce a la complacencia o, como en el caso de los hijos de Eli, a la creencia de que uno tiene derecho al poder. El sacerdocio era un deber sagrado para Dios, pero los hijos de Elí lo consideraban como propiedad personal (**1 Samuel 2:12-17**). Crecieron en una especie de negocio familiar, con la esperanza de heredar los privilegios de su padre desde una edad temprana. Debido a que este "*negocio familiar*" es el templo de Dios, que le da a la familia autoridad divina sobre la gente, la mala conducta del hijo de Elí es aún más dañina.

Las empresas familiares y las dinastías políticas del mundo actual tienen paralelos con la situación de Eli. Los fundadores de un orden comercial o político pueden haber hecho mucho bien al mundo, pero si los herederos lo ven como un medio para su propio beneficio, los afectados son a quienes deben servir. Todos se benefician cuando el fundador y sus sucesores se mantienen fieles al buen propósito original. El mundo es un lugar mejor, las empresas y las comunidades prosperan, las familias están bien provistas. Pero cuando se abandona o se destruye el propósito original, el negocio o la comunidad sufre y las organizaciones y las familias corren peligro.

La triste historia de poder heredado en gobiernos, iglesias, empresas y otras organizaciones nos advierte que quienes aspiran al poder a menudo no se sienten obligados a desarrollar las habilidades, la autodisciplina y la actitud de servicio necesarias para triunfar. Sea un buen líder. Esta realidad confundió al maestro de Eclesiastés. "*Aborrezco también todos los frutos de mi trabajo bajo el sol, que debo dejar a los que vienen después de mí. ¿Quién sabe si es sabio o necio? Sin embargo, él me dominará bajo el sol, con todos los frutos de la sabiduría. trabajo y trabajo*" (**Eclesiastés 2:18-19**). Era verdad para él, y es verdad para nosotros hoy. Las familias que ganan riqueza y poder a través del éxito de una generación de empresarios a menudo pierden esas ganancias en la tercera generación y sufren devastadoras disputas familiares y desgracias personales. Esto no quiere decir que el poder o la riqueza heredados siempre resulten en pobreza, sino que la herencia es una política peligrosa para los gobiernos. Las familias, organizaciones o gobiernos que confieren poder a través de la herencia hacen bien en desarrollar formas de lidiar con los peligros que plantea la herencia. Existen empresas de consultoría y organizaciones que se especializan en apoyar a familias y empresas en situaciones de herencia.

Dios Invita a Samuel para que Tome el Lugar de Eli

¿Quién podría ser el sacerdote sucesor de Eli sino su hijo no filial? En **1 Samuel 3:1-4:1 y 7:3, 17** Dios planeó levantar al joven Samuel como sucesor de Elí. Samuel recibió uno de los pocos llamados de Dios registrados en la Biblia, pero nótese que no fue un llamado a ningún tipo de trabajo o ministerio (Samuel sirvió en la casa del Señor desde los dos o tres años de edad), su oficio fue elegido por su madre (ver **1 Samuel 1,20-28 y 2,18-21**). Sin embargo, fue un llamado a la tarea para informarle a Elí que Dios había decidido castigarlo a él y a su hijo, y que pronto perderían su sacerdocio para Dios. Atendiendo a este llamado, Samuel continuó sirviendo a Elí hasta que fue reconocido como su propio profeta (**1 Samuel 4:1**) y sucedió a Elí después de su muerte (**1 Samuel 4:18**). Samuel se convirtió en el líder del pueblo de Dios no por una ambición egoísta o porque creía que tenía derecho a ser un líder, sino porque Dios le dio una visión (**1 Samuel 3:10-14**) y el don y la capacidad para guiar al pueblo a esa meta. visión (**1 Samuel 3:19-4:1**).

Los Riesgos de Recurrir a Dios como Amuleto de Buena Fortuna (1 Samuel 4)

No está claro si la corrupción del líder Eli condujo a la corrupción del pueblo o viceversa, pero los capítulos 4-6 describen el desastre que cayó sobre los pobres. Israel había estado involucrado en una lucha de siglos con los filisteos vecinos, quienes nuevamente atacaron y derrotaron a los israelitas, resultando en cuatro mil muertos (**1 Samuel 4:1-3**). Los israelitas vieron el fracaso como una señal de que no estaban en el favor de Dios. Sin embargo, en lugar de examinar su culpa, arrepentirse y buscar la guía del Señor, tratan de manipular a Dios para lograr sus objetivos. Trajeron el arca del pacto de Dios y la llevaron consigo para pelear contra los filisteos, creyendo que el arca los haría invencibles. Sin embargo, los filisteos masacraron a los israelitas en la batalla, matando a 30.000 soldados, capturando el Arca, matando a los hijos de Elí y causando la muerte de Elí (**1 Samuel 4:4-19**).

Los hijos de Elí y los líderes del ejército creyeron erróneamente que solo porque eran el pueblo de Dios y tenían una señal de la presencia de Dios, podían controlar el poder de Dios. Tal vez los que estaban a cargo pensaron que realmente podían controlar el poder de Dios al llevar el arca de un lugar a otro. O tal vez se engañan a sí mismos pensando que por ser el pueblo de Dios, lo que quieren para ellos mismos es lo que Dios quiere para ellos. De cualquier manera, descubren que la presencia de Dios no es una garantía del poder de Dios, sino una invitación a aceptar la guía de Dios. Irónicamente, el Arca contenía la mejor guía de Dios, los Diez Mandamientos (**Deuteronomio 10:5**), pero los hijos de Elí no se molestaron en buscar la guía de Dios antes de atacar a los filisteos.

¿Es posible que muchas veces caigamos en los mismos malos hábitos en el trabajo? Cuando encontramos oposición o dificultad en el trabajo, ¿buscamos en oración la guía de Dios, o simplemente oramos rápidamente y confiamos en que Dios hará lo que le pedimos que haga? ¿Consideramos posibles planes de acción basados en la Biblia, o simplemente mantenemos una Biblia sobre la mesa? ¿Estamos analizando nuestros motivos y evaluando nuestras acciones por nuestra voluntad de ser cambiados por Dios, o simplemente nos estamos adornando con símbolos cristianos? Si nuestro trabajo no parece estar yendo como queremos, o nuestras carreras no avanzan como esperábamos, ¿es posible que estemos mirando a Dios como un amuleto de la suerte en lugar de seguirlo como el dueño de nuestro trabajo?

Las Posibilidades que se Abren al Trabajar con Dedicación (1 Samuel 5-7)

Los filisteos no estaban mejor con el Arca que los israelitas, y hasta que se retirara del uso militar, era una propiedad peligrosa para ambas partes. Entonces Samuel llamó a los israelitas a volver a comprometerse con el Señor (**1 Samuel 5:1-7:3**). El pueblo escuchó su llamado y volvió a adorar al Señor, y la carrera de Samuel se desarrolló rápidamente. Pronto su papel como sacerdote se convirtió en "*juez*" (en el sentido de gobernador militar), y lideró una exitosa defensa contra los filisteos (**1 Samuel 7:4-13**). Su papel incluía celebrar audiencias sobre asuntos legales (**1 Samuel 7:16**), y detrás de todas sus tareas estaba su llamado a ser un "*profeta fiel del Señor*" (**1 Samuel 3:20**).

A menudo, los trabajadores capacitados y confiables guiados por las enseñanzas de Dios descubren que sus responsabilidades exceden las descripciones de su trabajo. Mientras enfrentaba responsabilidades crecientes, la respuesta de Samuel no fue "*Ese no es mi trabajo*". En cambio, vio las necesidades críticas ante él, reconoció su capacidad para satisfacerlas e intervino para abordarlas. Al hacerlo, Dios aumenta su autoridad y eficacia para estar a la altura de su carácter.

Una lección que podemos aprender es que debemos responder a Dios con la voluntad de servir, como lo hizo Samuel. ¿Alguna vez ha tenido una oportunidad en el trabajo que no coincidía estrictamente con la descripción de su trabajo? ¿Sus supervisores o colegas esperan que asuma más responsabilidades en áreas que no son parte de su trabajo formal? Por lo general, estas son oportunidades de crecimiento, desarrollo y avance (a menos que a su supervisor no le gusten sus responsabilidades adicionales). ¿Qué necesita para intensificar y aprovechar estas oportunidades? Asimismo, si tiene la confianza y el coraje para actuar, es posible que vea necesidades a su alrededor. ¿Cómo puedes desarrollar tu confianza en Dios y el valor para seguir su dirección?

El relato final del reinado de Samuel (**1 Samuel 7:15-17**) afirma que visitó las ciudades de Israel año tras año, gobernando y haciendo justicia. El capítulo termina con "*Allí edificó un altar al Señor*". Su servicio cívico y militar a Israel se basó en su permanente devoción y adoración a Dios.

Cuando los Hijos no Cumplen con las Expectativas (1 Samuel 8:1-3)

Samuel era anciano y, siguiendo los errores de Elí, nombró a su propio hijo como su sucesor. Como los hijos de Eli, se volvieron codiciosos y corruptos (**1 Samuel 8:1-3**). Un tema recurrente tanto en Samuel como en Reyes es que los hijos de los grandes líderes eventualmente se convierten en decepciones (la tragedia del hijo de David, Absalón, ocupa la mayor parte de **2 Samuel 13-19**, hablaremos de eso más adelante). Véase "*El mal manejo de los conflictos familiares por parte de David intensifica la guerra civil*" en **2 Samuel 13-19**. Es un recordatorio de que el trabajo de ser padre es tan exigente como cualquier otra profesión, pero emocionalmente más profundo. Si bien el texto no da una respuesta, podemos ver que Elí, Samuel y David claramente le dieron a su atribulado hijo muchos privilegios y poca intervención de los padres. Aun así, también sabemos que incluso los padres más dedicados enfrentan el dolor de la rebelión de un hijo. En lugar de culpar a las causas o los estereotipos, simplemente señalemos que la crianza de los hijos es una profesión que requiere tanta oración, habilidad, apoyo comunitario, buena suerte y amor como cualquier otra, si no más. Al final del día, la crianza de los hijos, ya sea que nuestros hijos nos traigan alegría, desilusión o ambas cosas, se trata de la gracia y la misericordia de Dios, y de esperar la salvación de Dios por encima de todo lo que vemos en nuestras propias vidas. Quizás nuestro mayor consuelo sea recordar que Dios también pasó por el dolor de un padre por su hijo condenado, pero lo superó todo a través del poder del amor.

Los Israelitas Demandan un Monarca (1 Samuel 8:4-22)

Al ver que el hijo de Samuel no era digno, los israelitas le dijeron: "Danos un rey que nos juzgue como las naciones." A Samuel no le gustó esta petición (**1 Samuel 8:4-6**), y advirtió al pueblo que el rey daría El estado lleva una pesada carga.

El rey que gobierna sobre ti hará esto: "*tomará a tus hijos y los hará servirle en sus carros y caballería, y ellos correrán delante de sus carros. Y nombrará mil cincuenta hombres para que le sirvan a tu comandante y a otros Cultivar sus campos, recoge sus cosechas, fabrica sus armas de guerra y provisiones para sus carros. También tomará de vuestras hijas para que sean perfumistas, cocineras y panaderas. Tomará vuestros mejores campos, viñas y olivares, y os los dará. a sus siervos*" (**1 Samuel 8, 11-14**).

De hecho, los reyes eran tan codiciosos que el pueblo finalmente clamó a Dios para que los salvara de ellos (**1 Samuel 8:18**).

Dios estuvo de acuerdo en que pedir un rey era una mala idea porque se consideraba negar a Dios mismo como rey. Sin embargo, el Señor decidió dejar que el pueblo eligiera su forma de gobierno y le dijo a Samuel: "Escucha la voz de todo lo que te digan, porque no me han desechado a ti. Yo, yo no seré su rey" (**1 Samuel 8:7**). Como dice el erudito bíblico *John Goldingay*, "*Dios comienza a trabajar con su pueblo dondequiera que esté; si no siguen sus caminos superiores, él sigue sus caminos inferiores". . . . cuando no responden al espíritu de Yahvé o cuando se dejan conducir hacia la anarquía, él proporciona... la seguridad institucional de los gobernantes seculares*". A veces Dios permite instituciones que no son parte de Su propósito eterno, uno de los ejemplos más obvios es la monarquía en Israel.

Tanto Dios como Samuel mostraron gran humildad, resiliencia y gracia al permitir que los israelitas tomaran decisiones, cometieran errores y aprendieran de las consecuencias. En muchas instituciones y situaciones de trabajo, el liderazgo debe adaptarse a las malas decisiones de las personas, pero al mismo tiempo debe brindar oportunidades para el crecimiento y la gracia. La advertencia de Samuel a Israel fácilmente podría convertirse en una advertencia actual para naciones, negocios, iglesias, escuelas y otras organizaciones. En nuestro mundo caído, donde la gente abusa de su poder, debemos adaptarnos mientras hacemos lo que podemos para cambiar las cosas. Nuestro deseo de amar a Dios y tratar a los demás como lo ordena la ley que Dios le dio a Moisés ha sido extremadamente difícil para el poder de Dios en todas las épocas.

Seleccionar un Monarca (1 Samuel 9-16)

Saúl es seleccionado para ser el primer monarca de Israel

Dios eligió a Saúl como el primer rey (c. 1050-1010 a. C), un hombre que parecía medir—literalmente, "*era más alto que cualquier hombre por sus hombros*" (**1 Samuel 9:2**). También tuvo victorias militares, que era la principal razón para tener un rey (**1 Samuel 11:1-11**). Al principio sirvió fielmente (**1 Samuel 11:13-14**), pero pronto se volvió desobediente a Dios (**1 Samuel 13:8-15**) y arrogante con la gente (**1 Samuel 14:24-30**). Esto enfureció tanto a Samuel como a Dios, quien comenzó a buscar su reemplazo (**1 Samuel 16:1**). Antes de medir las acciones de Saúl contra las expectativas del liderazgo del siglo XXI, debemos señalar que él simplemente hizo lo que hicieron los antiguos reyes del Cercano Oriente. El pueblo obtuvo lo que pidió (y sobre lo que Samuel les advirtió): *un tirano militar carismático y engreído.*

¿Qué debemos decir sobre el primer rey de Israel? ¿Estuvo mal que Dios guiara a Samuel a ungir al joven Saúl como rey? ¿O fue elegido Saúl para que los israelitas no se dejaran engañar por su apariencia, para que no se vieran bien por fuera sino que se sintieran vacíos por dentro? Los israelitas exigieron al rey, mostrando su falta de fe en Dios. Los reyes que les fueron dados terminan mostrando la misma falta de fe en Dios. La tarea principal de Saúl como rey era garantizar la seguridad de los israelitas de los filisteos vecinos y otras naciones, pero cuando se enfrentó a Goliat, su miedo superó su fe y demostró que no era apto para su papel (**1 Samuel 17:11**). A lo largo de su reinado, Saúl dudó de Dios de la misma manera, buscó consejo en todos los lugares equivocados y finalmente se suicidó cuando sus enemigos derrotaron a sus ejércitos (**1 Samuel 31:4**).

David fue Escogido como el Siguiente Rey Luego de Saúl

Al buscar un reemplazo para Saúl, Samuel casi comete un segundo error al juzgar por las apariencias (**1 Samuel 16:**7-7). El joven David parecía insignificante a los ojos de Samuel, pero con la ayuda de Dios, Samuel finalmente se dio cuenta de que Dios lo había elegido para ser el rey de Israel. A primera vista, David no proyecta la seriedad que uno esperaría de un líder (**1 Samuel 16:6-11**). Más adelante en la historia, el gigante filisteo Goliat también lo desprecia (**1 Samuel 17:42**). Por razones ajenas a su juventud, David no es un candidato tradicional. Además de ser el hijo menor en una sociedad de primogenitura, también provenía de una mezcla étnica (no era de pura ascendencia israelita) ya que una de sus bisabuelas fue Rut (**Rut 4:21-22**), inmigrantes de Moab (**Rut 1 :1-4**). A pesar de que David tiene varias cosas en su contra, Dios lo ve como un hombre de promesa.

Mientras pensamos en las opciones de liderazgo hoy, es útil recordar las palabras de Dios a Samuel: "*Dios no ve al hombre como el hombre ve, porque el hombre ve la apariencia exterior, pero el Señor ve el corazón*" (**1 Samuel 16:**7). En un reino al revés, lo último o lo desatendido puede ser la mejor opción. Los mejores líderes son probablemente los que nadie busca. Los candidatos que impresionan inicialmente, que exudan carisma, que otros quieren seguir, pueden confundirlo fácilmente. Pero, de hecho, según un artículo de *Harvard Business Review de 2012*, una alta autoestima puede conducir a un bajo rendimiento. Dios no busca carisma, sino carácter. ¿Cómo se puede aprender a ver el carácter de una persona con los ojos de Dios?

Es importante destacar que, cuando Samuel lo encontró, David estaba afuera haciendo sus deberes de pastoreo de ovejas, cuidando las ovejas de su padre con mucho cuidado. La fidelidad de uno en el trabajo es preparación para una obra mayor, como en el ejemplo de David (**1 Samuel 17:34-37**; ver también **Lucas 16:10; 19:17**). Samuel pronto descubrió que David era el líder fuerte, confiado y competente que la gente buscaba, que "*saldría delante de nosotros y dirigiría nuestras batallas*" (**1 Samuel 8:20**). A lo largo de su carrera, David tuvo en cuenta que servía a la voluntad de Dios cuidando del pueblo de Dios (**2 Samuel 6:21**). Dios lo describió como "*un hombre conforme a mi corazón*" (**Hechos 13:22**).

David Alcanza una Posición de Autoridad (1 Samuel 17-30)

A diferencia de Saúl, quien comenzó a gobernar poco después de ser ungido por Samuel (**1 Samuel 11:1**), David tuvo que pasar por un largo y difícil entrenamiento para ser reconocido como rey en Hebrón. Su primer éxito público fue el asesinato de Goliat, un gigante que amenazaba la seguridad militar de Israel. Cuando el ejército regresó a casa, un grupo de mujeres comenzó a cantar: "*Saúl ha matado a sus miles, y David a sus diez mil*" (**1 Samuel 18:7**), lo que enfureció a Saúl Lo (**1 Samuel 18:8**). En lugar de reconocer que tanto él como la nación podrían beneficiarse de las habilidades de David, lo ve como una amenaza y decide destruirlo lo antes posible (**1 Samuel 18:9-13**). Así comienza una rivalidad que finalmente obliga a David a huir para escapar de Saúl y salvar su vida. Pasó diez años en el desierto de Judea y se le encargó liderar un grupo de forajidos.

Cuando se le dio la oportunidad de asesinar al rey Saúl, David declinó, sabiendo que la sucesión al trono no era su posición sino la de Dios. Como dice el Salmo, "*Pero Dios es el juez; él humilla a uno y exalta a otro*" (**Salmo 75:7**). Aunque el comportamiento de Saúl fue deshonroso, David respetó la autoridad que Dios le había dado a Saúl. Hoy, esa es una lección para quienes trabajan con jefes difíciles o esperan el reconocimiento del liderazgo. Si bien nos sentimos llamados por Dios para realizar una tarea o posición específica, no tenemos derecho a tomar el poder luchando contra la autoridad existente. Si todos los que piensan que Dios los ha llamado a ser jefes intentan acelerar el proceso tomando el poder para sí mismos, entonces toda sucesión de poder será peor que el caos. Dios es paciente y nosotros también debemos serlo, como David.

¿Podemos confiar en que Dios nos dará la autoridad que necesitamos en Su tiempo para hacer lo que Él quiere que hagamos? Tener más poder en el lugar de trabajo ayuda a realizar el trabajo esencial. Sin embargo, tomar el poder prematuramente presionando a su jefe para que se jubile o haciendo que sus compañeros de trabajo retrocedan no genera confianza con los compañeros de trabajo ni demuestra confianza en Dios. Puede ser frustrante en momentos en que el poder necesario parece llegar demasiado tarde, pero el poder real no se puede obtener, solo otorgar. David estaba dispuesto a esperar hasta que Dios pusiera autoridad en sus manos.

Abigail Evitó que se Desarrollara una Situación Complicada entre David y Nabal (1 Samuel 25)

A medida que aumentaba el poder de David, surgió un conflicto con un rico terrateniente llamado Nabal. Coincidentemente, los rebeldes de David contra el gobierno de Saúl llevaban algún tiempo acampados en la zona de Nabal. Los hombres de David trataron bien a los pastores de Nabal, protegiéndolos del peligro, o al menos no robándoles nada (**1 Samuel 25:15-16**). Debido a esto, David sintió que Nabal le debía algo y envió una delegación para pedirle que donara algunos corderos para reunir al ejército de David. David ordenó a su delegación que fuera amable con Nabal, quizás al darse cuenta de la debilidad de su pedido.

Nabal se negó a darle nada a David para la reunión y lo insultó públicamente, negó conocerlo y atacó su integridad, diciendo que había traicionado a Saúl (**1 Samuel 25:10**). Los propios sirvientes de Nabal describieron a su amo como "*un hombre tan indigno que nadie podía conversar con él*". David inmediatamente dirigió a cuatrocientos hombres armados para matar a Nabal y su familia.

De repente, David está a punto de cometer un asesinato en masa, y Nabal está más preocupado por su autoestima que por sus trabajadores y su familia. Estos dos hombres arrogantes no podían resolver una disputa que involucraba ovejas sin derramar la sangre de cientos de personas inocentes. Gracias a Dios, la sabia esposa de Nabal, Abigail, entró en la refriega. Rápidamente preparó un banquete para David y sus hombres, luego salió a saludar a David y disculparse, estableciendo un nuevo estándar de cortesía en el Antiguo Testamento (**1 Samuel 25:26-31**). Sin embargo, entre palabras amables, expresa algunas verdades fuertes que David necesita escuchar. Está a punto de sangrar sin razón, por lo que cargará con una culpa ineludible. Conmovido por sus palabras, David abandona su plan de asesinar a Nabal y a todos sus hombres, e incluso agradece a Abigail por evitar que lleve a cabo su tonto plan.

"*Bendita sea tu razón, bendita seas, me impediste hoy derramar sangre y tomar venganza con mis propias manos. Pero yo juro por el Señor viviente, el Dios de Israel, que me impidió hacerte daño, si no vinieras. a mí antes, por supuesto, en Cuando llegue el amanecer, Nabal no se quedará solo* ". (**1 Samuel 25:33-34**).

Este incidente muestra que las personas deben responsabilizar a sus líderes, incluso a riesgo personal. No tienes que estar en una posición de autoridad para ser llamado a ejercer influencia, pero sí necesitas coraje, y con suerte puedes obtenerlo de Dios en cualquier momento.

La intervención de Abigail también mostró que mostrar respeto, incluso al criticar fuerte, proporciona un modelo para hacer frente a la autoridad. Nabal convierte una pequeña disputa en una situación mortal al vestirla con insultos personales. Abigail aborda una crisis de amenazas mortales mediante la entrega de importantes advertencias y un diálogo respetuoso.

¿De qué maneras puede Dios llamarnos para influir en los que ocupan altos cargos para que asuman la responsabilidad? ¿Cómo podemos desarrollar una actitud piadosa de respeto mientras mantenemos un compromiso inquebrantable de decir la verdad? ¿Cuánto coraje requiere la parte de Dios para hacerlo?

El Periodo Dorado de la Monarquía (2 Samuel 1-24; 1 Reyes 1-11; 1 Crónicas 21-25)

Finalmente, después de la muerte de Saúl, David fue ungido rey sobre todo Israel (**2 Samuel 5:1-10**). Cuando David se convirtió en rey, usó sus talentos para ayudar a otros a desarrollarse. Contrariamente al miedo de Saúl a sus oponentes, David se rodeó de aquellos que eran tan poderosos como él (**2 Samuel 23:8-39; 1 Crónicas 11:10-47**). Él los honra (**1 Crónicas 11:19**), exalta su nombre y los exalta (**1 Crónicas 11:25**). Dios usó la voluntad de David para apoyar y animar a la gente a hacerlo exitoso y bendecir a la gente bajo su gobierno.

Al final, las tribus sueltas de Israel se unieron en una sola nación. Durante ochenta años, primero bajo David (c. 1010-970 a. C.) y luego bajo su hijo Salomón (c. 970-931 a. C.), Israel experimentó una era dorada de prosperidad, famosa entre todos los países del antiguo Cercano Oriente. Sin embargo, junto con su éxito, estos dos gobernantes también rompieron el pacto de Dios. Si bien esto limitó el daño a su propio día, sirvió de ejemplo para que aquellos que vinieron después se apartaran del Señor y quebrantaran Su pacto.

Las Realizaciones y Deficiencias de David Durante su Mandato (2 Samuel 1-24)

La Biblia ve a David como un rey modelo de Israel, y sus logros se relatan en los libros de Samuel, Reyes y Crónicas. Sin embargo, incluso David, un hombre conforme al corazón de Dios (**1 Samuel 13:14**), a veces abusó de su poder y actuó con incredulidad. Tiende a tener éxito cuando no se toma demasiado en serio a sí mismo, pero se mete en problemas cuando el poder cae sobre él, por ejemplo, cuando realiza un censo en violación del mandato de Dios (**2 Samuel 24:10-17**), o cuando explotó sexualmente a Betsabé y mandó asesinar a su marido Urías (**2 Samuel 11, 2-17**). Sin embargo, a pesar del fracaso de David, Dios mantuvo su pacto con él y tuvo misericordia de él.

La Gestión Problemática de David del Conflicto Familiar Resulta en una Guerra civil (2 Samuel 13-19)

La mayoría de nosotros nos sentimos incómodos en situaciones de conflicto, por lo que tendemos a evitar enfrentarlas, ya sea en casa o en el trabajo. El conflicto, sin embargo, es muy similar a la enfermedad. Los problemas pequeños desaparecen incluso si los ignoramos, pero si no los solucionamos, los problemas grandes terminan empeorando y causando desastres aún mayores para nuestros sistemas. Eso es lo que le pasó a la familia de David. Permitió que el conflicto entre algunos de sus hijos hundiera a su familia en la tragedia. Su hijo mayor, Amnón, violó y humilló a su media hermana Tamar (**2 Samuel 13:1-19**). Absalón, el hermano de Tamar, odió a Amnón por su crimen, pero no se lo contó. David estaba al tanto del problema, pero decidió ignorar la situación (**2 Samuel 13:21**) (Para más información sobre los niños que decepcionan a sus padres, vea "*Cuando los niños están decepcionados*" en **1 Samuel 8:1-3**).

Todo parecía estar bien durante dos años, pero un conflicto sin resolver tan grande nunca desaparecería por sí solo. Cuando Amnón viajó al campo con Absalón, Absalón le suministró a su medio hermano copiosas cantidades de vino y luego hizo que sus sirvientes lo mataran (**2 Samuel 13:28-29**). El conflicto atrajo a más miembros de la familia davídica, nobles y ejércitos hasta que todo el país cayó en una guerra civil. Evitar el conflicto conduce a la interrupción, que en muchos casos es peor que la incomodidad que puede resultar de tratar los problemas a medida que surgen.

Los profesores de Harvard, *Ronald Heifetz y Marty Linsky*, describen cómo los líderes deben "*negociar el conflicto*": enfrentar el conflicto en lugar de ignorarlo, evitarlo u ocultarlo. De lo contrario, puede escalar, a menudo de la manera más perniciosa en el peor momento posible, para frustrar los objetivos y poner en peligro a la organización. Asimismo, *Jim Collins* cita el ejemplo de *Allen Iverson*, quien fue director ejecutivo de *Nucor* en un momento en que había un gran desacuerdo sobre si la empresa debería recurrir al reciclaje de chatarra. *Iverson* expuso las diferencias al darles voz a todos, protegiéndolos de las represalias de quienes no estaban de acuerdo. El "*debate candente*" resultante hizo que todos se sintieran incómodos. La gente gritaba, agitaba los brazos, golpeaba las mesas. Las caras se ponían rojas y las venas se reventaban. Pero reconocer el conflicto y tratarlo abiertamente evita que se oculte y se haga estallar más tarde. Además, revelar una variedad de hechos y perspectivas permite al grupo tomar mejores decisiones. *"Los colegas entraban a la oficina de Iverson, se gritaban unos a otros, pero luego llegaban a la conclusión de que... la estrategia de la compañía 'evolucionó a través de muchas discusiones y luchas dolorosas*'". De hecho, el conflicto orquestado puede convertirse en la fuente de la creatividad.

La Desobediencia de David a Dios Resultó en una Plaga que Afectó a toda la Nación (1 Crónicas 21:1-17)

David sufrió otro fracaso que puede parecernos extraño en el siglo XXI: realizó un censo de israelitas. Si bien esto puede parecer un acto prudente, los pasajes bíblicos nos dicen que Satanás instigó a David a hacerlo, en contra del consejo del general Joab. Además, "*el censo desagradó a Dios, hirió a Israel*" (**1 Crónicas 21, 7**).

David confesó su pecado de realizar el censo en contra de la voluntad de Dios. Tenía tres opciones, pero cualquiera de ellas dañaría a muchos en el reino: podría haber (1) tres años de hambre, (2) tres meses de destrucción por la espada del enemigo, o (3) tres días de plaga en la tierra David escogió La tercera opción es que cuando el ángel de la muerte pase sobre la tierra, 70,000 personas morirán. En tales circunstancias, David clamó a Dios: "*¿No soy yo quien mandó contar al pueblo? Claro que he pecado y he hecho cosas muy malas, pero estas ovejas, ¿qué han hecho? Ruego al Señor por tu mano, oh Dios, contra mí y contra la casa de mi padre, pero no contra tu pueblo, para que no haya plaga en ellos*" (**1 Crónicas 21, 17**).

También puede ser difícil para nosotros entender por qué Dios castigó a 70.000 personas por el pecado de David. Aunque el texto no responde a esto, podemos ver que las transgresiones de los líderes inevitablemente dañan a quienes están bajo su autoridad. Si los líderes empresariales toman malas decisiones de desarrollo de productos, las personas en sus organizaciones pierden sus trabajos y las ganancias se desploman. Los comensales se enferman si los gerentes comerciales no hacen cumplir las reglas de saneamiento. Si los maestros dan buenas calificaciones a las tareas malas, los estudiantes fracasan o se atrasan en la siguiente etapa de su educación. Aquellos que aceptan posiciones de liderazgo no pueden escapar de la responsabilidad por los efectos de sus acciones en los demás.

David Mostró su Apoyo Hacia el Arte de la Música (1 Crónicas 25)

C**rónicas 1** agrega detalles que no se encuentran en **2 Samuel y 1 Reyes**. David reúne un ejército de músicos "*para cantar en la casa del Señor*".

Todo esto bajo la dirección de su padre, en la casa del Señor, cantando con címbalos, arpas y liras, y sirviendo en los servicios del templo. Asaf, Jedutún y Hemán estaban todos bajo el liderazgo del rey. Los que fueron enseñados a cantar alabanzas al Señor, junto con sus parientes, eran todos capaces, y eran doscientos ochenta y ocho de ellos.

Para una nación que surgió en el siglo X a. C., mantener una orquesta del tamaño de dos orquestas sinfónicas modernas habría sido una empresa importante. David, sin embargo, no ve esto como un lujo sino como una necesidad. De hecho, lo pidió en su calidad de comandante en jefe del ejército, con el acuerdo de los demás comandantes (**1 Crónicas 25, 1**).

Hoy, muchos ejércitos tienen bandas y coros. Estos existen incluso en otros tipos de lugares de trabajo, a menos que sean organizaciones musicales en sí mismas. La música y otras artes son esenciales para todo tipo de trabajo. La creación de Dios, la fuente de la actividad económica humana, no solo es productiva, sino hermosa (p. ej., **Génesis 3:6; Salmo 96:6; Ezequiel 31:**7-9) y Dios ama el trabajo hermoso (p. ej., **Isaías 60:13**). Cuál es el lugar de la belleza en nuestro trabajo? ¿Usted, su organización o las personas que usan su trabajo se beneficiarían si su trabajo produjera más belleza? Incluso, en tu caso, ¿qué significa que tu trabajo sea hermoso?

Examen de la Gestión de David como Rey (1 Reyes)

¿Cómo debemos evaluar a David y su reinado? Vale la pena señalar que, si bien Salomón obtuvo más riquezas, tierras y prestigio que su padre, tanto Reyes como Crónicas elogian a David como el rey más grande de Israel, la medida por la cual se miden todos los demás reyes.

Que la respuesta de Dios a los aspectos positivos y negativos que vemos en la vida y las acciones de David nos den esperanza. Incluso cuando palidecemos ante su manipulación política, lujuria y violencia, estamos impresionados por su decidida dedicación. Cuando vemos una ambivalencia similar en nuestros propios corazones y acciones, encontramos consuelo y esperanza en Dios que perdona todos nuestros pecados. La presencia del Señor con David nos da la esperanza de que Dios sigue estando con nosotros aun cuando somos infieles, como un galgo despiadado en el cielo.

Como Saúl, David combinó la grandeza y la lealtad con el pecado y el error. Entonces, podemos preguntarnos por qué Dios guardó el reino de David y no el de Saúl. Parte de la razón puede ser que el corazón de David permaneció fiel a Dios (**1 Crónicas 11:4; 15:3**), a pesar de su comportamiento errático. Saúl nunca dijo eso. O tal vez fue simplemente porque la mejor manera de que Dios cumpliera su propósito para su pueblo era poner a David en el trono y mantenerlo allí. Cuando Dios nos llama a una misión a un cargo, no significa que necesariamente esté pensando en nosotros. Puede elegirnos por nuestro impacto en otras personas. Por ejemplo, Dios le dio a Ciro de Persia la victoria sobre Babilonia no para recompensar o beneficiar a Ciro, sino para liberar a Israel del cautiverio (**2 Crónicas 36:22-23**).

David está Preparando a Salomón para Tomar el Trono como Sucesor (1 Reyes 1; 1 Crónicas 22)

Como David había derramado tanta sangre como rey, Dios decidió no permitirle construir una casa para Jehová. En lugar de él, su hijo Salomón recibió esta tarea (**1 Crónicas 22:7-10**). David reconoce así que su tarea final es preparar a Salomón para ser rey (**1 Crónicas 22, 1-16**) y tener él mismo un equipo competente (**1 Crónicas 22, 17-19**). David proporcionó todo lo necesario para construir el templo de Dios en Jerusalén, diciendo: "*Mi hijo Salomón es joven e inexperto, y la casa que edificará para el Señor será muy grande*" (**1 Crónicas 22:5**). Cedió públicamente el poder a Salomón y se aseguró de que los líderes de Israel reconocieran a su hijo como el nuevo rey y estuvieran preparados para ayudarlo a triunfar.

David reconoce que el liderazgo es una responsabilidad que va más allá de la propia trayectoria. En muchos casos, su trabajo continuará después de que se vaya (ya sea a través de una promoción, jubilación o cambio de trabajo). Es su responsabilidad crear las condiciones que su sucesor necesita para tener éxito. En la preparación de David para Salomón, vemos tres elementos de planificación de la sucesión.

Primero, debe proporcionar a su sucesor los recursos necesarios para completar las tareas pendientes. Si tiene éxito (al menos hasta cierto punto), aprenderá a movilizar los recursos que requiere su puesto de trabajo. Esto generalmente depende de las relaciones que su sucesor no hereda de inmediato. Por ejemplo, el éxito puede depender de la ayuda de quienes no trabajan en su departamento pero están dispuestos a ayudarlo en su trabajo. Debe asegurarse de que su sucesor sepa quiénes son estas personas y hacer que se comprometa a seguir ayudándole después de que usted se haya ido. David tenía "*todo hombre hábil en toda clase de trabajo*" con quien tenía una relación de trabajo para Salomón después de que se fue (**1 Crónicas 22:15**).

En segundo lugar, el conocimiento y las relaciones establecidas deben transmitirse a los sucesores. En muchos casos, esto se hace dando a su sucesor el trabajo por adelantado. En el breve período antes de su muerte, David incorporó a Salomón a la estructura de liderazgo y los rituales del reino, aunque parece que hubiera sido mucho mejor si lo hubiera hecho antes (**1 Reyes 1:28-40**). En otros casos, es posible que su opinión no se tenga en cuenta al designar a su sucesor y es posible que no pueda compartir tiempo con esta persona en el trabajo. En este caso, deberá transmitir la información por escrito ya través de quienes permanezcan en la organización. Después de que te vayas, ¿qué puedes hacer para permitir que este trabajo y sus sucesores prosperen y glorifiquen a Dios?

En tercer lugar, el poder debe entregarse resueltamente a los sucesores. Ya sea que usted elija u otros tomen decisiones sin su opinión, tiene la oportunidad de reconocer públicamente la transición y renunciar a sus poderes anteriores para siempre. Tus palabras y acciones pueden traer bendición o maldición a tu sucesor. Un ejemplo reciente de esto es la manipulación de Vladimir Putin para mantener el poder después de que los límites del mandato no le permitieran ocupar el cargo de presidente de Rusia por tercer mandato consecutivo. Transfirió parte del poder presidencial al primer ministro, y luego usó su influencia para elegir a un ex subordinado como presidente, quien nombró a Putin como primer ministro inmediatamente después del cargo, gracias a una invitación del actual presidente, quien decidió Hazte a un lado. Entonces, décadas de concentración de poder en manos de Putin, que las restricciones buscan evitar, probablemente perjudiquen a Rusia y sus vecinos. En cambio, David dispuso que Salomón fuera ungido públicamente como rey, entregándole los símbolos de la realeza y presentándolo públicamente como el nuevo rey mientras aún vivía (**1 Reyes 1:32-35, 39-40**).

Salomón Toma el Trono Después de David como Rey (1 Reyes 1-11)

Después de reemplazar a David como rey, Salomón enfrentó una gran tarea (**1 Reyes 3:5-15**), plenamente consciente de que no era el mejor hombre para el trabajo (**1 Crónicas 22:5**) y lo que le había encomendado. El trabajo es enorme. Además del proyecto del templo, también fue responsable de administrar un estado vasto y complejo, "*con un pueblo tan numeroso que no se puede contar, ni se puede contar*" (**1 Reyes 3: 8**). Incluso a medida que adquiera experiencia en el trabajo, se dará cuenta de que es tan complejo que nunca podrá averiguar la forma correcta de proceder en todas las situaciones. Cuando necesitó la ayuda de Dios, le pidió a Dios: "*Da a tu siervo un corazón entendido para juzgar a tu pueblo y discernir el bien del mal. ¿Quién, pues, juzgará a tu gran pueblo?*"(**1 Reyes 3:9**). Dios respondió a sus oraciones y le dio "sabiduría, perspicacia y un corazón como la arena a la orilla del mar" (**1 Reyes 4:29**).

Salomón Erigió el Templo Dedicado al Señor (1 Reyes 5-8)

La primera gran tarea de Salomón fue construir el templo del Señor, y para lograr esta proeza arquitectónica, contrató a profesionales de todo el país. Tres capítulos (**1 Reyes 5**-7) están dedicados a la obra de construcción del Templo, y podemos tomar una breve muestra de su contenido:

Salomón tenía 70.000 cargadores, 80.000 albañiles en el monte y 3.300 oficiales que estaban a cargo de la obra y que dirigían a los trabajadores. Entonces el rey mandó, y tomaron piedras grandes, piedras caras, y echaron los cimientos de la casa con piedras labradas. (**1 Reyes 5:15-17**).

Fundió dos columnas de bronce; la altura de una columna era de dieciocho codos, y la circunferencia de las dos columnas era de doce codos. También hizo dos capiteles de bronce fundido y los colocó sobre ellos, uno con un capitel de cinco codos de altura, y el otro con un capitel de cinco codos de altura. Los capiteles en la parte superior de las columnas tienen redes de trabajo de malla y tejidos de trabajo de cadena, siete para un capitel y siete para el otro. (**1 Reyes 7:15-17**).

Salomón hizo todos los utensilios de la casa de Jehová, el altar de oro y la mesa de oro de los panes; los candelabros de oro puro delante del santuario interior, cinco a la derecha y cinco a la izquierda; los incensarios eran todos de oro puro ; las puertas de la cella y del santuario, y los goznes de las puertas del templo, es decir, las puertas de la nave, también eran de oro. Así se completó toda la obra que el rey Salomón había hecho en la casa del Señor. Salomón trajo toda la plata y el oro y los utensilios que su padre David había consagrado, y los puso en el tesoro de la casa del SEÑOR. (**1 Reyes 7:48-51**).

Salomón involucró a bastantes personas que ayudaron a establecer y mantener su reino. Todos en el reino contribuyen con sus conocimientos y habilidades para ayudar a construir el Templo, desde profesionales calificados hasta aquellos en trabajos forzados. A sabiendas o no, Salomón empleó a tantas personas de todos los ámbitos de la vida, asegurando que la gran mayoría de los ciudadanos estuvieran personalmente involucrados en el bienestar político, religioso, social y económico del reino.

El Rey Salomón Estableció un Sistema de Gobierno Centralizado para su Reino (1 Reyes 9-11)

La construcción del templo requirió un gran esfuerzo nacional, lo que convirtió a Salomón en el gobernante de un reino poderoso. Durante su reinado, el poder militar y económico de Israel estaba en su apogeo, y el reino contenía más territorio que en cualquier otro momento de la historia de Israel. Centralizó el gobierno, la organización económica y el culto nacional.

Para reunir un contingente tan grande de trabajadores, el rey Salomón reclutó por la fuerza a personas de todo Israel, lo que elevó el número total a treinta mil (**1 Reyes 5:13-14**). Salomón parece haber pagado a los israelitas reclutados de acuerdo con **Levítico 25:44-46** que prohíbe la esclavitud de los israelitas (**1 Reyes 9:22**). Sin embargo, los residentes extranjeros se convirtieron en esclavos (**1 Reyes 9:20-21**). Además, una gran cantidad de trabajadores provienen de países vecinos. Reúne a una variedad de profesionales altamente calificados de diferentes orígenes, incluidos los mejores artesanos del momento. *Los libros de Samuel, Reyes y las Crónicas,* principalmente relacionados con el trabajo de la monarquía, no dicen nada sobre estos trabajadores; solo mencionan su relación con el templo, pero se los puede ver en el trasfondo de la historia, haciendo que el conjunto. La existencia de la sociedad se vuelve posible. Sin embargo, al obligarlos a trabajar, el método de Salomón para construir su reino socavó su legitimidad y estabilidad. A partir de ahora, vendrán problemas.

Solomon argumentó que a medida que el gobierno central se expandía, necesitaba alimentar a una fuerza laboral numerosa y en crecimiento. Los soldados y trabajadores en todos los proyectos de construcción en Salomón necesitaban raciones (**1 Reyes 5:9-11**) También hay que alimentar una burocracia creciente. Por lo tanto, el rey dividió el país en doce departamentos y nombró a un representante para que fuera el jefe de cada departamento. Cada delegado es responsable de proveer todas las raciones necesarias para un mes del año. Como resultado, las hijas de los israelitas fueron reclutadas a la fuerza como "*cocineras y panaderas*" (**1 Samuel 8:13**). Israel se volvió como otros reinos, con trabajos forzados, altos impuestos y una élite central con poder sobre el resto del país.

Como profetizó Samuel, el rey aumentó mucho el ejército (**1 Samuel 8:11-12**). La militarización prevaleció durante todo el reinado de Salomón y se convirtió en un elemento esencial de la estabilidad del reino. Todos los tipos de soldados, desde los rangos más bajos hasta los generales, requieren armas, incluidas jabalinas, lanzas, arcos, espadas, dagas, cuchillos y hondas. Además, necesitan un equipo de protección con escudos, cascos y chalecos antibalas. Para gestionar un ejército tan grande, es necesario mantener una organización militar nacionalizada. A diferencia de su padre, Salomón era conocido como un "*hombre de paz*", aunque esa paz estaba asegurada por un ejército bien organizado y bien armado.

En la historia de Salomón, vemos cómo la sociedad depende del trabajo de muchas personas, además de las estructuras y sistemas que organizan la producción y distribución en masa. La capacidad de la humanidad para organizar las obras demuestra que somos creados a imagen de Dios, que trajo orden del caos a escala mundial (**Génesis 1**). Cuán acertadamente describe la Biblia esta habilidad al construir el lugar donde Dios y el hombre se encuentran. El trabajo de organización lo suficientemente grande como para construir el templo de Dios requiere habilidades dadas por Dios. Pocos querrían volver a los métodos de organización de Salomón (reclutamiento, trabajos forzados y militarización), así que podemos agradecer a Dios por guiarnos a usar métodos más justos y eficientes hoy. Quizás lo que sacamos de este episodio es que Dios está más interesado en el arte de coordinar el trabajo y la creatividad humanos para lograr su propósito en el mundo.

Examen de la Época de Gloria de Salomón (1 Reyes)

La profecía de Samuel sobre los peligros de tener un rey se cumplió en los días de Salomón. "*Este será el acto de un rey que gobierne sobre ti: tomará tus hijos... tomará tus hijas... tomará tus mejores campos, viñedos y olivares... tomará tu diezmo de vuestro grano y de vuestra viña... y él tomará vuestros siervos y criadas, vuestros mejores jóvenes y vuestros asnos... tomará la décima parte de vuestras ovejas como parte de ellas, y vosotros mismos seréis sus siervos. día te lamentarás a causa del rey que has escogido, pero el SEÑOR no te responderá en aquel día*" (**1 Samuel 8:11-18**).

A primera vista, las actividades administrativas y de construcción de Salomón parecen ser muy buenas. La gente hacía con gusto los sacrificios necesarios para construir un templo (**1 Reyes 8:65-66**), un lugar donde todos pudieran ir a recibir justicia (**1 Reyes 8:12-21**), perdón (**1 Reyes 8:33-36**), sanidad (**1 Reyes 8:37-40**) y la misericordia de Dios (**1 Reyes 8:46-53**).

Sin embargo, después de completar la construcción del Templo, Salomón se construyó un palacio del mismo tamaño y esplendor que el Templo (**1 Reyes 9:1, 10**). Acostumbrado al poder ya la riqueza, se volvió egoísta, arrogante y desleal, utilizando gran parte de las fuerzas productivas del país para su beneficio personal. Decide cubrir de oro su enorme e imponente trono de marfil (**2 Crónicas 9:17**), recibe a los visitantes con lujo (**1 Reyes 10:5**), no respeta los acuerdos que hizo con sus aliados (**1 Reyes 9:12**) y sus consortes fueron "*setecientas princesas y trescientas concubinas*" (**1 Reyes 11:3**). Esta última escena condujo a su ruina final, pues "*amaba a muchas mujeres extranjeras*" (**1 Reyes 11:1**), lo que llevó a que "*en la vejez de Salomón su mujer apartó su corazón de otros dioses, y su No con todo su corazón y de todo vuestro corazón a Jehová su Dios*" (**1 Reyes 11:4**). Por eso construyó refugios para Astoret, Milcom, Quemos y Moloc (**1 Reyes 11:7**). Dado que el pacto estipulaba que la clave para la prosperidad de la nación era la fidelidad del rey a Yahvé, Israel decayó rápidamente desde su apogeo. Está claro que a Dios realmente le importa si hacemos las cosas para promover Su voluntad o en contra de Su voluntad. Cuando trabajamos de acuerdo con el plan de Dios, son posibles cosas asombrosas, pero si no lo hacemos, nuestro trabajo puede desmoronarse rápidamente.

La Transición de Monarquías Fracasadas al Exilio (1 Reyes 11-2 Reyes 25; 2 Crónicas 10-36)

Aunque Salomón fue solo el tercer rey de Israel, el reino ya había alcanzado su punto máximo. En los siguientes cuatrocientos años, un mal rey tras otro llevó al país a la decadencia, la división y el fracaso.

El Potente Reino de Salomón se Fragmenta en dos Partes (1 Reyes 11:26-12:19)

Después de la muerte de Solomon, rápidamente se hizo evidente que las tensiones se habían ido acumulando bajo la superficie de una gestión justa y eficiente. Después de la muerte del gran rey, Jeroboam (anteriormente responsable de supervisar el trabajo forzado) y "*toda la congregación de Israel*" se acercaron al hijo y sucesor del rey, Roboam (c. yugo) (**1 Reyes 12:3-16; 2 Crónicas 10 :4**). Estaban listos para jurar lealtad al nuevo rey a cambio de menos trabajo forzado y altos impuestos. vida, para ser cuidado y provisto por el pueblo de Israel. Él pensó que tenía todo el poder, por eso él no permitiría ninguna concesión En lugar de aligerar la carga excesiva que su padre había puesto sobre el pueblo, Roboam decidió aumentar su yugo.

Además del cumplimiento de la profecía de Samuel (**1 Samuel 8:18**), se produjo una rebelión y la monarquía quedó dividida para siempre. Si bien el pueblo de Israel estaba dispuesto a hacer su parte para sostener el estado, el aumento de las expectativas poco razonables y poco realistas condujo a la rebelión y la división. Diez tribus del norte se separan y nombran a Jeroboam como su rey (c. 931-910 a. C.). Aunque él era el jefe de la delegación que buscaba los recortes de impuestos de Roboam, es claro que su dinastía no brindó más beneficios para su pueblo.

La Huida del Reino del Norte hacia el Destierro (1 Reyes 12:25-2 Reyes 17:18)

Durante dos siglos (910-722 a. C), el reino del norte de Israel estuvo gobernado por reyes que hicieron el mal ante Dios. Estos siglos estuvieron marcados por constantes guerras, traiciones y asesinatos, que culminaron en una derrota catastrófica a manos del estado asirio. Con el fin de destruir cualquier sentido de identidad nacional, los conquistadores asirios tomaron al pueblo, lo dispersaron a diferentes partes del imperio e hicieron que los extranjeros poblaran las tierras conquistadas (**2 Reyes 17:5-24**). Como se discutió en "*La desobediencia de David a Dios causó una plaga nacional*" (**1 Crónicas 21: 1-17**), el fracaso de los líderes a menudo puede tener efectos devastadores en aquellos a quienes lideran.

Abdías Rescata a un Centenar de Personas Merced a su Labor dentro de una Estructura Viciada (1 Reyes 18:1-4)

Mientras tanto, encontramos al menos dos episodios que merecen nuestra atención. El primero, Abdías salvando a cien profetas, será de ayuda para aquellos que se preguntan si dejar su trabajo en una organización que ha perdido la moral, una decisión que enfrentan muchas personas en el mundo laboral.

Abdías era jefe de personal en el palacio de Acab (el rey Acab es conocido hasta el día de hoy como el rey más malvado de Israel). La esposa de Acab, la reina Jezabel, ordenó el asesinato del profeta de Jehová. Como era un alto funcionario en la corte de Acab, Abdías sabía de antemano sobre la operación y los medios para evitarla. Escondió a cien profetas en dos cuevas y les proporcionó pan y agua hasta que la crisis se calmó. Se salvan sólo porque los que "*temen al Señor*" (**1 Reyes 18:3**) tienen derecho a protegerlos. Una situación similar ocurre en el libro de Ester y se describe con más detalle. Véase "*Trabajar en un sistema caído (Ester)"* en "*Esdras, Nehemías, Ester y La Enseñanza del trabajo*".

Por supuesto, trabajar en una organización corrupta y malvada es intimidante y sería mucho más fácil renunciar y encontrar un trabajo en un lugar más sagrado. Renunciar a su trabajo es a menudo la única forma de evitar hacer algo mal, pero no existe un lugar de trabajo perfecto en el mundo, y en cualquier lugar de trabajo enfrentaremos dilemas morales. Y, cuanto más corrupto sea el lugar de trabajo, más personas piadosas se necesitan. Si hay alguna manera de permanecer en ese lugar sin ser parte del mal, entonces tal vez Dios quiera que nos quedemos en ese lugar. Para Dios, nuestro deber de ayudar a los demás en todo lo que podamos parecer ser más importante que nuestro deseo de pensar que somos moralmente puros.

Durante la Segunda Guerra Mundial, un grupo de oficiales anti-Hitler permanecieron en el *Abwher (Inteligencia Militar)* porque les dio los medios para proteger a los judíos y tratar de sacar a Hitler del poder. Su plan fracasó y la mayoría fueron ejecutados, incluido el teólogo Dietrich Bonhoeffer. Cuando explicaron por qué permanecieron en el ejército de Hitler, dijo: "*La última pregunta que se debe hacer no es cómo evadir esto heroicamente, sino cómo vivirá la próxima generación*". Si hacerlo bien de la mejor manera posible requería permanecer en la maquinaria de guerra alemana, Bonhoeffer sintió que era su deber cristiano quedarse. Para Dios, nuestro deber de ayudar a los demás en todo lo que podamos parecer ser más importante que nuestro deseo de pensar que somos moralmente puros.

Acab y Jezabel Matan a Nabot para Adueñarse de su Tierra (1 Reyes 21)

El rey Acab abusó aún más de su poder cuando comenzó a codiciar la viña de su vecino Nabot. Acab ofreció un precio razonable por la viña, pero Nabot consideró su tierra como una herencia y dijo que no tenía interés en venderla por ningún precio. Acab acepta con desánimo esta limitación apropiada de su poder, pero su esposa Jezabel lo instiga a la tiranía, burlándose de él, diciéndole: *"¿No gobiernas ahora sobre Israel?"* (**1 Reyes 21:7**). Si el rey no quiere abusar de su poder, la reina lo hará. Pagó a dos sinvergüenzas para que acusaran falsamente a Nabot de blasfemia y traición, y los ancianos de la ciudad lo condenaron a muerte y lo apedrearon de inmediato. Naturalmente, nos quedamos con la pregunta de por qué los ancianos actuaron tan rápido sin siquiera ejercer el debido juicio. ¿Son cómplices del rey? ¿Están bajo su control, temerosos de confrontarlo? De todos modos, con Nabot saliendo, Acab captura la viña.

El abuso de poder, incluida la apropiación de tierras tan descarada como la de Ahab, continúa hoy y es evidente en casi todos los periódicos. Como en los días de Acab, el abuso de poder requiere la complicidad de otros que eligen tolerar la injusticia e incluso asesinar en lugar de arriesgar su propia seguridad por el bien de sus semejantes. Sólo Elías el hombre de Dios se atrevió a enfrentarse a Acab (**1 Reyes 21:17-24**). Si bien su desaprobación no ayudó a Nabot, sí evitó que el rey abusara de su poder, y no se registran más abusos en Reyes hasta la muerte de Acab. La mayoría de las veces, la objeción basada en principios de un grupo pequeño o incluso de una sola persona puede implicar abuso de poder. Si no, ¿por qué los líderes se esfuerzan tanto por ocultar sus errores? Desde su perspectiva, ¿cuál es la probabilidad de que realice al menos un mal uso del poder en su vida laboral? Si lo hace, ¿cómo va a responder?

Elías Ofreciendo su Ayuda con el Trabajo Compartido (2 Reyes 2-6)

A medida que los reyes del norte caían más en la apostasía y la tiranía, Dios levantó profetas para oponerse a ellos con más fuerza que nunca. Los profetas son personalidades de inmenso poder otorgado por Dios que aparecen de la nada para hablar la verdad de Dios donde existe el poder humano. Elías y Eliseo son claramente los profetas más prominentes en Reyes y Crónicas, y de los dos, Eliseo es el más importante por su enfoque en el trabajo de los israelitas comunes. Eliseo fue llamado a lo largo de su larga carrera a levantarse contra el rey rebelde de Israel (**2 Reyes 2:13-13:20**). Sus acciones demostraron que consideraba la vida económica del pueblo tan importante como los problemas de los asuntos dinásticos del reino, y trató de proteger al pueblo de los desastres provocados por el rey.

Eliseo Revitaliza el Sistema de Riego de una Población (2 Reyes 2:19-22)

El primer acto importante de Eliseo fue purificar los manantiales de Jericó. El enfoque principal del artículo es sobre la productividad agrícola. Sin manantiales saludables, "*la tierra es estéril*". Al restaurar el agua limpia, Eliseo hizo posible que los habitantes de la ciudad restauraran la misión dada por Dios al hombre de ser fructífero y producir alimentos (**Génesis 1:28-30**).

Eliseo Recupera el Equilibrio Monetario de su Familia (2 Reyes 4:1-7)

Después de la muerte de un profeta en el círculo de Eliseo, su familia estaba profundamente endeudada. Generalmente, entre los antiguos israelitas, lo que una familia desposeída tenía que hacer era vender a uno o a todos sus miembros como esclavos para ir a un lugar donde al menos pudieran conseguir comida (ver "*Esclavitud o servidumbre*", **Éxodo 21:1 -11,** en **"Éxodo y La Enseñanza del Trabajo**"). Cuando estaba a punto de vender a sus dos hijos como esclavos, la viuda del profeta recurrió a Eliseo en busca de ayuda (**2 Reyes 4:1**). Eliseo ideó un plan para que la familia se volviera económicamente productiva y autosuficiente. Después de preguntarle a la viuda qué tenía en su casa, ella dijo: "*No hay nada en la casa de tu sierva sino una vasija de aceite*" (**2 Reyes 4:2**). Aparentemente, para Eliseo, eso fue suficiente impulso. Él le dijo que tomara prestados frascos vacíos de todos los vecinos y los llenara con aceite de ella. Se las arregló para llenar todos los recipientes con aceite antes de que el suyo se vaciara, y la ganancia de la venta del aceite fue suficiente para pagar las deudas de la familia (**2 Reyes 4:7**). Esencialmente, Eliseo ha creado una comunidad empresarial donde las mujeres pueden iniciar una pequeña empresa. Esto es exactamente lo que hacen algunas de las formas más efectivas de combatir la pobreza, ya sea a través de microfinanzas, uniones de crédito, cooperativas de agricultores o programas de proveedores de pequeñas empresas administrados por grandes corporaciones y gobiernos.

Las acciones que tomó Eliseo a favor de esta familia reflejaron el amor y la preocupación de Dios por los necesitados. ¿Cómo puede nuestro trabajo aumentar las oportunidades de empleo y prosperidad para los pobres? ¿Dónde estamos socavando individual y colectivamente la capacidad productiva de las personas y economías pobres, y qué podemos hacer, con la ayuda de Dios, para mejorar?

Eliseo Cura a un Comandante Militar (2 Reyes 5:1-14)

Cuando Eliseo sanó a Naamán, el comandante del ejército sirio (enemigo de Israel), de la lepra, hubo un gran impacto en el lugar de trabajo. Como dijo *Jacques Ellul* en su ensayo esclarecedor sobre este pasaje, "*No es un asunto trivial recuperar a un paciente, especialmente a un paciente de lepra*", porque la recuperación restaura la capacidad de trabajar. En este caso, la cura permitió a Naamán retomar su labor administrativa, asesorando a su rey de Israel sobre los acuerdos que había hecho con él.

Curiosamente, sanar a un extranjero también conduce a la restauración de la ética cultural en la propia organización de Eliseo. Naamán ofreció recompensar generosamente a Eliseo por su sanidad, pero Eliseo pensó que estaba haciendo la voluntad del Señor y que no estaba ganando nada. Sin embargo, Giezi, el sirviente de Eliseo, vio la oportunidad de ganar dinero extra y fue a Naamán para decirle que Eliseo había cambiado de opinión y que eventualmente aceptaría un gran pago. Después de recibir el pago, Giezi ocultó sus ganancias mal habidas y le mintió a Eliseo para encubrir sus acciones, pero Eliseo respondió anunciando que Giezi sufriría de la misma lepra que Naamán tenía físicamente. Eliseo entendió claramente que tolerar la corrupción en su organización erosionaría rápidamente todo el bien que había hecho al servicio de Dios a lo largo de su vida.

Las acciones de Naamán revelan otro aspecto de la historia. Tenía lepra y necesitaba curación. Sin embargo, su percepción anterior de la respuesta, como un encuentro dramático con el Profeta, lo lleva a rechazar la solución real, que es bañarse en el río Jordán. Cuando escucha esta cura tan simple que le transmite el emisario de Eliseo en lugar del mismo Eliseo, "*Naamán está enojado.*" Ni la solución ni la fuente parecen ser suficientes para que Naamán preste atención.

En el mundo actual, este doble problema se repite a menudo. Primero, un líder senior ignoró una solución propuesta por un empleado de nivel inferior porque no estaba dispuesto a considerar las ideas de alguien que consideraba no calificado. En su libro *Good to Great* [Empresas que sobresalen], *Jim Collins* Señala que la humildad es el primer indicador de lo que él llama un "líder de nivel 5", o la voluntad de escuchar ideas de múltiples fuentes. En segundo lugar, la solución no se acepta porque no cumple con los criterios del líder.

Gracias a Dios, muchos líderes actuales, como Naamán, tienen subordinados que están dispuestos a correr el riesgo de hablarles. Las organizaciones no solo necesitan jefes humildes, sino también subordinados valientes. Sorprendentemente, la persona que inicia todo el complot es la más baja de todas, una muchacha extranjera que es capturada en un asalto y entregada a su esposa como esclava (**2 Reyes 5:3**). Es un hermoso recordatorio de cómo la arrogancia y las expectativas equivocadas pueden obstaculizar la perspectiva, pero la sabiduría de Dios ha estado tratando de ganar de todos modos.

Elías Restaura el Hacha de un Leñador (2 Reyes 6:1-7)

Mientras cortaba leña a orillas del río Jordán, el hacha que usaba uno de los profetas que viajaba con Elías cayó al río. Se lo prestó un leñador, y en la Edad del Bronce el precio de una pieza de hierro tan sólida habría llevado a la bancarrota al propietario; Eliseo se preocupó personal y directamente por la pérdida financiera y mantuvo el hierro a flote, donde podría ser recuperado y devuelto a su dueño. Eliseo intervino de nuevo, permitiendo que alguien trabajara en su vida.

El don de un profeta es discernir la voluntad de Dios en la vida diaria y actuar en consecuencia. Dios llama a los profetas para restaurar la buena creación de Dios en un mundo caído de una manera que demuestre el poder y la gloria de Dios. El aspecto teológico de la obra del profeta, llamando a la gente a adorar al Dios verdadero, fue inevitablemente acompañado por el aspecto práctico, restaurando el funcionamiento normal del orden creado. El Nuevo Testamento nos dice que algunos cristianos también son llamados profetas (**1 Corintios 12:28; Efesios 4:11**). Eliseo no solo fue una figura histórica que mostró que Dios estaba interesado en el trabajo de su pueblo, sino que también fue un modelo a seguir para los cristianos de hoy.

La Expulsión del Reino del Sur a través del Exilio (1 Reyes 11:41-2 Reyes 25:26; 2 Crónicas 10-36)

Siguiendo los pasos del Reino del Norte, los gobernantes del Reino del Sur pronto comenzaron a caer en la idolatría y la maldad. Bajo Roboam, el pueblo "*edificó para sí lugares altos, columnas y pasarelas sobre todo monte alto y debajo de los árboles más frondosos. También había sodomitas en la tierra, que hacían todas las abominaciones de las naciones*" (**1 Reyes 14:23-24**). Los sucesores de Roboam vacilaron entre ser fieles a Dios y hacer el mal ante los ojos de Dios. Por un tiempo, Judá tuvo suficientes reyes buenos para evitar el desastre, pero en años posteriores el reino cayó en el mismo estado que los reinos del norte. Los babilonios conquistaron el país y expulsaron al rey ya la élite (**2 Reyes 24-25**). Hace cientos de años, en contra del consejo de Dios, la gente rogó la deslealtad del rey, que culminó en el colapso financiero, la destrucción de la mano de obra, el hambre y el asesinato o expulsión de la mayoría de la población. La catástrofe profetizada duró setenta años hasta que el rey persa Ciro autorizó a algunos de los judíos a regresar para reconstruir el templo y los muros de Jerusalén (**2 Crónicas 36, 22-23**).

Un Informe Financiero del Templo con Respecto a la Rendición de Cuentas (2 Reyes 12:1-12)

Paradójicamente, un ejemplo de degradación del reino ayuda a revelar un modelo de buenas prácticas financieras. Como casi todos los líderes del reino, los sacerdotes se corrompieron y, en lugar de usar las donaciones que la gente traía para mantener el templo, robaron dinero y lo dividieron entre ellos. Bajo la dirección de Joás, uno de los pocos reyes que "*hicieron lo recto ante los ojos del Señor*" (**2 Reyes 12:2**), los sacerdotes establecieron un sistema de contabilidad eficiente. Esto implicó colocar en el templo un cofre cerrado con un agujero en la tapa para recibir donaciones, y cuando el cofre estuvo lleno el sumo sacerdote, junto con el escribano del rey, abrieron el cofre, contaron el dinero y contrataron carpinteros, arquitectos, albañiles y canteros vienen a reparar. Esto asegura que el dinero se está utilizando para el propósito correcto.

Los mismos sistemas se siguen utilizando en la actualidad, como el recuento de efectivo en los cajeros automáticos. El principio de que incluso las personas de confianza deben ser controladas y responsabilizadas es fundamental para una buena administración. Las organizaciones están en riesgo cuando una persona poderosa, especialmente una con el poder de administrar las finanzas, trata de evadir el control. Desde que Reyes incluyó este episodio, sabemos que Dios valora el trabajo de los empleados bancarios, contadores, auditores, reguladores bancarios, choferes de vehículos blindados, trabajadores de seguridad informática y demás que protegen la integridad financiera. También insta a los líderes de todo tipo a dar un ejemplo personal de responsabilidad pública al invitar de manera proactiva a otros a examinar su trabajo.

La Inevitabilidad de la Ruina de los Reinos (2 Crónicas 26)

¿Cómo pudo el rey caer tan fácilmente en el mal camino? La historia de Uzías nos da algunas ideas. Llegó al trono a la edad de 16 años, y al principio "*hizo lo recto ante los ojos del Señor*" (**2 Crónicas 26, 4**). Su juventud fue una ventaja porque reconoció su necesidad de la guía de Dios. "*En los días de Zacarías persistió en buscar a Dios; Zacarías era sabio en la visión de Dios; Dios lo prosperó en tanto que buscó al Señor*" (**2 Crónicas 26, 5**).

Curiosamente, gran parte del éxito que Dios le dio a Uzías tuvo que ver con trabajar juntos. "*También edificó torres en el desierto y cavó muchas cisternas, porque tenía mucho ganado en los llanos y en las tierras bajas. También tenía labradores y dueños de viñas en las montañas y en los campos fértiles, porque amaba la tierra*" (**2 Crónicas 26: 10**). "*Hizo en Jerusalén las máquinas de guerra inventadas por los sabios*" (**2 Crónicas 26,15**).

La Biblia nos dice: "*Fue ayudado milagrosamente hasta que se fortaleció*" (**2 Crónicas 26:15**). Entonces su poder se convierte en su perdición porque comienza a servirse a sí mismo en lugar del Señor. "*Cuando se hizo fuerte, su corazón se ensoberbeció tanto que se corrompió y fue infiel al Señor su Dios*" (**2 Crónicas 26:16**). Su intento de usurpar la autoridad religiosa de los sacerdotes resultó en una rebelión en la corte que le costó el trono y lo convirtió en un paria por el resto de su vida. La historia de Uzías tiene una lección importante para quienes ocupan puestos de liderazgo en la actualidad. El carácter que lleva al éxito, especialmente nuestra dependencia de Dios, se corrompe fácilmente por el poder y el privilegio que viene con el éxito mismo. ¿Cuántos líderes políticos, empresariales y militares han llegado a pensar que son invencibles, y así han perdido la humildad, la disciplina y la actitud de servicio necesarias para seguir triunfando? ¿Cuántos de nosotros, en cualquier nivel de éxito, nos enfocamos más en nosotros mismos que en Dios cuando nuestros poderes aumentan un poco? Uzías incluso enfrentó la desaprobación de sus subordinados por hacer algo malo, pero optó por ignorarlos (**2 Crónicas 26:18**). Si tu éxito aumenta, ¿qué o quién tienes que pueda ayudarte a no dejarte llevar por el orgullo y alejarte de Dios?

Conclusiones de los Libros Samuel, Reyes y Crónicas

Los problemas de gobierno y liderazgo afectan todos los aspectos de la vida. Cuando los países y las organizaciones están bien gobernados, las personas tienen la oportunidad de progresar. Cuando los líderes no actúan en interés de sus organizaciones y comunidades, todo termina en un desastre. El éxito o el fracaso de los reyes de Israel y Judá dependía de que guardaran los pactos y las leyes de Dios. Con la excepción de David, Salomón y algunos otros, los reyes optaron por adorar dioses falsos, lo que los llevó a seguir principios inmorales y enriquecerse a expensas de su pueblo. Su deslealtad finalmente condujo a la destrucción de Israel y Judá.

Sin embargo, la responsabilidad no recae únicamente en el rey. Cuando el pueblo le pidió al profeta Samuel que les diera un rey, fue el pueblo mismo quien atrajo sobre sí mismo la miseria de la tiranía. Debido a que no creen que Dios los protegerá, están dispuestos a someterse al gobierno de los dictadores. Como dijo *Joseph Demeistre*, "*Cada nación tiene el gobierno que se merece*". La influencia corruptora del poder es un peligro siempre presente, pero aun así, los estados y las organizaciones necesitan ser manejados. Debido a la corrupción y la tiranía, el antiguo pueblo de Israel optó por un gobierno fuerte, una tentación que es muy común en la actualidad. Otros pueblos se negaron a hacer ningún sacrificio (pagar impuestos, obedecer la ley, abandonar tribus y milicias individuales) para crear un gobierno que funcionara y pagaron el precio en anarquía, caos y asfixia económica autoimpuesta. Lamentablemente, esto todavía está sucediendo en varios países hoy en día. Lograr un buen gobierno requiere un delicado equilibrio que está literalmente más allá de la capacidad humana. Si hay una lección importante que la gente puede aprender de los libros de Samuel, Reyes y Crónicas, es que solo al comprometernos con la gracia y la guía de Dios, Sus convenios y mandamientos, podemos encontrar lo que es necesario para una virtud de gobierno buena y duradera.

Esta lección se aplica no solo a las naciones, sino también a las empresas, las escuelas, las ONG, los hogares y los lugares de trabajo de todo tipo. La buena gestión y el liderazgo son esenciales para el éxito y la prosperidad financiera, relacional, personal y espiritual de las personas. Samuel, Reyes y Crónicas exploran diferentes aspectos del liderazgo y el gobierno en una variedad de trabajadores. Específicamente, incluyen los peligros de heredar riqueza y autoridad, los peligros de usar a Dios como un amuleto de la suerte en nuestro trabajo, las oportunidades de los trabajadores fieles, las alegrías y tristezas de la paternidad, el juicio piadoso en la elección de líderes, la necesidad de humildad. y El papel vital de la colaboración, la innovación y la creatividad, y la necesidad de planificación de la sucesión y desarrollo del liderazgo.

Centrándose de cerca en la gestión de conflictos, estos libros demuestran tanto la carrera destructiva de reprimir los conflictos como el potencial creativo de las diferencias abiertas y respetuosas. También demuestran la necesidad de la diplomacia y la reconciliación, tanto formal como informal, y el papel integral de los subordinados que tienen el coraje, respetuosamente, de decir la verdad a quienes están en el poder, a pesar de lo que significa para ellos el riesgo. Los pocos líderes consistentes en este libro de figuras de autoridad defectuosas incluyen a Abigail, cuyas buenas habilidades para resolver conflictos salvaron la integridad de David y la vida de su familia, y la niña sin nombre, ella era la esposa esclava de Naamán que sirvió valientemente al hombre que la convirtió en esclava. (Naman) y trajo la paz a las naciones en guerra. El profeta más destacado y el líder destacado de estos libros es Eliseo, el profeta de Dios. De todos los profetas, se centró más en el liderazgo en la vida diaria, el trabajo y los asuntos financieros. Arregló el sistema de agua de una ciudad, usó comunidades económicas empresariales, logró la reconciliación nacional a través de misiones médicas (gracias al consejo de la esclava antes mencionada), creó una cultura ética en su propia organización, mejoró a viudas, trabajadores Las condiciones de vida de comandantes y campesinos. Llevar la palabra de Dios a la humanidad conduce al buen gobierno, al desarrollo económico ya la productividad agrícola.

Desafortunadamente, cuando se trata de reyes, hay muchos más malos ejemplos de liderazgo y gobierno que buenos ejemplos. Como se mencionó anteriormente, además de manejar mal el conflicto, el rey reclutó trabajos forzados, disolvió familias, ascendió a funcionarios de élite y oficiales militares a expensas de la gente común, impuso impuestos inasequibles a la gente para mantener su lujoso estilo de vida, asesinó a quienes interponerse en su camino, confiscar propiedades arbitrariamente, subvertir las instituciones religiosas y, finalmente, hacer que su reino sea conquistado y exiliado. Sorprendentemente, no fue el fracaso y la debilidad de los reyes lo que causó estos males, sino su éxito y fortaleza. Ellos tergiversan el éxito y la fuerza que Dios les ha dado, haciéndolos arrogantes y mandones, haciéndolos abandonar a Dios y quebrantar Sus convenios y Sus mandamientos. El corazón oscuro del liderazgo desastroso es la adoración de dioses falsos en lugar del verdadero. Hoy, cuando vemos un liderazgo deficiente en los demás o en nosotros mismos, es mejor comenzar preguntándonos: "*¿A qué dios falso está adorando la gente en esta situación?*"

Así como la luz brilla con más claridad en la oscuridad, algunos episodios de buen liderazgo se destacan en la derrota del Rey. Bajo el liderazgo de David, la música y las artes florecieron. El templo construido en la época de Salomón fue una maravilla de la arquitectura, la arquitectura, la artesanía y la organización económica. Los sacerdotes de la época de Joás desarrollaron un sistema de responsabilidad financiera que todavía se usa en la actualidad. Abdías es un ejemplo del bien que pueden hacer los fieles a pesar de un sistema corrupto y circunstancias terribles.

Abdías es un mejor ejemplo para nosotros hoy que David, Salomón o cualquier otro rey. El principal interés del rey era, "*¿Cómo puedo ganar y mantener el poder*?", pero el principal interés de Abdías era, *"¿Cómo puedo servir al pueblo como Dios manda, dadas las circunstancias en las que me encuentro?"* Ambos Se trata de liderazgo. Uno se enfoca en los bienes necesarios para tener poder, el otro en el poder necesario para hacer el bien. Oramos para que Dios llame a su pueblo a posiciones de poder y que nos dé poder para cumplir con nuestro llamado, pero comencemos y terminemos antes o después de decir tal oración: "*Hágase tu voluntad*".

Introducción a los Libros Esdras, Nehemías y Ester

La mayoría de los cristianos encuentran que su fe no es apoyada en el lugar de trabajo. En general, hay un espacio muy limitado para la acción y el testimonio cristianos explícitos. Algunos de estos límites pueden ser apropiados en una sociedad pluralista, pero pueden hacer que el lugar de trabajo sea extraño para los cristianos. Además, los trabajadores pueden sentir presión para violar explícita o implícitamente los requisitos morales de las normas bíblicas. Los libros de Esdras, Nehemías y Ester describen lo que significa para el pueblo de Dios trabajar donde no son bienvenidos. Estos muestran al pueblo de Dios en trabajos que van desde la construcción hasta la política y el entretenimiento, siempre en ambientes que se oponen abiertamente a los valores y planes de Dios. Aun así, en el camino han recibido una ayuda asombrosa de parte de incrédulos que ocupan los más altos cargos del poder civil. Claramente, aun cuando enfrentan situaciones extremadamente difíciles y decisiones con las que no siempre están de acuerdo, el poder de Dios se muestra en lugares asombrosos para el bien de su pueblo.

Esdras tiene que considerar si confiar en un gobernador incrédulo para proteger a los judíos mientras regresan a Jerusalén y comienzan a reconstruir el Templo. También tuvo que encontrar apoyo financiero en el corrupto sistema económico del Imperio Persa mientras permanecía fiel a las leyes de integridad económica de Dios. Nehemías tuvo que reconstruir los muros de Jerusalén, lo que requirió fe en Dios y acción práctica. Debe guiar las motivaciones de las personas del altruismo a la codicia para que puedan superar los intereses en conflicto y trabajar hacia una meta común. Ester tuvo que sobrevivir a la opresión de las mujeres y una conspiración mortal dentro de la familia real persa cuando estaba lista para arriesgarlo todo para salvar a su pueblo del genocidio. Nuestros títulos e instituciones han cambiado desde entonces, pero nuestro lugar de trabajo actual tiene mucho en común con el lugar donde trabajaron Esdras, Nehemías y Esther, para bien o para mal. Las situaciones, los desafíos y las elecciones de la vida real en estos libros bíblicos nos ayudan a desarrollar una enseñanza laboral que es relevante para la vida cotidiana.

Libros Esdras y Nehemías

587 *a. C.* Los babilonios conquistaron Jerusalén bajo el rey Nabucodonosor. Allí mataron a los líderes de Judá, saquearon el Templo y luego lo destruyeron junto con la mayor parte de la ciudad y sus murallas, y se llevaron a los ciudadanos más prominentes de Jerusalén. Estos judíos vivieron en el exilio durante décadas, esperando que Dios los rescatara y restaurara a Israel. Sus esperanzas se hicieron más fuertes en el año 539 d. C. Persia derrotó a Babilonia bajo el rey Ciro. Poco después, Ciro emitió un decreto invitando a los judíos de su reino a regresar a Jerusalén para reconstruir el Templo, reconstruyendo así sus vidas como pueblo de Dios (**Esdras 1:1-4**).

Esdras y Nehemías fueron originalmente dos partes de una obra, que cuentan aspectos clave de esta historia reconstruida, comenzando con el decreto de Ciro en 539 a. C. Sin embargo, su propósito no es simplemente describir algo que sucedió hace mucho tiempo por curiosidad histórica. En cambio, Esdras y Nehemías usan eventos históricos para ilustrar el tema de la restauración. Estos libros muestran cómo Dios una vez restauró a Su pueblo y cómo Su pueblo desempeñó un papel central en esta obra de renovación. Se desconocen los autores de Esdras y Nehemías, pero probablemente fueron escritos en el siglo IV a. C. Animar a los judíos a vivir fielmente incluso bajo la dominación extranjera para que puedan participar en la obra de restauración presente y futura de Dios.

Esdras y Nehemías son libros muy teológicos, aunque no tratan directamente de la enseñanza del trabajo. No incluyen órdenes legales ni visiones proféticas relacionadas con nuestro trabajo diario. Sin embargo, el arduo trabajo descrito en Esdras y Nehemías coloca implícitamente el trabajo dentro de un marco teológico. De modo que, bajo la superficie de estos libros, encontraremos un terreno fértil para una *enseñanza del trabajo*. En particular, Esdras y Nehemías están llamados a restaurar el reino de Dios (Israel) en un ambiente en parte hostil y en parte de apoyo. El lugar de trabajo de hoy también es en parte hostil y en parte a favor de la obra de Dios, lo que nos anima a entender cómo nuestro trabajo puede ayudar a construir el reino de Dios en el mundo de hoy.

Ester

El libro de Ester cuenta un extraño episodio que tuvo lugar durante el período descrito en Esdras y Nehemías. No se enfoca en la restauración de Jerusalén, sino en los eventos en Persia durante el reinado de Asuero (conocido por su nombre griego Jerjes) como rey (485-465 a). Ester registra el origen de la fiesta judía de Purim. El autor desconocido del libro escribió, en parte, para explicar y alentar la celebración de este día nacional (*ver* **Ester 9:20-28**). Su principal preocupación fue estudiar cómo los judíos sobrevivieron e incluso prosperaron como exiliados en una tierra pagana y, a menudo, hostil.

A diferencia de Esdras y Nehemías, Ester no es un libro específicamente teológico. De hecho, nunca se menciona a Dios. Aun así, ningún lector devoto y fiel podría dejar de ver la mano de Dios detrás de los acontecimientos de este libro. Esto invita a los lectores a considerar cómo obra Dios en el mundo, aunque los que no tienen ojos para ver no lo noten.

Esdras

Rescatando el Templo: Un Camino hacia la Renovación (Esdras 1:1-6:22)

El libro de Esdras comienza con la orden del rey persa Ciro que permite a los judíos regresar a Jerusalén para reconstruir el templo destruido por los babilonios en el 587 a. C. (**Esdras 1:2-4**). El preámbulo del decreto especifica la fecha del anuncio: "el primer año de Ciro, rey de Persia" (539-538 a. C., poco después de que Persia derrotara a Babilonia). También nos introduce a uno de los temas de Esdras y Nehemías: la relación entre la obra divina y la obra humana. Ciro declaró que "*era para que se cumpliera lo que Jehová había dicho por boca de Jeremías*" porque "*Jehová tocó el corazón de Ciro rey de Persia*" (**Esdras 1:1**). Ciro estaba cumpliendo con sus deberes como rey, persiguiendo sus propósitos personales e institucionales, pero fue el resultado de la obra de Dios en él, que favoreció los propios propósitos de Dios. En el primer verso de Esdras, sentimos que Dios tiene el control, aunque elige llevar a cabo su voluntad a través de humanos, incluso reyes paganos.

Actualmente, los cristianos en su lugar de trabajo también creen que Dios está actuando a través de las decisiones y acciones de personas e instituciones no creyentes. Ciro fue el instrumento elegido por Dios, ya sea que el mismo Ciro lo reconozca o no. Asimismo, las acciones de nuestros jefes, colegas, clientes y proveedores, competidores, reguladores o muchos otros actores pueden estar haciendo avanzar la obra del reino de Dios sin que ellos o nosotros nos demos cuenta. Esto debería salvarnos de caer en la desesperación y la arrogancia. Si nuestros lugares de trabajo parecen desprovistos de personas y valores cristianos, no nos desesperemos, Dios seguirá trabajando. Por otro lado, si trata de verse a sí mismo o su organización como un modelo de virtud cristiana, ¡cuidado! Dios puede lograr más a través de aquellos cuya conexión con Él es menos obvia de lo que imaginas. El hecho de que la obra de Dios a través de Ciro, quien sigue siendo rico, poderoso e incrédulo incluso cuando muchos de los ciudadanos de Dios se están recuperando lentamente de la pobreza y el exilio, debería advertirnos que no contemos con la riqueza y el poder como un medio para nosotros. trabajar. Dios está usando todas las cosas para trabajar por su reino, no necesariamente para nuestra victoria personal.

Muchos judíos se beneficiaron del decreto de Ciro y la obra de Dios continuó. "Todos los que son movidos por Dios" se preparan para regresar a Jerusalén (**Esdras 1:5**). Cuando llegaron a

Jerusalén, su primer trabajo fue construir un altar y ofrecer sacrificios allí (**Esdras 3:1-3**). Esto resume los principales tipos de trabajo registrados en Esdras y Nehemías que están estrechamente relacionados con las prácticas de sacrificio del judaísmo del Antiguo Testamento en el Templo. El trabajo descrito en estos libros refleja y apoya la centralidad del templo y sus ofrendas para la vida del pueblo de Dios. La adoración y el trabajo van de la mano en las páginas de Esdras y Nehemías.

Dado que Esdras se estaba concentrando en reconstruir el Templo, se menciona el trabajo de la gente cuando se relaciona con ese trabajo. Por lo tanto, la lista de los que regresan a Israel enumera específicamente "*sacerdotes y levitas... los cantores, los porteros y los sirvientes del templo*" (**Esdras 2:70**). El texto menciona "*albañiles y carpinteros*" porque eran necesarios para la obra de construcción (**Esdras 3:7**). Aquellos con habilidades que no podrían haber sido empleadas directamente en el Templo contribuyeron a esta tarea a través de los frutos de su trabajo, a través de "*ofrendas voluntarias*" (**Esdras 2:68**). Por eso, en cierto sentido, todas las personas están trabajando para reconstruir el templo porque han contribuido de una forma u otra. El libro de Esdras identifica a otros líderes políticos además de Ciro, ya sea positiva o negativamente, según su influencia en las obras de construcción. Por ejemplo, a Zorobabel se le llama líder porque era el gobernador de la región y supervisó la reconstrucción del templo (**Hageo 1:1**). Esdras menciona a "*Lihón el Mariscal y Sisai el Escriba*", dos oficiales militares que escribieron una carta oponiéndose a la reconstrucción del Templo (**Esdras 4:8-10**). También aparecen otros reyes y funcionarios según su relevancia para el proyecto de reconstrucción.

El proyecto se trata de templos, pero sería un error pensar que Dios bendice las habilidades técnicas y el trabajo material solo cuando se dedican a fines religiosos. La visión de Esdras era reconstruir toda la ciudad de Jerusalén (**Esdras 4:13**), no solo el templo. Nos ocuparemos de esto más adelante cuando estudiemos a Nehemías, quien trabajaba fuera del templo.

Esdras describe varios esfuerzos para obstaculizar la construcción (**Esdras 4:1-23**). Estos fueron satisfactorios por un tiempo, y la obra del templo cesó por casi dos décadas (**Esdras 4:24**). Finalmente, Dios animó a los judíos a continuar y terminar la obra a través de las profecías de Hageo y Zacarías (**Esdras 5:1**). Además, el rey Darío de Persia apoyó económicamente el proyecto de construcción, con la esperanza de que Dios lo bendijera a él y a sus hijos (Esdras 6:8-10). Así, cuando Dios "*hizo volver hacia ellos el corazón del rey de Asiria y los animó [a los judíos] a construir el templo de Dios*", el templo finalmente se completó (**Esdras 6:22**).

Como indica este versículo, el trabajo de reconstrucción del templo fue realizado por los judíos, pero su trabajo fue fructífero gracias a la ayuda de dos reyes paganos, uno que inauguró las obras y el otro que terminó la obra. Detrás de estos esfuerzos humanos estaba la obra soberana de Dios, que tocó el corazón de los reyes y animó a su pueblo a través de sus profetas. Como hemos visto, Dios hace mucho más de lo que su pueblo puede ver.

Edificando una Nueva Vida con Esdras: Una Mirada al Pacto, Parte Uno (Esdras 7:1-10:44)

Curiosamente, Esdras no aparece en el libro que lleva su nombre hasta el **Capítulo** 7. El erudito, sacerdote y maestro de la ley, llegó a Jerusalén con la bendición del rey persa Artajerjes casi cincuenta años después de la reconstrucción del templo. Su tarea era ofrecer sacrificios en el templo en nombre del rey y establecer la ley de Dios en Judá enseñando y nombrando líderes para guardar la ley (**Esdras 7:25-26**).

Esdras no usó la buena suerte para explicar el favor del rey. En cambio, le da crédito a Dios "con el corazón del rey" por enviarlo a Jerusalén (**Esdras** 7:27). Esdras se "*fortaleció*" y actuó por orden del rey porque, como él dijo, "*la mano del Señor mi Dios estaba sobre mí*" (***Esdras*** *7:28*). La expresión de la mano de Dios sobre alguien es una de las expresiones favoritas de Esdras y aparece seis de ocho veces a lo largo de la Biblia (**Esdras 7:6, 9, 28; 8:18, 22, 31**). La obra de Dios en ya través de Esdras explica el triunfo de su plan.

La fe de Esdras en la ayuda de Dios se pone a prueba cuando su séquito viaja de Babilonia a Jerusalén. "*Me avergüenzo*", explicó Esdras, "de pedir al rey el ejército y la caballería para protegernos de los enemigos en nuestro camino, porque hemos dicho al rey que la mano de nuestro Dios es buena para todos los que lo buscan, sino su poder y su ira contra todos los que lo abandonan" (**Esdras 8:22**). Para Esdras, confiar en el séquito real significaba una falta de confianza en la protección de Dios, por lo que él y su séquito ayunaron y oraron en lugar de buscar la ayuda real del rey (**Esdras 8:23**). Nota: *Cuando Esdras decidió no aceptar la protección real, no estaba obedeciendo ninguna ley específica del Antiguo Testamento.*

En cambio, sus decisiones reflejan su creencia personal en lo que significa confiar en Dios durante el verdadero desafío del liderazgo. En este caso, uno podría pensar en Esdras como un "*creyente idealista*" porque estaba dispuesto a arriesgar su vida basado en la idea de la protección de Dios, en lugar de la ayuda humana para garantizar su protección. Como veremos más adelante, la posición de Esdras no es la única que los líderes piadosos encuentran razonable en los libros de Esdras y Nehemías.

La estrategia de Esdras funcionó. Él declara: "*La mano de nuestro Dios está sobre nosotros para librarnos de la mano de nuestros enemigos y de las emboscadas en nuestro camino*" (**Esdras 8:31**). Sin embargo, no sabemos si el séquito de Esdras llevaba armas o las usaba para protegerse. El texto parece indicar que Esdras y los demás completaron su viaje sin incidentes que los pusieran en peligro. El libro de Esdras muestra nuevamente que cuando Dios obra en el hombre, los esfuerzos humanos dan fruto.

Los últimos dos capítulos de Esdras se enfocan en el tema del matrimonio entre judíos y gentiles. Aquí no se muestra la cuestión del trabajo, salvo en el caso de Esdras, que ejerce su liderazgo con fidelidad a la ley, constancia y oración.

Nehemías

Reconstruyendo los cimientos de Jerusalén: La restauración de la Muralla de la Ciudad Santa (Nehemías 1:1 - 7:73)

El primer capítulo del libro presenta a Nehemías como residente de Susa, la capital del Imperio Persa. Nehemías dijo que cuando supo que los muros de Jerusalén aún estaban en ruinas más de medio siglo después de que se reconstruyó el templo, "*me senté y lloré*", ayunando y orando a Dios (**Nehemías 1:4**).

Explorando la Fusión de lo Sagrado y lo Secular (Nehemías 1:1 - 1:10)

La relación entre el templo y las murallas de la ciudad tiene implicaciones importantes para la enseñanza laboral. Un templo puede parecer una institución religiosa, mientras que un muro es una institución secular. Sin embargo, Dios guió a Nehemías a trabajar en la pared tanto como guió a Esdras a trabajar en el templo. Tanto lo sagrado como lo secular eran necesarios para el cumplimiento del plan de Dios para la restauración de la nación de Israel. Si los muros no están completos, tampoco lo están los templos. Este trabajo es uno, y es fácil ver por qué. Sin murallas, ninguna ciudad del antiguo Cercano Oriente habría estado a salvo de bandidos, pandillas y bestias salvajes, incluso cuando el imperio estaba en paz. Cuanto más desarrollada económica y culturalmente es una ciudad, más valor tiene y, por tanto, mayor es la necesidad de un muro. Debido a su rica decoración, la ausencia de paredes es particularmente peligrosa para un templo. De hecho, no hay ciudad sin murallas, ni templos sin ciudades.

Por otro lado, la ciudad y sus murallas dependían del templo, la fuente de la provisión de Dios para la ley, el gobierno, la seguridad y la prosperidad. Incluso en términos estrictamente militares, los templos y las murallas son interdependientes. Los muros son una parte esencial para proteger una ciudad, pero también lo es el templo donde mora Jehová (**Esdras 1:3**), y él cancela los planes violentos de los enemigos de la ciudad (**Nehemías 4:15**). Lo mismo ocurre con el gobierno y la justicia. Las puertas de la ciudad son donde se tratan los procesos judiciales (**Deuteronomio 21:19, Isaías 29:21**), mientras que al mismo tiempo el Señor "*hace justicia al huérfano y a la viuda*" de su templo (**Deuteronomio 10:18**) , no hay Dios; sin Dios, no hay fuerza, no hay justicia, no hay civilización, y no hay necesidad de muros. En una sociedad construida sobre el "*pacto y la misericordia*" de Dios (**Nehemías 1:5**), el templo y los muros de la ciudad son uno. Al menos eso es ideal, así que Nehemías ayuna, ora y trabaja.

¿Qué significa confiar en Dios? ¿Orar, actuar o ambas cosas? (Nehemías 1:11 - 4:23)

Al final del capítulo uno, Nehemías se llama a sí mismo "*copero del rey*" (**Nehemías 1:11**). Esto significaba que no solo tenía acceso directo al rey, ya que él era quien probaba y servía el vino, sino que también era un asesor de confianza y un funcionario de alto rango del Imperio Persa. Utilizó su experiencia y posición profesional con gran ventaja en la reconstrucción de los muros de Jerusalén.

Cuando el rey le permitió supervisar el proyecto de reconstrucción, Nehemías pidió escribir a los gobernantes de las áreas por las que debía pasar en su viaje a Jerusalén (**Nehemías 2:7**). En opinión de Nehemías, el rey accedió a la petición "*porque la mano misericordiosa de mi Dios estaba sobre mí*" (**Nehemías 2:8**). Aparentemente, Nehemías no creía que confiar en Dios significaba no buscar la protección del rey para su viaje. Además, por razones de seguridad, le gustaba que lo acompañaran a Jerusalén "*oficiales y jinetes*" (**Nehemías 2:9**).

Las escrituras no indican nada malo con la decisión de Nehemías de buscar y aceptar la protección del rey. De hecho, atribuye esta noble ayuda a la bendición de Dios. Nehemías y Esdras tomaron posiciones muy diferentes sobre este punto. Esdras creía que mostrar su confianza en Dios significaba no pedir la protección del rey, mientras que Nehemías vio la provisión de tal protección como evidencia de la bendición de la mano misericordiosa de Dios. Este desacuerdo muestra cuán fácilmente las personas piadosas pueden llegar a diferentes conclusiones sobre lo que significa confiar en Dios en el trabajo. Tal vez cada uno está haciendo lo que le resulta más familiar. Esdras era un sacerdote que estaba familiarizado con la morada donde Jehová estaba presente. Nehemías era el copero del rey y estaba familiarizado con el ejercicio de la autoridad real. Esdras y Nehemías querían ser fieles a su obra. Ambos son líderes de oración piadosos, pero entienden lo que significa confiar en la protección de Dios de diferentes maneras. Para Esdras, eso significaba viajar sin la guardia del rey. Para Nehemías, esto significaba aceptar la ayuda del rey como evidencia de la bendición de Dios.

En varios lugares, encontramos a Nehemías como una señal de lo que podríamos llamar un "*creyente pragmático*". Por ejemplo, en el **capítulo 2**, Nehemías inspecciona en secreto las ruinas del antiguo muro de la ciudad antes de anunciar sus planes a los habitantes de Jerusalén (**Nehemías 2:11-17**). Claramente, quería saber el tamaño y el alcance del trabajo que emprendería antes de comprometerse públicamente. Sin embargo, después de explicar su propósito al venir a Jerusalén y señalar la mano misericordiosa de Dios, Nehemías fue burlado y reprendido por algunos funcionarios locales y respondió: "*El Dios de los cielos nos hará prosperar*" (**Nehemías 2:20**)... En cierto modo , Dios hizo que esta misión fuera un éxito a través del liderazgo ingenioso y bien informado de Nehemías. El hecho de que el éxito venga del Señor no significa que Nehemías pueda sentarse y relajarse. En cambio, está a punto de embarcarse en una tarea difícil y difícil.

En su liderazgo, Nehemías confió parte de la construcción del muro a varias personas, entre ellas "*Eraheber el sumo sacerdote [y] sus hermanos sacerdotes*" (**Nehemías 3:1**); "*Los tekoanos*" no incluía a los nobles cuya desobediencia a sus supervisores (**Nehemías 3:5 ; 3:8**); "*Salem... los funcionarios de la mitad del distrito de Jerusalén, [y] sus hijas*" (**Nehemías 3 :12**); y muchos más. Nehemías tiene la capacidad de inspirar camaradería y organizar proyectos de manera eficiente.

Pero entonces, como en la historia de Esdras reconstruyendo el Templo, surgieron objeciones. Los jefes de los pueblos locales trataron de frustrar los esfuerzos de los judíos ridiculizándolos, pero "el pueblo tuvo valor para trabajar" (**Nehemías 4:6**). Cuando sus palabras no impidieron la reconstrucción de los muros, los líderes locales "*conspiraron para atacar a Jerusalén y perturbarla*" (**Nehemías 4:8**).

Entonces, ¿qué hizo Nehemías que hiciera su pueblo? ¿Orar y confiar en Dios? ¿O brazo para pelear? Como era de esperar, este creyente pragmático los llevó a hacer ambas cosas: "*Oremos a nuestro Dios y cuidémonos de día y de noche*" (**Nehemías 4:9**). De hecho, Nehemías también colocó guardias en lugares especiales cuando aumentó la amenaza para los constructores del muro. Animó a su pueblo a no desfallecer a causa de sus adversarios: "*No les temáis; acordaos del Señor grande y temible, y pelead por vuestros hermanos, vuestros hijos, vuestras mujeres y vuestras casas*" (**Nehemías 4:14**). La gente tiene que luchar por sus creencias. Poco después, Nehemías agregó más palabras de aliento: "*Nuestro Dios peleará por nosotros*" (**Nehemías 4:20**). Sin embargo, esto no significa que los judíos depongan las armas y se concentren en construir, apoyándose únicamente en la protección sobrenatural. En cambio, Dios peleará por su pueblo ayudándolos a pelear. Él obrará en ya través del trabajo de su pueblo.

A veces, el comportamiento cristiano parece tener un muro sólido entre la búsqueda activa de nuestros propios planes y la espera pasiva de que Dios actúe. Sabemos que se trata de una dualidad falsa, lo que explica por qué, por ejemplo, la teología cristiana históricamente ortodoxa rechaza la premisa de la Ciencia Cristiana de que el tratamiento médico es un acto de infidelidad a Dios. Sin embargo, a veces es fácil volverse pasivo mientras esperamos que Dios actúe. Si estás desempleado, sí, Dios quiere que encuentres trabajo. Para obtener el trabajo que Dios quiere, debe escribir un currículum, buscar, solicitar trabajos, entrevistarse y ser rechazado docenas de veces antes de conseguir ese trabajo, como todos los demás. Si usted es padre, sí, Dios quiere que disfrute criando hijos, pero también requiere que establezca y haga cumplir límites, que se presente ante sus inconvenientes, discuta temas difíciles con ellos, llore cuando tropiecen, se rompan un hueso o sufran por su culpa. lado cuando sus corazones estén rotos, haga su tarea con ellos, pídales perdón cuando se equivoquen, ofrezca su perdón cuando fallen. El arduo trabajo de Nehemías y sus compañeros nos advierte que confiar en Dios no significa sentarse y esperar que nuestros problemas se resuelvan mágicamente.

Descubriendo el poder de la templanza en el préstamo: reflexiones sobre el temor al Señor (Nehemías 5:1 - 5:19)

Los proyectos de construcción de Nehemías fueron amenazados no solo desde afuera, sino también desde adentro. Ciertos nobles y funcionarios judíos ricos aprovecharon los tiempos económicos difíciles para enriquecerse (**Nehemías 5**). Prestaron dinero a otros judíos esperando que pagaran intereses, lo cual estaba prohibido por la ley judía (p. ej., en **Éxodo 22:25**). Cuando los deudores no pagaron sus préstamos, perdieron sus tierras e incluso se vieron obligados a vender a sus hijos como esclavos (**Nehemías 5:5**). Nehemías respondió pidiéndoles a los ricos que dejaran de cobrar intereses sobre sus préstamos y que devolvieran todo lo que habían tomado de sus deudores.

Contrariamente al egoísmo de aquellos que se habían aprovechado de sus compatriotas judíos, Nehemías no usó su posición de liderazgo para aumentar su riqueza personal. A diferencia de sus predecesores, "**por el temor de Dios**" se negó incluso a cobrar impuestos al pueblo para pagar sus propios gastos (**Nehemías 5:14-16**). En cambio, invitó generosamente a muchos a comer en su mesa, pagando estos gastos con sus ahorros personales en lugar de pedir dinero a la gente (**Nehemías 5:17-18**).

En cierto sentido, los nobles y los funcionarios son culpables del mismo dualismo que mencionamos. En lo que a ellos respecta, no esperan pasivamente que Dios resuelva sus problemas. En cambio, están persiguiendo activamente sus propios intereses, como si la vida económica no tuviera nada que ver con Dios. Sin embargo, Nehemías les dijo que sus vidas financieras eran muy importantes para el Señor porque a Él le importaba todo lo social, no solo lo religioso: *"¿No deberían mostrar el debido respeto a nuestro Dios, evitando así el oprobio de las naciones, nuestros enemigos [los deudores judíos fueron vendidos como esclavos por culpa de los nobles]?"* (**Nehemías 5:9**). Nehemías relacionó los problemas económicos (usura) con el temor de Dios.

Los temas de **Nehemías 5**, aunque extraídos de trasfondos legales y culturales muy alejados de los nuestros, nos desafían a pensar en cuánto merecemos personalmente de nuestro estatus y privilegios, e incluso de nuestro trabajo. ¿Deberíamos guardar nuestro dinero en un banco que ofrezca préstamos con intereses, o deberíamos invertirlo en un fondo que incluya empresas con comportamiento cuestionable? ¿Deberíamos aprovechar los beneficios especiales que nos ofrece nuestro lugar de trabajo, incluso si tienen un costo sustancial para los demás? Los mandatos específicos de Nehemías (no cobrar intereses, no confiscar garantías, no vender a la fuerza como esclavos) pueden tener una aplicación diferente en nuestros días, pero una oración subyacente que aún se aplica es: "*Yo Dios, acuérdate de mí para bien, como yo hecho por este pueblo*" (**Nehemías 5:19**). Al igual que con el llamado de Nehemías, el llamado de Dios a los trabajadores de hoy es servir a quienes nos rodean lo mejor que podamos. En la práctica, esto significa que cada uno de nosotros le debe a Dios el deber de cuidar a quienes dependen de nuestro trabajo: empleadores, colegas, clientes, familiares y muchos otros. Es posible que Nehemías no nos haya dicho cómo abordar las situaciones laborales hoy, pero sí nos dijo cómo dirigir nuestras mentes al tomar decisiones. debemos poner a las personas primero.

Dios merece el reconocimiento por Su gran trabajo según Nehemías (Nehemías 6:1 - 7:73)

Los problemas externos e internos que enfrentó Nehemías no se limitaron al muro de la ciudad, que tomó solo cincuenta y dos días para completarse (**Nehemías 6:15**). En cuanto a los enemigos de Judá, se dice que "*sus ánimos desfallecieron, porque reconocieron que la obra había sido hecha con la ayuda de nuestro Dios*" (**Nehemías 6:16**). Aunque Nehemías usó su importante posición de liderazgo para motivar y organizar a los constructores, aunque trabajaron incansablemente, y aunque la sabiduría de Nehemías le permitió esquivar ataques y distracciones, creía que era una obra realizada con la ayuda de Dios. Dios obra a través de él y de su pueblo, usando sus dones y obras para lograr los propósitos divinos.

Una Nueva Vida: Avanzando De Acuerdo al Pacto, Con Esdras y Nehemías a la Cabeza Parte Dos (Nehemías 8:1)

Después de completar los muros que rodeaban a Jerusalén, los israelitas se reunieron en la ciudad para renovar su pacto con Dios. Esdras reaparece en este momento, leyendo la ley ante el pueblo (**Nehemías. 8:2-5**). Cuando se oyó la ley, el pueblo lloró (**Nehemías 8:9**), pero Nehemías los reprendió por su tristeza y les dijo: "*Porque hoy es un día santo para nuestro Señor*" (**Nehemías 8:10**). importante es este trabajo al servicio de Dios, también es esencial la celebración. En los días santos, la gente debe disfrutar de los frutos de su trabajo y compartirlo con aquellos que no tienen este placer.

Sin embargo, como lo demuestra **Nehemías 9**, también hay momentos de santo dolor cuando las personas confiesan sus pecados a Dios (**Nehemías 9:2**). Su confesión tiene lugar en el contexto de una lectura extensa de la creación de Dios, comenzando con la creación misma (**Nehemías 9:6**) y continuando a través de eventos claves en el Antiguo Testamento. La deslealtad de Israel hacia Dios explica, entre otras razones, por qué el pueblo escogido de Dios se convirtió en "*esclavo*" de reyes extranjeros, y por qué estos reyes disfrutaron de los frutos del trabajo de Israel (**Nehemías 9:36-37**).

Una de las promesas que hace la gente cuando renueva su pacto con el Señor es la promesa de guardar el sábado (**Nehemías 10:31**). En particular, prometen no hacer negocios en sábado con los "*nativos*" que trabajan ese día. Los israelitas también se comprometieron a cumplir con su responsabilidad de apoyar el Templo y sus trabajadores (**Nehemías 10:31-39**). Esto se logrará dando a los templos ya su personal un porcentaje de los frutos de su trabajo. Ahora, como entonces, el compromiso de dedicar una parte de nuestros ingresos para apoyar "*servicios en el templo de nuestro Dios*" (**Nehemías 10:32**) es un medio necesario para financiar el trabajo de adoración y un recordatorio de que todo de lo que venimos es la mano de Dios

Después de completar su tarea de construir los muros de Jerusalén y supervisar la restauración de la sociedad allí, Nehemías regresó para servir al rey Artajerjes (*Nehemías 13:6*). Más tarde regresó a Jerusalén, donde descubrió que algunas de las reformas que había iniciado estaban progresando, mientras que otras habían sido olvidadas. Por ejemplo, señala que algunos trabajan en sábado (**Nehemías 13:15**). Los funcionarios judíos permitieron que los mercaderes gentiles trajeran sus mercancías a Jerusalén para venderlas en sábado (**Nehemías 13:16**), por lo que Nehemías reprendió a los que violaban el mandamiento del sábado (**Nehemías 13:17-18**). Además, en su pragmatismo habitual, cerró las puertas de la ciudad antes de que comenzara el sábado y las mantuvo cerradas hasta que terminó el sábado. También envió a algunos de sus sirvientes a la puerta para que pudieran decirles a los posibles vendedores ambulantes que se fueran (**Nehemías 13:19**).

Según Nehemías, es imposible responder si los cristianos deben observar el sábado y cómo. Se necesita un diálogo teológico más amplio. Sin embargo, el libro nos recuerda cuán importante era la observancia del sábado para el pueblo del Primer Pacto y la amenaza que representaban los tratos económicos con aquellos que no lo hacían. En nuestro propio entorno, ciertamente es más fácil para los cristianos guardar el sábado cuando los centros comerciales están cerrados los domingos. Sin embargo, nuestra cultura contemporánea de negocios 24 horas al día, 7 días a la semana nos coloca en la posición de Nehemías que requiere una elección consciente y potencialmente costosa del sábado.

Ester

Sobre Ester

El libro de Ester es la historia de un gran ataque de Satanás para exterminar a la raza judía. Dios no se menciona en el libro, pero su ventaja es evidente, ya que coloca a Ester en una posición de influencia para evitar la catástrofe, convirtiéndola en un eslabón clave en su gran plan de redención.

Sus Antecedentes

Esther ha experimentado una tragedia en su vida al quedar huérfana, **Ester 2.7.** Mardoqueo era su guardián, y su espiritualidad resplandecía en el libro, y su promesa al bienestar de **Ester, v. 11**. En cuanto a ella, nunca le dio un momento de tristeza, un modelo de obediencia, v. 20. Ester está tan unida al pueblo de Babilonia que no dudan de su origen judío, **2.10, 20.**

Felizmente, esta fase secreta pasó y ella emergió de las sombras para salvar a su gente. En circunstancias similares, Daniel siempre testificó con valentía, observando estrictamente las leyes y los escrúpulos dietéticos judíos. Hizo falta una crisis para inspirar a Ester, como hizo falta una crisis para animar a José de Arimatea a definirse como un valiente discípulo de Cristo. Recordad las propias palabras de Cristo: "*El que se avergonzare de mí... el Hijo del hombre se avergonzará*", (**Marcos 8,38**).

A pesar de su dolor y desgana iniciales, se convierte en una pieza importante en la maquinaria de la providencia de Dios. Que esto nos fortalezca. Recuerde que Dios tiene el poder de convertir la tragedia en algo bueno, y nunca permita que los comienzos sin esperanza desalienten su deseo de hacerlo mejor o desalienten su ambición de ser alguien especial para Dios.

Sus nombres significan mucho, **2.7**. Hadasa significa *mirto* y Esther significa estrella. *Mirto* es un símbolo de humildad, Zacarías 1.8 A pesar de su belleza y estatus, Ester siempre tuvo un carácter respetuoso y preocupado por los demás. Su calidad de estrella se hace patente en la entereza que brilla en el cielo oscuro de los celos y las intrigas cortesanas. "*impecable, sencillo y famoso*", (**Filipenses 2.15**).

Su Belleza

Ester 2 nos cuenta el proceso de elección de una nueva reina para Asuero. La historia es repugnante y reduce el estatus de la feminidad a uno de mercancía y propiedad. (¡Algunas personas se quejan de la actitud de Pablo hacia las mujeres! De hecho, guiado por el Espíritu Santo, otorga a las mujeres una dignidad que no se encuentra en el mundo pagano). El excelente desempeño de Ester la convierte en candidata para el puesto vacante. ¿Está feliz o deprimida? queremos saber.

Sin embargo, hay evidencia bíblica de que aquellos que son particularmente atractivos enfrentan peligros que otros evitan. La hermosa apariencia de José atrae el interés de un merodeador inmoral, (**Génesis 39.6,7**). Sara, Rebeca, Betsabé y Tamar son excepcionalmente bellas, pero en muchos sentidos se ven amenazadas por ellas. Que los hombres guapos y las mujeres hermosas estén atentos. Que aquellos que lamentan su apariencia agradezcan ser protegidos de este peligro, y saber que la belleza espiritual puede cultivarse para agradar a los ojos de Dios, (**1 Pedro 3.4**).

La belleza de Ester fue tan grande que sin más adornos ganó el favor del rey y fue coronada reina, **2.15,17**.

Su Osadía

El complot para exterminar a los judíos se desarrolla en el **Capítulo 3**. Esther está encerrada en el palacio, aislada del mundo real y sin darse cuenta de las propuestas genocidas de **4.5.** Cuando se enteró, su reacción inicial fue no. ¿Qué puede hacer ella para ayudar? ¡Durante treinta días, el rey la ignoró! **5. 11** Hay razones para no hacer nada, así que también hay "*razones*" para que una esposa se niegue a abrirse a sus seres queridos, (**Cantar de los Cantares 5.3**), y "*razones*" para que Nabal se niegue a ayudar a David, (**1 Samuel 25.10,11**). Sin duda, los sacerdotes y los levitas no se preocupaban por los necesitados por motivos religiosos. Serán contaminados, (**Lucas 10.31.32**). ¡Es fácil encontrar razones lógicas para no hacer nada!

Sin embargo, Esther se siente animada por algunas consideraciones. Mardoqueo la desafía a verse a sí misma como vital para el gran plan de salvación de Dios. Este es su fatídico momento. Vino al reino "*para la hora*", **4.14**. Rechazar la ayuda la hará sentir culpable y sufrir ella misma. Si él está absolutamente en silencio, Dios usará otra forma de lograr su propósito, pero su voluntad se hará de todos modos. Su desgana nunca se interpone en el camino de sus planes.

Aplique estos principios a su propia vida. En este punto de la historia, usted también fue designado para un propósito definido. Reconoce que hay una razón para esto y considérate parte integral de la estrategia divina. Como David, sirve a tu propia generación según la voluntad de Dios, (**Hechos 13.36**). Si quieres ser pasivo, acuérdate de Ester, pero también de los cuatro leprosos: "*No vamos bien. Hoy es el día de la buena noticia, y estamos en silencio*", (**2 Reyes 7.9**). "*Él salva a los que son llevados a la muerte... ¿no le entiende el que pesa los corazones?*" (**Proverbio 24.11,12**).

Al igual que Esther, debemos entender que si no asumimos la responsabilidad, alguien más lo hará. Pase lo que pase, Dios llevará a cabo su plan. El samaritano logró lo que otros evitaron, (**Lucas 10.33, 34**). El levita reemplazó al primogénito que no estaba desposado, (**Números 3.12,13**). Porque el pueblo de Dios menosprecia su nombre, el cual él cuidará de engrandecer entre las naciones, (**Malaquías 1.6,11**). El principio es que si no hacemos uno, el otro lo hace. Sé organizado cada vez; asegúrate de que otros no tomen tu corona, (**Apocalipsis 3.11**).

Otro factor pesaba mucho sobre Ester. Mardoqueo enfatizó que los judíos eran su propio pueblo. Le ordena orar por sí misma, **4.8**. El vínculo que la une a aquellos que están amenazados le da coraje. En términos del Nuevo Testamento, ella estaba dispuesta a dar su vida por sus hermanos, (**1 Juan 3:16**). Aquila y Priscila se arriesgan por Pablo, (**Romanos 16.3, 4**), y Epafrodito, (**Filipenses 2.27**). Que la valentía de estos hombres y mujeres nos inspire a ser personas dispuestas a dar y ser dadas por el bien de nuestros hermanos en la fe. Cada uno de ellos es un "*hermano por quien Cristo murió*", 1 Corintios 8.11. Eran preciosos para él; murió por ellos. Que sean tan preciosos para nosotros que vivamos para ellos.

Antes de que Ester se acerque al rey, se deben hacer preparativos. Invitó a todos los judíos a reunirse y ayunar. Después de separarse de ellos, se comprometió a ayunar en el lugar **4.15,16**. Las emergencias requieren esperar en Dios en lugar de actuar precipitadamente. "*Toda la iglesia*", (**1 Corintios 14.23**), debe reunirse para orar en tiempos de crisis. Si no puede asistir, apoye la práctica en privado.

Con el apoyo del pueblo de Dios, la valiente Reina actuó y obedeció la voluntad de Dios: "*Si muero, déjame morir*", **4.16**. Se piensa que es algo único, un grano de trigo listo para caer en tierra para morir, (**Juan 12.24,25**). Esta es la actitud de un verdadero discípulo.

Sus Banquetes

Ester celebró discretamente dos fiestas en días consecutivos, una prueba más de la supervisión de Dios. Los errores conducen a situaciones que nunca podrá manipular: el insomnio del rey y su elección de lecturas, **6.1**. El ascenso inmediato de Mardoqueo sentó las bases para su preocupación por su pueblo. Su primera aparición ante el rey demuestra que no tiene por qué tener miedo. ¡Asuero estaba entusiasmado con su banquete! **5.5** Muchas veces la anticipación de un evento es peor que el evento mismo. La ansiedad hacia adelante es inútil y expone una falta de fe; "*Cada día tiene sus propios pecados*", (**Mateo 6.25-34**).

Al día siguiente, se conecta audazmente con el pueblo de Dios: "*Yo y mi pueblo*", **7.4**. Como Moisés, era una posibilidad real sufrir con el pueblo de Dios, pero ella expuso su caso y nuevamente recibió una respuesta positiva. Amán el impío es ejecutado y su vasta fortuna se transfiere a (**Ester, 7.10, 8.1**). Dios honra su compromiso y obediencia. Hacer la voluntad de Dios nunca te hará fracasar; "*Honraré a los que me honran*", (**1 Samuel 2.30**).

Sin embargo, cuando su pueblo esté condenado, la riqueza y la seguridad nunca la satisfarán, por lo que continúa su súplica llorosa ante el rey, **capítulo 8**. Estas súplicas dieron sus frutos, y con Mardoqueo como aliado, se ideó una estrategia de salvación. ley.

Epílogo

Se superó la crisis y se conservó la raza, pero quedó un problema persistente. Los judíos de provincia celebran el evento anual el 14 de Adar, mientras que las ciudades más grandes lo celebran al día siguiente. Esto provocará disturbios. Con el consentimiento de Ester, Mardoqueo resolvió el problema declarando ambas fechas como fiestas nacionales.

Cuando no esté en juego ningún principio bíblico, las preferencias deben acomodarse siempre que sea posible, y nuestros héroes sabiamente evitan posibles conflictos. "*Vuestra mansedumbre es conocida de todos*" (**Filipenses 4.5**).

Trabajando en un Sistema Roto (Ester 1-10)

El libro de Ester comienza con un gran banquete organizado por el rey Asuero (conocido en la historia no bíblica como Jerjes) para mostrar su esplendor (**Ester 1:1-8**). Después de beber mucho, Asuero ordenó a sus sirvientes que trajeran a la reina Vasti para lucirse y lucirse ante los invitados (**Ester 1:10-11**). Vasti vio la humillación de la solicitud y se negó (**Ester 1:12**). Su negativa desagradó a los hombres presentes, quienes temían que su ejemplo provocaría que otras mujeres del reino se levantaran contra sus maridos (**Ester 1:13-18**). Por lo tanto, se puede decir que Vasti fue "despedida" y comenzó el proceso de encontrar una nueva reina para Asuero (**Ester 1:21-2:4**). Este episodio trata sobre asuntos familiares, pero cada familia real es también un lugar de trabajo político. Entonces, la situación de Vasti también es un problema laboral, donde el jefe usa su condición de mujer para explotarla, y cuando ella no responde como él quiere, la echan.

Mientras el rey buscaba un reemplazo para Vasti, una joven judía llamada Ester terminó en el harén, donde hizo extensos preparativos para que el rey la recibiera en sus aposentos una noche (**Ester 2:8-14**). Desde nuestro punto de vista, está encarcelada en un sistema opresivo y sexista y pronto perderá su virginidad con un tirano egoísta. Sin embargo, ella no fue una víctima pasiva, sino que hizo que el sistema funcionara para su propio beneficio, durmiendo con el rey, guardando silencio sobre la opresión de Vasti y mintiéndole al rey sobre su raza (**Ester 2:20**).

Debido a su extraordinaria belleza, Ester ganó el favor del rey y fue coronada como la nueva reina (**Ester 2:17**). Teniendo en cuenta que los libros de Esdras y Nehemías enfatizan que el matrimonio mixto entre judíos y gentiles está mal (**Esdras 9:1-4; Nehemías 13:23-27**), ella está dispuesta a unirse al harén real y convertirse en heterosexual enseñando a la esposa del rey. es aún más sorprendente) Habiendo leído la confesión y la oración de duelo de Esdras después de saber que algunos judíos se casaron con gentiles (**Esdras 9:13-15**), solo podemos imaginar sus Pensamientos sobre el matrimonio de Ester y Asuero.

El contraste entre la fiel observancia de la ley judía por parte de Esdras y Nehemías y las concesiones religiosas y morales de Ester no podría ser más claro. Esther está dispuesta a hacer lo que sea necesario para tener éxito. Ansiosa por aprovecharse de la desgracia de cualquier otra mujer, está más que dispuesta a someterse a la explotación. El compromiso moral, ya sea tan serio como el de Ester o no, es un denominador común para casi todos los cristianos en el lugar de trabajo. ¿Alguna vez alguien se ha involucrado en un comportamiento éticamente cuestionable en el trabajo? ¿Hay alguien por ahí que esté abusando de otros para su propio beneficio, o que nunca se quede callado cuando un jefe despide a un subordinado para ocultar su incompetencia, o cuando ve que los trabajos más peligrosos y sucios se dejan nuevamente a los extranjeros? ¿Alguna vez alguien ha matizado la verdad para obtener lo que quiere, insinuando que asumió más responsabilidad por eventos pasados de lo que realmente asumió, o fingiendo saber más de lo que realmente sabía en clase o en el trabajo? ¿Más?

Ester entró al palacio con el alto poder e influencia que obtuvo. No parecía interesada en saber si Dios estaba allí con algún tipo de plan o propósito para ella. De hecho, Dios ni siquiera se menciona en el libro de Ester, aunque eso no significa que Dios no tuviera planes o propósitos para ella en la corte de Asuero. Resulta que su primo Mardoqueo era más escrupuloso en la observancia de la ley judía, lo que lo llevó a su posterior conflicto con Amán, el oficial supremo de Asuero (**Ester 3:1-6**). La respuesta de Amán fue conspirar para matar no solo a Mardoqueo, sino a todo el pueblo judío (**Ester 3:7-15**), y cuando Mardoqueo se enteró del complot, le informó a Ester. Aunque todo su pueblo está a punto de ser destruido, ella parece impasible.

La excusa de Ester fue que involucrarse en el asunto podría poner en peligro su posición e incluso su vida (**Ester 4:11**). El rey parecía haber perdido interés en ella y no la había llamado en más de treinta días. Es inconcebible pensar que el rey durmió solo, lo que implica que alguna otra mujer (o mujeres) fue "*llamada al rey*" (**Ester 4:11**). Era demasiado arriesgado para Ester intervenir a favor de su pueblo, pero Mardoqueo presentó dos argumentos. Primero, su vida está en peligro, ya sea que él intervenga o no. "*No pienses que puedes escapar entre todos los judíos solo por estar en el palacio real*" (**Ester 4:13**). Segundo, "*¿Quién sabe si en tal ocasión serás reina?*" (**Ester 4:14**). Estos dos argumentos combinados conducen a un cambio de sentido para Ester. "*No me es lícito ir al rey; si perezco, perezco*" (**Ester 4:16**). Una persona que solo quiere mejorar su estatus social y solo se preocupa por sus propios intereses de repente está dispuesta a arriesgar su vida por los intereses de los demás.

Tenga en cuenta que los dos argumentos de Mardoqueo se refieren a dos aspectos diferentes. El primero implica la autoconservación. Tú, Esther, eres judía, y si ordenas el asesinato de todos los judíos, eventualmente serás encontrada y asesinada. La segunda forma de decir se refiere al destino, que tiene el significado de obra divina. Esther, si te preguntas por qué, de todas las chicas, terminaste como la esposa del rey, tal vez sea porque tienes un propósito más grande en la vida. El primer argumento parece básico, mientras que el segundo parece noble. ¿Cuál de los dos provocó el cambio en Esther?

Quizás ambos argumentos de Mardoqueo tenían la intención de cambiar la opinión de Ester. El primer paso es la identificación. Al final, Ester se identificó con su pueblo. En este sentido, ella da los mismos pasos que dio Jesús cuando nació para identificarse como humano. Quizás este paso, dado con egoísmo en el caso de Ester, es lo que abrió su corazón a la voluntad de Dios.

- El segundo paso es el servicio. Ahora, al darse cuenta de que su pueblo está en peligro mortal, Ester arriesga su propio estatus, fortuna y vida interviniendo ante el rey. Su posición privilegiada se convierte en una forma de servir, en lugar de servirse a sí misma. Aunque su historia comienza con incredulidad y desobediencia, Dios usó a *Ester no menos de lo que usó a Esdras y Nehemías, dos grandes ejemplos morales. Los servicios de Ester se adaptan al lugar de trabajo actual de varias maneras:*

- Muchas personas, cristianas o no, hacen concesiones morales en la búsqueda del éxito profesional. Ahora que todos estamos en la situación de Ester, todos tenemos la oportunidad y la responsabilidad de dejar que Dios nos use pase lo que pase, a pesar de nuestra historia de fracaso moral. ¿Ha tomado atajos para encontrar su trabajo? Aun así, Dios lo usará para pedir el fin del engaño en su lugar de trabajo. ¿Está utilizando los activos de la empresa de forma indebida? Aun así, Dios puede usarlo para limpiar su departamento de registros falsificados. La hipocresía del pasado no es excusa para no obedecer lo que Dios requiere de ti ahora. El hecho de que hayas usado mal las habilidades que Dios te dio en el pasado no significa que debas creer que no puedes usarlas ahora para los buenos propósitos de Dios, y Ester es un ejemplo para todos los que no alcanzamos la gloria de Dios. Así que no digas: "*Si supieras cuántos atajos inmorales tomé para llegar aquí. Dios no puede usarme ahora*".
- Dios usa nuestras circunstancias de vida actuales. La posición de Ester le dio una oportunidad única de servir a Dios. La posición de Mardoqueo le dio diferentes oportunidades. Debemos aprovechar las oportunidades especiales que tenemos; en lugar de decir: "Haría algo grande para Dios si tuviera la oportunidad", debemos decir: "*Tal vez llegué a este puesto para tal ocasión*".
- Nuestra situación es espiritualmente peligrosa. Podemos comenzar a hacer que nuestro valor y nuestra existencia dependan únicamente de nuestro estatus. Cuanto más privilegiados son, mayor es el peligro. Ester dejó de verse a sí misma como una niña judía y comenzó a verse solo como la Reina de Persia. Hacerlo nos convierte en esclavos de factores que escapan a nuestro control. Si ser un director ejecutivo, tener o mantener un buen trabajo se vuelve tan importante que dejamos de lado todo lo demás, nos hemos perdido.

Servir a Dios implica arriesgar nuestra posición. Si usa su posición para servir a Dios, corre el riesgo de perder su posición y sus posibilidades futuras. Esto es doblemente aterrador si te identificas con tu trabajo o carrera. Sin embargo, la verdad es que si no servimos a Dios, nuestra posición también se ve amenazada. La situación de Esther era extrema porque sabía que si intervenía y se arriesgaba a perder su puesto, la podrían matar, y si no lo hacía, la matarían a ella también. ¿Es nuestra posición más fuerte que la de Esther? Como dijo Jim Elliot, no es tonto renunciar a lo que no puede conservar para ganar lo que no puede perder. De hecho, el trabajo hecho al servicio de Dios nunca se pierde.

Para Esther y los judíos, la historia tiene un final feliz. Ester se arriesgó a acercarse al rey sin ser invitada y aun así ganó su favor (**Ester 5:1-2**). Con un plan astuto, ella lo engatusó en el transcurso de dos fiestas (**Ester 5:4-8; 7:1-5**) y manipuló a Amán para que expusiera su hipocresía en el asesinato de los judíos (**Ester 7:6-10**). El rey anuló la sentencia contra los judíos (**Ester 8:11-14**), y recompensó a Mardoqueo y Ester con riqueza, honor y poder (**Ester 8:1-2; 10:1-3).** Ellos a su vez mejoraron la situación de los judíos en el Imperio Persa (Ester 10:3). Amán y los enemigos de los judíos fueron sacrificados (**Ester 7:9-10; 9:1-17**), y los días de salvación de los judíos —el 14 y el 15 de Adar— se conocieron en adelante como Purim. (**Ester 9:17-23**).

El Poder Divino y la Reacción Humana: Descubriendo el Misterio de lo Que Está Escondido (Ester)

Como mencionamos antes, no hay mención de Dios en el Libro de Ester, a pesar de esto, es un libro de la Biblia. Por lo tanto, los comentaristas buscan la presencia oculta de Dios en Ester y, a menudo, señalan el versículo clave: *"¿Quién sabía que en tal ocasión tú serías reina?"* (**Ester 4:14**). La implicación es que llegó tan lejos no por suerte o destino, ni por su propio engaño, sino por la voluntad de un actor invisible. Aquí podemos ver la escritura sagrada en la pared. Como afirman Esdras y Nehemías (**Esdras 8:18; Nehemías 2:18**), Ester alcanzó su trono gracias a *"la mano misericordiosa de Dios [sobre ella]"*.

Esto nos desafía a pensar en cómo Dios obra de maneras que no reconocemos. Cuando una empresa secular elimina los sesgos de promoción y grado de pago, ¿Dios está trabajando allí? Cuando un cristiano puede luchar contra las prácticas contables fraudulentas, ¿debe declarar que lo hace porque es cristiano? Si los cristianos tienen la oportunidad de unirse a judíos y musulmanes para defender un espacio religioso legítimo en la corporación, ¿deberían verlo como obra de Dios? Si pudieras hacer el bien aceptando un trabajo en un gobierno político plagado de compromisos, ¿Dios te está llamando a aceptar el trabajo? Si enseñas en una escuela que te lleva al límite de tu conciencia, ¿deberías encontrar la manera de dejar ese trabajo o deberías esforzarte más para permanecer en ese lugar?

Conclusiones de los Libros Esdras, Nehemías y Ester

Los libros de Esdras, Nehemías y Ester tienen varias cosas en común. Las tres obras son relatos relativamente cortos de eventos que ocurrieron durante el reinado del Imperio Persa. Los tres involucraron al rey persa y otros funcionarios del gobierno. Los tres libros se centran en las actividades de los judíos en su intento de avanzar en un entorno que, en muchos sentidos, es hostil a su creencia en Dios. Los tres dan testimonio del hecho de que un rey persa podría ayudar al pueblo judío en sus esfuerzos por sobrevivir y prosperar. Los tres tienen líderes importantes cuyas acciones son modelos a seguir. Y los tres libros muestran a personas en el trabajo, lo que a su vez nos ofrece la oportunidad de reflexionar sobre cómo estos textos dan forma a nuestra percepción del trabajo y su relación con Dios.

Sin embargo, los tres libros presentan una amplia división de opiniones sobre cuestiones clave. Esto es cierto incluso en Esdras y Nehemías, que originalmente eran dos partes de un mismo libro. En el libro de Esdras, la confianza en Dios requiere que las personas crucen territorios peligrosos sin la guardia del rey. En Nehemías, la oferta del séquito real se ve como evidencia de la bendición de Dios. Esdras representó lo que podría llamarse "*fe idealista*", mientras que Nehemías mostró "fe pragmática". En Ester, la mano de Dios está escondida, revelada principalmente en el hábil uso que hace Ester de su inteligencia y su posición de servicio al pueblo. Su confianza puede llamarse " *confianza sagaz*".

Sin embargo, Esdras y Nehemías comparten puntos de vista similares sobre la obra de Dios en el mundo. Dios está involucrado en la vida de todas las personas, no solo de sus elegidos. Dios tocó los corazones de los reyes paganos y los guió a Su voluntad. El Señor motiva a Su pueblo a dedicarle su trabajo, usando una variedad de líderes poderosos y voces proféticas para cumplir Su voluntad. En el libro de Esdras, Dios usó a un sacerdote fiel para reconstruir su templo. En Nehemías, Dios usa a un laico fiel para reconstruir los muros de su capital. En el libro de Ester, Dios usa a un judío inicialmente distraído y comprometido para salvar al pueblo judío del genocidio. A juzgar por los tres libros, Dios obra en todo el mundo y usa el trabajo de todo tipo de personas.

Introducción al Libro de Job

El libro de Job explora la relación entre los buenos tiempos, los malos tiempos y la fe en Dios. ¿Creemos que Dios es la fuente de todo bien? Entonces, ¿qué significa si la bondad desaparece de nuestras vidas? ¿Hemos renunciado a nuestra fe en Dios o en Su bondad? ¿O lo tomamos como una señal de que Dios nos está castigando? ¿Cómo podemos permanecer fieles a Dios en medio del sufrimiento? ¿Qué esperanza tenemos para el futuro?

Estos temas surgen en todos los ámbitos de la vida, pero tienen una conexión especial con el trabajo porque una de las principales razones por las que trabajamos es para lograr un cierto nivel de prosperidad. Trabajamos para poner un techo sobre nuestras cabezas, poner comida en nuestras mesas y proporcionar cosas buenas para nosotros y nuestros seres queridos, entre muchas otras razones. La adversidad puede amenazar nuestro nivel de prosperidad y es difícil mantener la confianza durante la adversidad económica. El personaje principal del libro de trabajo comienza en una situación próspera y experimenta un desastre casi inimaginable, que incluye perder su sustento y su riqueza. A lo largo del libro, su fe es duramente probada a medida que experimenta éxitos fascinantes y fracasos desastrosos en el trabajo y en la vida.

En esta sección, examinamos una serie de aplicaciones de este libro en el lugar de trabajo. ¿Es el éxito financiero una señal de nuestras habilidades o una bendición de Dios? ¿Qué nos dice estar desempleado o fracasar sobre la visión de Dios de nuestro trabajo? ¿Cómo nos ayuda la fe en Dios a sobrellevar el fracaso y la pérdida? ¿Cómo afecta el estrés laboral a nuestra vida familiar y a nuestra salud? ¿Cómo lidiamos con la ira contra Dios si Él permite que seamos tratados injustamente en el trabajo? Profundizaremos en el tratado práctico de Job sobre las relaciones superior-subordinado, basadas en el respeto mutuo a todo ser humano creado por el único Dios verdadero. Finalmente, consideraremos la contribución única de Job al empoderamiento económico de las mujeres.

Explorando el Panorama y los Detalles

El autor del Libro de Job es anónimo. Parece que Job no era israelita, ya que se dice que procedía de la tierra de Uz (Job 1:1), que según la mayoría de los eruditos estaba ubicada en el sureste del antiguo Israel. Dado que se cita en el libro de Ezequiel (Ezequiel 14:14, 20), parece correcto señalar que esta historia tuvo lugar antes de la muerte de Ezequiel (siglo VI a. C). De cualquier manera, su historia es atemporal.

El libro contiene una variedad de géneros literarios (narrativo, poético, visionario, diálogo, etc.) que se entrelazan para formar una obra de arte literaria. El esquema más generalmente aceptado identifica dos ciclos de lamentación, diálogo y revelación, intercalados entre un prólogo y un epílogo:

Job 1-2	La Declinación de la Fortuna de Job
Job 3	La Primera Queja de Job
Job 4-27	Los Compañeros de Job lo Señalan como Responsable de la Desgracia
Job 28	Descubrimiento de la Sabiduría
Job 29-31	La Segunda Queja de Job
Job 32-37	Conversación con Eliú
Job 38 -42:9	La Manifestación de Dios
Job 42:7-17	Job recupera su prosperidad: Epílogo

Exploraciones de la Fe: Una mirada a la Enseñanza y sus temáticas

Job, más conocido para los lectores de la Biblia como el hombre recto que sufrió injustamente, ejemplifica a quienes se cuestionan sobre el porqué del sufrimiento de las personas buenas. La fe de Job en Dios se pone a prueba al extremo y la historia da a entender que el compromiso de Job con Dios mengua. Como veremos, las aflicciones de Job comienzan en el trabajo, y el libro nos da ideas valiosas sobre cómo un seguidor de Dios puede obrar fielmente en medio de los altos y bajos de la vida laboral.

Job es el protagonista de uno de los libros más antiguos de la Biblia, y su ejemplo nos ayuda a comprender cómo podemos lidiar con las dificultades del trabajo. En los primeros capítulos de la historia, vemos que Job enfrenta pruebas sobrehumanas al ser un hombre recto. A pesar del acoso y sufrimiento que recibe, Job seguía fiel al Señor y no fue reducido a incredulidad por sus muchas aflicciones. Él se cuestiona por qué sufre si ha sido justo e intachable ante el Señor. Pero comenta: "¿Puede el hombre ser justificado con Dios? ¿Será él puro ante Sus ojos?" (Job 9:2). Cada etapa de la vida laboral está cargada con sus propias tensiones y tentaciones: para obtener dinero, cumplir metas o mantenerse competitivo. Estas son fuerzas constantes que están tratando de desviarnos del camino correcto. El libro de Job nos ofrece llave para mantenernos firmes en nuestra fe en un entorno laboral hostil y difícil. En medio de las problemáticas del trabajo, podemos tomar como modelo al mismo Job quien se mantiene confiado en Dios sin importar lo que llegara a pasar. Aunque sintió ansiedad e incertidumbre por los acontecimientos incluso afligiéndolo hasta el punto de perder contacto con otros humanos, no perdió fe en Dios ni traicionó Su nombre. Él sostenía Su fe diciendo "yo sé que mi Redentor está vivo"; es decir él creía firmemente aún antes de ver la manifestación divina (Job 19:25). Esta mente fija nos permite enfocarnos esperando Sacramento y valentía divina incluso cuando sentimos preocupación o temor por situaciones personales o profesionales presentadas siendo templados para guiarnos firme hasta su logro. De igual forma debemos ser atentos para emplear recursos propios trazando metas realizables que retengan respeto bíblicamente entrando en claridad entendiendo sus promedios tanto positivos como negativos y buscando mantener respuesta saludable, reverenciosa y honorable.

La Declinación de la Fortuna de Job (Job 1-2)

La fortuna de Job es considerada un regalo de Dios (Job 1:1-12)

Al comienzo del libro de Job, conocemos a un granjero y pastor excepcionalmente rico llamado Job. Se le describe como "el más grande de los hijos de Oriente" (Job 1:3). Al igual que los patriarcas Abraham, Isaac y Jacob, su riqueza se midió por sus miles de bueyes, innumerables sirvientes y una familia extendida. Sus siete hijos y tres hijas (Job 1:2) eran tanto su felicidad personal como la gran base de su riqueza.

En las sociedades agrícolas, los niños proporcionan la parte más estable del trabajo requerido por la familia. Son la mejor esperanza para una vejez pacífica. Este era el único plan de pensiones disponible en el antiguo Cercano Oriente, y sigue siendo el caso hoy en día en muchas partes del mundo.

Job consideró que su éxito era el resultado de la bendición de Dios. Se nos dice que Dios "bendijo la obra de sus manos, y su heredad aumentó en la tierra" (Job 1:10). Un detalle inusual destaca el reconocimiento de Job de que debe todo a la bendición de Dios. Le preocupa que su hijo pueda haber ofendido a Dios sin querer. Si bien Job se cuidó de permanecer "sin culpa y recto" (Job 1:1), le preocupaba que sus hijos no fueran tan concienzudos. ¿Qué pasaría si uno de ellos se confundiera al beber demasiado durante sus frecuentes fiestas de varios días y pecara al maldecir a Dios (Job 1:4-5)? Por eso, después de cada fiesta, para compensar cualquier ofensa contra Dios, "Job los mandó llamar, y los santificó, y levantándose de mañana, ofreció holocaustos conforme al número de todos ellos" (Juan Job 1:5).

Dios reconoció la lealtad de Job y le dijo a Satanás (hebreo, que significa "acusador"): "¿Te has fijado en mi siervo Job? Porque no hay hombre en la tierra más íntegro, recto, temeroso de Dios y apartado del mal" (Job 1:8). El acusador vio la oportunidad de hacer el mal y respondió: "¿Acaso Job teme a Dios de balde? (Job 1:9). ¿Significa que Job ama a Dios sólo porque Dios lo ha bendecido tan abundantemente? La alabanza de Job y su holocausto "según el número de todos los pueblos" (Job 1:5) ¿Es solo un plan planeado? sistema para mantener los bienes aumentando, o es la fidelidad de Job, en términos modernos, una moneda clavada en la máquina de la bendición de Dios?

Podemos aplicar esta pregunta a nosotros mismos. ¿ ¿Nuestra relación con Dios se trata principalmente de bendecirnos para obtener lo que queremos? O peor aún, ¿lo estamos haciendo para que nuestro pensamiento de que tendremos éxito no sea un mal augurio? En tiempos de auge, este podría no ser un tema candente. Creemos en Dios y lo reconocemos, al menos en teoría, como la fuente de todo bien. Al mismo tiempo, trabajamos duro para que la bondad de Dios vaya de la mano con nuestro trabajo. Cuando llega el momento y lo logramos, es natural agradecer y alabar a Dios por ello.

Dios da a Satán el permiso de acabar con la riqueza de Job (Job 1:13-22)

Cuando los tiempos son difíciles, surgen problemas dolorosos. Entonces, ¿qué sucede cuando perdemos promociones o trabajos, cuando sufrimos enfermedades crónicas, cuando perdemos seres queridos? Allí nos enfrentamos a la pregunta: "Si Dios me bendijo en los buenos tiempos, ¿me está castigando ahora?" Esta es una pregunta importante.

Entonces, si Dios nos está castigando, tenemos que cambiar lo que estamos haciendo para que Él pueda terminar con el castigo. Pero si nuestras dificultades no son el castigo de Dios, entonces sería una tontería cambiar lo que estamos haciendo, y posiblemente incluso ir en contra de lo que Dios quiere que hagamos.

Imagina la situación de un maestro. La despidieron durante los recortes presupuestarios de la escuela y pensó: "Dios me está castigando por no decidirme a ser misionera". Tres años más tarde, se graduó y comenzó a buscar apoyo para su misión. Si es verdad que Dios la castigó haciendo que la despidieran por no ser misionera, entonces se acabó el crimen. Ya está en buenas condiciones.

Pero, ¿y si su despido no fuera el castigo de Dios? ¿Y si Dios no quisiera que ella fuera misionera? Mientras esté en seminario, es posible que pierda oportunidades de servir a Dios como maestro. Peor aún, ¿qué sucede si no puede encontrar el apoyo que necesita como misionero? No tendrá trabajo y tendrá una deuda de decenas de miles de dólares. Entonces, ¿se sentirá abandonada por Dios si sus proyectos misioneros no funcionan? ¿Perderá incluso su fe o le guardará rencor a Dios? Si es así, no es el primero. Sin embargo, todo esto se debió a que ella creyó erróneamente que su despido era un castigo del cielo. La cuestión de si la adversidad es un signo del desagrado de Dios no es sencilla.

El acusador, Satanás, espera tenderle una trampa similar a Job, diciéndole a Dios que si le quitara una bendición tan abundante que le otorgó a Job, "sabrás que no te maldecirá en tu misma cara" (Job 1: 11; 2:5). Si Satanás puede convencer a Job de que Dios lo está castigando, Job puede caer en una de dos trampas; puede abandonar sus hábitos justos asumiendo falsamente que ofenden a Dios o, desde el punto de vista de los demandantes, mejor aún, puede vuélvanse resentidos con Dios y abandonen sus caminos por completo por su castigo inmerecido. Cualquiera eventualmente será maldecido ante Dios.

Dios permitió que Satanás continuara con sus planes. El libro no explica por qué. Un día trágico cuando casi todo lo que Job apreciaba fue robado, y aquellos a quienes amaba, incluidos todos sus hijos, fueron asesinados o perecieron en una gran tormenta (Job 1: 13-16) . Sin embargo, Job no piensa que Dios lo está castigando o está angustiado por el trato de Dios. En cambio, lo alaba (Job 1:20). En sus momentos más difíciles, Job elogia la autoridad de Dios sobre todas las situaciones de su vida, buenas y malas. "Jehová dio, y Jehová quitó; bendito sea el nombre de Jehová" (Job 1:21).

La actitud serena de Job es brillante. Comprendió correctamente que la prosperidad que tenía era una bendición de Dios, y ni siquiera pensó que la merecía, aunque reconoció que era justo (implícito en Job 1: 1, 5 y en Job 6: 24-30 etc. .). Como reconoces que no mereces tu felicidad anterior, sabes que no necesariamente mereces tu dolor presente. No considera que su condición sea la medida del favor de Dios. Así que no pretende saber por qué Dios lo bendijo una vez y no la otra.

El libro de Job es una exhortación al "evangelio de la prosperidad", que declara que aquellos que tienen una relación correcta con Dios siempre son bendecidos con prosperidad. Esto simplemente no es cierto y el libro de Job es la primera prueba. Pero el libro de Job también representa una advertencia contra el "evangelio de la pobreza", que dice exactamente lo contrario: que una relación correcta con Dios significa una vida de pobreza. La idea de que los creyentes deben igualar la pérdida de Job es demasiado descabellada como para estar al margen de una discusión sobre Job. La prosperidad inicial de Job fue una verdadera bendición de Dios, mientras que su extrema pobreza fue un verdadero desastre.

Job se mantiene fiel incluso ante la adversidad porque entiende correctamente la prosperidad. Ahora que ha experimentado la prosperidad como una bendición de Dios, está listo para soportar la adversidad sin sacar conclusiones precipitadas. Él sabe lo que no sabe, es decir, por qué Dios nos bendice con prosperidad o nos permite sufrir adversidad. Asimismo, sabe lo que sabe, es decir, que Dios es fiel incluso cuando permite que experimentemos un gran dolor y sufrimiento. Como resultado, "Job no pecó en todas estas cosas ni se quejó contra Dios" (Job 1:22).

Dios concede a Satanás el poder de arruinar la salud de Job (Job 2:1-11)

Job pudo soportar una pérdida abrumadora sin comprometer su "integridad" o su condición sin mancha (Job 2:3). Sin embargo, Satanás no se dio por vencido. Tal vez Job simplemente no enfrentó suficiente sufrimiento y dolor. Ahora, Satanás lo acusa de servir a Dios solo porque está sano (Job 2:4). Así, Dios permitió que el acusador infligiera llagas a Job "desde la planta del pie hasta la coronilla" (Job 2:7). La situación realmente avergonzó a la esposa de Job, quien le dijo: "¿Todavía conservas tu integridad? Maldice a Dios y muere" (Job 2:9). Ella reconoce que Job es irreprensible ante Dios, pero a diferencia de él, no ve ningún sentido en ser irreprensible si no trae bendiciones divinas. Job responde con uno de los versículos clásicos de la Biblia: "¿Recibiremos de Dios el bien y no el mal?" (Job 2:10).

Una vez más, encontramos que Job atribuye todas las circunstancias de su vida a Dios. Al mismo tiempo, Job no se da cuenta de la actividad celestial detrás de su situación. No puede ver la dinámica interna del cielo, y solo la integridad de su fe le impide maldecir a Dios. ¿Qué pasa con nosotros? ¿Reconocemos que, como Job, no comprendemos los misterios del cielo que determinan nuestra prosperidad y nuestra adversidad? ¿Nos estamos preparando para la adversidad siendo fieles y agradecidos en los buenos tiempos? Cuando nos encontramos con Job en Job 1:5, su hábito de oración constante y sacrificio puede haber parecido extraño, incluso fascinante, pero ahora podemos ver que una vida de práctica fiel perfeccionó Su capacidad de permanecer fiel en circunstancias extremas. La fe en Dios puede ser un momento fugaz, pero la integridad se construye durante toda la vida.

La adversidad de Job se manifiesta en su lugar de trabajo al perder su fuente de ingresos. Luego se extendió a su familia y finalmente afectó su salud. Conocemos este patrón. Es fácil identificarse tanto con nuestro trabajo que las desgracias en el lugar de trabajo se extienden a nuestras familias y vidas personales. El fracaso en el trabajo amenaza nuestra identidad, e incluso nuestra integridad. Además de la pérdida real de ingresos y seguridad, esto puede causar estragos en las relaciones familiares. Si bien las muertes relacionadas con el trabajo son raras en la mayoría de las ocupaciones, el estrés relacionado con el trabajo puede provocar exacerbaciones a largo plazo de la salud física y mental y problemas familiares. Nos impide encontrar paz, descanso o incluso una buena noche de sueño (Job 3:26). En situaciones tan tensas, Job mantuvo su integridad. Puede ser tentador encontrar instrucciones como esta: "No te involucres tanto en tu trabajo que dejes que los problemas laborales afecten a tu familia o tu salud". los problemas sí afectan a su familia y la salud también afectó su trabajo. La sabiduría de este libro no se trata de cómo reducir la adversidad manteniendo límites razonables, sino de cómo podemos permanecer fieles a las peores situaciones de la vida.

Los amigos se reunieron para apoyar a Job en su dolor (Job 2:11-13)

Algún tipo de apoyo hubiera sido realmente útil para Job después de la maldad de Satanás. Luego, tres de sus amigos entran en la historia, descritos como personas sensibles, devotas y compasivas, incluso sentándose con Job durante siete días y siete noches (Job 2:13). En este punto, son lo suficientemente inteligentes como para no decir nada. El consuelo viene de la presencia de los amigos en momentos de adversidad, no de lo que puedan decir para mejorar la situación. Nada de lo que digan mejorará las cosas.

El apoyo que recibe Job de sus amigos es fundamental para entender el consuelo y el alivio que la presencia de los mismos puede ofrecer. Esta compasión refleja una actitud cristiana madura hacia el sufrimiento humano, en la cual se reconoce que no hay palabras que puedan aliviar la situación de Job. Dichos amigos representan a Jesús, quien también fue invitado a sentarse con Job durante siete días y siete noches (Job 2:13). Aunque ellos no hablen, su presencia tiene un profundo significado y proporciona consuelo y compasión. El evento refleja, como dice el Salmo 23:4, "aun si camino por un valle de profunda oscuridad, no temeré peligro alguno porque tú estás conmigo". Los amigos de Job son demostrativos del principio bíblico de ayudarnos mutuamente en momentos difíciles. La Escritura nos da numeroso ejemplos sobre cómo ayudar a aquellas personas afectadas por el sufrimiento. Un buen ejemplo se encuentra en Romanos 12:15 "Regocijaos con los que se regocijan; llorad con los que lloran". Estas palabras nos animan a vernos unidades como hermanos y hermanas, y estar presentes para las personas necesitadas. De igual forma, debemos servirles con bondad incondicional cuando estén pasando momentos difíciles. Como lo hicieron los amigos de Job; escuchándoles sin juicio o prejuicios. Entonces podemos entender la importancia del apoyo brindado por los amigos de Job después de la maldad cometida por Satanás contra él. En vez de tratarlo como defensor o juzgador decidió sentarse junto a su amigo para ofrecerle consuelo y compañía durante ese duro trance por el cual estaba pasando. Este simple gesto de compasión demuestra lo mucho que podemos aprender del Ejemplo de Jesús quien siempre estuvo presente con plena misericordia para aquellas personas que realmente luchaban con las adversidades de la vida y para aquellos pobres en sufrimientos en general.

La Primera Queja de Job (Job 3)

Lo único que hace Job es afligirse. Se niega a enmarcarse a sí mismo, se niega a culpar o alejarse de Dios. Sin embargo, no dudó en expresar su dolor en los términos más enérgicos posibles. "Destruye el día en que nací, y la noche en que dije 'concebir'" (Job 3:3). "¿Por qué nací y no muero, y no nací?" (Job 3:11). "De lo contrario, seré como un niño que no ha visto la luz, como un aborto descartado" (Job 3:16). "¿Por qué dar luz a aquellos cuyo camino está escondido y rodeado de Dios?" (Job 3:23). Tenga en cuenta que en la mayoría de los casos el lamento viene en forma de pregunta. La causa de este dolor es un misterio. De hecho, puede ser el mayor misterio de la fe. ¿Por qué permite Dios que sus seres amados sufran? Job no sabe la respuesta, así que lo más honesto que puede hacer es preguntar.

Job, un hombre entregado a Dios, es el protagonista de una hermosa historia del Antiguo Testamento. Su vida está llena de pruebas y desafíos que lo obligan a cuestionar la presencia y la intención de Dios en su vida. Job padece inmensamente por los escalofriantes sufrimientos que se abaten sobre él. No solo ha perdido todos sus bienes materiales, sino también a todos sus seres queridos. Esta situación le lleva a experimentar un profundo dolor que expresa constantemente con oraciones desgarradoras dirigidas directamente a Dios: "¿Por qué me has dejado solo? ¿Por qué no me escuchas?" (Job 10:20).

A medida que avanza su triste historia, este dolor se intensifica cada vez más. En medio de este caos financiero, emocional y espiritual, Job sabe que hay algo más elemental detrás de todo este sufrimiento: él tiene derecho al consuelo divino. Por lo tanto, hasta el último momento, Job se resiste a culpar e indignarse contra el Señor por no darle el amparo merecido. En lugar de ello, se esfuerza por comprender los motivos y propósitos divinos para permitir tales aflicciones en su vida. Esta actitud nos recuerda la importancia de mantenerse fieles al Señor incluso ante tremendas pruebas y tribulaciones. Sentimientos como la confusión o la frustración son exagerados en las palabras poéticas poderosas utilizadas por Job para expresar su angustia interior (Job 3:3-23).

Él usa imágenes fuertes para describir cómo desea morir o nunca haber nacido (Job 3:11–16; 3:21–26). La ironía aquí radica en que él sabe que sus preguntas nunca encontrarán respuesta satisfactoria aquí en la Tierra . Pueden pasar muchas agonías antes del final feliz cuando Dios restituye abundantemente sus bendiciones perdidas sobre Job (Job 42:10-17). El hecho de que

Job fielmente permaneciera firme en medio del calvario nos recuerda que hay recompensa incluso después de grandes dolores.

Los Compañeros de Job lo Señalan como Responsable de la Desgracia (Job 4-23)

Los amigos de Job lo culpan de realizar malas acciones (Job 4-23)

Desafortunadamente, los amigos de Job no pudieron entender el misterio de su sufrimiento, por lo que sacaron conclusiones precipitadas sobre la fuente de su sufrimiento. El primero de los tres es Elifaz, quien reconoce que Job ha sido fuente de fortaleza para otros (Job 4:3-4). Más tarde, sin embargo, decidió atribuir su sufrimiento directamente a Job, diciendo: "Recordad ahora, ¿quién fue inocente? ¡Ay!" (Job 4, 7-8). El segundo amigo de Job, Bildad, dijo casi lo mismo. "He aquí, Dios no rechaza al recto, ni apoya al impío" (Job 8:20). Un tercer amigo, Zofar, prácticamente repitió las mismas palabras. Si en tu mano hay iniquidad, y la apartas de ti, y no dejas que el mal more en tu tienda, ciertamente levantarás tu rostro sin mancha, y estarás firme, y no tendrás miedo. Tu vida será más brillante que el mediodía" (Job 11:14-15, 17).

El razonamiento de los tres es un silogismo. Dios solo trae calamidades a los impíos. Si has sufrido un desastre, entonces debes ser malo. Job mismo no aceptó este falso argumento, pero algunos cristianos sí. Es una teología del castigo que postula que Dios bendice a los que son fieles y castiga a los que pecan. Esta declaración no es completamente antibíblica. En muchos casos, Dios enviará desastres como castigo, como lo hizo en Sodoma (Génesis 19:1-29). A menudo, nuestras experiencias apoyan esta posición teológica, porque en la mayoría de los casos, cuando seguimos las enseñanzas de Dios, las cosas funcionan mejor que cuando las olvidamos. Sin embargo, Dios no siempre obra de esa manera. Jesús mismo dijo que los desastres no son necesariamente señales del juicio de Dios (Lucas 13:4).

Cualquiera que haya pasado tiempo con un amigo que está sufriendo sabe lo difícil que es estar con él sin intentar darle respuestas. Era insoportable sufrir en silencio con un amigo que tenía que reconstruir su vida poco a poco, sin ninguna certeza sobre el resultado. Nuestro instinto es investigar qué está mal y determinar una solución. Además, creemos que podemos ayudarlo a eliminar lo que le molesta y volver a la normalidad lo más rápido posible. Al descubrir por qué, al menos sabremos cómo evitar el mismo destino. Preferimos encontrar una razón para el sufrimiento, correcta o incorrecta, que aceptar el misterio que hay en su corazón.

Si los amigos de Job sucumbieron a esta tentación, sería una tontería creer que nunca sucumbiremos. ¿Cuánto daño hacen los cristianos bien intencionados porque respondemos ignorantemente y piadosamente al sufrimiento sin saber de qué estamos hablando? "No hay mal que no sea bueno", "Es parte del plan de Dios", o "Dios nunca permite que todos sean incapaces de hacer frente a más dificultades". A menudo, estas bagatelas son hipócritas y menosprecian el sufrimiento de los demás. ¡Confía en nosotros, sabemos cuán arrogante es el plan de Dios! Qué tonto pensar que sabemos por qué sufren los demás si ni siquiera sabemos por qué sufrimos nosotros mismos. Es más honesto y útil admitir: "No sé por qué te pasó esto. Espero que nadie más tenga que pasar por esto". gracia de Dios.

Los amigos de Job no podían afligirse con él ni admitir que no tenían un estándar por el cual juzgarlo. Están decididos a defender a Dios acusando a Job (lo que los pone en el papel de Satanás). A medida que avanzaba su discurso, la retórica de los amigos se volvió cada vez más hostil. Se enfrentan a elecciones autoimpuestas, ya sea culpar a Job o Dios, y endurecen sus corazones contra sus antiguos amigos. Elifaz le dijo: "¿No es grande tu maldad, y tu maldad no tiene fin?" (Job 22:5) y luego inventó algunas malas acciones que atribuyó a Job. "No darás agua al cansado, ni pan al hambriento" (Job 22:7). "Despides a las viudas con las manos vacías, y quebrantas los brazos de los huérfanos" (Job 22:9).

El último discurso de Zofar dice que el impío no disfrutará de sus riquezas, porque Dios hará que su estómago las vomite (Job 20:15); riquezas, pero no podrá disfrutarlas" (Job 20:18). Esta es una forma adecuada de corregir la maldad del impío, que "oprime y rechaza al pobre; usurpa la casa que no construyó" (Job 20,19). El lector sabe que este no es el caso de Job. ¿Por qué Dhofar estaba tan decidido a incriminarlo? ¿Estamos a veces demasiado dispuestos a seguir los pasos de Zofar cuando nuestros amigos se enfrentan al fracaso en el trabajo y en la vida?

El libro de Job nos pide que comparemos nuestras propias percepciones con las de los amigos de Job. También, probablemente, sabemos lo que está bien y lo que está mal, y tenemos cierta comprensión de lo que Dios enseña. Sin embargo, no conocemos todos los caminos de Dios porque se aplican a todos los tiempos y lugares. "Tal conocimiento es demasiado maravilloso para mí; es demasiado alto para que yo lo alcance" (Salmo 139:6). A menudo, los caminos de Dios son misterios más allá de nuestra comprensión. ¿Es probable que también hagamos juicios ignorantes sobre nuestros amigos o colegas?

Sin embargo, no siempre son nuestros amigos quienes nos acusan. A diferencia de Job, muchos de nosotros estamos dispuestos a culparnos a nosotros mismos. Cualquiera que haya experimentado un fracaso puede preguntarse: "¿Qué hice para merecer este fracaso?" Esto es natural y no del todo incorrecto. A veces, por simple pereza, datos incorrectos o incompetencia, tomamos malas decisiones que nos hacen fracasar en el trabajo. Sin embargo, no todos los fracasos son el resultado directo de nuestras propias deficiencias, ya que muchos fracasos son el resultado de circunstancias que escapan a nuestro control. El lugar de trabajo es complejo, con muchos factores que requieren nuestra atención, muchas situaciones ambiguas y muchas decisiones con resultados impredecibles. ¿Cómo sabemos si hemos estado siguiendo el camino de Dios? ¿Cómo podemos determinar si nuestros éxitos y fracasos son el resultado de nuestras propias acciones o son causados por otros factores? ¿Cómo puede un agente externo juzgar la corrección de nuestras acciones sin conocer cada detalle íntimo de nuestra situación? De hecho, cuán limitado es nuestro propio conocimiento, ¿cómo podemos juzgarnos a nosotros mismos?

Los amigos de Job lo acusan de perder la fidelidad hacia Dios (Job 8-22)

Eventualmente, los amigos de Job pasaron de cuestionar qué había hecho mal a cuestionar si había abandonado a Dios (Job 15:4, 20:5). En el proceso, sus amigos lo animaron a volver a Dios. Bildad le dijo a Job: "Si buscas a Dios y pides misericordia al Todopoderoso" (Job 8:5), tu futuro será mejor (Job 8:7) y estará lleno de "risas" y "aclamaciones" (Job 8 :21). Elifaz le aconsejó: "Si te vuelves al Todopoderoso, serás restaurado" (Job 22:23). Nuevamente, en general, este es un buen consejo. Cuando nos alejamos de Dios, necesitamos que se nos recuerde que volvamos a Él. Sin embargo, el lector sabe que Job no hizo nada para merecer su sufrimiento. Aun así, los ataques de sus amigos hicieron que Job dudara de sí mismo. Justo cuando necesita que sus amigos crean en él, estos le impiden creer en sí mismo. ¿Cómo podrían apoyarlo cuando ya estaban convencidos de que él era el culpable?

Habría sido mejor si hubieran escuchado atentamente sus problemas antes de acusarlo sin fundamentos. También debieron recordarle que el Señor estaba presente hasta en los tiempos más difíciles y prometerle que todo saldría bien al final. Si hubieran hecho todo esto, los amigos de Job probablemente le habrían dado la fuerza necesaria para seguir adelante y superar sus obstáculos.

Job presenta su argumento a Dios (Job 5-13)

Job poseía una sabiduría de la que carecen muchos cristianos. Sabía cómo entregar sus emociones a Dios y no descargarlas sobre sí mismo o sobre quienes lo rodeaban. Además, creía que la fuente de las bendiciones, incluso de la adversidad, era Dios, por lo que llevó sus quejas a la fuente. "Pero quiero hablar con el Todopoderoso, quiero discutir con Dios... ¿Cuánto es mi iniquidad e iniquidad? Hazme saber mi rebelión y mi pecado. ¿Por qué escondes tu rostro y me tienes por enemigo? (Job 13 :3, 23-24). Admitió que no entendía los caminos de Dios. "Hizo grandes obras inescrutables, y maravillas sin número" (Job 5:9). Job sabía que nunca podría ganar una discusión con Dios. "Si alguien quiere competir con él, no podrá responder una entre mil. Con un corazón fuerte, ¿quién se atrevería a ir contra él sin salir lastimado? (Job 9:3-4). Sin embargo, Job sabía que su dolor tenía que mostrarse de alguna manera. "Por tanto, no cerraré mi boca, hablaré en la agonía del espíritu, me quejaré en la angustia de mi alma" (Job 7:11). Es mejor señalar su dolor a Dios, quien puede manejarlo fácilmente, que a usted mismo o a sus seres queridos, quienes no tienen la oportunidad de solucionarlo.

Los compañeros de Job intentan defender a Dios (Job 22-23)

Todos conocemos el tormento después del fracaso. En nuestras noches tormentosas de vigilia, nos cuestionamos a nosotros mismos. Incluso podría parecer correcto proteger a Dios culpándose a uno mismo. Si nos cuestionamos de esta manera, imagina cómo cuestionamos a nuestros amigos aunque rara vez nos demos cuenta. Los amigos de Job nos muestran cómo hacerlo: Deseosos de proteger a Dios de las protestas de Job, intensifican sus ataques contra sus amigos. Aun así, durante siglos los cristianos que leían el libro de Job veían a los amigos como herramientas de Satanás, no de Dios. Dios no necesita protección, él puede cuidarse solo. Más importante aún, Satanás está ansioso por demostrarle a Dios que Job lo sirve solo porque Dios lo ha bendecido grandemente. El primer paso para probar el ataque del demandante es hacer que Job admita que hizo algo mal, lo cual no es el caso.

Por ejemplo, el enfoque del último discurso de Elifaz fue que Dios es irreprensible. "¿Puede el hombre ser útil a Dios? ¿Puede el sabio ser útil a sí mismo?" (Job 22:2). "¿No está Dios en el cielo?" (Job 22:12). "Sométanse ahora y reconcíliense con él" (Job 22:21). "El Todopoderoso será la plata y el oro que hayas escogido para ti. Porque entonces te deleitarás en el Todopoderoso, y a Dios levantarás tu rostro. Le pedirás, y él te escuchará" (Job 22:25) -27) .

Sin embargo, Job no quiere culpar a Dios, sino aprender de Dios. Aunque Dios permitió que Job sufriera adversidades terribles, él creía que Dios podía usar la experiencia para moldear su alma para siempre. Job dijo: "Cuando lo pruebo yo mismo, salgo como el oro" (Job 23:10). "Porque lo que me ha ordenado, muchos de estos testimonios tiene" (Job 23:14). Paul Stevens y Alvin Ung notaron muchos eventos que moldearon el alma en su trabajo. Las fuerzas oscuras de un mundo caído amenazan con debilitar nuestras almas, pero Dios quiere que nuestras almas sean refinadas y moldeadas a la imagen única que Dios tiene para cada individuo, como el oro. Imagínese cómo sería la vida si pudiéramos crecer espiritualmente no solo mientras estamos en la iglesia, sino todo el tiempo que trabajamos. Para ello, necesitamos sabios consejeros con sensibilidad espiritual cuando afrontamos pruebas en el trabajo. Los amigos de Job, inmersos en repeticiones irrazonables de frases espirituales tradicionales, no le hicieron ningún favor en este sentido.

Los lamentos de Job tienen un significado particular para la labor que realizamos (Job 24)

Al igual que Job, nuestro sufrimiento a menudo comienza con dificultades en el trabajo, pero el pueblo de Dios rara vez puede, o incluso desea, ayudarse unos a otros a sobrellevar el fracaso y la pérdida del trabajo. Cuando nos encontramos con problemas familiares o de salud, podemos buscar ayuda de pastores o amigos cristianos, ellos pueden ser de mucha ayuda. Pero, ¿buscamos ayuda para los problemas laborales? ¿Cuánta ayuda recibiríamos si hiciéramos esto?

Por ejemplo, suponga que su jefe es injusto con usted, puede culparlo por sus errores o avergonzarlo en desacuerdos válidos. No es apropiado revelar sus sentimientos a clientes, proveedores, estudiantes, pacientes u otras personas con las que trabaja. Quejarse con sus colegas o incluso con sus amigos es dañino. Es una rara bendición si la comunidad cristiana puede ayudarlo a lidiar con esta situación, pero no todas las iglesias saben cómo apoyar a las personas que enfrentan dificultades relacionadas con el trabajo. ¿Es esto algo en lo que la iglesia necesita mejorar?

Hemos visto que Job no tenía miedo de llevar sus quejas, incluidas las relacionadas con el trabajo, a Dios. La serie de quejas en Job 24:1-12 y 22-25 están especialmente relacionadas con el trabajo. Job se queja de que Dios no permite que los malvados sufran consecuencias injustas en las actividades laborales y económicas. Las personas usurpan los recursos públicos y roban la propiedad privada de otros para su propio beneficio (Job 24:2). Explotan a los débiles y desvalidos, amasando enormes ganancias para sí mismos (Job 24:3). Los arrogantes se salen con la suya en el trabajo, mientras que los honestos y humildes se esconden (Job 24:4). Los más pobres no tienen posibilidad de ganarse la vida y tienen que hurgar en la basura e incluso robar a los ricos para mantener a sus familias (Job 24:5-8). Otros trabajan duro pero no ganan suficiente dinero para disfrutar de los frutos de su trabajo. "De los hambrientos siegan la gavilla. Entre sus muros producen aceite; pisan el molino, pero tienen sed" (Job 24:10-11).

Job sabe que todas las bendiciones vienen de Dios y que toda adversidad es permisible si Dios no la causa. De ahí la intensa angustia que se puede sentir en la queja de Job: "La ciudad gimió, y los heridos gimieron, pero Dios no escuchó sus oraciones" (Job 24:12; cursiva agregada). Los amigos de Job lo acusaron de abandonar a Dios, pero resulta que los justos son abandonados por Dios. Mientras tanto, los villanos parecen estar viviendo vidas glamorosas. "Él barre a los poderosos con poder; cuando se levanta, nadie está seguro de la vida. Él les da seguridad, son sostenidos, y sus ojos están en su camino" (Job 24:22-23). Job creía que los malvados eventualmente serían destruidos. "Fueron exaltados por un poco de tiempo, y luego desaparecieron; también ellos fueron deshonrados y recogidos como todos los demás; fueron cortados como espigas de trigo" (Job 24:24). Pero, ¿por qué Dios permite que los malvados prosperen?

En el libro de Job no encontramos la respuesta a esta pregunta, y nadie la sabe. Las dificultades financieras son un dolor real que muchos cristianos enfrentan a lo largo de los años e incluso de sus vidas. Tal vez tengamos que abandonar las actividades académicas cuando somos jóvenes debido a dificultades económicas, lo que puede impedirnos alcanzar nuestro máximo potencial en nuestro trabajo. Nos pueden aprovechar o convertir en chivos expiatorios, lo que puede arruinar nuestras carreras. Podemos nacer, luchar para vivir y morir con la sanción de un gobierno corrupto que mantiene a sus ciudadanos empobrecidos y oprimidos.

Estos son solo algunos ejemplos relacionados con el trabajo. Podemos ser lastimados grave, dolorosa e injustamente de un millón de maneras en esta vida sin poder comprender, y mucho menos remediar. Por la gracia de Dios, esperamos nunca darnos por vencidos ante la injusticia y el sufrimiento. Sin embargo, a veces no podemos mejorar las cosas, al menos no de inmediato. En este caso, solo tenemos tres opciones: inventar una explicación convincente pero falsa de por qué Dios permitió que sucediera, como lo hicieron los amigos de Job; permanecer fieles a Dios.

Descubrimiento de la Sabiduría (Job 28)

Job decidió permanecer fiel a Dios. Sabía que la sabiduría de Dios estaba más allá de su comprensión. El capítulo 28 de Job usa la metáfora de la minería para encontrar sabiduría. Revela que la sabiduría "no está en la tierra de los vivientes" (Job 28:13), sino en el corazón de Dios. "Dios conoce sus caminos y conoce su lugar" (Job 28:23). Esto nos recuerda que el conocimiento técnico y las habilidades prácticas no son suficientes para que el trabajo sea verdaderamente significativo. También necesitamos el Espíritu de Dios al enfrentar nuestras tareas. Nuestra necesidad de la guía del Señor va mucho más allá de lo que solemos considerar "espiritual". Todos necesitamos la sabiduría de Dios: el maestro tratando de discernir cómo aprenden los estudiantes, el líder tratando de comunicar claramente, el jurado tratando de determinar la intención del acusado, el analista tratando de evaluar los riesgos de un proyecto. Cualquiera que sea el objetivo de nuestro trabajo, "Dios conoce su camino y conoce su lugar" (Job 28:23).

Aun así, es posible que no siempre tengamos acceso a la sabiduría de Dios. “Ella está escondida a los ojos de todos los seres y de las aves del cielo” (Job 28:21). A pesar de nuestros mejores esfuerzos, a veces intentos mediocres, es posible que no podamos encontrar la guía de Dios para cada acción y decisión. Si esto sucede, es mejor admitir nuestra ignorancia que creer nuestras especulaciones o falsa sabiduría. A veces la humildad es la mejor manera de honrar a Dios. “El temor de Jehová es sabiduría, y apartarse del mal es inteligencia” (Job 28:28).

La Segunda Queja de Job (Job 29-42)

Como se señaló en la Introducción, Job 29-42 marca el segundo ciclo lamento-habla-lamento, que generaliza el primero. Por ejemplo, en el capítulo 29, Job recuerda los mejores días, llevándonos de regreso a su escena idílica en el capítulo 1. En Job 30, el dolor de Job por ser rechazado por muchos ahora nos recuerda cómo su esposa lo enajenó. Capítulo 2. Los lamentos de Job en los capítulos 30 y 31 son versiones extendidas de sus lamentaciones en el capítulo 3. Sin embargo, cada fase del segundo ciclo tiene un nuevo enfoque.

Job se sumerge en la melancolía y el autoconcepto (Job 29-30)

El segundo lamento de Job (Job 29-42) enfatiza la nostalgia y la autojustificación. Job anhela "el día en que Dios me cuidará" (Job 29:2) y "el día en que el favor de Dios vendrá sobre mi tienda" (Job 29:4). Recordó que "mis pies estaban bañados en leche, y de la roca brotaban para mí ríos de aceite" (Job 29,6), y recordó que era muy respetado en la comunidad, que era lo más importante en el lenguaje de los Antiguo Testamento Esto se evidencia claramente por el "asiento" en la plaza cerca de la "puerta" (Job 29:7). Job era popular entre jóvenes y ancianos (Job 29:8), y era especialmente respetado por nobles y jefes (Job 29:10). Es respetado por su preocupación por las necesidades de los pobres, los huérfanos, las viudas, los ciegos, los cojos, los necesitados, los gentiles y los moribundos (Job 29:12-16). Él es el campeón contra los impíos (Job 29:17).

La sensación de pérdida de Job se ve exacerbada por su nostalgia, ya que se da cuenta de que el respeto que recibe en el trabajo y en la ciudad es en su mayoría superficial. "Por cuanto ha desatado la cuerda de su arco y me ha afligido, así las riendas están sueltas delante de mí" (Job 30:11). "Yo soy su proverbio" (Job 30:9). Algunas personas experimentan una sensación similar de pérdida debido a la jubilación, los reveses en su carrera, la pérdida financiera o cualquier situación que perciban como un fracaso. Podemos cuestionar nuestras identidades, dudar de nuestro valor. Cuando fallamos, otras personas nos tratan diferente, o peor, simplemente se alejan de nosotros (al menos los amigos de Job fueron a verlo). Los que habían sido nuestros amigos hablaban con cuidado y en voz baja, como si esperaran que nadie los viera acercarse a nosotros. Tal vez piensen que el fracaso es contagioso, o que ser vistos como fracasados los marca como fracasados. Job se lamentó: "Me aborrecieron y se apartaron de mí" (Job 30:10).

Esto no quiere decir que todas las amistades cívicas o laborales sean superficiales. Es cierto que algunas personas se vuelven nuestros amigos solo porque nos encuentran útiles y luego nos dejan cuando ya no somos útiles. Lo que realmente duele es la pérdida de una amistad aparentemente genuina.

A diferencia de su primer lamento (Job 3), Job muestra una gran parte de su justicia propia en esta ronda. "Tengo derecho a ser manto y capucha" (Job 29:14). "El Padre es para los necesitados" (Job 29:16). Job habla con fuerza de su impecable pureza sexual (Job 31:1, 9-10).

Desde el principio sabemos que Job no es castigado por ciertas malas acciones. Su autoevaluación puede ser correcta, pero la autodefensa no es necesaria ni emocionante. Puede que la adversidad no siempre nos supere, pero Dios es fiel a pesar de que Job no podía verlo entonces, "porque", como dijo más tarde, "el castigo de Dios me es terrible" (Job 31:23).

Cómo las prácticas éticas de Job se aplican al entorno laboral (Job 31)

En la segunda Lamentación (Job 29-42), Job presenta un tratado relacionado sobre la conducta moral, que en cierto modo presagia el Sermón de la Montaña de Jesús (Mt 5-7). Aunque dice esto para justificar sus acciones, Job ofrece algunos principios que se aplican a muchas áreas de nuestra vida laboral:

Evita la falsedad y el engaño (Job 31:5).

No usar los medios para el fin, manifestado en no dejar que el corazón (principio) sea engañado (oportunista) por los ojos (especulación) (Job 31:7).

Practica la generosidad (Job 31:16-23).

No seas complaciente en tiempos de prosperidad (Job 31:24-28).

No haga que su éxito dependa del fracaso de otros (Job 31:29).

Admite tus errores (Job 31:33).

No trates de obtener algo a cambio de nada, sino paga adecuadamente por los recursos que consumes (Job 31:38-40).

Este pasaje es particularmente interesante sobre la forma en que Job trata a sus empleados:

Si desprecio los derechos de mis siervos, ¿qué haré cuando me acusen, cuando Dios se levante? ¿Qué responderé cuando me pida cuentas? El que me formó en el vientre no lo formó también a él ¿No crearnos en el vientre?" (Job 31:13-15)

Un patrón piadoso trata a sus empleados con respeto y dignidad. Las quejas de Job sobre sus siervos, principalmente sobre su propio trato hacia ellos, hacen esto evidente de una manera peculiar. Job señala correctamente que los que están en autoridad deben justificar ante Dios la forma en que tratan a sus subordinados. "¿Qué haré cuando Dios se levante? Cuando me pida cuentas, ¿qué responderé? (Job 31:14). Dios preguntará a los subordinados cómo los tratan los superiores. Los superiores preguntan a sus subordinados lo mismo Las preguntas son sabias porque es posible para corregir sus errores. La marca de un verdadero y humilde seguidor de Dios es que reconocen que pueden estar equivocados, y esto es más evidente en su disposición a tratar con todas las quejas legítimas. Se necesita sabiduría para discernir qué quejas son verdaderamente dignas. de atención. Aun así, el objetivo principal es crear un ambiente donde los subordinados sepan que los superiores considerarán las solicitudes sensatas y racionales. Si bien Job habla de sí mismo y de sus sirvientes, sus principios se aplican a los de cualquier autoridad Situaciones: Soldados, empleados y empleadores, padres e hijos (la paternidad es trabajo), líderes y seguidores.

Nuestro tiempo ha sido testigo de grandes luchas por la igualdad en el lugar de trabajo entre raza, religión, nacionalidad, género, clase social y otros factores. El libro de Job prevé estas luchas durante cientos de años. Job va más allá de la simple igualdad formal de las categorías de población y ve la dignidad de todos en su familia como iguales. Cuando tratamos a todos con la dignidad y el respeto debidos a los hijos de Dios, nos volvemos como Job, sin importar nuestros sentimientos personales o los sacrificios requeridos.

Por supuesto, esta verdad no impide que los jefes cristianos establezcan y exijan altos estándares en el lugar de trabajo. Sin embargo, exige que los valores de cualquier relación laboral se caractericen por el respeto y la dignidad, especialmente cuando las autoridades.

Conversación con Eliú (Job 32-37)

En ese momento, un joven llamado Eliú se unió a la discusión. Su diálogo con Job es similar al de Job con sus amigos en los capítulos 4-27. Según Eliú, el elemento nuevo es que él fue inspirado para hablar sabiduría que los amigos de Job no dijeron. Declara que "hay entre vosotros hombres de conocimiento" (Job 36:4), y luego acusa a sus amigos de no poder probar que Job estaba equivocado (Job 32:8-18). Después de esta exhibición y recordando que cuanto más confiadamente se oponían a Job, menos acertadas eran las acusaciones de los amigos, no debemos esperar gran sabiduría de Eliú. En su mayor parte, simplemente reafirmó los argumentos mencionados anteriormente. Su plan era el mismo que el de sus amigos: primero convencer a Job de que había hecho algo digno de castigo, y luego alentarlo a arrepentirse para que pudiera ser bendecido nuevamente por Dios (Job 36:10-11).

Mencionó un nuevo principio relacionado con el trabajo: está mal aceptar sobornos (Job 36:18). Esta es una declaración verdadera, discutida más adelante en otra parte de la Biblia, pero se usa incorrectamente como una acusación contra Job.

La Manifestación de Dios (Job 38-42:9)

En el primer ciclo del libro, las revelaciones de la sabiduría de Dios interrumpen los discursos de los amigos de Job. Un nuevo elemento en el segundo ciclo El discurso de Eliú es interrumpido por la sorprendente aparición del mismo Dios (Job 38:1). Finalmente, Dios cumplió el deseo de Job de encontrarse cara a cara. El lector ha estado esperando para ver si Job finalmente se derrumbará y maldecirá a Dios en su cara, pero se mantiene firme y aprende que la sabiduría de Dios está mucho más allá del conocimiento humano.

¿Es posible entender la inteligencia de Dios? (Job 38:4-42:6)

La primera pregunta de Dios a Job marca el tono de lo que es casi un monólogo: "¿Dónde estabas tú cuando yo fundaba la tierra? Dime si eres sabio" (Job 38,4). Usando los términos más espectaculares relacionados con la creación en la Biblia, Dios muestra que él es el único autor de los milagros. Esto tiene un gran impacto en el trabajo. Nuestro trabajo refleja que somos creados a la imagen del gran Dios Creador (Génesis 1-2). Aquí, sin embargo, Dios mora en una obra que solo Él puede hacer. "Cuando las estrellas del alba canten juntas, y todos los hijos de Dios griten de júbilo, ¿quién puso la piedra angular?" (Job 38:6-7). "¿Quién cerró las grandes puertas cuando el mar se desbordaba de su seno?" (Job 38:8). "¿Quizás el águila extendió sus alas y voló hacia el sur, por tu sabiduría? ¿Obedecerá el águila tu mandato de montar y construir un nido en un lugar alto?" (Job 39:26-27).

Curiosamente, la autoridad de Dios sobre el mundo natural es una comprensión de la condición humana. Dios le preguntó a Job: "¿Quién puso la sabiduría en lo más profundo, o dio inteligencia a la cabeza?" (Job 38:36). La respuesta, por supuesto, es Dios. Al mismo tiempo, esto afirma nuestra búsqueda de conocimiento y demuestra sus límites. La sabiduría dada por Dios nos permite anhelar respuestas a los misterios del sufrimiento. Aun así, nuestra sabiduría proviene solo de Dios, por lo que no podemos superar a Dios con nuestra propia sabiduría. De hecho, él implanta solo una pequeña parte de su sabiduría en nosotros, de modo que nunca podemos entender todas sus palabras. Como hemos visto, expresar nuestro descontento con Dios puede estar bien para nuestras almas, pero esperar que su respuesta sea "sí, sé que me equivoqué" es una tontería.

Además de continuar este encuentro desequilibrado, Dios le planteó a Job un desafío imposible: "¿Puede el que reprende estar en pie contra el Todopoderoso? Que el que reprende a Dios responda a esto" (Job 40: 2). Ya que Job admitió previamente que "No sé" es a menudo la respuesta más sabia, su humilde respuesta no sorprende. "He aquí, soy insignificante; ¿qué puedo responderte? Me tapo la boca con las manos" (Job 40:4).

La mayoría de los comentaristas están de acuerdo en que Dios le permite a Job ver su situación más plenamente. Esto es similar a no poder apreciar la perspectiva del artista cuando uno se para demasiado cerca de una pintura. Job necesita retroceder unos pasos para obtener una visión más clara, si no una comprensión completa, del propósito más grande de Dios.

Dios continúa atacando de frente a quienes lo acusan de mala conducta en la mayordomía de su creación. Desestima los intentos de Job de justificarse a sí mismo. "¿Realmente anularéis mi juicio? ¿Me condenaréis a defenderme?" (Job 40:8). El intento de Job de culpar a otros recuerda la respuesta de Adán cuando Dios le preguntó si comía del árbol del conocimiento del bien y del mal. "La mujer que era mi compañera me dio del árbol, y yo comí" (Génesis 3:12).

Llevar nuestras quejas a Dios es algo bueno si miramos a Job, Salmos y Habacuc como modelos inspirados que nos muestran cómo acercarnos a Dios en tiempos difíciles. Sin embargo, culpar a Dios de encubrir nuestros propios errores es el colmo del orgullo (Job 40:11-12). Dios no reconoce a Job por hacerlo, pero no lo condena por expresar sus quejas. La acusación de Job contra Dios es un error más allá del sentido común, pero no es imperdonable.

Job recibió la audiencia que había estado buscando de Dios, pero nadie respondió a la pregunta de si merecía el sufrimiento por el que estaba pasando. Job se da cuenta de que es su culpa por pensar que podría saber la respuesta, no la culpa de Dios por no responder. "He explicado las cosas que no entendía, las cosas maravillosas que no sabía" (Job 42:3). Tal vez es solo que está tan asombrado por la existencia de Dios que ya no necesita respuestas.

Si tuviéramos que buscar la causa del sufrimiento de Job, no la encontraríamos. Por un lado, la adversidad de Job le hizo apreciar aún más la bondad de Dios. "Sé que todo lo puedes y que ningún propósito tuyo puede ser frustrado" (Job 42:2). Parece que la relación de Job con Dios se profundizó y, como resultado, se volvió más sabio. Job se da cuenta más que nunca de que su prosperidad anterior no se debió a su propia fuerza y poder. La diferencia es solo una cuestión de medida. ¿Vale la pena la mejora gradual de la enorme pérdida? Ni Job ni Dios respondieron esta pregunta.

Dios no ve con buenos ojos a los amigos de Job (Job 42:7-9)

Dios critica a los tres amigos, que atormentan profundamente a Job predicando con arrogancia falsa sabiduría. En un giro satisfactorio e irónico, declara que si Job ora por ellos, no los castigará por hablar ignorantes en lugar de Dios (Job 42:7-8). Erróneamente instaron a Job a que se arrepintiera y ahora tenían que confiar en que Job aceptaría su arrepentimiento y que Dios escucharía las súplicas de Job por ellos. El acto de Job orando por sus amigos nos recuerda donde Job ora para proteger a sus hijos en el capítulo uno. Job era un hombre de oración, en buen tiempo y fuera de tiempo.

Como parte de nuestro proceso de recuperación del fracaso, hacemos bien en orar por aquellos que nos atormentan o dudan de nuestro dolor. Más tarde, Jesús nos llama a orar por nuestros enemigos (Mateo 5:44; Lucas 6:27-36), y en ambos casos esta enseñanza se ve como algo más que sanidad. Si podemos orar por aquellos que nos persiguen, entonces podemos ir más allá de las circunstancias fugaces de la vida y comenzar a apreciar la imagen desde la perspectiva de Dios.

Job recupera su prosperidad: Epílogo (Job 42:7-17)

La parte final del libro de Job contiene un final de libro de cuentos en el que se restauran muchos de los destinos de Job, muchos pero no todos. Recibió el doble de riqueza que antes (Job 42:10), más siete hijos y tres hijas (Job 42:13). Sin embargo, su primer hijo murió para siempre, lo cual no fue un buen negocio. Entonces, mientras leemos que los últimos días de Job fueron "más benditos que los primeros" (Job 42:12), sabemos que todavía debe haber un sabor amargo en su boca. Sabemos que después de la resurrección del Hijo de Dios, lo que Job no sabía, es que la redención final de Dios vendrá solo cuando Cristo regrese para consumar su reino.

Las hijas de Job reciben un legado (Job 42:13-15)

Debido a su sufrimiento, Job hizo algo asombroso: dejó su herencia a sus hijas e hijos (Job 42:15). Dejar una herencia a una hija no estaba permitido en el antiguo Cercano Oriente, al igual que era ilegal en la mayor parte de Europa hasta los tiempos modernos. ¿Qué impulsó a Job a dar este paso sin precedentes? ¿El dolor de no poder hacer nada por tu hija fallecida te hizo decidir hacer todo por tu hija que aún vive? En este sentido, ¿es este dolor el motor que te empuja a superar las barreras sociales contra la igualdad de la mujer? ¿Tu dolor te ha hecho abrirte al dolor de los demás? O, ¿han obtenido una comprensión más profunda del amor de Dios por los hombres y las mujeres, y sus implacables demandas de la justicia de Dios han sido respondidas? Si bien no sabemos la causa, podemos ver el efecto. Incluso si no hay otras influencias en esta vida, el resultado de nuestro sufrimiento puede ser que otros se liberen de su propio sufrimiento.

Conclusión al Libro de Job

Se concluye con observaciones y preguntas, no con algunas conclusiones. Job demostró su fidelidad a Dios tanto en las buenas como en las malas, y ciertamente es un ejemplo para nosotros. Sin embargo, los juicios abominables que emiten sus amigos son una advertencia en contra de que apliquemos patrones con demasiada confianza a nuestras propias vidas.

Dios probó su fidelidad a Job. Esta es nuestra suprema esperanza y consuelo. Aun así, no podemos predecir cómo se manifestará su fidelidad en nuestras vidas hasta que sus promesas se cumplan en los cielos nuevos y la tierra nueva. Es una tontería juzgar a los demás, o incluso a nosotros mismos, en función de la evidencia incompleta que tenemos a nuestra disposición, la escasa sabiduría a la que tenemos acceso y las escasas opiniones que tenemos. A menudo, la respuesta más sabia a las preguntas más difíciles sobre las circunstancias en las que vivimos puede ser "No lo sé".

No obtenemos respuestas directas y concluyentes a todas nuestras preguntas. Sin embargo, surge una enseñanza profunda acerca de la fidelidad: que Dios es fiel incluso cuando nosotros no lo somos. Esto es algo en lo que podemos confiar incluso cuando las circunstancias de nuestras vidas parecen desesperadas. El ejemplo de Job también nos advierte para no tratar de juzgar a aquellos alrededor nuestro o incluso juzgarnos a nosotros mismos sin evidencia suficiente. Estamos limitados por nuestra capacidad para comprender completamente la situación y por los límites de nuestra sabiduría humana. Por lo tanto, es importante recordar siempre depender antes que nada de la fidelidad infinita y soberana del Señor. Ya sean tiempos de prosperidad o adversidades, él promete estar con nosotros hasta el final como un Dios misericordioso y amoroso, ofreciéndonos consuelo y esperanza mientras caminamos hacia la gloria eterna.

Introducción al Libro de Salmos

Los Salmos son en parte himno, en parte oración, en parte literatura sapiencial y en parte poesía sobre Israel y Dios. Su temática es muy amplia. Por un lado, proclama alabanzas y oraciones al Altísimo (Salmo 50:14), y por otro lado, abraza la experiencia humana tan íntima como el duelo por una madre (Salmo 35:14). Los Salmos son exclusivos del Antiguo Testamento porque la mayor parte del libro son personas hablando con Dios. En todos los demás libros del Antiguo Testamento, encontramos historias o principalmente vemos a Dios hablando a la gente (como en la Torá y los Profetas).

A pesar de tener miles de años, casi todos los Salmos reflejan de una forma u otra las luchas y alegrías de nuestro día. Independientemente del tema de un salmo en particular, cada uno expresa cómo nos sentimos al enfrentar los problemas de la vida. Algunos salmos capturan el gozo que experimentamos en la presencia de Dios cuando experimentamos situaciones difíciles pero terminamos bien. Otros expresaron un intenso enojo o angustia mientras luchaban por entender por qué Dios no actuó como pensábamos cuando "*los malvados prevalecieron*". En algunos casos, Dios habla. En otros casos, Dios guarda silencio. Algunos encontraron soluciones, mientras que otros nos dejaron con preguntas sin respuesta.

Los Salmos no fueron escritos por una sola persona al mismo tiempo, como lo indican los diversos atributos en los títulos. De hecho, estudiar la autoría del Salmo, así como su fecha de redacción, escenario, propósito, uso y difusión, es un área importante de los estudios bíblicos. Las herramientas de la historia formal y el análisis literario comparado (especialmente con la literatura ugarítica) se han utilizado ampliamente en el estudio de la poesía. No intentaremos ahondar completamente en estos estudios, pero confiaremos en tales estudios para ayudarnos a comprender y aplicar los Salmos a nuestro trabajo.

Explorando los Mensajes de los Salmos

Esta obra aparece con frecuencia en ciento cincuenta salmos. A veces, Salmos en el trabajo se enfoca en la ética personal, incluida la integridad y la obediencia a Dios en nuestro trabajo, el trato con la competencia y la ansiedad por el aparente éxito de las personas deshonestas. Otros salmos tratan de la ética de la organización, ya sea tan pequeña como una familia o tan grande como una nación. Los temas modernos a los que se aplican estos salmos incluyen la ética empresarial, las presiones del régimen regulatorio, la globalización, las consecuencias del fracaso en el lugar de trabajo y la mala conducta doméstica. Otro tema principal relacionado con el trabajo en los Salmos es la presencia de Dios con nosotros en el trabajo. Aquí encontramos temas como la guía de Dios, la creatividad humana arraigada en Dios (que sustenta toda productividad), la importancia de hacer un trabajo de verdadero valor y la gracia de Dios en nuestro trabajo. Los salmos se enfocan específicamente en el matrimonio, la crianza de los hijos y el trabajo de cuidar a los padres. Por debajo de todos los temas específicos, los salmos proclaman la gloria de Dios en toda la creación. La variedad de temas relacionados con el trabajo en este libro no es sorprendente.

Cantos Sagrados: Los Cinco Libros de los Salmos

La característica estructural más obvia de los Salmos es que están divididos en cinco libros: Libro I (Salmos 1-41), Libro II (Salmos 42-72), Libro III (Salmos 73-89), Libro IV (Salmos 90- 106) y Libro V (Salmos 107-150). No está del todo claro cuándo o por qué se hicieron estas divisiones, aunque se han propuesto muchas teorías. El Libro 1 se enfoca en la vida de David, y el Libro 2 trata de David y su reinado. El libro 3 es más oscuro, lleno de lamentos y quejas, y termina en el Salmo 89 con el pacto y la nación de David en ruinas. El libro 4 habla solemnemente de la muerte del hombre (Salmo 90), pero también habla triunfalmente de Dios como el gran Rey sobre toda la creación (Salmos 93 y 95-99). El Libro 5 es una bolsa mixta, pero termina con una celebración, ya que las naciones y toda la creación adoran al Dios de Israel (*ver* Salmo 148).

Entonces vemos un movimiento general de David al reino de David, al final de la dinastía de David, a la alabanza de Dios mismo como rey de la tierra, y finalmente a la victoria del reino de Dios. Esto proporciona una dirección narrativa para los salmos como un todo, pero muchos salmos de la colección no se ajustan a este arreglo. Hasta cierto punto, la razón del orden actual de los Salmos sigue siendo un misterio. Si hay una gran estructura, o no la entendemos completamente o no nos adherimos estrictamente a ella.

Explorar maneras de entender los Salmos

La singularidad de los Salmos puede hacer que sea difícil entenderlos en su contexto original, y mucho menos aplicarlos a nuestra vida y trabajo hoy. Los Salmos son una colección muy diversa, lo que dificulta la generalización. ¿Deberíamos estudiar los Salmos como guía? ¿Leerlos para la historia? ¿Rezar o cantar solo o con otros? La Biblia misma no nos da la respuesta. Antes de profundizar en la aplicación de los Salmos en el trabajo, debemos desarrollar estrategias interpretativas que nos ayuden a aprovecharlos al máximo.

Nuestro enfoque aquí es explorar salmos seleccionados porque dicen algo importante sobre el trabajo o dicen algo importante sobre la vida en relación con la labor. Generalmente, esto significa que los Salmos fueron seleccionados porque los contribuyentes encontraron particularmente importantes en su propia investigación o experiencia. Sin duda, se trata de un método de selección asistemático. Las revisiones resultantes no son exhaustivas, ni siquiera necesariamente correctas. Más bien, su propósito es proporcionar una serie de ejemplos de cómo los Salmos pueden ser usados fielmente por grupos cristianos o individuos que buscan integrar la fe con el trabajo.

Libro 1 (Salmos 1-41)

El primer volumen consta principalmente de salmos escritos por David personalmente en lugar de Israel como nación. Estos abordan temas que preocupan personalmente a David, lo que permite aplicarlos a situaciones que enfrentamos como individuos en el trabajo. Los libros posteriores incorporan aspectos sociales y comunitarios de la vida y el trabajo.

La Honestidad en el Ámbito Laboral (Salmo 1)

Los dos salmos iniciales establecen los temas que recorren todo el salmo. El Salmo 1 revela la integridad personal, mostrando cómo debe vivir cada uno. Aplicando este tema específicamente al trabajo y nuestro deseo de tener éxito. En cuanto al justo, "*Será como un árbol plantado junto a corrientes de agua, que da fruto en su tiempo, y su hoja no cae, y todas sus obras prosperan*" (Salmo 1:3). El trabajo ético tiende a tener éxito. Esta es una verdad general, pero no es una regla infalible. Si bien las personas a veces sufren debido a su comportamiento ético en el trabajo o de otra manera, sigue siendo una realidad que las personas rectas y temerosas de Dios pueden hacerlo bien. Esto se debe a que vivieron sabiamente y la bendición de Dios descansó sobre ellos.

Someterse a la Voluntad de Dios (Salmo 2)

El Salmo 2 se enfoca en la casa de David. El Señor escogió este reino y su templo, Sion, para ser el centro del reino de Dios. Un día los gentiles lo obedecerán o enfrentarán la ira de Dios. Por lo tanto, el Salmo 2:11-12 dice: 'Adorad al Señor con temblor y alegría. Gloria al Hijo, para que no se enoje, y perezcáis en el camino, porque se encienda su ira. ¡Cuán bienaventurados son todos los que se refugian en Él! Jesús cumplió estas promesas a David. La lección para nosotros es que debemos valorar el reino de Cristo por encima de todo. Una buena ética de trabajo es valiosa, pero no podemos hacer de la prosperidad nuestra principal prioridad. No podemos servir a Dios y al dinero (Mateo 6:24).

Los Contrincantes y los Adversarios (Salmos 4, 6, 7, 17)

Después de los Salmos 1 y 2, el Libro 1 tiene muchos salmos en los que David se queja a Dios de sus enemigos. Estos salmos pueden ser difíciles para los lectores de hoy porque a veces David parece tener una actitud vengativa. Sin embargo, no podemos ignorar el hecho de que cuando el enemigo estaba de su lado, en vez de tomar la justicia por su mano, le enviaba sus problemas a Dios.

Estos salmos tienen aplicación en el lugar de trabajo. Los conflictos y las confrontaciones son comunes entre las personas en el trabajo y, a veces, estas peleas pueden ser intensas. Las luchas profesionales pueden conducir a la depresión y el insomnio. El Salmo 4: 8 es una oración sobre los enemigos personales donde dice: "*Me acostaré y dormiré seguro, porque solo tú, el Señor, puedes darme paz*". Cuando encomendamos nuestra situación a Dios, podemos estar en paz. Sin embargo, cuando estamos en medio de tal batalla, nuestras oraciones por ayuda pueden parecer inútiles. Sin embargo, Dios escuchó y respondió: "*Apártense de mí, todos ustedes, hacedores de iniquidad, porque el Señor ha oído mi clamor*" (Salmo 6:8). Por otro lado, debemos tener cuidado de mantener nuestra integridad en este conflicto. No nos sirve de nada clamar a Dios si somos groseros, deshonestos o no nos comportamos éticamente en el trabajo. "*Oh Señor, Dios mío, si yo he hecho esto, si hay en mis manos injusticia, si he pagado con el mal al que estaba en paz conmigo... que persiga el enemigo mi alma y la alcance... y eche en el polvo mi gloria*" (Salmo 7:3-5). El Salmo 17:3 insiste en el mismo punto.

La Autoridad (Salmo 8)

El Salmo 8 es una excepción en el Libro 1 porque no se trata específicamente de David. Su interés radica en la autoridad de toda la humanidad, no solo del reinado de David. Aunque Dios creó todo el universo (Salmo 8:1-3), eligió designar humanos para administrar la creación (Salmo 8:5-8). Este es un llamado noble. "*Lo hiciste un poco menor que los ángeles, y lo coronaste de gloria y majestad. Le diste dominio sobre la obra de tus manos; todo lo pusiste debajo de sus pies*" (Salmo 8:5-6). Cuando ejercemos autoridad y liderazgo, lo hacemos como representantes de Dios. Nuestra misión no puede ser arbitraria o egoísta, sino que debe cumplir el propósito de Dios. Algunos de los propósitos principales son el cuidado de los seres vivos de la tierra (Salmo 8:7-8) y la protección de los débiles y vulnerables, especialmente los niños (Salmo 8:2).

Si ganamos una posición de autoridad en el trabajo, es fácil ver nuestra posición como una recompensa por el trabajo duro o la inteligencia, y usar la autoridad para nuestro propio beneficio. Por supuesto, debemos rendir cuentas a nuestros superiores, a nuestra junta directiva, administrador, electores o cualquier forma secular de gobierno a la que servimos, pero eso no es suficiente. También debemos dar cuenta a Dios. Por ejemplo, los líderes políticos tienen la responsabilidad de prestar atención a lo que dicen las ciencias económicas y ambientales al considerar la política energética, ya sea que se ajuste o no a los vientos políticos actuales. Asimismo, se pide a los líderes empresariales que anticipen y prevengan los posibles daños, ya sean físicos, mentales, culturales o espirituales, que sus productos y servicios puedan causar a los niños. Esto se aplica no solo a los juguetes, las películas, la televisión y los alimentos, sino también al comercio minorista, el transporte, las telecomunicaciones y los servicios financieros, entre otros.

La Moralidad en los Negocios (Salmos 15, 24, 34)

Los salmos hablan mucho sobre la ética del trabajo. El Salmo 15:1 y 5 dice: "*Oh Señor, ¿quién habitará en tu tienda? ¿Quién habitará en tu santo monte? Los que no dan dinero a cambio de intereses no serán sobornados para dañar a los inocentes. Cualquiera que haga estas cosas permanecerá*". Si estamos de acuerdo en que un interés en la Biblia no está necesariamente prohibido en un contexto contemporáneo (*ver* "¿La Biblia Prohíbe Cobrar Intereses?" en La Enseñanza del Trabajo en Ezequiel), La aplicación de este salmo es que no debemos aprovecharnos de los demás en el lugar de trabajo. Un ejemplo es un préstamo que empuja a un prestatario con dificultades a endeudarse aún más, como una tarjeta de crédito que atrapa deliberadamente a los tarjetahabientes no intencionales con tarifas inesperadas y aumentos en las tasas de interés. En un sentido más amplio, cualquier producto o servicio que ofenda a personas vulnerables (o "*inocentes*") y empeore su situación es una violación del código de ética de *Anthem*. La buena ética comercial, y la ética comercial en otras áreas de trabajo, requieren que los clientes se beneficien realmente de los bienes y servicios que se les proporcionan.

En este tema, el Salmo 24:4-5 expresa la aceptación de Dios del "*hombre limpio de manos y puro de corazón. Será bendecido por el SEÑOR, y vengativo por el Dios de su salvación*". Las mentiras descritas aquí son falsos testigos. En el mundo antiguo, como en el mundo moderno, era difícil hacer negocios sin involucrarse en disputas legales. Este pasaje nos impulsa a testificar honestamente y no pervertir la justicia con fraude. Cuando nuestro la honestidad puede costarnos ascensos, negocios, elecciones, rangos y publicaciones cuando otros no tienen escrúpulos, pero a la larga, estos tropiezos no son nada comparados con la bendición y el mantenimiento de Dios (Salmo 24:5).

La ética también aparece en el Salmo 34:12-13: "*¿Quién desea la vida y anhela muchos días? Guarda su lengua de hacer el mal, y sus labios de hablar engaño*". fraude. El llamado "nos vemos en unos días" significa engañar y calumniar a los demás, principalmente para crear enemigos. En casos extremos, esto puede conducir a la muerte, pero incluso si no es así, vivir rodeado de enemigos no te ayuda a ver el lado positivo. Si la vida es tu principal deseo, los amigos de confianza son más rentables que las ganancias mal habidas. Desde una perspectiva mundana, una vida de integridad puede ser costosa. En un país corrupto, un empresario que no soborna a otros o un funcionario público que no acepta sobornos puede no tener la posibilidad de ganar un salario fijo. El Salmo reconoce: "*Muchas aflicciones son para el justo*", aunque añade: "*De todas ellas lo* *librará el Señor*" (Salmo 34:19). La prosperidad puede provenir o no de trabajar con integridad, y la integridad es su propia recompensa a los ojos de Dios.

Fomentar la Fe en Dios al Lidiar con la Presión Institucional (Salmo 20)

El Salmo 20 nos enseña a confiar en Dios, no en el poder humano, como el poderío militar. "*Algunos confían en carros, y otros en caballos; más nosotros confiaremos en el nombre de Jehová nuestro Dios*" (Salmo 20:7). Al igual que los activos militares, los activos financieros también pueden ser la base de falsas creencias sobre el poder humano. Más importante aún, debemos recordar que en el mundo antiguo solo los soldados de clase alta tenían caballos y carros. Los rangos inferiores de soldados solían ser agricultores y viajaban a pie. Es una realidad inquietante que incluso la riqueza y el poder modestos a menudo nos alejan de Dios.

La Ayuda Divina que Recibimos en Nuestras Jornadas Laborales (Salmo 23)

"*El Señor es mi pastor*" (Salmo 23:1). Si confiamos en Dios, podemos tener la tranquilidad de saber que él se preocupa por nosotros tanto como un pastor se preocupa por sus ovejas. Nos recuerda ver nuestro trabajo desde la perspectiva de Dios, no principalmente como un vehículo para nuestra gratificación, sino como parte de nuestra misión en el mundo de Dios. "*Me guiará por sendas de justicia por amor de su nombre*" (Salmo 23:3). Trabajamos para honrarlo a Él, no a los nuestros, un poderoso recordatorio que debemos escuchar con frecuencia.

A menudo, esta visión piadosa del trabajo nos lleva más a nuestro trabajo, no a alejarnos de él. En el Salmo 23 vemos esto en la forma en que los detalles del pastoreo impulsan la narración. Los pastores buscan agua, buenos pastos y caminos en el desierto. Ahuyentan a los depredadores con palos y consuelan al rebaño con palabras y presencia. El Salmo 23 comienza con una descripción precisa del trabajo del pastor y nos proporciona el conocimiento esencial necesario para convertirlo en una meditación espiritual.

El hecho de que busquemos glorificar a Dios en nuestro trabajo no significa que el camino será fácil. A veces nos encontramos en "*el valle de sombra de muerte*" (Salmo 23:4). Esto puede suceder cuando se pierden los contratos, las asignaciones de enseñanza no salen bien o una sensación de aislamiento y nuestro trabajo no tiene sentido. O puede reflejarse en luchas crónicas, como un ambiente de trabajo tóxico o no poder encontrar trabajo. Estas son situaciones que preferiríamos evitar, pero el Salmo 23 nos recuerda que Dios está cerca en cada situación. "*No temeré mal alguno, porque tú estarás conmigo*" (Salmo 23:4). El trabajo que hace por nosotros no es hipotético, sino tangible y real. Un pastor tiene vara y cayado, y Dios tiene todas las herramientas necesarias para mantenernos a salvo en las peores situaciones de la vida (Salmo 23:4). Incluso en un mundo a veces hostil, Dios nos cuida, "*en presencia de mis enemigos*" (Salmo 23:5). Es fácil recordar esto cuando las cosas están en paz, pero aquí estamos llamados a recordarlo en tiempos de dificultad y adversidad. Si bien a menudo no queremos pensar en ello, es en las dificultades de la vida que Dios cumple su propósito en nosotros.

El Salmo 23 termina con un recordatorio de nuestro destino en nuestro caminar con Dios. "*En la casa de Jehová moraré largos días*" (Salmo 23:6). Como en el Salmo 127 y todos los demás Salmos, la casa no es sólo el lugar donde se come y se duerme, sino también la unidad básica de trabajo y de producción económica. Por lo tanto, vivir en el templo del Señor no significa esperar a que llegue la muerte, dejar de trabajar y recibir recompensas. En cambio, promete que algún día encontraremos un lugar donde nuestro trabajo y nuestras vidas puedan prosperar. La primera mitad de este versículo nos dice directamente que esta es una promesa para nosotros en esta vida y en la eternidad. "*Ciertamente el bien y la misericordia me seguirán todos los días de mi vida*" (Salmo 23:6). La promesa de que Dios estará con nosotros, trayendo bondad y amor en todas las circunstancias en que vivimos y obramos, es un consuelo más profundo de lo que podemos esperar para evitar cualquier adversidad que nos pueda sobrevenir.

La Dirección de Dios en Nuestras Actividades Laborales (Salmo 25)

La vida humana es una serie de elecciones, muchas de las cuales están relacionadas con la carrera. Debemos adquirir el hábito de hacer todas estas decisiones a Dios. El Salmo 25:12 enseña: "*¿Quién es el que teme al Señor? Él te guiará por el camino que debes elegir*" ¿Cómo nos enseña Dios el camino que debemos elegir? El Salmo 25 identifica varias formas, comenzando con "*Muéstrame tus caminos... guíame y enséñame en tu verdad*" (Salmo 25:4-5). Esto requiere la lectura regular de la Biblia, que es la principal forma de conocer el camino de Dios y la verdad de Dios. Cuando sabemos lo que enseña, debemos ponerlo en práctica, en la mayoría de los casos no se requiere una guía especial de Dios. "*Todos los caminos del Señor son misericordiosos y fieles a los que guardan su pacto y sus testimonios*" (Salmo 25:10). Obviamente, su pacto y su testimonio están en la Biblia.

El Salmo 25:7 agrega: "*No os acordéis de la iniquidad y de las transgresiones de mi juventud*". Confesar nuestros pecados y pedirle misericordia a Dios es otra forma en que recibimos Su guía. Ser honestos con él, y con nosotros mismos, acerca de nuestro pecado abre la puerta para que Dios guíe en nuestros corazones. El salmista ruega: "*Perdóname mi iniquidad*" y "*Perdóname todos mis pecados*" (Salmo 25:11, 18). El perdón de Dios nos libera para dejar de tratar de justificarnos. Si esto no sucede, se convierte en un poderoso obstáculo para la dirección de Dios. Asimismo, la humildad en nuestro trato con Dios y las personas nos libera de la actitud defensiva que obstaculiza la dirección de Dios. El Salmo 25:9 nos dice que Dios "*guía al humilde... por su camino*".

El salmo continúa diciendo: "*Mis ojos están puestos en el Señor*" (Salmo 25:15). Somos guiados por Dios cuando buscamos evidencia de cosas relacionadas con Dios, como la justicia, la fidelidad, la reconciliación, la paz, la fe, la esperanza y el amor (los Salmos no los especifican, pero estos son ejemplos de otras partes de la Biblia). El Salmo 25:21 dice: "*La integridad y la justicia me guardan*". Entonces, pensar claramente en cómo aplicar nuestros valores más altos en el trabajo ha demostrado ser una forma de que Dios dirija, al menos en la medida en que nuestros valores más altos estén moldeados por las Escrituras y la fidelidad a Cristo.

Si bien las formas en que Dios nos guía pueden parecer abstractas, son muy prácticas cuando se usan en un entorno laboral. La clave es ser específicos en nuestros estudios bíblicos, confesiones, oraciones y razonamiento moral. Cuando llevamos nuestra situación laboral actual y específica a Dios y Su Palabra, podemos ver Su respuesta a nuestra necesidad de orientación específica. (*para más información al respecto, ver* "La Guía de Dios para el Trabajo").

Libro 2 (Salmos 42-72)

Todos tenemos inseguridades a veces, y el colapso económico es uno de nuestros mayores temores. En el segundo libro de los Salmos, vemos varios pasajes relacionados con los temores que atormentaban a las personas y las formas en que buscaban ayuda. De esta manera, aprendemos sobre los verdaderos y falsos fundamentos de la esperanza en un mundo incierto.

La presencia de Dios en Medio de la Desgracia (Salmo 46)

A veces, los desastres amenazan nuestro lugar de trabajo, el trabajo mismo o nuestra sensación de bienestar. Dichos desastres pueden incluir desastres naturales (como huracanes, tornados, inundaciones, tifones, incendios forestales), desastres económicos (como recesiones, quiebras, quiebras de grandes instituciones financieras) y desastres políticos (cambios repentinos en las políticas o prioridades, o guerra) Salmos 46 destaca el impacto global que pueden tener los desastres, evidente en la economía global actual. Las decisiones monetarias tomadas en Londres y Beijing pueden afectar los ingresos que los agricultores de Indiana o Indonesia obtienen de sus cultivos. La agitación política en el Medio Oriente podría afectar el precio de la gasolina en cualquier ciudad pequeña del mundo, lo que a su vez podría, a través de una cadena de eventos, determinar si un restaurante local puede permanecer en el negocio. Aunque la economía antigua no era tan "*global*", la gente era muy consciente de que tarde o temprano lo que sucedía entre países cambiaría sus vidas. El derretimiento de la tierra muestra que un día el poder de todas las naciones será tan fugaz como los castillos de arena. La crisis mundial crea incertidumbre en los negocios, el gobierno, las finanzas y los empleos de todo tipo. Sin embargo, no importa cuán grande sea el desastre, Dios es aún más grande.

Dios es nuestro amparo y fortaleza, nuestro pronto auxilio en las tribulaciones. Por tanto, aunque la tierra cambie, y los montes se deslicen al fondo del mar, no tememos, aunque bramen y se estremezcan sus aguas, y tiemblen los montes con creciente furor. (Salmo 46:1-3).

En circunstancias difíciles y amenazantes, podemos mirar a nuestros compañeros y al trabajo mismo con calma, confianza e incluso placer. Nuestra confianza suprema está en Dios, quien por su mismo ser proporciona un refugio de fuerza y felicidad cuando nos quedamos sin fuerzas. No solo nosotros personalmente, nuestra comunidad y el mundo entero están bajo la gracia de Dios. Los desastres mundiales no son nada ante la voluntad del Señor. Recordar cómo Dios nos ha cuidado en situaciones pasadas, ya sea la nuestra o la de otro pueblo de Dios, nos asegura que él está con nosotros "en" la ciudad (Salmo 46:5) y en todas partes de la tierra (Salmo 46:10). A veces, incluso tenemos la bendición de ser una de las herramientas de Dios para ayudar a otros en tiempos de desastre.

¿Qué Sacrificamos en el Triunfo de Personas Inescrupulosas? Un Análisis de Ansiedad (Salmos 49, 50, 52, 62)

A veces, las personas piadosas tienen una visión distorsionada de cómo gobierna Dios, lo que les causa una ansiedad innecesaria. Piensan que los justos deberían estar bien en la vida y los malvados deberían ser depravados. Sin embargo, la realidad no siempre sigue esta lógica. Cuando los malvados prosperaron, los cristianos sintieron que el mundo se había puesto patas arriba y que su fe resultó inútil. El Salmo 49:16-17 habla de esta situación: Porque cuando muera no llevará consigo nada, ni vendrá con él su gloria. La piedad no garantiza el éxito en los negocios, ni la impiedad garantiza el fracaso, los que se dedican a hacer dinero eventualmente fracasarán porque su tesoro es algo que perderán (Lucas 12:16-21). *Ver* (Lc 6:25; 12:13-21; 18:18-30) en "La Enseñanza del Trabajo en Lucas"

No son solo los malvados los que enfrentan el juicio de Dios después de la muerte. Cuando una persona malvada pero exitosa cae en la ruina, la gente se da cuenta y comprende la conexión entre la forma de vida de la persona y el desastre que finalmente la derribó. El Salmo 52:7 describe esta situación: "*He aquí, el hombre no tomará a Dios por refugio, sino que se apoyará en sus propias riquezas, donde prevalecen sus concupiscencias*". Por esta razón, el Salmo 62:10 nos dice que no debemos ser buscado en el camino de los impíos o en la obtención de riquezas: "*No confíes en la opresión, ni en el robo; y si la riqueza aumenta, no pongas tu corazón en ella*". En tiempos de problemas es fácil mirar a aquellos que han hecho su fortuna a través de prácticas corruptas o nepotismo y pensar que tenemos que hacerlo o caer en la pobreza, pero lo que realmente estamos tratando de hacer es asegurarnos de compartir sus desgracias ante las personas y ante Dios está convencido.

Por otro lado, si decidimos confiar en Dios, debemos hacerlo a fondo, no superficialmente. El Salmo 50:16 declara: "*Pero Dios dice a los impíos: ¿Qué derecho tenéis vosotros de hablar de mis estatutos y de mi pacto?*" La fidelidad de Dios para hacer esto es terrible.

Mejor preguntar a los demás qué ven cuando observan nuestro trabajo y la forma en que lo hacemos. ¿Podemos justificar tomar atajos morales, practicar la discriminación o abusar de otros mientras balbuceamos palabras como "*bendición*", "*la voluntad de Dios*" o "*su favor*"? Tal vez deberíamos tener más cuidado al atribuir nuestro aparente éxito a la voluntad de Dios y estar más dispuestos a decir simplemente: "No merezco esto".

Libro 3 (Salmos 73-89)

Gran parte del Salmo 3 son lamentaciones y quejas. El juicio divino, tanto positivo como negativo, se muestra en muchos de los salmos de este libro. Considerarlos nos brinda un espejo desde el cual podemos analizar nuestras lealtades o infidelidades y expresar nuestros verdaderos sentimientos a Dios que todo lo puede reconciliar.

Mantener la Integridad Moral Frente a la Corrupción (Salmo 73)

El Salmo 73 describe el viaje de cuatro etapas de tentación y fidelidad que se desarrolla en la obra del poeta. En la primera etapa, reconoce el juicio positivo de Dios como fuente de fortaleza. "*Ciertamente Dios es bueno con los puros de corazón de Israel*" (Salmo 73:1). Sin embargo, pronto es atraído del camino de Dios (etapa 2) y dice: "*En cuanto a mí, casi cayó mi pie, casi resbaló mi paso. Porque tuve envidia de los soberbios*" (Salmo 73:2). Admite que está preocupado por el aparente éxito de los malvados, que detalla en los siguientes diez versículos, llamando específicamente a los que hablan de "*malvados*" y "*ensalzados*" (Salmo 73:8). En su celo comenzó a considerar vana su integridad, diciendo: "*En vano me he mantenido limpio de corazón*" (Salmo 73:13), notando que estaba cerca de unirse a las filas de los malvados. (Salmo 73:14-15).

Sin embargo, en el último momento va al "*santuario de Dios*", lo que significa que comienza a "*comprender*" la situación desde la perspectiva de Dios (Salmo 73:17). Reconoce que Dios "*destruirá*" a los impíos (Salmo 73:18). Aquí comienza la tercera etapa, y ve que el éxito de los deshonestos es sólo temporal. Eventualmente, todos "*perecen en un instante*" y "*se despiertan como un sueño*" (Salmo 73:19-20). Se da cuenta de que es "necio e ignorante" cuando quiere unirse a ellos (Salmo 73:22). En la cuarta etapa, vuelve a comprometerse con los caminos de Dios, diciendo: "*Yo estaré contigo siempre*" y "*según tu voluntad me guiarás*" (Salmo 73:23-24).

¿Es posible que nosotros también podamos seguir de alguna manera este viaje de cuatro etapas? También podemos comenzar con integridad y lealtad a Dios. Entonces vemos que otras personas parecen estar libres de su engaño y opresión. A veces no podemos esperar a ver cuánto tiempo le tomará a Dios ejecutar sus juicios. Cuando Dios se demora, los malvados parecen "*siempre aliviados" y "aumentan sus riquezas*", mientras que los rectos son "*fregados y castigados*" por la injusticia de sus vidas (Salmo 73:12, 14). Sin embargo, el momento del juicio de Dios es asunto suyo, no nuestro. De hecho, ninguno de nosotros es perfecto, y no deberíamos estar tan ansiosos de que Dios juzgue a los malvados.

Al centrarnos demasiado en el éxito inmerecido de los demás, también podemos aprovecharnos injustamente de nosotros mismos. Ceder a este deseo es especialmente tentador en el trabajo, donde parece haber un conjunto diferente de reglas. Vemos personas arrogantes (Salmo 73:3) que obtienen aprobación y acosan a otros por recompensas desproporcionadas (Salmo 73:6).

Vemos personas que cometen fraude pero prosperan con los años. Aquellos que tienen poder sobre nosotros en el trabajo parecen tontos (Salmo 73: 7), pero aún pueden ocupar puestos más altos. Tal vez deberíamos hacer como ellos. Tal vez Dios realmente no sabe ni se preocupa por nuestras acciones (Salmo 73:11), al menos no en el trabajo.

Como los poetas, nuestro remedio es recordar que trabajar con Dios, es decir, a Su manera, es un gozo en sí mismo. "*Pero es bueno para mí acercarme a Dios*" (Salmo 73:28). Cuando hacemos esto, reenfocamos nuestros corazones en el consejo de Dios y regresamos a Su camino. Por ejemplo, podemos ascender más rápido en la escalera del éxito, al menos al principio, atribuyéndonos el mérito del trabajo de los demás, culpándolos de nuestros errores o dejando que otros hagan la tarea por nosotros. Sin embargo, ¿este sentimiento de vacío y miedo a ser desenmascarado vale la pena la publicidad y el dinero? ¿El éxito compensará las amistades perdidas y la incapacidad de confiar en quienes te rodean? Si cuidamos de los que nos rodean, tenemos crédito por nuestro éxito y nuestra propia responsabilidad por nuestro fracaso Puede parecer un comienzo lento, pero ¿no es el trabajo más agradable? ¿No tenemos una ventaja sobre aquellos que son arrogantes y abusivos cuando necesitamos apoyo? En verdad, Dios es bondadoso con los justos.

Los Costos Económicos de las Acciones Indebidas a Nivel Nacional (Salmos 81, 85)

Aunque el enfoque del Salmo 73 está en el juicio personal, a lo largo de gran parte del Libro 3 se juzga a la nación de Israel. La cuestión del juicio del país en sí es relevante para este documento porque establece el contexto para quienes trabajan en el país. También muestra que una clase importante de trabajo que los cristianos pueden hacer en nombre del reino de Dios es hacer política estatal. Podemos ver que cuando el gobierno de un país es corrupto, la economía del país sufre. El Salmo 81 es un ejemplo de esto porque comienza con el juicio de Dios sobre la nación de Israel. "*Pero mi pueblo no me escuchó; Israel no me obedeció. Por eso les di dureza de corazón*" (Salmo 81:11-12). Luego pasó a describir las consecuencias económicas. "*¡Oh, si mi pueblo me escuchara... te alimentaré con el mejor trigo y te saciaré con miel de las rocas*" (Salmo 81:13, 16). Aquí vemos cómo la ruptura del pacto de Dios a nivel nacional crea escasez y dificultades económicas. Si las personas se mantienen fieles a los caminos de Dios, prosperarán. En cambio, abandonaron el camino del Señor y terminaron muriendo de hambre (Salmo 81:10).

Asimismo, el Salmo 85 describe los mayores beneficios económicos que surgieron cuando Israel permaneció fiel a los mandamientos de Dios. Las personas experimentan paz y seguridad, trabajan productivamente y prosperan (Salmo 85:10-13). Sin un buen gobierno, nadie puede esperar una prosperidad duradera. En muchos lugares, se puede ver a los cristianos oponiéndose a ciertas políticas gubernamentales con las que no estamos de acuerdo, pero también es necesario participar de manera constructiva. ¿Qué puede hacer para ayudar a establecer o mantener un buen gobierno en su ciudad, región o país?

La Gracia de Dios Aun en Tiempos de Juicio (Salmo 86)

Mientras que el juicio de Dios viene primero en el Salmo 3, también podemos encontrar la gracia de Dios. "*Señor, ten piedad de mí*", suplica el salmo 86, "*Señor, tú eres bueno y perdonador, ten piedad de todos los que te invocan*" (Salmo 86:3, 5). El salmo proviene de un hombre que está agotado por la oposición de alguien más poderoso. "Estoy angustiado" (Salmo 86:1). "*Las insensatas se han levantado contra mí, y las violentas buscan mi vida*" (Salmo 86:14). "*Los que me aborrecen*" son una amenaza constante (Salmo 86:17). "*Salva al hijo de tu sierva*" (Salmo 86:16).

En lugar de declarar justicia, el salmo se regocija porque Dios es "*tardo para la ira*" (Salmo 86:15). Sólo pide la gracia de Dios. "*Vuélvete a mí y ten piedad de mí*" (Salmo 86:16). "*Te llamo en el día de la angustia, y me responderás*" (Salmo 86:7).

Todos enfrentamos oposición en el trabajo a veces. A veces es directamente personal y peligroso. Puede ser que otras personas nos abrumen, o incurramos en algunos errores, o ambas cosas. Podemos sentir que no merecemos el trabajo, que no obtenemos el amor en nuestras relaciones, que no podemos cambiar nuestras circunstancias ni a nosotros mismos. Cualquiera que sea nuestra fuente de oposición, incluso si el enemigo somos nosotros mismos, podemos pedirle a Dios su gracia para que nos libere. La gracia de Dios rompe las ambigüedades en torno a nuestras vidas y nuestro trabajo, mostrándonos Su bondad (Salmo 86:17) más de lo que merecemos.

Por supuesto, Dios no salva a nadie, ni a nosotros ni a nuestros enemigos, para que podamos causar daño. La gracia debe cambiar. "*Enséñame tus caminos, Señor; caminaré en tu verdad*" (Salmo 86:11). Aceptar la gracia de Dios significa ponerla en primer lugar en nuestras vidas. "*Sea uno mi corazón en el temor de tu nombre. Señor, Dios mío, te doy gracias de todo corazón*" (Salmo 86:11-12).

Con la mente de Dios, también nos volvemos misericordiosos, incluso con aquellos que se nos oponen. El salmo requiere que, debido a su odio, los opositores sean "*avergonzados*" (Salmo 86:17), pero como resultado ellos "*vendrán y te adorarán, Señor*" (Salmo 86:9), y también vendrán a Dios en gracia La gracia es misericordia no solo para nosotros, sino también para nuestros enemigos, para que Dios muestre su poder a sus enemigos, para gloria de su nombre (Salmo 86:9).

Libro 4 (Salmos 90-106)

El Salmo 4 presenta la fragmentación del mundo, incluida la muerte humana, en el contexto de la soberanía de Dios. Ninguno de nosotros puede hacer que nuestra propia vida, y mucho menos el mundo, sea como debe ser. Sufrimos y no podemos proteger a nuestros seres queridos del sufrimiento, pero Dios todavía tiene el control y nuestra esperanza de que todo estará bien radica en Él.

Cómo Cultivar el Carácter para Afrontar las Dificultades en el Ámbito Laboral (Salmos 90, 101)

El libro 4 comienza con el melancólico Salmo 90. "*Tú devuelves a los hombres al polvo... vivimos para siempre*" (Salmo 90:3, 9). Este salmo enfoca nuestra atención en la dificultad y la fugacidad de la vida. "*Los días de nuestra vida son setenta, y ochenta, si el vigor es fuerte. Sin embargo, su orgullo es trabajo y dolor, porque pronto pasa, y volamos*" (Salmo 90: 10). La brevedad de la vida eclipsa cada aspecto de nuestra existencia y trabajo. Solo tenemos unos pocos años para ganar lo suficiente para mantener a nuestras familias, ahorrar para los tiempos difíciles o la vejez, contribuir al bien común y hacer nuestra parte en la obra de Dios en el mundo. Cuando somos jóvenes, es posible que no tengamos suficiente experiencia para conseguir los trabajos que queremos. Cuando las personas sean mayores y sus capacidades disminuyan, sufrirán discriminación por edad. En medio de estas dos fases, nos preocupamos de si estamos en un camino lo suficientemente rápido para alcanzar nuestra meta. El trabajo estaba destinado a ser un trabajo creativo en colaboración con Dios (Génesis 2:19), pero la presión del tiempo hizo que se sintiera como "*solo trabajo y tristeza*".

¿Entonces, qué debemos hacer? Invitemos a Dios a ser parte de nuestro trabajo, no importa cuán desalentador pueda parecer. "*Que tu obra sea revelada a tu siervo... luego, confirma la obra de nuestras manos; sí, la demostración de la obra de nuestras manos*" (Salmo 90:16-17). Esto no significa simplemente colocar recordatorios de nuestro Señor en el lugar de trabajo. Esto significa incluir a Dios en "*la obra de nuestras manos*". Esto incluye ser consciente de la presencia de Dios en el trabajo, reconocer el propósito de Dios para nuestro trabajo, comprometernos a trabajar de acuerdo con los principios de Dios y servir a quienes nos rodean que, después de todo, son creados a la imagen de Dios. Dios (Génesis 1:27; 9:6; Santiago 3:9).

El Salmo 101:2 explica cómo podemos equiparnos para hacer la obra de Dios. "*Cuidaré de la integridad. Señor, ¿cuándo vendrás a mí? Entraré en mi casa con integridad*". Desarrollar un buen carácter ante Dios y los hombres es nuestra primera prioridad. Si tenemos hijos, uno de nuestros trabajos es ayúdalos a aprender la Palabra de Dios y crecer en un carácter piadoso. Cuando administramos bien nuestros hogares y les damos a nuestros hijos la oportunidad de prosperar y prepararlos para las dificultades de la vida, simplemente estamos haciendo la obra de Dios. Para los nihilistas y cínicos, la crueldad de la vida justifica la inmoralidad y el egoísmo; para los creyentes, es una razón aún mayor para desarrollar el carácter.

La Grandiosa Creación de Dios Con los Seres Humanos Como Sus Constructores (Salmo 104)

Desde el principio, Dios consideró el trabajo humano como una forma de creación basada en, o cercana a, la propia creación de Dios (Génesis 1:26-31; 2:5, 15-18). Los seres humanos trabajan para cumplir la intención creativa de Dios, para que cada individuo tenga una relación con los demás y con Dios, y para glorificar a Dios. El Salmo 104 describe bellamente esta sociedad creativa. Comienza con un vasto lienzo de la gloria de la creación de Dios (Salmo 104:1-9). Esto naturalmente conduce a la obra activa de Dios de sustentar al mundo y sus animales, aves y criaturas marinas (Salmo 104:10-12, 14, 16-18, 20-22, 25). Dios también provee alimento abundante para los humanos (Salmo 104:13-15, 23; *véase también* 1 Timoteo 6:17). Los actos de Dios hicieron posible la reproducción de la naturaleza y del ser humano. "*Él riega los montes desde sus desvanes, y la tierra se llena del fruto de sus obras*" (Salmo 104:13).

El trabajo del hombre es crear más de lo que Dios le ha dado. Tenemos que agrupar plantas y usarlas. "*Él hizo brotar hierba para el ganado, y cultivó plantas para los hombres*" (Salmo 104:14). Producimos vino y pan y extraemos aceite de las plantas que Dios hizo crecer (Salmo 104:15). Una de las formas en que Dios ha provisto abundantemente es llenando Su creación con personas que trabajan seis días a la semana. Entonces, mientras que este salmo habla de todas las cosas que buscan alimento en Dios, y la mano de Dios provee (Salmo 104:27-28), el hombre debe trabajar duro para procesar y usar los buenos dones de Dios. El Salmo 104 incluso menciona algunas de las herramientas que Dios usa para trabajar en el mundo: cortinas, mantos, vigas, fuego y barcos (Salmo 104:2, 3, 4, 26 respectivamente). Por extraño que parezca, los Salmos fácilmente atribuyen el uso de estas herramientas al mismo Dios, así como a los humanos. Somos colaboradores de Dios, y Su abundante provisión proviene en parte del esfuerzo humano.

Sin embargo, debemos recordar que somos los socios menores de Dios en la creación. Como en Génesis, los humanos son la última criatura mencionada en el Salmo 104, pero a diferencia del primer libro de la Biblia, aquí entramos en escena con poca fanfarria. Somos solo una de las criaturas de Dios, haciendo diferentes trabajos, como el buey, el pájaro, la cabra montés y el león (Salmo 104:14-23). Cada uno tiene su propia actividad, para los humanos, funciona hasta la noche, pero Dios proporciona todo lo necesario para cada actividad (Salmo 104: 27-30). El Salmo 104 nos recuerda que la obra de Dios es muy buena. En él también nosotros podemos hacer muy bien nuestro trabajo, si trabajamos humildemente, fortalecidos por su Espíritu, para desarrollar el hermoso mundo en el que él nos ha puesto por gracia.

Libro 5 (Salmos 107-150)

A diferencia de los otros libros, los Salmos del Libro 5 no tienen un tema o escenario común. Sin embargo, en su diversidad de formas y contextos, este trabajo ocurre más directamente entre estos Salmos que en cualquier otro lugar de los Salmos. Aquí surgen cuestiones de creatividad económica, ética comercial, iniciativa empresarial, productividad, el trabajo de criar a los hijos y llevar una casa, el uso adecuado del poder y la gloria de Dios en ya través del mundo material.

Cómo Dios Establece la Bases para la Productividad y el Trabajo (Salmo 107)

Vale la pena citar extensamente el Salmo 107, que vincula el trabajo económico humano con el mundo que Dios creó.

Los que se adentraban en el mar en naves y negociaban en las muchas aguas, vieron las obras de Jehová y sus prodigios en lo profundo del mar. Porque cuando él habló, se levantó una tormenta, y las olas del mar se agitaron. Subieron al cielo y descendieron al abismo, sus almas fueron consumidas por el mal. Temblaron, se tambalearon como borrachos y perdieron todas sus fuerzas. Entonces clamaron al Señor en su agonía, y Él los sacó de su miseria. La tormenta se calma, las olas están quietas. Entonces se regocijaron, porque las olas estaban tranquilas, y él los guió al puerto anhelado. Gracias al Señor por Su misericordia y Sus maravillas para con los hijos de los hombres. (Salmo 107:23-31).

Entonces como ahora, la gente salía al mar a pescar y comerciar. Sus barcos son vulnerables y las tormentas se conocen en poco tiempo. Su forma de vida depende del clima. A pesar de nuestras ventajas tecnológicas, gran parte de nuestro trabajo depende de muchos factores que escapan a nuestro control. Quizás lo más honesto que alguien pueda decir sobre el éxito en el trabajo es "*Tengo suerte*". Como dijo Bill Gates sobre el increíble éxito de Microsoft: "Nací en el momento y el lugar correctos". Para los creyentes, la "suerte" es un indicador de que Dios proporciona constantemente los términos que necesitamos. Tener éxito en la incertidumbre inherente a nuestro trabajo es en parte una cuestión de habilidad (que es un don de Dios), en parte una cuestión de trabajo duro y, en gran medida, una cuestión de providencia divina. Cualquiera que sea nuestro "puerto ideal" en la vida y el trabajo, "*demos gracias al Señor por su misericordia y milagros para con los hijos de los hombres*". Santiago pudo haber tenido este salmo en mente cuando dijo: "*Por el contrario, di: Si el Señor quiere, viviremos y haremos esto y aquello*" (Santiago 4:15).

Poco después, el Salmo 107 explora más este tema.

Convirtió el desierto en estanques de aguas, y la tierra seca en manantiales. Hizo morar en ella a los hambrientos, y les dio ciudades habitables, y labró los campos, y plantó viñas, y dio una buena cosecha. Y los bendijo, y se multiplicaron y su ganado no disminuyó. (Salmo 107:35-38).

Dios proveyó las condiciones para que la vida floreciera en la tierra. Puede convertir el desierto en pasto, o el pasto en desierto. La agricultura, incluidos los campos de cultivo y el cuidado del ganado, depende del crecimiento dado por Dios. La agricultura floreció y las ciudades surgieron como hongos después de la lluvia. Con el auge de las ciudades, aparecieron todo tipo de trabajos. Las economías urbanas proporcionan una variedad de bienes y servicios a una población creciente y diversa. En una economía antigua, además de agricultores y pastores, una comunidad necesitaba alfareros, metalúrgicos y escribas (para registrar acuerdos y transacciones comerciales, así como textos legales y religiosos). Toda la economía de cualquier ciudad, pasada o presente, depende de una agricultura abundante, ya sea producida internamente o adquirida a través del comercio. Cuando los agricultores del mundo pueden cultivar más alimentos de los que necesitan para sobrevivir, las comunidades complejas prosperan. Esto es del Dios que riega la tierra seca (Salmo 65:9, Génesis 2:5).

Así, el Salmo 107 cubre la actividad económica en tierra y mar, reafirmando que Dios tiene el control. Dios no es hostil a nuestro trabajo porque los salmos hablan de cómo salva y provee. Nuestra forma de vida depende del manejo favorable de Dios de las fuerzas de la naturaleza.

Cultivando las Virtudes para Tener Éxito en los Negocios (Salmo 112)

El Salmo 112 proclama las bendiciones de Dios para aquellos que hacen negocios de acuerdo con el mandato de Dios, tomando prestada la terminología del salmo. El salmo dice: "*Tiene un tesoro en su casa*" y "*no teme las malas noticias*" (Salmo 112:3, 7). Las virtudes que provocan esta bendición incluyen la misericordia, la compasión, la justicia y la generosidad (Salmo 112:4-5). Puede que la justicia no nos sorprenda. La gente quiere comprar y vender a través de negocios honestos y justos, por lo que generalmente se espera que esta virtud traiga prosperidad.

Pero, ¿qué pasa con la bondad, la compasión y la generosidad? La clemencia puede requerir que le digamos al cliente una solución menos costosa que resulte en menos ganancias para nosotros o nuestra empresa. La compasión puede llevarnos a darles a los proveedores otra oportunidad después de una entrega fallida. La generosidad puede implicar compartir especificaciones con otros en la industria para que puedan crear productos que interactúen con nosotros, lo que es bueno para los clientes, pero también crea más competencia para nosotros. ¿Implica el Salmo 112 que estas cualidades conducen a una mayor prosperidad? Probablemente sí. "*Él dio generosamente*", dice el Salmo, pero fue más firme, más seguro, más estable y, en última instancia, más exitoso que aquellos que carecían de esta virtud (Salmo 112: 7-10). Los Salmos atribuyen esto a *Yahvé* (Salmo 112:1, 7), pero no dicen si es porque intervino por ellos, o porque creó y sostuvo el mundo de tal manera que estas virtudes traen prosperidad. y aquí están.

Entonces, tal vez el Señor bendiga a los justos para que piensen diferente sobre la prosperidad. La herencia y la riqueza están incluidas (Salmo 112:3, arriba), pero el cuadro completo incluye mucho más que la riqueza. Descendencia fuerte (Salmo 112:2) recordarlos (Salmo 112:6) y honrarlos (Salmo 112:9), relaciones estables (Salmo 112:6), paz interior (Salmo 112:7) y poder Enfrentar el futuro sin miedo (Salmo 112:8) es igualmente importante en la visión de Dios de la prosperidad. ¿Será posible que cuando hacemos lo que el Señor manda en nuestro negocio, no solo cambie nuestro destino sino también nuestros deseos? Si podemos orar por nosotros mismos lo que Dios espera de nosotros, ¿no tenemos garantizado encontrar la felicidad eterna?

Conociendo el Poder de la Participación en el Trabajo de Dios (Salmos 113)

El Salmo 113 nos dice: "*Bendito sea el nombre del Señor desde el amanecer hasta el ocaso*" (Salmo 113:3). ¿Estás diciendo que tenemos que alabar al Señor todo el día en el templo (o iglesia)? ¿O está sugiriendo que todo lo que hacemos, incluido nuestro trabajo diario, todo lo que hacemos es para alabar al Señor? De la Sección 7 a la Sección 9, vemos claramente que la segunda opción es la respuesta correcta. "*Él levanta al pobre del polvo, y al pobre del montón de estiércol, y los pone con los príncipes*" (Salmo 113:7-8). Si bien los Salmos no nos dicen cómo Dios hace esto, sabemos tan bien como el salmista que generalmente lo hace a través del trabajo. La oportunidad de obtener un trabajo bien remunerado saca a los pobres de la pobreza, y Dios a menudo crea esa oportunidad a través del trabajo de su pueblo: aquellos que trabajan en los negocios y crean oportunidades económicas, aquellos que trabajan en el gobierno y aseguran la justicia, aquellos a los que están educando e inculcando en los estudiantes las habilidades que necesitan para conseguir buenos trabajos. El Salmo 113, con su énfasis en ayudar a los pobres y necesitados, nos llama a alabar a Dios prácticamente a lo largo de nuestras vidas.

Si bien el Salmo podría enumerar miles de trabajos para ilustrar este punto, elige solo uno: el trabajo de engendrar y criar hijos: "*Ha hecho habitar en sus casas a mujeres estériles, y encantada de ser madres para sus hijos*" (Salmo 113: 9). Quizás esto se deba a que en el antiguo Israel, la falta de hijos prácticamente condenaba a una mujer (y a su esposo) a la pobreza en la vejez. O tal vez por otras razones. Aun así, nos recuerda dos importantes temas actuales. ¡Obviamente, se necesita esfuerzo cuando las madres (y los padres) conciben, alimentan, limpian, protegen, juegan, enseñan, entrenan, perdonan y aman a sus hijos! Aun así, muchas madres sienten que nadie, ni siquiera la iglesia, reconoce que lo que hacen es tan valioso como el trabajo de otras personas pagadas. En segundo lugar, la ayuda del Señor para los adultos sin hijos y los niños sin padres a menudo proviene del trabajo de otros. Los profesionales médicos y los trabajadores de bienestar infantil identifican a los padres potenciales de los niños necesitados y mantienen contacto con las familias, brindando la orientación y supervisión necesarias. Todas las familias dependen del apoyo de un gran grupo de personas, incluido el pueblo de Dios.

La Creación de Valor Real a través del Trabajo (Salmo 127)

Así como el Salmo 107 habla de actividad económica a gran escala, los Salmos 127 y 128 hablan del hogar, la unidad básica de producción económica durante la Revolución Industrial. El Salmo 127 comienza con un recordatorio de que todas las buenas obras se basan en Dios.

Si el Señor no edifica una casa, en vano trabaja el constructor; si el Señor no guarda la ciudad, de nada sirve guardarla. En vano te levantaste temprano y te acostaste tarde, en vano comiste el pan del trabajo duro, porque él dio a su amada aun en sueños. (Salmo 127:1-2).

"*Casa*" y "*ciudad*" se refieren a lo mismo: el objetivo de proporcionar bienes y seguridad a quienes están en ella. Al fin y al cabo, toda actividad económica está encaminada a hacer prosperar a las familias. Este pasaje establece claramente que el trabajo duro por sí solo no es suficiente (compare Proverbios 26:13-16 *sobre la pereza*). Más allá del significado obvio, hay un significado más profundo. El trabajo duro puede hacer una casa grande y hermosa, pero no hace un hogar feliz. Un emprendedor entusiasta puede crear un negocio exitoso, pero no una buena vida solo a través del trabajo. Solo Dios puede darle sentido a esto.

En muchas economías de hoy, la mayoría de los trabajos no son como las granjas y, a menudo, no se realizan en el hogar, sino en organizaciones más grandes. Sin embargo, el mensaje del Salmo 127 es tan aplicable al lugar de trabajo institucionalizado de hoy como a los hogares antiguos. Para prosperar, cada lugar de trabajo debe producir algo de valor. No es suficiente dedicar unas pocas horas: el trabajo debe dar como resultado un bien o servicio que otras personas necesitan.

Los creyentes tienen algo especialmente importante que ofrecer en este sentido. En todos los lugares de trabajo, existe la tentación de crear productos que generen dinero rápido, incluso si no brindan un valor duradero.

Las empresas pueden aumentar las ganancias a corto plazo al reducir la calidad del material. Quienes trabajan en ventas pueden aprovechar la falta de conocimiento de los compradores para vender productos y accesorios cuestionables. Las instituciones educativas pueden ofrecer programas que involucren a los estudiantes sin desarrollar habilidades duraderas. etc. Cuanto más comprendamos las necesidades reales de las personas que usan nuestros bienes y servicios, más podremos agregar valor real a nuestros productos y más podremos ayudar a nuestros lugares de trabajo a resistir estas tentaciones. Debido a que, en última instancia, el valor está arraigado en Dios, estamos en una posición única para ayudar a nuestra organización a reconocer lo que es verdaderamente valioso. Sin embargo, nuestras contribuciones deben hacerse con humildad y escuchando atentamente. Dios no le dio a los cristianos el monopolio de la moralidad o los valores.

Cómo Manejar el Equilibrio Entre el Matrimonio, la Crianza de Hijos y el Cuidado de los Padres (Salmos 127, 128 y 139)

La obra del matrimonio, la procreación y la paternidad vuelve a ocupar un lugar central en los Salmos 127, 128 y 139 (la obra de la procreación también es un elemento importante en el Salmo 113, "*Participa en la obra de Dios*"). "*Tu mujer es como vid fructífera en tu casa; tus hijos aman el olivo alrededor de tu mesa*" (Salmo 128:3). Esposos y esposas participan en la producción más básica: la reproducción. Aunque es claro que las esposas hacen más que los esposos en este trabajo. En la Biblia, este no es un papel despreciado, sino uno visto como esencial para la supervivencia y respetado entre los antiguos israelitas. Además de la procreación, las esposas generalmente administran el hogar, incluida la producción del hogar y del negocio (Proverbios 31:10-31).

La Biblia honra a los que van al mar y pastorean ovejas (ocupación tradicionalmente masculina), así como a los que mantienen una casa (ocupación tradicionalmente femenina). En la actualidad, los roles laborales rara vez están delimitados por género (excepto en las labores domésticas, que aún son desempeñadas predominantemente por mujeres), pero el respeto por el matrimonio y el trabajo doméstico sigue siendo válido.

Como cualquier forma de trabajo (¡sí, eso es trabajo!), tener hijos viene de Dios. "*Porque tú hiciste mis entrañas; tú me hiciste en el vientre de mi madre*" (Salmo 139:13). Nuevamente, como cualquier otra forma de trabajo, esto no significa que las posibles tragedias sean un castigo de Dios o una señal de que nos ha abandonado. Por el contrario, tener hijos es evidencia de la gracia de Dios para todos los seres humanos en todo el mundo. Dios nos creó en el vientre de nuestra madre y nos creó con un propósito. Es nuestro derecho de nacimiento hacer un trabajo digno para Dios mismo.

Volvemos al Salmo 127 para el elemento final de este tema, a saber, que el trabajo del hogar incluye el cuidado de aquellos que son menos capaces de trabajar debido a la edad. "*He aquí, don de Jehová son los hijos; recompensa es el fruto*" (Salmo 127:3). En el mundo antiguo, la gente no tenía planes de pensión institucionalizados ni seguro médico. Cuando envejecen, sus hijos las mantienen (las escrituras mencionan "*hijos*" porque las hijas generalmente se casan y se vuelven parte de la familia del esposo). En realidad, los niños son el plan de jubilación de una pareja, acercando a las generaciones.

Puede parecer descortés valorar la crianza de los hijos en términos económicos, cuando hoy en día preferimos hablar de las recompensas emocionales de tener hijos. De cualquier manera, este versículo enseña que los padres necesitan a sus hijos tanto como los hijos necesitan a sus padres, y que los hijos son un regalo de Dios, no una carga. También nos recuerda todas las inversiones que nuestros padres hicieron en nosotros: emocional, física, intelectual, creativa, financiera y más. Al crecer, cuando nuestros padres empiezan a depender de nosotros, es justo que asumamos el trabajo de cuidarlos, y podemos hacerlo de diferentes maneras.

La idea es simplemente que Dios nos ordena honrar a nuestros padres (Éxodo 20:12) no solo como una cuestión de actitud sino como una cuestión de trabajo y finanzas.

Aprendiendo a Utilizar el Poder para el Bien (Salmo 136)

El poder es esencial para la mayoría de los trabajos y debe ejercerse correctamente. El Salmo 136 establece el uso apropiado del poder al mostrar cuatro ejemplos de cómo obra Dios.

El primer ejemplo se encuentra en los versículos 5-9, donde Dios usó Su poder para crear el mundo, "*Quien sabiamente hizo los cielos... quien esparció la tierra sobre las aguas*" (Salmo 136:5-6). Esto nos lleva de vuelta a Génesis 1, donde el Dios de la creación proporcionó a nuestro mundo todo lo que necesita para prosperar. Pero observe el orden en el que Dios obra: primero, creó los sistemas (tierra, agua, noche, día, sol y luna) necesarios para la supervivencia de los seres vivos posteriores (plantas, animales). animales terrestres, organismos acuáticos y organismos voladores). Dios no creó animales antes de que hubiera tierra seca y plantas para sustentar a los animales. Cuando creamos misiones o sistemas, usamos el poder apropiadamente al crear circunstancias en las que nosotros y quienes nos rodean no solo sobrevivimos sino que prosperamos. Para obtener más información sobre la provisión de Dios en la creación, consulte "*Provisión*" en "Génesis 1-11 y La Enseñanza del Trabajo (Génesis 1:29-30; 2:8-14).

Un segundo ejemplo se puede encontrar en el Salmo 136:10-15, cuando Dios libera a Su pueblo de la esclavitud en Egipto. La tercera vez siguió inmediatamente, cuando Dios derrocó a los reyes cananeos que se oponían al asentamiento de Israel en la Tierra Prometida (Salmo 136:16-22). Estos tres ejemplos nos muestran que Dios usa el poder para liberar a las personas de la opresión y contra aquellos que buscan impedir que otros realicen el bien que Dios diseñó para ellos. Usamos el poder correctamente cuando nuestro trabajo libera a otros para cumplir su papel en el diseño de Dios. Abusamos del poder cuando nuestro trabajo convierte a los trabajadores en esclavos, o cuando nos oponemos a la obra de Dios en ellos o a través de ellos.

Un cuarto ejemplo ocurre al final del salmo. "*Él se acuerda de nosotros en nuestra vergüenza... y nos ha librado de nuestros enemigos... ha dado a toda carne*" (Salmo 136:23-25). Dios amorosamente reconoce nuestras debilidades y provee para nuestras necesidades. Usamos el poder como Dios cuando lo usamos para hacer un trabajo que beneficia a otros.

Finalmente, para el uso correcto del poder, cada versículo del Salmo 136 nos recuerda dar gracias a Dios, "*porque para siempre son sus misericordias*".

Celebrando la Grandiosa Gloria de Dios en la Creación (Salmos 146-150)

Los últimos cinco versos terminan con el grito "*¡Aleluya! ¡Alabado sea el Señor!*" (Nueva Versión Internacional). Como muestra nuestro estudio de los Salmos, el trabajo fue diseñado como una forma de alabar a Dios. Estos cinco salmos representan las diversas formas en que nuestro trabajo puede alabar al Señor. En todos estos, vemos que nuestro trabajo se basa en el trabajo de Dios mismo. Cuando trabajamos según la voluntad de Dios, imitamos, ampliamos y completamos la obra de Dios.

Salmo 146

Dios hace justicia por los oprimidos (Salmo 146:7), y cuando obramos de acuerdo con sus mandamientos y su gracia, también lo hacemos nosotros. Dios alimenta al hambriento (Salmo 146:7), y nosotros también. Dios libera a las personas de las cadenas, y también a los legisladores, abogados, jueces y jurados. Dios devuelve la vista a los ciegos, al igual que los oftalmólogos, optometristas y fabricantes de anteojos. Dios levanta a los que no pueden levantarse a sí mismos, como los fisioterapeutas, los camilleros, los constructores de ascensores y los padres de bebés (Salmo 146:8). El anfitrión se ocupa de los extranjeros, al igual que la policía y el personal de seguridad, los asistentes de vuelo, los socorristas, los inspectores de salud y las fuerzas de mantenimiento de la paz. Cuida de huérfanos y viudas (Salmo 146:9), pero también de padres adoptivos, cuidadores de ancianos, abogados de familia y trabajadores sociales, planificadores financieros y personal de internados. ¡Gracias a Dios! (Salmo 146:10).

Salmo 147

Dios reúne a los dispersos (Salmo 147:2), al igual que los sacerdotes de prisión, los maestros y los organizadores de la comunidad. Sana a los que tienen el corazón quebrantado (Salmo 147:3), al igual que el consejero de duelo, el casamentero, el humorista y el cantante de blues. Contó y nombró las estrellas (Salmo 147:4), al igual que el astrónomo, el navegante y el narrador. Su poder es inmenso (Salmo 147:5), como lo son los presidentes, los jefes, los almirantes, los padres y los presos políticos que se convierten en políticos. Tiene infinitos poderes de comprensión (Salmo 147:5), al igual que los maestros, poetas, pintores, mecánicos, operadores de sonar y personas cuyo autismo les ha dotado de una notable capacidad para concentrarse en los detalles. Defendió a las víctimas como activistas de derechos civiles y donantes de derechos civiles, y destruyó el poder de los malvados, como abogados, denunciantes y todos aquellos que evitaron los chismes y defendieron a las víctimas. Injustamente (Salmo 147:6).

Dios prepara la tierra para el clima venidero (Salmo 147:8), y también lo hacen los meteorólogos, los investigadores del clima, los arquitectos y constructores, y los controladores de tráfico aéreo. Él alimenta a los animales (Salmo 147:9), al igual que los ganaderos, pastores y niños en las zonas rurales. Fortificó las puertas, protegió a los niños y mantuvo la paz en la frontera (Salmo 147:13-14), Lo mismo ocurre con los ingenieros, soldados, funcionarios de aduanas y diplomáticos. Él prepara las mejores comidas (Salmo 147:14), al igual que los cocineros, cocineras, panaderos, cerveceros, cerveceros, granjeros, amos de casa y padres que trabajan (en su mayoría mujeres), blogger cocinero, propietario y servidor. Él proclama Su palabra, Sus estatutos y ordenanzas (Salmo 147:19). ¡Gracias a Dios! (Salmo 147:20).

Salmo 148

A diferencia de los Salmos 146, 147 y 149, los Salmos 148 y 150 no describen la obra de Dios, sino que responden directamente a nuestra alabanza por lo que Él ya ha hecho. El Salmo 148 habla de la creación de Dios como si la misma existencia de la creación fuera una alabanza a Dios. "*Alabad a Jehová desde la tierra y el monstruo marino y desde todos los abismos, el fuego y el granizo, la nieve y la niebla, los vientos que cumplen sus promesas, las montañas y las colinas, los árboles frutales y todos los cedros, las bestias y todo el ganado, los reptiles y las aves. que vuelan*" (Salmo 148:7-10). Su creación ha hecho fecundo nuestro trabajo, por eso es justo que le dediquemos todo nuestro trabajo como alabanza. Los ancianos y los niños juntos. Que alaben el nombre del Señor (Salmo 148:12-13). ¡Alabado sea el Señor! (Salmo 148:14).

Salmo 149

El Señor ama la música de canciones, danzas e instrumentos (Salmo 149:2-3), así como el trabajo de músicos, bailarines, compositores, compositores, coreógrafos y compositores de bandas sonoras de películas, bibliotecarios de música, maestros, organizaciones artísticas Donantes y donantes, miembros de coros, terapeutas musicales, miembros de bandas de estudiantes, coros y orquestas, bandas de garaje, cantantes de yodel, trabajadores del canto, productores y editores de música, YouTubers, DJ y artistas de hip-hop, letristas, productores de audio, afinadores de piano, productores de Kalimbas, técnico acústico, autor de aplicaciones de música y todos los que cantan en la ducha. Quizás no haya tarea humana más universal y diversa que la de hacer música, toda nacida del amor de Dios por la música.

El Señor se deleita en Su pueblo (Salmo 149:4), y también todos los buenos líderes, miembros de la familia, trabajadores de salud mental, pastores, vendedores, guías turísticos, entrenadores, organizadores de fiestas y todos aquellos que sirven a los demás. Si las circunstancias oprimen a los demás o el sistema impide que las personas disfruten de los demás, Dios derrota al opresor y reforma el sistema (Salmo 149:4-9), al igual que los empresarios y los reformadores sociales, los periodistas, las mujeres y los hombres comunes que se niegan a aceptar la situación actual, psicólogos organizacionales y especialistas en recursos humanos, y -si las condiciones son extremas y esta es la única salida- el ejército, la armada, la fuerza aérea y sus comandantes. Cuando se restablezca la justicia y el buen gobierno, la música comenzará de nuevo (Salmo 149:6). ¡Gracias a Dios! (Salmo 149:9).

Salmo 150

En el último salmo, la música vuelve como nuestra respuesta a la "*verdad importante*" en la que se basan todas nuestras actividades y trabajos. Alabad a Dios con trompetas, liras y arpas, panderetas, instrumentos de cuerda y flautas, címbalos, a todo volumen, y danza. El salmo, la culminación de cinco canciones que requieren mucho trabajo, sirve como el gran final de toda la colección de salmos, dando la impresión de que la música es en realidad una obra importante. Sin embargo, no es solo por la música en sí, sino porque nos da poder para alabar al Señor. Podemos tomar esto literal y metafóricamente. Literalmente, probablemente valoremos la música, la danza y otras artes más que la comunidad cristiana, al igual que la música (excepto un pequeño número de ciertos géneros) y el arte (que a veces no se considera). O al menos, podemos tomarnos más en serio nuestra propia expresión musical y artística. Si no encontramos tiempo para expresar nuestra creatividad artística, ¿estamos perdiendo el valor de las canciones que Dios ha puesto en nuestro corazón?

Como analogía, podríamos preguntarnos si el Salmo 150 nos invita a tratar nuestro trabajo como una pieza musical. Tal vez, todos queremos disfrutar de más armonía en nuestras relaciones, un ritmo más constante de trabajo y descanso, un enfoque en la belleza de nuestro trabajo y la belleza de las personas con las que trabajamos. ¿Ver la belleza de nuestro trabajo nos ayudará a superar desafíos laborales como la tentación moral, el aburrimiento, las malas relaciones, la frustración y la baja productividad ocasional? Por ejemplo, imagina que tu decepción con tu jefe te hace querer dejar de hacer bien tu trabajo. ¿Te ayudará a ver la belleza de tu trabajo más allá de la relación con tu jefe? ¿Qué clase de belleza trae tu trabajo al mundo? ¿Qué belleza ve Dios en lo que haces? ¿Es esto suficiente para apoyarlo en tiempos difíciles o guiarlo para hacer los cambios necesarios en su trabajo o en la forma en que trabaja?

En todo caso, no importa lo que pensemos de nuestro trabajo, porque el propósito de Dios es que lo alabemos con nuestro trabajo. Los 150 salmos de la Biblia cubren todos los aspectos de la vida y el trabajo, desde sus miedos más oscuros hasta sus deseos más grandes. Unos hablan de muerte y desesperación, otros de prosperidad y esperanza, pero la conclusión final del salmo es de alabanza.

¡Que todo lo que respira alabe al Señor!

¡Aleluya! ¡Alabado sea el Señor! (Salmos 150:6)

Conclusión al Libro de Salmos

En los Salmos, encontramos una variedad de temas relacionados con el trabajo: ética personal, ética organizacional, presencia de Dios en nuestro trabajo, guía divina y creatividad humana. Pero más allá de estos temas específicos del trabajo, los salmos también proclaman la gloria de Dios en toda la creación. Esto nos recuerda que nuestra vida laboral está profundamente arraigada al propósito y plan de Dios para nosotros como seres humanos creados a su imagen. Al ponderar las Escrituras sobre el trabajo podemos recordarnos a nosotros mismos que nuestro llamado es servirle con integridad e incluso cuando no veamos resultados inmediatos o fracasemos en algunas áreas difíciles; hay gracia suficiente para ayudarnos a seguir adelante hacia un futuro mejor.

Introducción al Libro de Proverbios

¿Cuál es la diferencia entre inteligencia y sabiduría? La sabiduría va más allá del conocimiento. Es más que un catálogo de hechos; es una percepción magistral de la vida, un arte práctico de vivir y la capacidad de tomar buenas decisiones. Proverbios nos desafía a adquirir conocimientos, aplicarlos a nuestra vida y compartir con los demás la sabiduría que hemos adquirido.

¿Dónde se adquiere la sabiduría? El libro dice que la sabiduría va más allá del conocimiento, pero debe comenzar con el conocimiento de los proverbios. "Los proverbios de Salomón, hijo de David, rey de Israel: adquirir sabiduría y disciplina; discernir palabras de entendimiento" (Proverbios 1:1-2, NVI) (La traducción NKJV, "aprender", pasa por alto la naturaleza esencialmente experiencial del hebreo da'at y su raíz, yada, que la NVI refleja correctamente con el verbo "adquirir"). Para producir sabiduría, el conocimiento debe mezclarse con el temor del Señor. El "temor" [del hebreo yare] del Señor se utiliza a menudo en el Antiguo Testamento como sinónimo de "vivir en respuesta a Dios". El libro de los Proverbios declara que "el temor del Señor es el principio de la sabiduría, y el conocimiento del Santo es la inteligencia" (Prov. 9:10). El conocimiento sin un compromiso con el Señor es tan inútil como el cemento sin agua para hacer una mezcla. Paradójicamente, la aceptación de los proverbios por la fe en el corazón produce el temor del Señor. "Hijo mío, si recibes mis palabras y atesoras mis mandamientos en tu interior... comprenderás el temor del Señor y descubrirás el conocimiento de Dios" (Prov. 2:1, 5).

La verdadera sabiduría para el cristiano incluye toda la revelación de Dios, especialmente lo que sabemos acerca de Su Hijo, el Señor Jesucristo. Comienza por saber quién es el Señor, lo que ha hecho y lo que desea para nosotros y para el mundo en que vivimos. A medida que crecemos en nuestra perspectiva de Dios, aprendemos a cooperar con Él en su obra de sostener y redimir el mundo. Esto a menudo nos hace más fructíferos en formas que nos benefician a nosotros mismos y ayudan a los demás. Esto, a su vez, nos lleva a vivir en reverencia al Señor en medio de la vida y el trabajo cotidianos. "El temor del Señor conduce a la vida, a dormir contentos, sin ser tocados por el mal" (Proverbios 19:23).

En Proverbios, adquirir sabiduría nos hace bien y no adquirirla nos hace mal. No hemos adquirido verdaderamente conocimientos hasta que los aplicamos en nuestra vida. "El sabio teme el mal y se aparta de él" (Proverbios 14:16). "La boca del justo habla sabiduría" (Prov 10,31). Los Proverbios anticipan la advertencia de Jesús: "Sed prudentes como serpientes y sencillos como palomas" (Mt

10,16). La sabiduría viene del Señor, que declara: "Por el camino de la sabiduría te he conducido, por sendas de justicia te he guiado" (Prov 4,11). En los Proverbios, lo espiritual y lo moral se encuentran, y la sabiduría refleja la verdad de que un Dios bueno mantiene el control.

El libro de los Proverbios también contiene advertencias a quienes desprecian el crecimiento en sabiduría. La sabiduría, personificada a lo largo del libro como una mujer, habla. "Porque quien me encuentra, encuentra la vida y obtiene el favor del Señor. Pero el que peca contra mí se hace mal a sí mismo, y todos los que me odian aman la muerte" (Proverbios 8:35-36). La sabiduría produce una vida mejor y más abundante. La falta de sabiduría disminuye la vida y, en última instancia, conduce a la muerte.

Además, el libro de los Proverbios nos dice que la sabiduría que adquirimos no es sólo para nosotros, sino también para compartirla con los demás, "para dar sabiduría a los sencillos, y ciencia y discreción a los jóvenes" (Proverbios 1:4). Proverbios 9:9 recomienda que "instruyamos a los sabios" y "enseñemos a los justos". Proverbios 26:4-5 advierte del peligro de compartir la sabiduría con un necio. Compartimos la sabiduría no sólo enseñando, sino también viviendo sabiamente al transmitirla a quienes nos ven y siguen nuestro ejemplo. Lo contrario también es cierto. Si vivimos tontamente, otros pueden sentirse tentados a hacer lo mismo, y no sólo nos perjudicamos a nosotros mismos, sino también a ellos. A menudo, a medida que progresamos en el trabajo de nuestra vida, nos hacemos más visibles y los efectos de nuestra sabiduría o insensatez afectan a más y más personas. Con el tiempo, esto puede tener las consecuencias más profundas, porque "la instrucción del sabio es fuente de vida, y camino para escapar de los lazos de la muerte" (Proverbios 13:14).

Acerca del Libro de los Proverbios

En el antiguo Oriente Próximo, los gobernantes solían encargar a sabios que recopilaran la sabiduría aceptada de su nación e instruyeran a los jóvenes que accederían a las profesiones o al servicio gubernamental en la corte real. Estos sabios dichos, condensados a partir de la observación de la vida y de las realidades de la experiencia humana, se convertían en el texto para las futuras generaciones cuando alcanzaban la edad adulta. El libro de los Proverbios, sin embargo, declara que su autor principal es el rey Salomón (Proverbios 1:1) y que su inspiración procede del Señor. "Porque el Señor da la sabiduría, y de su boca salen la ciencia y la inteligencia" (Proverbios 2:6). El libro exige fe en el Señor, no en la experiencia humana.

"Confía en el Señor de todo corazón y no te apoyes en tu propia prudencia" (Prov. 3,5). "No seas sabio en tus propios ojos, sino teme al Señor y apártate del mal" (Prov. 3:7). Otros manuales del antiguo Cercano Oriente suponen o dan por sentado el origen divino de la sabiduría que enseñan, pero Proverbios es enfático al atribuir la sabiduría única y directamente al Señor. El mensaje central del libro es que la verdadera sabiduría se basa en nuestra relación con Dios: no podemos tener verdadera sabiduría a menos que tengamos una relación viva con el Señor.

Por eso, los proverbios de este libro son algo más que sentido común o buenos consejos; nos enseñan no sólo la relación entre nuestras acciones y nuestro destino, sino también cómo crear una comunidad pacífica y próspera bajo el Señor, que es la fuente de la verdadera sabiduría.

Al mismo tiempo, estos dichos breves y concisos que llamamos proverbios son generalizaciones sobre la vida, no promesas dadas en pequeños trozos. Dios actúa a través de ellos para guiar nuestro pensamiento, pero debemos tener cuidado de no trocear la colección y meterla en una bolsa de trozos como las galletas de la suerte. No se puede utilizar una frase aislada para expresar toda la verdad, sino que hay que ser sensible al contexto más amplio de todo el libro. Sólo un necio leería "Instruye al niño en su camino, y cuando sea viejo no se apartará de él" (Proverbios 22:6) y concluiría que un niño es un robot programado. El proverbio enseña que la formación de los padres surte efecto, pero su significado debe entenderse prestando atención a otros proverbios que reconocen que cada persona es responsable de su propio comportamiento, como "El ojo que burla al padre y desprecia a la madre, los cuervos lo echarán del valle, y las águilas se lo comerán" (Pro 30:17). Ser un experto en proverbios es tejer un manto de sabiduría a partir de toda la colección. Adquirir la sabiduría del libro de los Proverbios requiere toda una vida de estudio.

No es una tarea trivial, ya que existe tensión entre algunos de los proverbios, aunque no están en total oposición. Otros se expresan con ambigüedad, lo que obliga al lector a considerar posibles interpretaciones. A quién va dirigido el proverbio es un aspecto que merece gran atención. La advertencia, "No ames el sueño" (Proverbios 20:13), es un proverbio dirigido a todos los hijos de Dios (véase Proverbios 1:4-5), pero la afirmación, "Dulce será tu sueño" (Proverbios 3:24), se dirige a quienes no permiten que la sabiduría y el entendimiento se aparten de sus ojos (Proverbios 3:21). Debemos tener cuidado de no permitir que un proverbio se convierta en legalismo. "No ames el sueño" no es un proverbio que prohíba el uso de somníferos, ni que prohíba dormir hasta tarde en un día de descanso, ni que justifique revisar obsesivamente el correo electrónico día y noche. El libro de los Proverbios es intemporal, pero su aplicación debe adaptarse a cada época, como ilustra el libro de Job. Los Proverbios son puntos de referencia en el lento desarrollo de la virtud, y lleva mucho tiempo comprenderlos. "El sabio oirá y crecerá en conocimiento, y el prudente adquirirá habilidad para entender el proverbio y la fábula, las palabras de los sabios y sus enigmas" (Prov. 1:5-6).

El libro de Proverbios está dividido en siete secciones. La sección 1 (Proverbios 1:1-9:18) contiene enseñanzas amplias que preparan el corazón del discípulo para los proverbios concisos de las secciones siguientes. La Sección 2 (Proverbios 10:1-22:16) contiene los "Proverbios de Salomón". La sección 3 (Proverbios 22:17-24:22) contiene los "Proverbios de los Sabios", que probablemente fueron adoptados y adaptados por Salomón, y la sección 4 (Proverbios 24:23-34) amplía lo anterior con más "Proverbios de los Sabios". La sección 5 (Proverbios 25:1-29:27) abarca "otros proverbios que copiaron los hombres del rey Ezequías de Judá", analizando registros antiguos de la época de Salomón (Ezequías reinó unos trescientos años después de Salomón). La sección 6 (Proverbios 30:1-33) y la sección 7 (Proverbios 31:1-31) se atribuyen a Agur y Lemuel, respectivamente, de quienes se sabe muy poco. El resultado final es una obra única de proverbios, consejos, instrucciones y advertencias, estructurada como un manual para jóvenes que comienzan su vida laboral y para personas de todas las edades que se sienten interpeladas a buscar la sabiduría del Señor (Prov. 1:2-7).

En general, los proverbios se agrupan en pares de contrastes: diligencia frente a pereza, honradez frente a deshonestidad, planificación frente a toma de decisiones precipitadas, trato justo frente a aprovecharse de los vulnerables, buscar un buen consejo frente a la arrogancia, etcétera. Hay más proverbios en el libro que tratan de hablar con sabiduría que de cualquier otro tema, y el segundo tema más destacado es el trabajo y su corolario, el dinero. Aunque el libro está dividido en las siete secciones antes mencionadas, los proverbios dentro de esas secciones vuelven a los mismos temas una y otra vez. Por esta razón, este capítulo analizará las enseñanzas relacionadas con el trabajo temáticamente, en lugar de revisar cada sección en el orden en que aparecen en el libro.

Una práctica que muchos cristianos encuentran útil en el lugar de trabajo es leer un capítulo al día, correspondiente al día del mes (Proverbios tiene 31 capítulos). Muchos temas se tratan en varios proverbios repartidos por todo el libro, lo que significa que cada tema se encontrará en varios días diferentes de cada mes. La repetición de estos temas es una ayuda para el aprendizaje. Además, nuestra receptividad a los temas cambia según lo que ocurre en nuestras vidas. A medida que cambian las circunstancias a lo largo del mes, un tema que no nos llamó la atención un día puede cobrar más importancia otro. Con el tiempo, podemos encontrar más sabiduría que si miráramos cada tema una sola vez. Por ejemplo, el día 14 de cualquier mes leerás el capítulo 14, pero puede que no te fijes en el tema de oprimir a los pobres en el versículo 31 ("El que oprime a los pobres afrenta a su Creador"). Pero quizás unos días más tarde en el mes veas a una persona viviendo en la calle, o escuches una noticia sobre la pobreza, o quizás te quedes sin dinero. En ese momento, puede que estés preparado para prestar atención al tema cuando vuelva a surgir en el capítulo 17 ("El que se burla del pobre afrenta a su Creador", Prov. 17:5), o en el capítulo 21

("El que cierra su oído al clamor del pobre también clamará y no será oído", Prov. 21:13), o en el capítulo 22 ("El que cierra su oído al clamor del pobre también clamará y no será oído", Prov. 21:13): 13), o en el 22 ("No robes al pobre, porque es pobre", Prov. 22:22), o en el 28 ("El que aumenta su riqueza con intereses y usura la recoge para el que se compadece del pobre", Prov. 28:8). Además, el tema se plantea de forma diferente cada vez, lo que ofrece la oportunidad de profundizar en él con cada repetición.

¿ Los Proverbios y el Trabajo: ¿Cuál es la Relación?

La preocupación central del libro es la llamada a vivir una vida de asombro ante Dios. Este llamamiento inicia el libro (Proverbios 1:7), lo atraviesa (Proverbios 9:10) y lo concluye (Proverbios 31:30). Proverbios nos dice que los buenos hábitos de trabajo honran a Dios, surgen del carácter formado por nuestro temor al Señor y, en general, conducen a la prosperidad. De hecho, el temor del Señor y la sabiduría están directamente relacionados. "Entonces entenderás el temor del Señor y descubrirás el conocimiento de Dios. Porque el Señor da la sabiduría, y de su boca salen la ciencia y la inteligencia" (Prov. 2:5-6).

En otras palabras, los proverbios están destinados a formar el carácter de Dios (un carácter piadoso) en quienes los leen. Por lo tanto, muchos de los proverbios se basan explícitamente en el carácter de Dios, que se revela por lo que Dios odia y lo que le agrada:

Seis cosas aborrece Yahveh, y siete le son abominables (Prov. 6:16).

Las balanzas falsas son una abominación para el Señor, pero el peso correcto es Su deleite (Prov. 11:1).

Los ojos del Señor están en todo lugar (Prov. 15:3).

El carácter piadoso -es decir, la sabiduría- es esencial en todo en la vida, incluido el trabajo. Un repaso a los proverbios revela que el libro tiene mucho que decir sobre el tema del trabajo. Muchos de los proverbios se refieren directamente a las actividades laborales en el antiguo Cercano Oriente, como la agricultura, la ganadería, la confección textil y de prendas de vestir, el comercio, el transporte, los asuntos militares, la administración, los tribunales, la gestión del hogar, la crianza de los hijos, la educación, la construcción y otros. El dinero -estrechamente relacionado con el trabajo- también es un tema destacado. Muchos otros proverbios tratan temas que se aplican significativamente al trabajo, como la prudencia, la honradez, la justicia, la comprensión y las buenas relaciones...

Valentía de la Mujer (Proverbios 31:10-31)

Al final del libro se presenta un vínculo significativo entre el libro de los Proverbios y el mundo del trabajo. La Señora Sabiduría, a la que conocimos al principio (Proverbios 1:20-33; 8:1-9:12), reaparece bajo una apariencia diferente en los últimos veintidós versículos del libro (Proverbios 31:10-31), como una mujer de carne y hueso, llamada "la mujer virtuosa" (RVR1960). Algunas traducciones utilizan la palabra "esposa" en lugar de "mujer", probablemente porque el pasaje menciona al marido y a los hijos (tanto "esposa" como "mujer" son posibles traducciones del término hebreo ishshah). De hecho, la mujer encuentra satisfacción en su familia y se asegura de que "su marido sea conocido en las puertas, cuando se sienta con los ancianos de la tierra" (Prov 31:23). Sin embargo, el texto se centra en el trabajo de la mujer como empresaria en la industria artesanal con los criados o trabajadores que dirige (Prov 31:15)[9]. Proverbios 31:10-31 no se aplica sólo al lugar de trabajo, sino que tiene lugar en él.

Así, el libro de Proverbios se resume en un poema que elogia a una mujer que gestiona sabiamente diversas empresas, desde el tejido a la producción de vino o el comercio en el mercado. Los traductores emplean diversas palabras, como virtuosa (RVA1960), capaz (NTV), excepcional (NLT) o ejemplar (NVI) para describir el carácter de esta mujer en Proverbios 31:10. Cuando se aplica a un hombre, el mismo término se emplea para describir a una mujer. Cuando se aplica a un hombre, el mismo término se traduce "fuerza", como en Proverbios 31:3. En la gran mayoría de sus 246 apariciones en el Antiguo Testamento, esta palabra se refiere a hombres guerreros (por ejemplo, los "hombres fuertes y valientes" de David en 1Cr 7:2). Los traductores tienden a restar importancia al elemento de fuerza cuando la palabra se aplica a una mujer, como en el caso de Rut, que se describe en las traducciones inglesas como "ejemplar" (NVI, NKJV), "virtuosa" (NKJV, NKJV) o "buena" (NKJV). Pero la palabra es la misma tanto si se aplica a hombres como a mujeres. Al describir a la mujer de Proverbios 31:10-31, su significado se entiende mejor como fuerte o valiente, como indica más adelante Proverbios 31:17: "Se ciñe de fortaleza y fortalece sus brazos". Debido a este lenguaje marcial, Al Wolters sostiene que la traducción más apropiada es "mujer valiente". En consecuencia, nos referiremos a la mujer de Proverbios 31:10-31 como la "mujer fuerte", reflejando tanto la fuerza como la virtud contenidas en el término hebreo chayil.

El pasaje que concluye el libro de los Proverbios caracteriza a esta mujer fuerte como una trabajadora sabia en cinco conjuntos de prácticas en su lugar de trabajo. La gran importancia de este pasaje se presenta de dos maneras. En primer lugar, tiene la forma de un poema acróstico, lo que significa que sus versos comienzan con las veintidós letras del alfabeto hebreo en orden, haciéndolo fácil de recordar. En segundo lugar, se encuentra en el punto culminante y es el resumen de todo el libro. Por lo tanto, los cinco conjuntos de prácticas que observamos en la Mujer Valiente servirán de marco para explorar todo el libro.

Para algunas personas del antiguo Cercano Oriente, e incluso para algunas personas hoy en día, sería sorprendente presentar a una mujer como modelo de empresa sabia. Aunque Dios concedió el don del trabajo tanto al hombre como a la mujer (Gn 1:27-28), el trabajo de la mujer era a menudo denigrado y tratado con menos dignidad que el del hombre. Siguiendo el ejemplo de Proverbios, nos referiremos a esta sabia trabajadora como "ella", entendiendo que la sabiduría de Dios está igualmente disponible para hombres y mujeres. "Ella" funciona en el libro como una afirmación de la dignidad del trabajo para todas las personas.

Como siempre en Proverbios, el camino de la sabiduría brota del temor del Señor. Finalmente, se describen y honran las habilidades y virtudes de la mujer valiente, y se revela la fuente de su sabiduría. "La mujer que teme al Señor será alabada" (Proverbios 31:30).

Confianza en el Trabajador Experto

La primera característica de la sabiduría encarnada en la mujer valiente es la confianza. "Su marido confía plenamente en ella" (Proverbios 31:11). La confianza es el fundamento de la sabiduría y la virtud. Dios creó a los seres humanos para que colaboraran entre sí (Gn 2:15), lo cual es imposible sin confianza. La confianza exige el cumplimiento de principios éticos, empezando por la fidelidad en nuestras relaciones. ¿Qué dice el libro de Proverbios sobre ser digno de confianza en el lugar de trabajo?

Confianza y Responsabilidades Fiduciarias de un Trabajador

El primer requisito para ser dignos de confianza es que nuestro trabajo beneficie a quienes confían en nosotros. Al aceptar su confianza, reconocemos la responsabilidad fiduciaria de trabajar en su beneficio. La mujer valiente cumple esta tarea trabajando no sólo para sí misma, sino también en beneficio de quienes la rodean. Su trabajo beneficia a sus clientes (Prov. 31:14), a su comunidad (Prov. 31:20), a su familia inmediata (Prov. 31:12, 28) y a sus compañeros de trabajo (Prov. 31:15). En la economía del antiguo Cercano Oriente, todas estas esferas de responsabilidad confluían en la unidad económica conocida como "hogar". Como en gran parte del mundo, la mayoría de la gente trabajaba en el mismo lugar donde vivía. Algunos miembros del hogar trabajaban como cocineros, limpiadores, conserjes o artesanos de la tela, el metal, la madera y la piedra en las habitaciones de la casa. Otros trabajaban en los campos próximos a la casa como jornaleros, pastores o peones. La "casa" se refiere a todo el complejo de empresas productivas, así como a la familia extensa, los empleados y quizás los esclavos que trabajaban y vivían en ella. Como gestora de un hogar, la mujer valiente es como un empresario o un alto ejecutivo de los tiempos modernos. Cuando "vela por la dirección de su casa" (Prov. 31:27), cumple un deber fiduciario de confianza para todos los que dependen de su empresa.

Esto no significa que no podamos trabajar también en beneficio propio. La obligación de la mujer valiente para con su familia se ve correspondida por la obligación de su familia para con ella. Es decir, es apropiado que ella reciba una parte de las ganancias de la casa para su uso personal. El pasaje instruye a sus hijos, a su marido y a toda la comunidad a honrarla y alabarla. "Sus hijos se levantan y la llaman bienaventurada, su marido también, y la alaban... Dadle el fruto de sus manos, y que sus obras la alaben a las puertas" (Proverbios 31:28, 31).

Nuestro deber fiduciario exige que no perjudiquemos a nuestros empleadores en la búsqueda de nuestras propias necesidades. Podemos discutir con ellos o pelearnos por la forma en que nos tratan, pero no debemos hacerles daño. Por ejemplo, no podemos robar (Prov. 29:24), destruir (Prov. 18:9) o calumniar (Prov. 10:18) a nuestros empleadores como medio de expresar nuestras quejas. Algunas formas de aplicar este principio son obvias. No debemos cobrar a un cliente por horas no trabajadas. No debemos destruir la propiedad de nuestros empleadores ni acusarles falsamente. Reflexionar sobre este principio puede llevarnos a implicaciones y preguntas más profundas. ¿Es correcto perjudicar la productividad o la armonía de la organización por no ayudar a nuestros rivales internos? ¿La posibilidad de obtener beneficios personales -como viajes, premios, bienes gratuitos y similares- nos induce a favorecer a determinados proveedores a costa de los intereses de nuestro empleador? La obligación mutua que empleados y empleadores tienen entre sí es una cuestión seria.

El mismo deber se aplica a las organizaciones que tienen un deber fiduciario con otras organizaciones. Es correcto que una empresa regatee con sus clientes para obtener un precio más alto. Sin embargo, está mal beneficiarse aprovechándose secretamente de un cliente, como hicieron varios bancos de inversión al dar instrucciones a sus representantes para que recomendaran Obligaciones Hipotecarias Colateralizadas (CMO) a los clientes como si fueran inversiones sólidas, mientras que al mismo tiempo vendían en corto CMO con la expectativa de que su valor disminuiría.

El temor del Señor es la norma de la responsabilidad fiduciaria. "No seas sabio en tus propios ojos, sino teme al Señor y apártate del mal" (Proverbios 3:7). Todos tenemos la tentación de servirnos a nosotros mismos a costa de los demás. Este es el resultado de la caída. Sin embargo, este proverbio nos dice que el temor del Señor -recordando Su bondad para con nosotros, Su providencia sobre todas las cosas y Su justicia cuando hacemos daño a los demás- nos ayuda a cumplir con nuestro deber para con los demás.

Honestidad como Cualidad de un Trabajador Confiable

La honradez es otro aspecto esencial de la fiabilidad. Es tan importante que un proverbio equipara la verdad con la sabiduría misma. "Compra verdad y no la vendas; adquiere sabiduría, instrucción y entendimiento" (Proverbios 23:23). La honradez consiste tanto en decir la verdad como en actuar honestamente.

El capítulo 6 contiene una lista reconocida de siete cosas que Dios odia, y dos de las siete son formas de deshonestidad: "la lengua mentirosa" y "el testigo falso que dice mentiras" (Prov. 6:16-19). A lo largo del libro de Proverbios, se nos recuerda la importancia de decir la verdad.

Escucha, porque hablaré cosas excelentes, y con la apertura de mis labios rectitud. Porque mi boca hablará la verdad; la maldad es abominación a mis labios (Prov. 8:6-7).

Un testigo veraz salva vidas, pero un mentiroso es un traidor (Prov 14:25).

Acumular tesoros con lengua mentirosa es buscar la muerte, y acumular tesoros con lengua mentirosa es buscar la muerte (Prov 21:6).

El testigo falso no quedará impune, y el mentiroso no escapará (Prov 19:5).

No des falso testimonio contra tu prójimo, ni engañes con tus labios (Prov 24,28).

El que oculta el odio tiene labios mentirosos, y el que difunde la calumnia es un necio. En muchas palabras, la transgresión es inevitable, pero el que refrena sus labios es sabio (Proverbios 10:18-19).

El que dice la verdad dice lo que es justo, pero el testigo falso dice la mentira. Hay quien habla como golpe de espada, pero la lengua del sabio cura. Los labios veraces duran para siempre, pero la lengua mentirosa un momento. Hay engaño en el corazón de los que traman el mal, pero alegría en los consejeros de paz (Proverbios 12:17-20).

Los labios mentirosos son una abominación para el Señor, pero los que actúan con fidelidad son su deleite (Prov 12:22).

El hombre que da falso testimonio contra su prójimo es como un garrote, una espada y una flecha afilada (Prov 25:18).

El que odia oculta su odio con los labios, pero su corazón está lleno de engaño. Si su voz es agradable, no le creas, porque hay siete abominaciones en su corazón (Proverbios 26:24-25).

Aunque la Biblia tolera la mentira y el engaño en algunas circunstancias inusuales (por ejemplo, Rahab la prostituta en Jos 2:1-6, las parteras de las hebreas cuando mienten al Faraón en Ex 1:15-20, y David cuando miente al sacerdote en 1 Samuel 21:1-3), los Proverbios prohíben la mentira o el engaño en la vida y el trabajo cotidianos. No se trata sólo de que mentir esté mal, sino también de que decir la verdad es esencial. Nos guardamos de mentir no tanto porque haya una norma que lo prohíba, sino porque, al vivir en reverencia a Dios, amamos la verdad.

La mentira es destructiva y, en última instancia, conduce al castigo y a la muerte. Se nos advierte no sólo que evitemos el engaño, sino también que desconfiemos de los engañadores que nos rodean. No debemos dejarnos llevar por sus mentiras. Aquí reconocemos que podemos sentirnos inclinados a creer las mentiras que oímos. Al igual que ocurre con los cotilleos (que suelen ser una mentira disfrazada de verdad), descubrimos que una mentira nos permite formar parte del círculo de personas que la conocen, y eso nos gusta. O descubrimos que en nuestra propia perversidad queremos creer la mentira. Pero los proverbios nos advierten enérgicamente que nos mantengamos alejados de los que mienten. Un lugar de trabajo en el que sólo se hable la verdad (en el amor, véase Ef 4,15) es una utopía, pero Dios nos llama a estar entre los que evitan la lengua mentirosa.

Aunque pensemos en la mentira y la deshonestidad como pecados individuales, las organizaciones también pueden desarrollar una cultura de la deshonestidad. Sus prácticas empresariales, su publicidad, incluso su identidad de marca pueden basarse en el engaño. Además, las personas de todos los niveles de la organización son propensas a mentir. Un empleado miente en su tarjeta de control horario. Un ejecutivo falsifica un informe de gastos. Un agente hipotecario engaña a un cliente sobre las condiciones de un contrato. Un director mejora los resultados de los exámenes de su centro cambiando las respuestas de los alumnos en las pruebas estandarizadas que administra. Por el contrario, algunas organizaciones desarrollan una sólida cultura de la honradez. Una forma eficaz de desarrollar una cultura de la honestidad es que los líderes reconozcan públicamente sus errores y asuman su responsabilidad. Esto refuerza el mensaje de que decir la verdad es más importante que mantener una imagen perfecta.

Casi la mitad de los proverbios que tratan de decir la verdad prohíben específicamente el falso testimonio, haciéndose eco del noveno mandamiento (Ex 20:16). Si engañar a los demás es, en general, impío, falsificar el relato de las acciones de otra persona es un delito que "no quedará impune" (Prov 19:5). El falso testimonio implica la agresión directa a una persona inocente. Sin embargo, es quizá la forma más común de mentira profesional, sólo superada por la publicidad falsa. Mientras que la falsa publicidad se dirige a personas ajenas a la empresa (clientes) que probablemente sospechen de las estrategias de venta y suelen tener otras fuentes de información, el falso testimonio es un ataque a un compañero de trabajo y es probable que se acepte sin escepticismo dentro de la organización. Se produce cuando intentamos trasladar la culpa o el mérito dando información falsa sobre las funciones y acciones de los demás. Afecta no sólo a los responsables de las acciones que comentamos erróneamente, sino a toda la organización, porque una entidad que no entiende con precisión las razones de sus éxitos y fracasos actuales no podrá hacer los cambios necesarios para mejorar y adaptarse. Es como disparar a alguien en un submarino: no sólo hiere a la víctima, sino que hunde el submarino y hace que toda la tripulación se ahogue.

Honestas Acciones

Al igual que las palabras, las acciones pueden ser verdaderas o falsas. "El justo aborrece la mentira, pero el malvado se vuelve odioso y despreciable". (Proverbios 13:5 NVI, énfasis añadido). El acto deshonesto más prominente en Proverbios es el uso de pesas y medidas falsas. "De Yahveh son las pesas y las balanzas justas; obra suya son todas las pesas de la bolsa" (Prov 16:11). Por el contrario, "Las balanzas falsas son abominación a Yahveh, pero el peso verdadero es su delicia" (Prov 11:1). "Las pesas desiguales son abominables a Yahveh, y la balanza falsa no es buena" (Prov 20:23). Las pesas y medidas falsas engañan al cliente sobre el producto que se vende. Algunos ejemplos de este tipo de deshonestidad son etiquetar mal un artículo, rebajar la calidad acordada, tergiversar su origen y falsear descaradamente su cantidad. Tales prácticas son una abominación a Dios. Por el contrario, el simple acto de medir correctamente es un deleite para el Señor. De hecho, Él se regocija cuando la gente desarrolla prácticas comerciales honestas.

Hay razones prácticas para actuar con honradez. A corto plazo, los actos deshonestos pueden producir más ingresos, pero a largo plazo, los clientes se darán cuenta y decidirán dejar de hacer negocios. En última instancia, sin embargo, es el temor del Señor lo que nos guía, incluso cuando pensamos que podemos salirnos con la nuestra siendo deshonestos en términos humanos. "Pesos desiguales y medidas desiguales son una abominación para el Señor" (Prov. 20:10).

Además de las medidas y pesos falsos, hay otras formas de ser deshonesto en el trabajo. Un ejemplo del Antiguo Testamento se refiere a la propiedad de la tierra, que se demostraba mediante mojones. Una persona deshonesta podía cambiar secretamente estos límites para ampliar su propiedad a expensas de su vecino. Proverbios condena tales actos deshonestos. "No muevas el viejo límite, ni entres en la heredad del huérfano, porque su redentor es fuerte; él defenderá su causa contra ti" (Prov 23:10-11). Este proverbio vincula la deshonestidad con sus consecuencias. La deshonestidad no sólo causa daños informativos (como engañar a la gente haciéndole creer algo que no es cierto), sino también daños materiales (como robar una propiedad moviendo una señal de límite). Los Proverbios no enumeran todos los tipos de actos deshonestos que podían cometerse en el antiguo pueblo de Israel, y mucho menos en nuestro mundo actual, pero establecen el principio de que los actos deshonestos son tan aborrecibles para el Señor como las palabras deshonestas.

¿Qué aspecto tiene la falta de honradez, tanto de palabra como de obra, en el lugar de trabajo actual? Si recordamos que la honradez es una característica de la fiabilidad, entonces el criterio de honradez se mide preguntando: "¿Puede la gente confiar en lo que digo y hago?" en lugar de: "¿Es técnicamente cierto?". Hay formas de dañar la confianza sin cometer un fraude descarado. Los contratos pueden modificarse para beneficiar injustamente a la parte con los abogados más sofisticados. Los artículos pueden describirse en términos engañosos, como decir que un alimento "aumenta la energía" cuando en realidad significa "contiene calorías". Al final, según Proverbios, Dios intercederá en favor de quienes han sido engañados de esta manera y no tolerará tales actos (Proverbios 23:11). Mientras tanto, los trabajadores sabios -es decir, piadosos- evitan tales prácticas.

Proverbios vuelve una y otra vez sobre el tema de la honradez. "La integridad de los rectos los guiará, pero la perversidad de los pérfidos los destruirá" (Prov 11,3). "El pan obtenido con falsedad es dulce para el hombre, pero después su boca se llena de cascajo" (Proverbios 20:17). Un curioso proverbio señala otra forma de engaño: "Malo, malo, dice el comprador, pero cuando se va, se jacta" (Proverbios 20:14). Denigrar deliberadamente un producto que queremos para pagar menos y luego presumir de nuestra "ganga" es también una forma de deshonestidad. En el mundo del regateo entre compradores y vendedores bien informados, esta práctica puede ser más un entretenimiento que un abuso. Pero en su disfraz moderno de astucia -como cuando un candidato político intenta convencer a los votantes angloparlantes de que será duro con la inmigración y al mismo tiempo intenta convencer a los votantes hispanos de lo contrario- revela el engaño que hay detrás de la tergiversación deliberada de la realidad.

En términos más generales, Proverbios 20:14 recomienda el regateo honesto en lugar del engaño. El promotor inmobiliario Jack van Hartesvelt describe la diferencia: "Así es como suele funcionar [el regateo]. Si quiero conseguir el tres por ciento, tengo que decir a la otra parte que quiero el cuatro por ciento, sabiendo que tienen que convencerme de que acepte el tres por ciento para sentir que 'han ganado'. Toda la negociación se basa en una mentira". Dice que después de muchos años haciendo negocios de esta manera, ha descubierto que en realidad es más beneficioso negociar honestamente para que ambas partes puedan trabajar juntas y encontrar una solución que sea mutuamente beneficiosa.

La Diligencia del Trabajador Sabio

La mujer valiente es diligente, y Proverbios lo describe de tres maneras: (1) trabajo duro, (2) planificación a largo plazo y (3) rentabilidad. Como resultado de su diligencia en estos aspectos, tiene confianza en el futuro.

El Trabajador Dedicado Se Esfuerza Al Máximo

La mujer valiente "con gusto trabaja con sus manos" (Proverbios 31:13), lo que significa que elige trabajar incansablemente por los objetivos del hogar. "Se levanta cuando aún es de noche" (Proverbios 31:15). "Hace telas de lino y las vende" (Prov 31:24). "Con sus ganancias planta una viña" (Prov 31:16). Esto es mucho trabajo.

En una economía agraria, la conexión entre el trabajo duro y la prosperidad es fácil de entender. Mientras tengan acceso a tierras que cultivar, a los trabajadores duros les va mucho mejor que a los perezosos. Los proverbios dejan claro que un trabajador perezoso saldrá perdiendo al final.

Pobre es el que trabaja con mano perezosa, pero la mano del diligente enriquece. El que recoge en el verano es hijo sabio, pero el que duerme en la siega es hijo de vergüenza (Proverbios 10:4-5).

Pasé junto al campo del perezoso y la viña del insensato, y he aquí que estaba cubierta de cardos, su superficie cubierta de ortigas y su cerca de piedra derribada. Cuando lo vi, reflexioné sobre ello; miré y recibí instrucción. Un poco de sueño, un poco de adormecimiento, un poco de doblar las manos para descansar, y tu pobreza vendrá como ladrón, y tu necesidad como hombre armado (Prov. 24:30-34).

En el antiguo Cercano Oriente, el trabajo duro traía prosperidad, pero incluso una semana de descanso durante la cosecha podía significar la falta de alimentos para el invierno.

Las economías modernas (al menos en el mundo desarrollado) pueden cubrir este efecto a corto plazo. En tiempos de bonanza, cuando casi todo el mundo tiene trabajo, el trabajador perezoso puede tener empleo y parecer que lo hace todo tan bien como el trabajador duro. Del mismo modo, en tiempos de recesión económica (y en todo momento en muchas economías emergentes), un trabajador duro puede no tener más éxito a la hora de encontrar empleo que un perezoso. Y en cualquier momento, las recompensas por el trabajo duro pueden verse afectadas por la discriminación, las normas de antigüedad, los contratos sindicales, el favoritismo, el nepotismo, los paracaídas dorados, la medición defectuosa del rendimiento, la ignorancia de los directivos y muchos otros factores.

Pero, ¿hace esto que los proverbios sobre la diligencia del trabajo duro queden obsoletos? La respuesta es no, por dos razones. En primer lugar, incluso en las economías modernas, la laboriosidad tiende a recompensarse a lo largo de la vida laboral. Cuando los puestos de trabajo escasean, los trabajadores diligentes tienen más probabilidades de conservar su empleo o de encontrar otro rápidamente. En segundo lugar, la motivación principal de la diligencia no es la prosperidad personal, sino el temor del Señor, como hemos visto con las demás virtudes de los Proverbios. Somos diligentes porque el Señor nos llama a nuestras tareas, y el temor a Él nos motiva a ser diligentes en nuestro trabajo.

La pereza o la falta de diligencia en el trabajo son destructivas. Todos los que hemos tenido compañeros de trabajo perezosos podemos apreciar este poderoso dicho: "Como el vinagre a los dientes y el humo a los ojos, así es el perezoso a los que le envían" (Prov. 10:26). Es terrible estar atrapado en el mismo equipo con personas que no arriman el hombro para llevar su parte de la carga.

Planificación a largo plazo de un trabajador diligente

La mujer sabia planifica con antelación. Trae su comida de lejos" (Prov 31:14), lo que significa que no confía en compras de última hora que pueden ser de calidad y coste cuestionables. Ella "evalúa un campo" (Prov 31:16) antes de comprarlo, analizando su potencial a largo plazo. También planea plantar un viñedo en ese campo concreto (Prov 31:16), y los viñedos no producen su primera cosecha hasta dos o tres años después de la plantación. La cuestión es que toma decisiones basándose en sus consecuencias a largo plazo. Proverbios 21:5 nos dice que "los planes de los prudentes son ciertamente una ventaja, pero los de los que se precipitan ciertamente llegarán a la pobreza".

Una planificación inteligente requiere tomar decisiones que tengan resultados a largo plazo, como se observa en el ciclo de gestión de activos de las explotaciones.

Conoce bien el estado de tus rebaños, y cuida de tus manadas; porque las riquezas no duran para siempre, ni la corona para todas las generaciones. Cuando la hierba se haya secado, se vean los renuevos y se recojan las hierbas de los montes, los corderos serán para tu vestido y las cabras para el precio de un campo; y habrá suficiente leche de cabra para tu comida, para la comida de tu casa y para la comida de tus doncellas (Prov. 27:23-27).

Como la mujer valiente que planta un viñedo, el pastor sabio piensa a años vista. Del mismo modo, el gobernante o rey sabio debe tener una visión a largo plazo. "Por la prevaricación de la tierra, muchos son sus príncipes; pero por el hombre de entendimiento y sabiduría permanece estable" (Proverbios 28:2). Proverbios también utiliza a las hormigas como ejemplo de diligencia a largo plazo.

Mira la hormiga, oh perezoso, vigila su camino y sé sabio. No tiene jefe, ni oficial, ni señor; prepara su comida en el verano, y recoge su alimento en la cosecha. ¿Hasta cuándo, oh perezoso, te acostarás? ¿Cuándo te levantarás de tu sueño? Un poco de sueño, un poco de adormecimiento, un poco de doblar las manos para descansar, y vendrá tu pobreza como un vagabundo, y tu necesidad como un hombre armado. (Proverbios 6:6-11)

La planificación anticipada es un aspecto que puede considerarse de diversas maneras en el lugar de trabajo. La planificación financiera se menciona en Proverbios 24:27: "Pon en orden tu trabajo del campo, y tenlo listo para ti en el campo; luego construye tu casa". En otras palabras, no empieces a construir tu casa hasta que tus campos produzcan los fondos necesarios para completar el proyecto de construcción. Jesús se hizo eco de esta idea en Lucas 14:28-30:

"Porque, ¿quién de vosotros, queriendo edificar una torre, no se sienta primero y calcula el costo, para ver si tiene lo suficiente para terminarla? No sea que, cuando haya puesto los cimientos y no pueda terminarla, todos los que lo vean empiecen a burlarse de él, diciendo: 'Este empezó a construir y no pudo terminar'."

Hay muchas otras formas de planificar, y aunque no podemos esperar que Proverbios sirva de manual de planificación para una empresa moderna, podemos observar de nuevo la relación entre la sabiduría de Proverbios sobre cómo planificar y el carácter de Dios.

Los planes del corazón son del hombre, pero la respuesta de la lengua es del Señor (Prov 16,1).

Muchos son los planes del corazón del hombre, pero el consejo del Señor permanecerá (Prov. 19:21).

Dios hace planes a muy largo plazo, y es prudente que nosotros también los hagamos, pero debemos ser humildes con nuestros planes. A diferencia de Dios, nosotros no tenemos el poder de realizar todos nuestros planes. "No te jactes del mañana, porque no sabes lo que te deparará el día" (Proverbios 27:1). Planifiquemos con sabiduría, hablemos con humildad y vivamos con la esperanza de que los planes de Dios son nuestro mayor deseo.

Tener en cuenta las consecuencias a largo plazo puede ser la habilidad más importante para el éxito. Por ejemplo, la investigación psicológica ha demostrado que la capacidad de retrasar la gratificación -la capacidad de tomar decisiones basadas en resultados a largo plazo- es un mejor indicador del éxito escolar que el cociente intelectual. Por desgracia, a veces parece que los cristianos interpretan pasajes como "no os preocupéis por el mañana" (Mt. 6:34) en el sentido de "no hagáis planes para el futuro". Los proverbios -junto con las propias palabras de Jesús- demuestran que esto es erróneo y autocomplaciente. De hecho, toda la vida cristiana, con su expectativa del regreso de Cristo para completar el reino de Dios, es una vida de planificación a largo plazo.

¿Cómo contribuye un trabajador diligente a la rentabilidad empresarial?

La mujer valiente se asegura de que el trabajo de sus manos sea comercializable. Sabe lo que comprarán los mercaderes (Prov 31:24), elige cuidadosamente sus materiales (Prov 31:13) y trabaja incansablemente para asegurarse de que el producto sea de alta calidad (Prov 31:18b). Su recompensa es que "su ganancia es buena" (Prov 31:18a) y proporciona los recursos que su hogar y su comunidad necesitan. Los proverbios dejan claro que la diligencia de un trabajador individual contribuye a la rentabilidad -el aumento de valor- de toda la empresa. "Los proyectos de los laboriosos son ciertamente provechosos, pero los de los que se apresuran serán ciertamente pobres" (Prov 21:5). El ejemplo contrario se da en el proverbio: "El que es perezoso en su trabajo es hermano del que destruye" (Prov 18:9). Un trabajador perezoso no es mejor que uno que deliberadamente se propone destruir la empresa. Todo esto anticipa la parábola de los talentos de Jesús (Mt 25,14-30).

Cuando recordamos que estos proverbios sobre el provecho se basan en el carácter de Dios, vemos que Dios quiere que trabajemos con provecho. No basta con hacer las tareas que se nos encomiendan. Debemos examinar si nuestro trabajo realmente añade valor a los materiales, el capital y la mano de obra que se han invertido. En un mundo de economías abiertas, la competencia feroz sugiere que puede ser difícil obtener beneficios. Los que no son diligentes -los perezosos, los complacientes o los despilfarradores- pueden caer rápidamente en pérdidas, quiebra y ruina. Los diligentes -los que trabajan duro y son creativos y centrados- prestan un servicio divino al hacer posible que sus empresas funcionen de forma rentable.

Obviamente, no todas las personas trabajan en empresas con ánimo de lucro. Cuando buscamos aplicaciones de las actividades rentables de las mujeres valientes al mundo académico, el gobierno, el ejército, la administración del hogar, las organizaciones benéficas y otras áreas sin ánimo de lucro, debemos traducir "rentabilidad" por "valor". Pero antes de generalizar demasiado, examinemos la cuestión específica de la rentabilidad empresarial. A menudo los cristianos no reconocen la importancia de la rentabilidad desde una perspectiva bíblica. De hecho, la rentabilidad tiende a ser vista con recelo y debatida en la retórica de "personas contra beneficios". La idea es que la rentabilidad no proviene de utilizar los ingresos para crear algo más valioso, sino de estafar a compradores, trabajadores o proveedores. Esto proviene de una visión inadecuada de los negocios y la economía. Una crítica verdaderamente bíblica de los negocios haría preguntas como: "¿Qué tipo de beneficios?". "¿Cuál es el origen de los beneficios?". "¿Se obtienen los beneficios mediante monopolio, intimidación o fraude?" y "¿Cómo se distribuyen los beneficios entre trabajadores, directivos, propietarios, prestamistas, proveedores, clientes e impuestos?". Esto animaría y honraría a los trabajadores y a las empresas que producen un rendimiento honesto de su trabajo.

No todos los empleados tienen la capacidad de saber si su trabajo es rentable o no. Los empleados de una gran empresa pueden tener poco conocimiento de la contribución positiva de su trabajo concreto a la rentabilidad de la empresa. La rentabilidad en el sentido contable no desempeña ningún papel en la educación, la administración pública, las empresas sin ánimo de lucro y los hogares. Sin embargo, todos los trabajadores pueden prestar atención a cómo contribuye su trabajo al valor o misión de la organización y analizar si el valor que añaden es mayor que el salario y otros recursos que reciben. Hacerlo es una forma de servir al Señor.

Se alaba la gestión provechosa del hogar de la mujer valiente. "Su valor excede con mucho al de las joyas" (Proverbios 31:10). No se trata de una metáfora sentimental, sino de una verdad literal. Ciertamente, a lo largo de los años, un negocio bien gestionado puede producir beneficios que superen el valor de las joyas y otras riquezas.

Preparándose para un Futuro Radiante: Trabajando con Diligencia

La diligencia de la mujer valiente le da entusiasmo para el futuro. "Fuerza y dignidad son su vestimenta, y sonríe al futuro" (Prov 31:25). Aunque los proverbios no prometen prosperidad personal, en general nuestra diligencia produce un futuro mejor.

El que labra su tierra se saciará de pan, pero el que persigue cosas vanas carece de entendimiento (Proverbios 12:11).

El que labra su tierra se saciará de pan, pero el que persigue la vanidad se llenará de pobreza (Prov 28,19).

La mano del laborioso dominará, pero el perezoso será sometido a duros trabajos (Prov 12:24).

El trabajo duro no es garantía contra la aflicción o incluso el desastre futuro. Aun así, el sabio confía en Dios para el futuro, y el diligente puede estar seguro de que ha hecho lo que Dios quería para sí mismo, su hogar y su comunidad.

Astucia del Trabajador Sabio

La mujer valiente es un ejemplo de prudencia excepcional en su trabajo. Proverbios describe esta virtud como "prudencia" (Prov 19:14) o "sabiduría" (Prov 1:4). Quizá tendemos a pensar que las personas prudentes son las que se aprovechan de los demás, pero este término de Proverbios transmite la idea de sacar el máximo partido de los recursos y las circunstancias. Si entendemos la sabiduría como "una conciencia inteligente de discernimiento y prudencia práctica", vemos el tipo de sabiduría prudente que Dios quiere que tengan los obreros.

El trabajador sabio tiene conciencia y buen juicio

La sabiduría de esta valiente mujer se ve en el hecho de que es muy concienzuda a la hora de obtener sus materiales. "Busca lana y lino.... Es como un barco mercante" (Prov 31:13-14). Los fabricantes o artesanos actuales pueden ser sabios en la elección de los materiales o, carentes de sabiduría, pueden conformarse con materiales que no funcionarán bien. Podrían verse grandes resultados en el futuro si se invirtiera más en investigación y desarrollo, análisis de mercado, logística, alianzas estratégicas y participación de la comunidad. A nivel individual, el buen juicio tiene un valor incalculable. Un asesor de inversiones capaz de ajustar las necesidades futuras de un cliente a los riesgos y beneficios de los distintos vehículos de inversión presta un servicio divino.

Preparándose para lo Inevitable: La Astucia de un Trabajador

La mujer valiente "no teme a la nieve por los de su casa, pues todos los de su casa están vestidos de grana. Se hace capas; sus vestidos son de lino fino y púrpura" (Proverbios 31:21-22). Sus preparativos materiales cubren todas las eventualidades del próximo invierno. Prepara las diversas prendas y mantos que puedan ser necesarios en su casa, independientemente de lo que traiga cada estación. Las descripciones indican materiales finos o suntuosos ("lino fino y púrpura"), y además, la palabra hebrea sanim traducida "escarlata" puede ser un error de copista, pues significa "doble" (shenayim), es decir, de varias capas y cálido.

Esta mujer está atenta a las dificultades que puedan surgir y trabaja para encontrar soluciones antes de que surjan los problemas. Pensemos, por ejemplo, en los preparativos que hace para su marido. Mientras arregla la ropa y los mantos, tiene presente el papel de su marido como figura pública: "Su marido es conocido en las puertas, cuando se sienta con los ancianos de la tierra" (Prov 31:23). ¿Y si nieva mientras su marido está en medio de un asunto público? No hay por qué preocuparse, porque "toda su casa" -incluido su marido- está vestida adecuadamente para cada ocasión.

Buscando un Consejo Sabio: Un Trabajador Astuto

Un mito persistente en algunos círculos es que los líderes sabios desprecian los consejos. Su propia sabiduría consiste en ver oportunidades que otros simplemente no tienen en cuenta. Es cierto que los consejos no son necesariamente sabios porque los den muchas personas. "No hay sabiduría, ni inteligencia, ni consejo ante los ojos de Yahveh" (Prov. 21:30). Si una idea es mala o errónea ("a los ojos de Yahveh"), ninguna cantidad de gente que diga lo contrario puede convertirla en buena o sabia.

Sin embargo, el mito del genio que triunfa yendo en contra de todos los consejos casi nunca es cierto. La creatividad y la excelencia se construyen sobre una variedad de puntos de vista. La innovación tiene en cuenta lo conocido para adentrarse en lo desconocido. Normalmente, los grandes líderes que rechazan la sabiduría convencional primero la dominan antes de ir más allá. "Sin consejo, los planes se frustran, pero con muchos consejeros, triunfan" (Proverbios 15:22). Y en Proverbios 20:18 leemos: "Con consejo se hacen los planes, y con sabio consejo se hace la guerra". La persona sabia utiliza las fuerzas complementarias de los demás, incluso cuando se adentra en territorio desconocido.

Habilidades y conocimientos desarrollados por un trabajador astuto

La mujer valiente "se ciñe de fortaleza y fortalece sus brazos" (Proverbios 31:17). Esto significa que se dedica a perfeccionar sus habilidades para hacer su trabajo. Fortalece sus brazos y se ciñe de fortaleza. Una persona sabia actúa para mejorar sus habilidades o conocimientos.

A medida que la economía industrial de los países desarrollados ha ido dando paso a una economía tecnológica, la educación y la formación se han convertido en un aspecto indispensable para empresarios y trabajadores. De hecho, lo mismo ocurre en muchas economías emergentes. Es probable que el trabajo para el que estás preparado hoy no sea el que harás dentro de diez años. Un trabajador inteligente reconoce esta perspectiva y se forma para la próxima oportunidad que pueda surgir en su trabajo. Del mismo modo, a los empresarios les resulta cada vez más difícil encontrar trabajadores con las cualificaciones necesarias para muchos de los empleos actuales. Las personas, las organizaciones y las sociedades con mejores resultados serán las que desarrollen sistemas eficaces de apoyo al aprendizaje permanente.

Sabiduría y Generosidad del Trabajador

La mujer valiente es generosa. Extiende su mano al pobre y da al necesitado" (Proverbios 31:20). Estamos acostumbrados a que en la Biblia se ensalce la generosidad, y aquí se alaba a la mujer valiente por esta virtud. Sin embargo, no debemos limitar su generosidad a un capricho agradable de su personalidad. Su generosidad forma parte de su trabajo, como podemos ver en la relación entre los versículos 31:19 y 31:20:

Extiende sus manos [heb. yade] hacia la rueca, y sus manos [kappe] toman el huso.

Extiende su mano [kap] a los pobres y sus manos [yade] a los necesitados.

En estos dos versículos hay dos palabras hebreas diferentes traducidas como "mano" (o el plural "manos"). Si nos fijamos en el texto hebreo original, vemos que se presentan en el orden yade, kappe en el primer versículo, y en el orden inverso, kap, yade (kappe es el plural de kap) en el segundo versículo. Esta estructura "quiastica" del ABBA es común en la Biblia e indica que toda la estructura forma una sola unidad de pensamiento. En otras palabras, su generosidad forma parte inseparable de su trabajo. Como es buena tejiendo, tiene algo que dar a los pobres, y a la inversa, su espíritu generoso es un elemento esencial de su capacidad como empresaria o gestora.

En otras palabras, Proverbios dice que la generosidad y la mayordomía no se excluyen mutuamente. Ser generoso con los necesitados con los propios recursos no disminuye la riqueza, sino que la aumenta. Este argumento contradictorio aparece a lo largo de Proverbios. La mayoría de la gente retiene su generosidad por miedo a que si dan demasiado, no tendrán suficiente para sí mismos. Pero Proverbios enseña justo lo contrario:

Hay quien reparte, y se le añade más, y hay quien retiene lo que es justo, sólo para tener menos. El alma generosa prosperará, y el que riega será regado. El que retiene el grano será maldecido por el pueblo, pero el que lo vende tendrá una bendición sobre su cabeza (Prov. 11:24-26).

El que se compadece del pobre presta al Señor, y el Señor le recompensará por su buena acción (Prov 19,17).

Al que da al pobre no le faltará, pero el que cierra los ojos será maldecido (Prov 28,27).

Justicia del Trabajador Sagaz

Además de alabar la generosidad, los Proverbios van más allá al afirmar que cuidar de los pobres es una cuestión de justicia. En primer lugar, los Proverbios reconocen que la gente suele ser pobre porque los ricos y poderosos la engañan o la oprimen. O, si ya eran pobres, se han convertido en presa fácil de nuevos engaños y opresiones. Esto es una abominación para Dios, y Él juzgará a quienes lo hacen.

El que oprime al pobre afrenta a su Creador, pero el que se compadece del necesitado le honra (Proverbios 14:31).

Quien oprime al pobre para aumentar su propia riqueza, o da al rico, sólo acabará pobre (Proverbios 22:16).

No robes al pobre, porque es pobre, ni aplastes al afligido en la puerta, porque Yahveh defenderá su causa y quitará la vida a los que les roban (Prov 22,22-23).

El que siembra iniquidad cosechará vanidad, y la vara de su ira perecerá. El generoso será bienaventurado porque da de su pan a los pobres (Proverbios 22:8-9).

El que acrecienta su riqueza con intereses y usura, la recoge para el que se compadece de los pobres (Prov 28,8).

La esencia se encuentra en Proverbios 16:8: "Más vale poco en la justicia que gran ganancia en la injusticia".

En segundo lugar, aunque no hayas defraudado u oprimido a los pobres, la justicia de Dios exige que hagas lo que esté en tu mano para restablecer su bienestar, empezando por atender sus necesidades inmediatas.

El que hace oídos sordos al clamor del pobre gritará y no será oído (Proverbios 21:13).

Peca el que desprecia a su prójimo, pero es feliz el que se compadece del pobre (Prov 14,21).

No niegues el bien a quien se lo debes, si está en tu mano hacerlo. No digas a tu prójimo: "Vete y vuelve, y mañana te lo daré si lo tienes contigo" (Proverbios 3:27-28).

El que se burla del pobre afrenta a su Creador; el que se alegra en la adversidad no quedará impune (Proverbios 17:5).

Cuando recordamos que la sabiduría descansa en el temor del Señor, será fácil ver la ayuda a los necesitados como una cuestión de justicia, no sólo de generosidad. Esto significa que la sabiduría es vivir en el temor de nuestro Dios, de modo que busquemos hacer lo que Él desea para el mundo. Dios es justo. Dios quiere que se atienda a los pobres y se elimine la pobreza. Si realmente amamos a Dios, cuidaremos de aquellos a quienes Dios ama. Por lo tanto, aliviar la carga de los pobres y trabajar para eliminar la pobreza son cuestiones de justicia.

Obsérvese que muchos de estos dichos dan por sentado el contacto personal entre ricos y pobres. La generosidad no consiste sólo en enviar un donativo, sino en trabajar y quizá incluso vivir con los pobres. Tal vez signifique trabajar para acabar con la segregación de los pobres respecto a las clases media y alta en la vivienda, las compras, la educación, el trabajo y la política. ¿Tienes contacto diario con personas de estatus socioeconómico superior e inferior al tuyo? Si no es así, puede que tu mundo sea demasiado pequeño.

¿RESPONSABILIDAD SOCIAL DE LAS EMPRESAS?

Podemos ver lo importantes que son la generosidad y la equidad para un trabajador, pero ¿se aplican estos aspectos de algún modo a las empresas? La mayoría de los proverbios tratan de individuos, pero el pasaje sobre la mujer valiente habla de ella como gerente de una empresa doméstica. Y como hemos visto, su generosidad no es un obstáculo para su trabajo, sino un elemento esencial del mismo.

Por desgracia, parece que hoy en día muchas empresas carecen de la imaginación o la habilidad necesarias para operar de forma que beneficie a los socios y, al mismo tiempo, a las personas de su entorno. Por ejemplo, un rápido vistazo a la sección de negocios de cualquier periódico revelará muchas historias de empresas que intentan estafar u oprimir a los pobres: presionando a los pobres o vulnerables para que vendan sus propiedades por debajo de su valor justo, explotando la ignorancia o la falta de información para vender productos cuestionables y obteniendo excesivos beneficios a corto plazo de personas vulnerables o sin alternativas.

¿Por qué creen estas empresas que apropiarse de los recursos de los demás es la única -o la mejor- forma de obtener beneficios? ¿Existe alguna prueba de que un planteamiento de suma cero en los negocios mejore realmente la rentabilidad de los socios? ¿Cuántas de estas prácticas conducen realmente a una mayor rentabilidad o poder a largo plazo? Al contrario, las mejores empresas triunfan porque encuentran una forma sostenible de producir bienes y servicios que benefician a los clientes y a la sociedad, al tiempo que proporcionan una excelente rentabilidad a los empleados, socios y prestamistas. Las empresas y otras organizaciones que satisfacen las necesidades sociales tienen ventaja en lo que respecta al apoyo de la comunidad, el compromiso de los empleados y la protección social frente a las amenazas económicas, políticas y competitivas.

¿POLÍTICA GUBERNAMENTAL?

El libro de los Proverbios también exige justicia a las instituciones no empresariales. En particular, el sector gubernamental se destaca en los numerosos versículos que tratan de los reyes. El mensaje para ellos es el mismo que para las empresas. Los gobiernos sólo pueden sobrevivir a largo plazo si cuidan y hacen justicia a los pobres y a los débiles.

El rey que juzga a los pobres con justicia establecerá su trono para siempre (Proverbios 29:14).

Un rey con justicia establece la tierra, pero un hombre que acepta un soborno la destruye (Prov 29:4).

Quita a los malvados de delante del rey, y su trono se afirmará en la justicia (Prov 25,5).

Los labios justos son el deleite de los reyes, y el que habla con rectitud será amado (Prov 16:13).

Es abominación que los reyes cometan iniquidad, pues el trono se asienta en la justicia (Prov 16,12).

Como toda sabiduría, el fundamento de un gobierno sabio es el temor del Señor. "Por mí reinan los reyes, y los gobernantes hacen justicia" (Prov. 8:15).

Al dirigirse a los reyes, los proverbios parecen aplicarse principalmente a los líderes políticos y a los funcionarios públicos de la sociedad moderna. Sin embargo, en las sociedades democráticas, todos los ciudadanos desempeñan un papel en la política pública y el gobierno. Hoy en día, podemos llevar a cabo la justicia que procede de la sabiduría poniéndonos en contacto con nuestros representantes y votando a candidatos y cuestiones electorales que hagan justicia a los pobres y vulnerables.

¿LA COMPETENCIA?

Los Proverbios extienden las exigencias de la generosidad y la justicia a la competencia y el conflicto. "Si tu enemigo tiene hambre, dale pan; si tiene sed, dale de beber; así amontonarás ascuas sobre su cabeza, y el Señor te recompensará" (Prov 25:21-22). El apóstol Pablo cita textualmente este proverbio en Romanos 12:20, concluyendo con el desafío: "No os dejéis vencer por el mal, sino venced al mal con el bien" (Rom 12:21). Además, "No te alegres cuando caiga tu enemigo, ni se alegre tu corazón cuando tropiece" (Proverbios 24:17). ¿Qué, debemos ser generosos incluso con un enemigo? Pablo y los autores de Proverbios están convencidos de que, si lo hacemos, el Señor nos recompensará.

¿Se aplica esto a nuestra actitud hacia la competencia, ya sea individual (como en el caso de los rivales por un ascenso) o corporativa (como en el de nuestros competidores)? Los Proverbios no tratan de la competencia moderna. Sin embargo, si animan a servir incluso a un enemigo, es razonable deducir que también animan a servir a la competencia. No se trata de colusión ni de oligarquía. Es de suponer que el dominio casi universal de las economías de mercado se debe a los beneficios que aporta la competencia. Los negocios, la política y otras formas de competencia son esencialmente formas de cooperación, aunque con importantes aspectos competitivos. La sociedad fomenta la competencia para que todos puedan prosperar. En este sentido, la respuesta adecuada al fracaso en las actividades competitivas no es destruir o empobrecer, sino transformar u orientar hacia un trabajo más productivo. Las empresas fracasan, pero sus competidores exitosos no se convierten en monopolios. En las elecciones hay ganadores y perdedores, pero los triunfadores no reescriben la constitución para descalificar al partido perdedor. Las carreras profesionales tienen altibajos, pero la respuesta adecuada al fracaso no es "nunca volverás a trabajar en esta ciudad", sino "¿qué ayuda necesitas para encontrar algo más adecuado a tus talentos? Las personas y organizaciones más sabias aprenden a participar en una competición que aprovecha al máximo la participación de todos y proporciona alivio a quienes pierden la batalla hoy pero pueden hacer una valiosa contribución mañana.

Guardando su lengua: la sabiduría de un trabajador

La mujer valiente vigila lo que dice y cómo habla. Los Proverbios nos recuerdan que "El que guarda su boca y su lengua, guarda su alma de angustia" (Prov 21,23). A veces, de forma extraña, también nos recuerdan que "Hasta el necio que calla es tenido por sabio; si cierra los labios, es tenido por prudente" (Prov 17:28).

Hay más proverbios sobre la lengua que sobre cualquier otro tema (ver Prov. 6:17, 24; 10:20, 31; 12:18-19; 15:2, 4; 16:1; 17:4, 20; 18:21; 21:6, 23; 25:15, 23; 26:28; 28:23; y Prov. 31:26). Una lengua justa y amable trae sabiduría (Prov. 10:31), sanidad (Prov. 12:18), conocimiento (Prov. 15:2), vida (Prov. 15:4; 18:21) y la palabra del Señor (Prov. 16:1). Una lengua perversa y descuidada derrama sangre inocente (Prov. 6:17), quebranta el espíritu (Prov. 15:4), promueve el mal (Prov. 17:4), trae desastre (Prov. 17:20), ira (Prov. 21:23) y enojo (Prov. 25:23), rompe huesos (Prov. 25:15), causa ruina (Prov. 26:28), y llega a "buscar la muerte" (Prov. 21:6).

De un modo u otro, la comunicación es parte integrante de casi todos los trabajos. Además, la conversación informal en el lugar de trabajo puede mejorar o perjudicar las relaciones laborales. ¿Qué enseñan los proverbios sobre el uso prudente del lenguaje?

Evitando los Cotilleos, la Sabiduría Laboral

¿Los cotilleos son realmente un problema en el lugar de trabajo, o son sólo habladurías inocentes? Proverbios señala el peligro. "El que chismorrea revela secretos, así que no te juntes con el chismoso" (Prov 20:19). Los chismes provocan disputas. "Los labios del necio provocan contiendas, y su boca clama por una pelea. La boca del necio es su ruina, y sus labios una trampa para su alma. Las palabras de un cuentista son como bocados sabrosos, y penetran hasta lo más profundo de las entrañas" (Prov 18,6-8). "Por falta de leña se apaga el fuego, y donde no hay narrador hay silencio. Como las brasas para las brasas, y la leña para el fuego, así el hombre pendenciero para atizar contiendas" (Prov 26, 20-21). "El hombre indigno trama maldades, y sus palabras son como fuego ardiente. El hombre perverso levanta contiendas, y el calumniador divide a los mejores amigos" (Prov 16, 27-28). El chisme es una violación de la confianza, la virtud que es el fundamento de una persona sabia. "El que menosprecia a su prójimo carece de entendimiento, pero el sabio guarda silencio. El que chismorrea revela los secretos, pero el que tiene un espíritu fiel oculta las cosas" (Prov. 11:12-13).

El chisme pone a otros en una posición cuestionable, arrojando dudas sobre su integridad o la validez de una decisión. El chisme proyecta el mal sobre los motivos de los demás, revelándose así hijo del padre de la mentira. El chisme saca las palabras de contexto, tergiversa las intenciones del hablante, revela lo que debería haberse mantenido en secreto y busca elevar al chismoso a expensas de otros que no están presentes para defenderse. No es difícil ver lo destructivos que pueden ser los cotilleos en el lugar de trabajo. Tanto si pone en tela de juicio la reputación de una persona, el valor de un proyecto o el cargo de un directivo, la sombra de esas palabras hace que todos los que rodean al chismoso sean más recelosos y desconfiados. Esto no hace más que crear división entre los trabajadores, ya sea en una oficina, una fábrica o una sala de juntas. Es comprensible que Pablo incluyera el cotilleo en la lista de pecados que son abominación a Dios (Romanos 1:29).

La Sabiduría de un Trabajador se Expresa a Través de la Amabilidad, no de la Ira

La mujer valiente "abre su boca con sabiduría, y en su lengua está la enseñanza del bien" (Proverbios 31:26). A nadie le gusta ser el receptor de un arrebato de ira, por lo que es fácil ver el peligro que se destaca en varios de los proverbios: "La respuesta suave aleja la ira, pero la palabra hiriente la despierta" (Prov 15:1). "La discreción del hombre le hace lento para la ira, y su gloria es pasar por alto una ofensa" (Prov 19:11). "El hombre iracundo suscita contiendas, pero el que tarda en airarse las apacigua" (Prov 15,18). "Mejor es el que tarda en airarse que el poderoso, y el que domina su espíritu que el que toma una ciudad" (Prov 16,32).

La belleza de estos proverbios es que también ofrecen una imagen de la persona que puede manejar adecuadamente la ira. Debemos estar "airados" (moralmente indignados) contra el pecado, pero no debemos permitir que nuestra "ira" (enojo) nos controle. "Enfádate, pero no peques; que no se ponga el sol sobre tu ira" (Ef 4,26), La persona sabia da una respuesta amable, pasa por alto un insulto y calma una disputa. La "doctrina de la bondad" está en la lengua de la mujer valiente. Tales personas son "mejores que los poderosos". En el lugar de trabajo, este tipo de personas son esenciales cuando se produce una escalada de malestar o cuando sale a relucir el fuerte temperamento de otra persona. Como seguidores de Jesucristo, podemos vivir según el fruto del Espíritu de Dios cuando controlamos nuestra lengua, no sólo evitando las palabras airadas, sino también siendo una influencia que lleva la paz a un lugar donde puede haber disputas.

Bendición del trabajador sabio a los demás

La bendición de una lengua sabia es que "la palabra dicha a su tiempo es como manzanas de oro en engaste de plata. Como zarcillo de oro y adorno de oro fino es el sabio que reprende al oído atento" (Proverbios 25:11-12). Es probable que estemos rodeados de compañeros de trabajo ansiosos, y una buena palabra puede ser justo lo que necesitan. "La ansiedad en el corazón del hombre lo deprime, pero una buena palabra lo alegra" (Proverbios 12:25). Estamos dispuestos a decir una buena palabra porque "la lengua dulce es árbol de vida" (Prov 15:4). En efecto, "la muerte y la vida están en poder de la lengua, y los que la aman comerán su fruto" (Prov 18,21).

En el lugar de trabajo electrónico de hoy en día, el "lenguaje" no se limita a palabras audibles. Los chismes, las mentiras y las palabras airadas pueden viajar a la velocidad de la luz a través del correo electrónico y las redes sociales. Estamos llamados a discernir, a darnos cuenta de que la muerte y la vida están realmente en las palabras que usamos con o contra otros en el lugar de trabajo.

Modestia del Trabajador Sabio

Los proverbios alaban la modestia, tanto en la actitud (evitando el orgullo excesivo) como en el uso del dinero (evitando el derroche). Estas virtudes no aparecen en la descripción de la Mujer Valiente. Sin embargo, aparecen de forma tan destacada en los demás Proverbios y se aplican tan directamente a la obra que no podemos hacer justicia al libro sin mencionarlas.

Modestia en el Trabajo

"Antes del quebrantamiento es la soberbia, y antes de la caída la altivez de espíritu. Mejor es ser humilde con los pobres que compartir el botín con los soberbios" (Proverbios 16:18-19). El versículo 18 es quizá el proverbio más famoso de todos, aunque hay otros.

Cuando viene la soberbia, viene la vergüenza; pero con los humildes hay sabiduría (Proverbios 11:2).

Los ojos altivos y el corazón arrogante son la lámpara del malvado; es pecado (Pr 21,4).

La soberbia del hombre lo humillará, pero el que es de espíritu humilde será honrado (Pr 29,23).

¿Son mandamientos contra el amor propio? No, son más bien una llamada a vivir con tal temor de Dios (el "temor del Señor") que podamos vernos tal como somos realmente y ser honestos al respecto. Cuando tememos al Señor, ya no tenemos que temer la imagen que tenemos de nosotros mismos y podemos dejar de intentar ensalzarnos. Significa descansar en el conocimiento de que Dios triunfará en última instancia sobre este mundo caído de pecado y destrucción. El Señor conoce el camino de la justicia, incluso en el lugar de trabajo. Al final, Dios levanta a los que confían en Él.

La Modestia como Virtud en lugar de la Búsqueda de la Riqueza

El sabio Agur -fuente de la siguiente colección de dichos del libro- nos deja con una sabia oración.

Dos cosas te he pedido, no me niegues antes de morir: Aparta de mí la mentira y las palabras engañosas; no me des pobreza ni riquezas; dame mi ración de pan para comer, no sea que me sacie y te niegue, diciendo: ¿Quién es el Señor? o que sea indigente y robe, y profane el nombre de mi Dios (Prov. 30, 7-9).

Estas son sabias palabras para nosotros en el trabajo: "No me des pobreza ni riqueza".

Trabajamos para ganarnos la vida, disfrutar de cierta comodidad y seguridad, mantener a nuestras familias y contribuir a los pobres y a la comunidad en general. ¿Es esto suficiente, o deseamos más? Agur relaciona este deseo de más con dejar a Dios fuera de nuestras vidas, ignorando a nuestro Creador y sus propósitos para nosotros. Agur también reza para no vivir en la pobreza, pero pide a Dios que le proporcione los alimentos que necesita. Es una oración válida. Jesús nos enseñó a rezar: "Danos hoy nuestro pan de cada día" (Mt 6, 11).

Trabajar para mantenernos a nosotros mismos y a nuestras familias es algo bueno. Sin embargo, la observación de Agur es que cuando convertimos nuestro trabajo en la búsqueda de riqueza sin fin -en otras palabras, codicia- hemos abandonado el camino de la sabiduría. Podemos buscar la riqueza, consciente o inconscientemente, porque parece ser una prueba concreta de nuestro éxito y autoestima. Pero la comodidad de la riqueza es imaginaria. "La riqueza del rico es su ciudad fortificada, y como un muro alto en su imaginación" (Prov 18:11). "El rico es sabio a sus propios ojos, pero el pobre que es comprensivo le pone a prueba" (Proverbios 28:11). En realidad, la riqueza no acaba con los problemas, sólo sustituye los problemas de la pobreza por los de la riqueza. "El rescate de la vida del hombre está en sus riquezas, pero el pobre no oye amenazas" (Proverbios 13:8). La riqueza no puede hacernos sentir más seguros. "El que confía en sus riquezas caerá" (Proverbios 11:28). Debemos tener cuidado de no sacrificar las riquezas de la vida por las riquezas del dinero. "El avaro corre tras las riquezas, sin saber que le sobrevendrá la miseria" (Prov 28,22). "No te fatigues en la adquisición de riquezas; deja de pensar en ellas" (Prov 23,4). En particular, el hombre sabio se preocupa más por su reputación honesta que por su cuenta bancaria. "Mejor es el buen nombre que las grandes riquezas, y el favor que la plata y el oro" (Prov 22:1).

Los proverbios no van contra la riqueza en sí. De hecho, la riqueza puede ser una bendición. "La bendición de Yahveh es la que enriquece, y no le añade tristeza" (Proverbios 10:22). Lo que es devastador es la obsesión por la riqueza.

Si algo hacen los proverbios sobre la modestia es recordarnos que estudiar el libro a través de la lente de la mujer valiente puede ser una guía útil, pero no abarca todas las aportaciones del libro a la teoría y la práctica del trabajo. Merece la pena seguir estudiándolo, más allá de los atisbos que hemos ofrecido en este capítulo. A quienes les resulte útil este capítulo, les animamos a seguir leyendo los proverbios para descubrir otros significados y aplicaciones, y a reflexionar sobre su propia experiencia a la luz de la sabiduría de Dios.

Conclusión al Libro de Proverbios

En última instancia, nuestros hábitos de trabajo son moldeados por nuestro carácter, el cual es moldeado por nuestro conocimiento de la revelación de nuestro Señor y nuestra reverencia hacia Él. A medida que nos acercamos a un conocimiento más íntimo de nuestro Señor, nuestro carácter se transforma para parecerse más al carácter de Dios. De hecho, "el temor del Señor es el principio de la sabiduría" (Prov. 9:10). La sabiduría da vida a todos los ámbitos, incluido el lugar de trabajo, donde muchos de nosotros pasamos la mayor parte de nuestro tiempo productivo. La sabiduría nos conduce a la acción honesta, la diligencia, la astucia sana, la generosidad y la justicia con los necesitados, el control de nuestra palabra y la vida humilde. Con la sabiduría confiamos en Dios para que forje nuestro destino y se haga cargo de nuestras metas. "Encomienda al Señor tus obras, y tus propósitos serán afirmados" (Prov 16:3).

Introducción al Libro de Eclesiastés

Eclesiastés captura de manera excelente el trabajo y la satisfacción, el éxito fugaz y las preguntas sin respuesta que todos experimentamos en el lugar de trabajo. Este es un libro favorito entre muchos cristianos, y su narrador - *El Predicador*, como se le llama en la mayoría de las traducciones al español - tiene mucho que decir sobre la obra. Gran parte de lo que enseña es breve, práctico e inteligente. Cualquiera que haya trabajado alguna vez en equipo puede apreciar el valor de una afirmación como: "*Dos son mejores que uno, porque se les paga más por su trabajo*" (Eclesiastés 4:9). La mayoría de nosotros pasamos la mayor parte de nuestro tiempo productivo trabajando, y encontramos afirmación positiva en las palabras del predicador: "Por tanto, alabo el placer, porque el hombre come, De nada sirve beber y jugar al sol, y esto lo acompañará en sus esfuerzos durante los días de la vida que Dios le ha dado debajo del sol" (Eclesiastés 8:15). Sin embargo, la perspectiva de la obra de predicar también es extremadamente preocupante. "Y consideré toda la obra de mis manos y todo lo que hice, he aquí, como vanidad conforme al viento" (Eclesiastés 2:11). El predominio casi abrumador de los comentarios negativos sobre la obra amenaza con abrumar al lector. El predicador comienza con "la vanidad de las vanidades" (Eclesiastés 1:2) y termina con "toda vanidad" (Eclesiastés 12:8). Las palabras y frases que repite con más frecuencia son "frívolo", "corre con el viento", "indescifrable" e "indescifrable". Si no usa una perspectiva más amplia para moderar sus observaciones, Eclesiastés puede ser un libro realmente oscuro. La tarea de dar sentido a todo el libro de Eclesiastés es difícil. ¿El libro realmente presenta el trabajo como vanidad o el predicador filtra a través de varias formas fútiles de trabajar para encontrar un conjunto de medios que tengan sentido? O, por el contrario, ¿la apreciación general de la obra como una "carrera con el viento" invalida los diversos axiomas y observaciones positivas? La respuesta depende en gran medida de cómo nos acerquemos al libro. Una forma de leer Eclesiastés es verlo simplemente como una combinación de observaciones sobre la vida, incluido el trabajo. En este enfoque, el predicador es ante todo un observador de la vida real que narra los altibajos que encuentra en la vida. Cada observación es en sí misma una pieza de sabiduría. Por ejemplo, si tomamos el útil consejo de "No hay nada mejor para el hombre que comer y beber y pensar que su trabajo es bueno" (Eclesiastés 2:24), no debemos preocuparnos tanto que se cumplirá estrictamente. a. por el verso "También esto es vanidad, correr tras el viento" (Eclesiastés 2:26). Los lectores que aceptan el enfoque de este libro no están solos. La mayoría de los eruditos de hoy no reconocen el argumento dominante en Eclesiastés , e incluso aquellos que argumentan que "es muy difícil encontrar un comentarista que esté de acuerdo con otro". Sin embargo, este enfoque de libro fragmentario no es del todo satisfactorio. Queremos conocer el mensaje general de Eclesiastés , y para encontrar ese mensaje debemos buscar una estructura que una las muchas observaciones que coexisten en el libro. Seguiremos la estructura propuesta por primera vez por Addison Wright en 1968, que divide el libro en unidades de pensamiento. La estructura de Wright es encomiable por tres razones: (1) se basa en la repetición objetiva de frases clave en el texto de Eclesiastés , no en interpretaciones subjetivas del contenido; (2) es aceptado por más académicos, y ciertamente una pequeña mayoría, que cualquier otro; y (3) destacar cuestiones relacionadas con el trabajo. No tenemos lugar aquí para reproducir los argumentos de Wright, pero señalaremos frases repetidas para delinear las unidades de pensamiento que propone. En la primera mitad del libro, la frase "corre con el viento" marca el final de cada unidad. En la segunda mitad, la frase "no sabrá" (o "¿quién lo sabrá?") cumple la misma función. La estructura de Wright contribuirá directamente a nuestra comprensión general del libro.

Otro término que no se puede pasar por alto al leer Eclesiastés es "*bajo el sol*". Se repite veintinueve veces en el libro, pero no se encuentra en ningún otro lugar de la Biblia. Él acuñó el término "en el mundo caído" derivado de Génesis 3, describiendo un mundo donde la creación de Dios era buena aunque estaba contaminada con mucho mal. ¿Por qué el predicador usa esta expresión tan a menudo? ¿Tiene la intención de reforzar la idea de que el trabajo es inútil usando la imagen del sol moviéndose constantemente por el cielo (Eclesiastés 1:5) cuando nada cambia? ¿Se imagina que debe haber un mundo más allá de la Caída, no "*bajo el sol*", donde el trabajo no será en vano? Esta es una pregunta a tener en cuenta al leer Eclesiastés . En contraste con la vida del hombre bajo el cielo, nos predicó al Señor en el cielo. Nuestro trabajo es pasajero, pero "todo lo que Dios hace permanece para siempre" (Eclesiastés 3:14). Estos destellos son el comienzo de una comprensión del carácter de Dios, que puede ayudarnos a ver el significado de la vida. Examinaremos lo que el Libro de Eclesiastés revela sobre la naturaleza de Dios con cada uno de estos aspectos, y luego los examinaremos juntos cerca del final del libro. En todo caso, Eclesiastés hace una contribución esencial al análisis de la enseñanza laboral a través de una visión honesta y poco halagüeña de la realidad del trabajo. Cualquier persona sensata involucrada en su obra, sea discípulo de Cristo o no, conectará con el libro. Es alentador ver que la honestidad conduce a conversaciones profundas sobre el trabajo, en lugar de las reglas explícitas de hacer negocios a la manera de Dios, tan comunes en el mundo cristiano.

El Trabajo Bajo los Rayos del Sol (Eclesiastés 1:1-11)

El trabajo es la actividad básica en el libro de Eclesiastés . En RVA-2015, el término hebreo *amal* se tradujo correctamente como "trabajar duro" para referirse a su dificultad, aunque la LBLA simplemente lo tradujo como "trabajar". El tema se introduce al principio del libro, en Eclesiastés 1:3: "¿Qué provecho obtiene el hombre de todo su trabajo debajo del sol?". Los predicadores aprecian el trabajo porque es "vanidad" (Eclesiastés 2:1). Esta palabra, *hebel* en hebreo, prevalece en el libro de Eclesiastés . En realidad, *Hebel* significa "aliento", pero este concepto implica algo inmaterial, efímero y sin valor duradero. Es apropiado que sea la palabra clave en este libro porque la respiración es corta por naturaleza, tiene poca sustancia perceptible y se disipa rápidamente, pero nuestra supervivencia depende de las inhalaciones y exhalaciones de este aire corto. Sin embargo, la respiración pronto se detendrá y la vida terminará. Asimismo, *hebel* describe algo de valor temporal que eventualmente llegará a su fin. En cierto sentido, "vanidad" es una traducción algo confusa, ya que parece afirmar que todo carece completamente de sentido. La idea original del término *hebel* era que el valor de algo era solo efímero. Una respiración no tiene valor permanente, pero con el tiempo nos ayuda a sobrevivir. De manera similar, lo que somos y hacemos en esta vida temporal tiene una relevancia real, aunque temporal. Considere la posibilidad de construir un barco. A través de la buena creación de Dios, la tierra tiene los materiales básicos que necesitamos para construir barcos. El ingenio humano y el trabajo arduo, también creado por Dios, pueden desarrollar barcos seguros, capaces e incluso hermosos que pueden unirse a una flota y transportar alimentos y recursos, bienes manufacturados y personas al destino. Cuando se construye un barco y se abre una botella de champán en la proa, todos los involucrados pueden celebrar los logros de los constructores navales. Pero una vez que sale del astillero, los constructores de barcos no tienen control sobre él. Probablemente lo ordenó un tonto que lo aplastó en el banco. Puede ser contratado para transportar drogas, armas o incluso esclavos de contrabando. Su tripulación puede ser tratada con dureza.

Puede servir a un noble durante muchos años, pero aún así se desgasta y se vuelve obsoleto. Su destino final es casi seguro que será desguazado en un desguace de barcos, posiblemente ubicado en un lugar donde la seguridad laboral y la protección del medio ambiente no son muy estrictas. El barco que pasaba, como los vientos que una vez lo energizaron, lo convirtió primero en una estructura oxidada, luego en una mezcla de metal reciclado y escombros desechados, y finalmente lo mismo ya no existe para los humanos. Los barcos son buenos, pero no duran para siempre. Mientras vivamos, debemos lidiar con esta tensión.

Esto nos lleva a la imagen del sol naciente y poniente que mencionamos en la introducción (Eclesiastés 1:5). La actividad constante de este gran objeto en el cielo proporciona la luz y el calor del que dependemos todos los días, pero que no ha cambiado con el tiempo. “Nada hay nuevo debajo del sol” (Eclesiastés 1:9) Esta es una observación sentimental sobre nuestro trabajo, aunque no es una condena permanente.

Correteando el Viento Tras la Meta del Éxito (Eclesiastés 1:12-6:9)

Después de anunciar su tema de que el trabajo es vano en Eclesiastés 1:1-11, el evangelista continúa explorando diferentes posibilidades para tratar de vivir bien. Considera en orden el éxito, el gozo, la sabiduría, la riqueza, el tiempo, la amistad y el gozo que provienen de los dones de Dios. En algunos de ellos encuentra cierto valor, que se incrementa al mirar un aspecto tras otro. Sin embargo, nada parece ser permanente, y la conclusión característica de cada uno es que la obra se convierte en una "carrera con el viento".

El Éxito (Eclesiastés 1:12-18)

Primero, el predicador prueba el éxito. Fue un rey y un sabio, un hombre especial, en el lenguaje moderno, que superó a "todos los que fueron antes de mí en Jerusalén" (Eclesiastés 1:16). . ¿Y qué significa todo ese éxito para él? Poco. "El doloroso deber encomendado por Dios a los hijos de los hombres debe soportarlo. He visto toda la obra que se hace debajo del sol, y he aquí, todo fue en vano, siguiendo al viento" (Eclesiastés 1:13-14). Ni siquiera parece que un logro duradero sea posible. "Lo torcido no se puede arreglar, y lo que falta no se puede contar" (Eclesiastés 1:15). Alcanzar sus metas no le brinda felicidad, solo le hace darse cuenta de que todo lo que puede lograr es vacío y limitado. En resumen, dijo: "Me doy cuenta de que también sigue al viento" (Eclesiastés 1:17).

El Placer (Eclesiastés 2:1-11)

Así que se dijo a sí mismo: "Ven aquí, con gusto te saborearé; regocijo" (Eclesiastés 2:1). De esta manera obtuvo riquezas, casas, campos, vino, sirvientes (esclavos), joyas, entretenimiento y placer sexual fácil. "Y todo lo que mis ojos deseaban, no lo negué, ni privé de gozo alguno a mi corazón" (Eclesiastés 2:10a). A diferencia del éxito, encuentra algún valor en la búsqueda del placer. "Mi corazón se regocija por todo lo que hago, y este es el precio de todo lo que hago" (Eclesiastés 2:10). Resulta que su supuesto éxito no es nada nuevo, pero al menos sus placeres le han funcionado. Parece que el trabajo como medio para un fin -en este caso, el placer- es más satisfactorio que el trabajo convertido en obsesión. Sin tener que tomar "muchas concubinas" (Eclesiastés 2,8), sería mejor que los trabajadores de hoy tomaran el tiempo para detenerse y disfrutar de las cosas buenas de la vida, a las que a veces renunciamos. Si dejamos de trabajar para un propósito que no sea el trabajo, si ya no podemos disfrutar de los frutos de nuestro trabajo, entonces nos hemos convertido en esclavos del trabajo en lugar de sus amos. Sin embargo, el trabajo hecho solo por diversión no te dejará satisfecho al final. Esta sección termina con la apreciación de que "he aquí, todo es vanidad tras el viento, y vanidad bajo el sol" (Eclesiastés 2:11).

La Sabiduría (Eclesiastés 2:12-17)

Puede ser bueno encontrar un propósito fuera del trabajo, pero tiene que ser más grande que diversión. El predicador dijo: "Por tanto, he vuelto a considerar la sabiduría y la necedad y la necedad" (Eclesiastés 2:12). En otras palabras, se convierte en algo así como un profesor o investigador actual. A diferencia del éxito, la sabiduría es al menos alcanzable hasta cierto punto. "Y he visto que la sabiduría vence a la necedad, como la luz vence a las tinieblas" (Eclesiastés 2:13). Pero aparte de llenar la cabeza con pensamientos elevados, no hace ninguna diferencia real en la vida, porque "los sabios y los necios mueren" (Eclesiastés 2:16). La búsqueda de sabiduría llevó al predicador al borde de la desesperación (Eclesiastés 2:17), un resultado que todavía es común en las actividades académicas de hoy. El predicador concluye que "todo es vanidad y según el viento" (Eclesiastés 2:17).

La Riqueza (Eclesiastés 2:18-26)

A continuación, el predicador habla de la riqueza, obtenida a través del trabajo duro. ¿Qué pasa con la acumulación de riqueza como el propósito superior detrás del trabajo? Es peor que gastar la riqueza por placer. Un problema de la creación de riqueza es el problema de la herencia. Cuando muera, la riqueza que acumule irá a otra persona que puede no ser digna en absoluto. "¿Renunciar a la sabiduría, el conocimiento y la razón, y luego dejar los frutos de tu trabajo a alguien que nunca lo mereció? ¡También es vanidad, y un gran pecado! (Eclesiastés 2:21). El dolor fue tan fuerte que el predicador exclamó: "Estoy muy desilusionado" (Eclesiastés 2:20). En este punto, se da el primer vistazo del carácter de Dios. Dios es el dador. "Porque él ha dado sabiduría, inteligencia y alegría a quien quiere" (Eclesiastés 2:26). Este aspecto del carácter de Dios se repite muchas veces en Eclesiastés , y sus dones incluyen comida, bebida y gozo (Eclesiastés 5:18, 8:15), riqueza y posesiones (Eclesiastés 5:19, 6:2), honor (Eclesiastés 5:19, 6:2. 5:19, 6:2). 5:19, 6:2) 6:2), integridad (Eclesiastés 7:29), el mundo en que vivimos (Eclesiastés 11:5), y la vida misma (Eclesiastés 12:7). Al igual que los predicadores, muchas personas hoy en día que han acumulado una gran cantidad de riqueza encuentran esto extremadamente insatisfactorio. Cuando acumulamos riqueza, no importa cuánto tengamos, nada parece ser suficiente. A medida que acumulamos riqueza y comenzamos a apreciar nuestra mortalidad, encontramos que distribuir la riqueza sabiamente parece una carga casi insoportable. Andrew Carnegie enfatizó el peso de esta carga cuando dijo: "He decidido dejar de atesorar y comenzar la increíblemente difícil y más seria tarea de distribuir sabiamente". Pero si Dios es el dador, no es de extrañar que la distribución de la riqueza pueda ser más gratificante que acumularla. El predicador, sin embargo, no encuentra mayor satisfacción en distribuir sus riquezas que en obtenerlas (Eclesiastés 2, 18-21). De alguna manera, la satisfacción que Dios encuentra para dar al predicador bajo el sol. Parece que no considera la posibilidad de invertir la riqueza o distribuirla a un propósito mayor. A menos que realmente haya un propósito mayor detrás de algo que el predicador descubre, la acumulación y distribución de riquezas es "también vanidad, que persigue la brisa" (Eclesiastés 2:26).

El Tiempo (Eclesiastés 3:1-4:6)

Si el trabajo no tiene un objetivo único e inmutable, probablemente tenga un número infinito de objetivos, cada uno importante en su momento. El predicador habla de ello en el famoso capítulo inicial: "Hay un tiempo para todas las cosas, un tiempo para todas las cosas debajo del cielo" (Eclesiastés 3:1). Es importante que todas las actividades estén reguladas por tiempo. Lo que está completamente mal en un momento puede ser correcto y necesario en otro momento. A veces llorar es malo, bailar es malo, otras veces es todo lo contrario. Ninguna de estas actividades o condiciones son permanentes. No somos ángeles en felicidad eterna, sino criaturas de este mundo que están pasando por diferentes cambios y diferentes estaciones. Esta es otra dura lección. Nos equivocamos sobre la naturaleza básica de la vida si pensamos que nuestro trabajo puede conducir a la paz, la prosperidad o la felicidad permanente. Un día, todo lo que hemos construido será demolido (Eclesiastés 3:3). Los predicadores no ven ninguna señal de que nuestro trabajo sea de valor eterno "bajo el sol" (Eclesiastés 4:1). Nuestra situación es doblemente difícil porque somos criaturas temporales, pero a diferencia de los animales, Dios ha "puesto eternidad" en nuestras almas (Eclesiastés 3,11). Por lo tanto, el predicador anhela lo que es de valor duradero, incluso si no puede encontrarlo. Por otro lado, incluso el bien práctico que la gente se esfuerza por hacer puede verse obstaculizado por la opresión. "El poder está en manos de sus opresores, y no hay quien los consuele" (Eclesiastés 4:1). La peor opresión la provoca el gobierno. "Más he visto debajo del sol: que en lugar de la justicia hay impiedad, y en lugar de la justicia hay maldad" (Eclesiastés 3:16). Sin embargo, los vulnerables no están necesariamente mejor. Una respuesta común a los sentimientos de impotencia son los celos. Envidiamos a los que tienen poder, riqueza, estatus, relaciones, posesiones u otras cosas de las que nosotros carecemos. El predicador se da cuenta de que la envidia es tan mala como la opresión. "También puedo observar que todo el que se esfuerza y tiene éxito en su trabajo pone celosos a sus vecinos. ¡Y es también la vanidad y la frustración del espíritu! (Eclesiastés 4:4). El deseo de alcanzar el éxito, la alegría, la sabiduría o la riqueza, ya sea por opresión o por envidia, es una absoluta pérdida de tiempo. Pero, ¿quién no ha caído en ambos disparates? El predicador no debe desesperarse, porque el tiempo es un regalo de Dios. "Él adapta todo a su tiempo" (Eclesiastés 3:11). Es correcto llorar en el funeral de un ser querido y regocijarse cuando nace un bebé. No debemos privarnos de los placeres legítimos que nuestro trabajo puede proporcionar. "No hay nada mejor para ellos que alegrarse y hacer el bien en sus vidas; además, todo el que coma y beba algo, considere buena su obra" (Eclesiastés 3:12-13). Estas lecciones de vida se aplican especialmente al trabajo. "Y veo que no hay nada mejor para el hombre que regocijarse en su trabajo, porque ese es su destino" (Eclesiastés 3:22). El trabajo está maldito, pero el trabajo en sí mismo no es una maldición. Incluso la visión limitada que tenemos sobre el futuro es un tipo de suerte, porque nos libera de la carga de tratar de predecir todos los resultados posibles. "¿Quién le mostrará lo que sucederá después de él? (Eclesiastés 3:22b). Si nuestro trabajo responde a las necesidades de los tiempos que podemos prever, es un don de Dios. En este punto vemos dos vislumbres de la naturaleza de Dios. Primero, Dios es maravilloso, eterno, omnisciente, "para que los hombres teman delante de él" (Eclesiastés 3:14). Aunque estamos limitados por las condiciones de vivir bajo el sol, Dios no lo está. Hay más en Dios de lo que pensamos. La trascendencia de Dios -para darle un nombre teológico- reaparece en Eclesiastés 7,13-14 y 8,12-13. El segundo relámpago nos muestra que Dios es un Dios de justicia. "Dios busca lo que ha sucedido" (Eclesiastés 3:15) y "Dios juzgará tanto al justo como al impío" (Eclesiastés 3:17). Esta idea se repite más adelante en Eclesiastés 8:13, 11:9 y 12:14. Puede que no veamos la justicia de Dios en las aparentes injusticias de la vida, pero el Predicador nos asegura que sí lo hará. Como mencionamos, Eclesiastés es una exploración objetiva de la vida en un mundo caído. El trabajo es duro, pero incluso en las dificultades, nuestro destino es encontrar alegría en el trabajo y disfrutarlo. No es una respuesta a los dilemas de la vida, sino una señal de que Dios está en el mundo, incluso cuando no vemos claramente lo que eso significa para nosotros. La idea es esperanzadora, el estudio del tiempo termina con una doble repetición de "correr con el viento", una vez en Eclesiastés 4:4 (como se discutió anteriormente) y otra vez en 4:6.

La Amistad (Eclesiastés 4:7-4:16)

Tal vez las relaciones tienen un significado real en el trabajo. El predicador exalta el valor de la amistad en el lugar de trabajo, diciendo: "Más valen dos que uno, porque se les paga más por su trabajo" (Eclesiastés 4:9). ¿Cuántas personas encuentran a sus mejores amigos en el trabajo? Incluso si no necesitamos un cheque de pago y no nos importa el trabajo, podemos encontrar un significado profundo en nuestras relaciones en el trabajo. Esta es una de las razones por las que muchas personas se sienten frustradas al jubilarse. Echamos de menos a nuestros amigos cuando dejamos de trabajar con ellos, y nos resulta difícil entablar nuevas y profundas amistades sin los objetivos comunes que nos unen con nuestros compañeros. Construir buenas relaciones en el trabajo requiere voluntad y deseo de aprender de los demás. “Más vale un joven pobre y sabio que un rey viejo pero necio que ya no escucha los consejos” (Eclesiastés 4:13). El orgullo y el poder son a menudo barreras para desarrollar relaciones de las que depende el trabajo productivo (Eclesiastés 4:14-16), un hecho descubierto en el artículo de la Escuela de Negocios Harvard Business "*How Strength Becomes Weakness*". Hacemos amigos en el trabajo en parte porque hacer bien nuestro trabajo requiere trabajo en equipo. Esta es una de las razones por las que muchas personas tienen más éxito en hacer amigos en el trabajo que en entornos sociales donde no hay objetivos compartidos. La investigación sobre la amistad del predicador es más optimista que su análisis anterior. Pero incluso con todo eso, las amistades en el lugar de trabajo son definitivamente temporales. Los deberes laborales cambian, los equipos se forman y disuelven, los colegas se van, se jubilan o son despedidos, y llegan nuevos empleados que quizás no nos gusten. El predicador lo comparó con un nuevo rey joven, que inicialmente fue bien recibido por sus súbditos, pero cuya popularidad fue decayendo con el tiempo a medida que llegaba una nueva generación de jóvenes, que lo consideraban como otro rey anciano. Al final, ni el avance profesional ni el escándalo traen satisfacción. “Porque también eso es vanidad, correr tras el viento” (Eclesiastés 4:16).

El Gozo (Eclesiastés 5:1-6:9)

La búsqueda del predicador de significado en su trabajo culmina en muchas lecciones cortas que tienen aplicación directa al trabajo. Primero, es más sabio escuchar que decir: "No te apresures a hablar" (Eclesiastés 5:2). Segundo, cumple tus promesas, primero las que le haces a Dios (Eclesiastés 5:4), Tercero, espera un gobierno corrupto. No es bueno, pero es común, y es mejor que la iniquidad (Eclesiastés 5:8-9). Cuarto, la obsesión por las riquezas es una adicción, y como toda adicción devora a los que aflige (Eclesiastés 5:10-12), pero no satisface (Eclesiastés 6:7-8). Quinto, la riqueza es fugaz. Puede desaparecer en esta vida y ciertamente desaparecerá en la muerte. No edifiques tu vida sobre ella (Eclesiastés 5:13-17). En medio de esta sección, el orador reiteró una vez más el don de Dios que nos permite disfrutar de nuestro trabajo y la riqueza, las posesiones y el honor que puede traer por un tiempo. "Bueno y propio es comer, beber y regocijarse en todo lo que el hombre hace debajo del sol en los breves días de la vida que Dios le ha dado" (Eclesiastés 5:18). . Aunque la alegría es temporal, es real. "Porque no se acordará de mucho de los días de su vida, porque Dios alegra su corazón" (Eclesiastés 5:20). Esta alegría no proviene de esforzarse más y tener más éxito que los demás, sino de aceptar la vida y el trabajo como dones de Dios. Si el gozo en nuestro trabajo no viene como un regalo de Dios, no vendrá en absoluto (Eclesiastés 6:1-6). Al igual que con la sección de amistad, el tono del orador es relativamente positivo en esta sección. Aun así, el resultado final sigue siendo decepcionante, ya que simplemente vemos que toda vida termina en la tumba. Una vida sabia no termina mejor que una vida estúpida. Es mejor ver esto abiertamente que tratar de vivir en la ilusión de un cuento de hadas. "Mejor es lo que ve el ojo que lo que desea el alma" (Eclesiastés 6:9). Sin embargo, el resultado final de nuestras vidas es siempre "soberbia y correr tras el viento".

En Busca de lo que nos Motiva: Explorando el Camino Hacia la Satisfacción (Eclesiastés 6:10-8:17)

El trabajo de la vida es como correr con el viento, porque los resultados del trabajo no son permanentes en el mundo, como lo ve el Predicador. Así que empiezas a averiguar qué es lo mejor que puedes hacer con el tiempo que tienes. Como vimos anteriormente en el libro, este cuerpo de literatura está dividido en secciones delimitadas por una oración repetida al final de cada análisis. Para disgusto de la esperanza del predicador, esa frase es "no averiguar" o su pregunta retórica equivalente, "¿quién se enterará?"

Los resultados finales de nuestras acciones (Eclesiastés 7:1-14)

Nuestro trabajo termina cuando morimos. Por eso Eclesiastés recomienda pasar un buen rato en el cementerio (Eclesiastés 7:1-6). ¿Puedes ver alguna ventaja real que tenga una tumba sobre otra? Algunas personas silbaron en el cementerio, rechazando su lección. “Su risa es como el crepitar de espinos ardientes que se consumen” (Eclesiastés 7:6). Dado que nuestro tiempo es corto, no podemos calcular nuestro impacto en el mundo. Ni siquiera podemos entender por qué hoy es diferente de ayer (Eclesiastés 7:10), y mucho menos lo que sucederá mañana. Tiene sentido disfrutar de las cosas buenas que nuestro trabajo tiene para ofrecer mientras vivimos, pero no hay ninguna promesa de que el final será bueno, porque "Dios hizo ambas cosas para que el hombre no pueda descubrir lo que viene después de él" (Eclesiastés 7:14). Ignorar el legado nos enseña que los buenos fines no justifican los malos medios. No podemos ver el final de todas nuestras acciones, pero en cualquier momento tenemos la capacidad de minimizar las consecuencias de los medios que utilizamos. Los políticos silencian la opinión pública ahora para dañar la opinión pública en el futuro, los gerentes financieros ocultan la pérdida de este trimestre con la esperanza de compensarla el próximo trimestre, los graduados mienten con la esperanza de tener éxito en un trabajo para el que no están calificados: todos están buscando hacia un futuro que no pueden controlar. Durante este tiempo, causan daños que quizás nunca se disipen por completo, incluso si sus esperanzas se hacen realidad.

El Bien y el Mal (Eclesiastés 7:15-28)

Por lo tanto, debemos tratar de actuar en el presente de acuerdo con lo que es bueno. Aun así, es imposible saber con certeza si alguna de nuestras acciones es del todo buena o del todo mala. Cuando imaginamos que estamos actuando con rectitud, el mal puede colarse y viceversa (Eclesiastés 7:16-18). Porque "Ciertamente no hay justo en la tierra que haga el bien y no haya pecado" (Eclesiastés 7:20). La verdad sobre el bien y el mal "dista mucho de lo que solía ser y es profundamente profunda. ¿Quién se enterará? (Eclesiastés 7:24). La frase característica "No [puedo] encontrarla" se repite dos veces en Eclesiastés 7:28, como para enfatizar esta dificultad. Lo mejor que podemos hacer es temer a Dios (Eclesiastés 7:18), que es evitar el orgullo y la justicia propia. Para diagnosticarnos adecuadamente, es necesario preguntarnos si debemos recurrir a lógicas distorsionadas y racionalizaciones complejas para justificar nuestras acciones. "Dios hizo al hombre recto, pero éste encuentra muchas trampas" (Eclesiastés 7:29). El trabajo involucra muchas complejidades, muchos factores deben ser considerados y la certeza ética es muchas veces imposible. Sin embargo, la lógica moral irracional es casi siempre una mala señal.

El Poder y la Justicia (Eclesiastés 8:1-17)

El ejercicio del poder es un hecho de la vida y debemos obedecer a quienes tienen autoridad sobre nosotros (Eclesiastés 8:2-5). Sin embargo, no sabemos si usan su autoridad de manera justa. Pueden usar su poder para dañar a otros (Eclesiastés 8:9). La justicia está pervertida. Los justos son castigados y los malvados recompensados (Eclesiastés 8:10-14). En medio de esta incertidumbre, lo mejor que podemos hacer es temer a Dios (Eclesiastés 8:13) y aprovechar las oportunidades que Él nos da para ser felices. "Por eso he alabado la alegría, porque no hay nada bueno para el hombre bajo el sol sino comer, beber y divertirse, y eso lo acompañará en sus esfuerzos en los días venideros. de la vida que el Señor le dio bajo el sol" (8:15). Como en la sección anterior, la frase clave "no sabrá" y sus equivalentes se repiten tres veces al final. "El hombre no puede conocer la obra que se ha hecho debajo del sol. Aunque los hombres busquen con diligencia, no hallarán; y aunque los sabios dicen que saben, no pueden encontrarlo. (Eclesiastés 8:17). Este es el final de la búsqueda del predicador por el bien que se puede hacer con el tiempo limitado que tenemos. Si bien ha descubierto algunas prácticas recomendadas, el resultado general es que no ha encontrado nada que realmente tenga sentido.

Descifrando lo que nos Deparará el Futuro (Eclesiastés 9:1 - 11:6)

Tal vez sería posible saber qué es lo mejor en la vida si supiéramos lo que sucederá a continuación. Por eso el predicador busca el conocimiento de la muerte (Eclesiastés 9,1-6), del infierno (Eclesiastés 9,7-10), de la hora de la muerte (Eclesiastés 9,11-12), de lo que sucede después de la muerte (Eclesiastés 9,1-6). 13-10:15), el mal puede venir después de la muerte (Eclesiastés 10:16-11:2), y el bien puede venir (Eclesiastés 11:3-6). Nuevamente, una frase clave repetida, en este caso "no sé" y sus equivalentes, divide el documento en diferentes secciones. El predicador concluyó que era simplemente imposible saber qué iba a pasar. "Los muertos nada saben" (Eclesiastés 9:5). "No hay actividad, ni propósito, ni conocimiento, ni sabiduría en el Hades, adonde vas" (Eclesiastés 9:10). "Porque el hombre no sabe su hora... aun los hijos de los hombres tienen mal tiempo cuando viene de repente sobre ellos" (Eclesiastés 9:12). "Nadie sabe lo que sucederá, y quién le dirá lo que sucederá después de él". (Eclesiastés 10:14). "No sabes qué mal puede suceder en la tierra" (Eclesiastés 11:2). "No sabes si esto o aquello funcionará, o ambos son igualmente buenos" (Eclesiastés 11:6). A pesar de nuestra gran ignorancia del futuro, el predicador encuentra buenas obras para hacer cuando tenemos la oportunidad. Estudiaremos solo aquellos pasajes que son particularmente relevantes para la obra.

Haga su trabajo de todo corazón (Eclesiastés 9:10)

"Todo lo que tus manos puedan hacer, hazlo lo mejor que puedas; porque no hay actividad, ni propósito, ni conocimiento, ni sabiduría en el Hades, adonde vas" (Eclesiastés 9:10). Si bien es imposible saber el resultado final de nuestro trabajo, no tiene sentido dejar que nos paralice. Los humanos fuimos hechos para trabajar (Génesis 2:15) y necesitamos trabajar para sobrevivir, así que es mejor hacerlo con gusto. Lo mismo vale para disfrutar de los frutos de nuestro trabajo, cualquiera que sea. "Ve y come el pan con alegría y bebe con alegría, porque Dios ha aprobado tu obra" (Eclesiastés 9:7).

Acepte el éxito y el fracaso como parte de la vida (Eclesiastés 9:11-12)

No nos engañemos pensando que el éxito se debe a nuestros propios méritos o el fracaso se debe a nuestras propias limitaciones. "Veo también que bajo el sol, la carrera no es para rápidos, ni para brava batalla; y que el pan no es para los sabios, ni las riquezas para los doctos, ni los favores para los hábiles, sino que el tiempo y la buena fortuna llegan a todos" (Eclesiastés 9:11). La razón del éxito o del fracaso puede deberse a la suerte. Eso no quiere decir que el trabajo duro y el ingenio no sean importantes. Por el contrario, nos preparan para aprovechar al máximo las bendiciones de la vida y pueden crear oportunidades que tal vez no existan. Sin embargo, una persona que tiene éxito en su trabajo no es necesariamente más merecedora que una persona que fracasa. Por ejemplo, Microsoft tuvo éxito en gran parte debido a la decisión impulsiva de IBM de usar el sistema operativo MS-DOS para un proyecto separado llamado Computadora personal. Después de un tiempo, Bill Gates reflexionó sobre esto: "El momento en que fundamos nuestra primera empresa de software para fabricar computadoras personales fue la base de nuestro éxito. Ese momento no llegó por casualidad, pero sin suerte no habría sucedido". Cuando se le preguntó por qué fundó una compañía de software justo cuando IBM estaba probando suerte con las computadoras personales, respondió: "Nací en el lugar correcto en el momento correcto".

Trabaje diligentemente e invierta con sabiduría (Eclesiastés 10:18-11:6)

Este pasaje contiene el consejo financiero más simple que se puede encontrar en toda la Biblia. Primero, sé diligente o las finanzas de tu familia caerán como un techo con goteras (Eclesiastés

10:18). Segundo, comprenda que en esta vida, el bienestar financiero es importante. "El dinero es la respuesta a todo" (Eclesiastés 10:19). Esto se puede leer con escepticismo, pero el texto no dice que el dinero es lo único que importa. El simple hecho es que se necesita dinero para resolver todos los problemas. En términos modernos, si tu auto necesita una transmisión nueva, o si tu hija tiene que pagar su educación, o si quieres llevar a tu familia de vacaciones, necesitarás dinero. No es avaricia ni materialismo, es sentido común. Tercero, cuidado con las autoridades (Eclesiastés 10:20). Si desprecias a tu jefe o incluso a un cliente, es probable que te arrepientas de por vida. Cuarto, diversifica tus inversiones (Eclesiastés 11:1-2). "Tira tu pan al agua" no significa caridad, sino inversión; en este caso, "área de mar" representa un proyecto comercial internacional. Por lo tanto, dividir por "siete" u "ocho" se refiere a diferentes inversiones, "porque no sabes qué mal puede venir sobre la tierra" (Eclesiastés 11:2). Quinto, no tengas miedo de invertir (Eclesiastés 11:3-5). Lo que tiene que pasar, pasará y no tienes control sobre ello (Eclesiastés 11:3). Esto no debe asustarnos y hacer que pongamos dinero debajo del colchón, donde no hace nada. En cambio, debemos encontrar el coraje para tomar riesgos razonables. "El que mira al viento no sembrará, y el que mira a las nubes no segará" (Eclesiastés 11:4). Sexto, comprenda que el éxito está en las manos de Dios. No sabes cuál es el plan o el propósito de Dios, así que no debes tratar de adelantarte (Eclesiastés 11:5). Séptimo, perseverar (Eclesiastés 11:6). No trabaje duro por un corto tiempo y luego diga: "Lo intenté pero no funcionó. La búsqueda del predicador por el conocimiento del futuro termina en Eclesiastés 11:5-6 con la triple repetición de la frase "tú no sabes" (o su equivalente de "tú sabes"). Nos recuerda que si bien trabajar duro, aceptar los éxitos y los fracasos como parte de la vida, trabajar duro e invertir sabiamente son buenas prácticas, son solo formas de adaptación para hacer frente a nuestra ignorancia del futuro. Si realmente sabemos cómo nuestras acciones conducirán a resultados, podemos planificar con confianza para el éxito. Si supiéramos qué inversiones funcionarían bien, no necesitaríamos diversificarnos para asegurarnos contra pérdidas sistémicas. Es difícil saber si debemos afligirnos por los desastres que pueden ocurrirnos en este mundo caído, o si debemos alabar a Dios porque tenemos la oportunidad de seguir adelante e incluso ser capaces de tener éxito en un mundo así. ¿O sería aceptable hacer un poco de ambos?

Un Viaje Poético a través de la Juventud y la Vejez (Eclesiastés 11:7-12:8)

El predicador concluye con un poema animando a los jóvenes a la alegría (Eclesiastés 11, 7-12, 1) y recordando los problemas de la vejez (Eclesiastés 12, 2-8). Allí recapitula el patrón encontrado en secciones anteriores del libro. Hay muchas cosas buenas en nuestra vida y en nuestro trabajo, pero al final todo es pasajero. El maestro termina como comienza: "Vanidad de vanidades, dice el Predicador, es toda vanidad" (Eclesiastés 12,8).

Un Canto de Celebración al Predicador (Eclesiastés 12:9-14)

Luego encontramos un epílogo que no fue escrito por el predicador sino sobre él. Allí elogió su sabiduría y repitió su advertencia de temer a Dios. Además, agrega nuevos elementos que no estaban previamente disponibles en el libro, a saber, la sabiduría para obedecer los mandamientos de Dios antes de Su juicio futuro. Teme a Dios y guarda sus mandamientos, porque eso concierne a todos. Porque Dios traerá a juicio toda obra, así como todo secreto, sea bueno o malo. (Eclesiastés 12:13-14)

El juicio futuro de Dios demuestra ser la clave para resolver la mezcla de bien y mal que impregna el trabajo en un mundo caído. Los atisbos del carácter de Dios que encontramos en el libro —la generosidad de Dios, Su justicia y Su trascendencia más allá de los confines de la tierra— representan la bondad escondida en la fundación del mundo, si tan solo pudiéramos estar en la cima. . Esto comienza a mostrar que en el día de Dios las tensiones claramente descritas por el Predicador alcanzarían una armonía no vista en los días del Predicador bajo el sol. ¿El final preveía un día en el que las condiciones del otoño ya no dominarían nuestras vidas y nuestro trabajo?

Conclusión del Libro de Eclesiastés

¿Qué hacer con la mezcla de bien y mal, mezquindad y vanidad, acción e ignorancia, que el predicador encuentra en la vida y en la obra? La obra "corre con el viento", como nos recuerda a menudo el conferenciante. Como el viento, el trabajo es real y tiene impacto cuando existe. Nos mantiene vivos y nos da la oportunidad de divertirnos. Sin embargo, es difícil evaluar el impacto total de nuestro trabajo, prever consecuencias indeseables para bien o para mal. Es imposible saber lo que nuestro trabajo puede provocar más allá del tiempo presente. ¿Corresponde el trabajo a algo permanente, algo eterno, algo finalmente bueno? El predicador dijo que es realmente imposible saber nada con certeza bajo el sol. Sin embargo, podemos tener un punto de vista diferente. A diferencia del predicador, los seguidores de Cristo hoy ven una esperanza concreta más allá del mundo caído. Somos testigos de la vida, muerte y resurrección de un nuevo predicador, Jesús, cuyo poder no se extingue al final de su jornada bajo el sol (Lucas 23,44). Anunció que "el reino de Dios ha llegado a vosotros" (Mateo 12,28). El mundo en que vivimos estará bajo el dominio de Cristo y será redimido por Dios. Lo que el autor de Eclesiastés no sabía, no podía saber y sabía por sí mismo, es que Dios envió a su Hijo no para condenar al mundo, sino para restaurar el mundo a su voluntad (Juan 3:3-17). Los días del mundo bajo el sol están pasando para preparar el camino para el reino de Dios en la tierra, donde los hijos de Dios "no tienen necesidad de luz de lámpara ni de luz del sol, porque Dios los iluminará" (Apocalipsis 22: 5). Por lo tanto, el mundo en el que vivimos no es solo un remanente del mundo caído, sino también lo que existía antes del reino de Cristo, "que descendió del cielo" (Apocalipsis 21:2). Por lo tanto, el trabajo que hacemos como seguidores de Cristo tiene, o al menos puede tener, un valor eterno que el predicador no puede ver. Trabajamos no solo en el mundo bajo el sol, sino también en el reino de Dios. Esta idea no es de ninguna manera un intento equivocado de enmendar el Libro de Eclesiastés con una dosis del Nuevo Testamento. Más bien, es un llamado a apreciar este libro como un regalo de Dios para nosotros tal como es. Nuestra vida cotidiana está prácticamente en las mismas condiciones que la vida del predicador. Como nos recuerda Pablo: "Sabemos que hasta ahora todas las cosas suspiran y se fatigan. Y no sólo ella, sino también nosotros, que somos las primicias del Espíritu, gemimos interiormente, esperando ansiosamente la adopción, la redención de nuestros cuerpos" (Romanos 8:22).-23). Llevamos la misma carga que el predicador, porque todavía estamos esperando el cumplimiento del reino de Dios en la tierra. Eclesiastés presenta dos puntos de vista distintos como ningún otro en la Biblia: el relato claro del trabajo en las condiciones de la Caída y la evidencia de esperanza en las condiciones de trabajo oscuras.

Un Relato sin Adornos del Trabajo bajo la Caída

Si sabemos que la obra en Cristo tiene un valor duradero que el predicador no puede ver, ¿de qué nos servirán sus palabras? Primero, asumen que el trabajo, la opresión, el fracaso, las tonterías, la angustia y el dolor que experimentamos en el lugar de trabajo son reales. Cristo ha venido, pero la vida de sus discípulos aún no se ha convertido en un paseo por el jardín. Si tu experiencia laboral es difícil y dolorosa, a pesar de las buenas promesas de Dios, después de todo no estás loco. Las promesas de Dios son verdaderas, pero no todas se cumplen en este momento. Nos atrae el hecho de que el reino de Dios ha venido a la tierra (Mateo 12, 28), pero no está terminado (Apocalipsis 21, 2). Si nada más, puede ser un consuelo que la Biblia se atreva a describir las duras realidades de la vida y el trabajo, mientras declara que Dios es el Señor. Si el evangelismo es un consuelo para quienes trabajan en condiciones difíciles, también puede ser un desafío para quienes se benefician de buenas condiciones de trabajo. ¡No te conformes! Hasta que el trabajo se convierta en una bendición para todos, el pueblo de Dios está llamado a luchar por el bien de todos los trabajadores. Es cierto que debemos comer, beber y encontrar gozo en el trabajo por el cual somos bendecidos. Sin embargo, lo hacemos esforzándonos y orando por la venida del reino de Dios.

Un Testimonio de Esperanza en las Circunstancias más Oscuras del Trabajo

Eclesiastés también da un ejemplo de aferrarse a la esperanza en las duras realidades de trabajar en un mundo caído. A pesar de lo peor que vio y experimentó, el predicador no perdió la esperanza en la palabra de Dios. Encuentra momentos de alegría, rayos de sabiduría y formas de enfrentarse a un mundo fugaz pero no absurdo. Si Dios dejara al hombre solo con las consecuencias de la caída, no habría beneficio en la obra, no significaría nada. En cambio, el predicador descubrió que el trabajo era significativo y bueno. Se queja de que estas dos características son siempre temporales, incompletas, inciertas y limitadas. De hecho, dada la alternativa, un mundo completamente desprovisto de Dios, estos son signos de esperanza. Tales expresiones de esperanza pueden consolarnos en nuestras experiencias más oscuras de vida y trabajo. Además, nos dan una nueva perspectiva sobre nuestros compañeros que aún no han recibido la buena noticia del reino de Cristo, cuyas experiencias laborales pueden ser similares a las de nuestro predicador. Si pudiéramos imaginar cómo sería soportar las dificultades que enfrentamos pero sin la promesa de la redención de Cristo, podríamos comprender un poco la carga que lleva la vida y el trabajo que recae sobre nuestros colaboradores. Debemos orar a Dios para que esto al menos nos dé más compasión. También puede darnos un testimonio más eficaz. Si queremos dar testimonio de la buena nueva de Cristo, debemos empezar por adentrarnos en la realidad de aquellos de quienes somos testigos. De lo contrario, nuestro testimonio no tiene sentido, sino que es superficial, egoísta y fútil. El esplendor de Eclesiastés se debe quizás precisamente a que es bastante inquietante. La vida es inestable y los evangelistas la enfrentan con honestidad. Deberíamos preocuparnos por sentirnos demasiado cómodos en nuestra vida "soleada", demasiado dependientes de las comodidades que podemos encontrar en nuestras circunstancias pacíficas y prósperas. Necesitamos ser estimulados y empujados en la dirección opuesta cuando caemos en un estado de cinismo y desesperación debido a las dificultades que enfrentamos. Cuando idolatramos los logros fugaces de nuestro trabajo y la arrogancia que crea, y viceversa, cuando no reconocemos el significado trascendente de nuestro trabajo y el valor de aquellos con quienes trabajamos, entonces deberíamos estar preocupados. Eclesiastés puede perturbarnos especialmente para la gloria de Dios.

Introducción a Cantar de los Cantares

El Cantar de los Cantares, también conocido como Cantares, es un poema de amor. Sin embargo, también es una expresión profunda del significado, el valor y la belleza de la obra. La canción trata sobre amantes que coquetean, se casan y luego trabajan juntos en una imagen idealizada de la vida, la familia y el trabajo. Estudiaremos los temas de la dificultad, la belleza, la diligencia, el gozo, la pasión, la familia y el gozo como se describen en los numerosos Cantares de los Cantares. En el mundo antiguo toda la poesía se cantaba y, de hecho, Cantar contiene la letra de una colección de canciones interpretadas por cantantes femeninas en forma masculina, femenina y coral. La epopeya quizás debería considerarse un conjunto creado para la audiencia aristocrática en el palacio de Salomón. Es muy similar a la música de amor del antiguo Egipto, destinada a tales audiencias y compuesta en los siglos anteriores a la época de Salomón. Las letras de la poesía egipcia, a pesar de tener muchas similitudes con el Cantar de los Cantares, son bastante alegres y suelen centrarse en el éxtasis y el sufrimiento de los jóvenes enamorados. Sin embargo, la letra del Cantar no es ligera ni espontánea, sino profunda y teológica, lo que incita a una reflexión profunda, incluido el examen de la obra. Hay muchas interpretaciones de la Canción. Aquí lo abordaremos como una colección de canciones que se enfocan en el amor entre un hombre y una mujer. Ese es el significado obvio del texto, y es la forma más beneficiosa de descubrir los significados que realmente aparecen, no los significados que se le pueden imponer. La poesía de amor celebra la belleza de un matrimonio y la alegría del amor entre un hombre y una mujer.

La Dificultad y la Belleza de la Labor (Cnt 1:1-8)

El Cantar de los Cantares comienza con las palabras de amor de una mujer hacia un hombre, y en su relato también cuenta cómo su piel se oscureció porque sus hermanos la hacían trabajar en la viña familiar (**Cnt 1**:**6**). La obra aparece sólo seis líneas después del comienzo de esta canción de amor. En el mundo antiguo, la gente tendía a menospreciar a las personas de piel oscura, no por razones raciales sino por razones económicas: la piel oscura significaba que eras campesino y tenías que trabajar bajo el sol. Si su piel es blanca, significa que es de clase aristocrática, y por ello la piel pálida (¡no bronceada!) es especialmente apreciada como signo de belleza femenina. Pero aquí, el trabajo duro de una mujer realmente no le resta valor a su belleza (**Cnt 1**:**5**; "Soy morena pero hermosa"). Además, su trabajo la preparó para el futuro, cuando tendría que cuidar su propia viña (Cantares **8**:**12**). Una mujer que hace trabajo manual puede no ser aristocrática, pero es hermosa y encomiable. El atractivo del trabajo y los empleados a menudo se ve ensombrecido por nociones contradictorias de belleza. El mundo griego, donde la influencia sigue estando profundamente presente en la cultura contemporánea, veía el trabajo como enemigo de la belleza.

Sin embargo, la visión bíblica muestra que el trabajo tiene una belleza intrínseca. Salomón hizo un palanquín (una silla transportada sobre postes), y el Cantar de los Cantares exalta la belleza técnica de la obra. Es verdaderamente un trabajo hecho con amor (**Cnt 3:10**). Pone la belleza de este objeto al servicio del amor (llevar a su amada a una boda; **Cnt 3:11**), pero la obra en sí es hermosa. El trabajo no es solo un medio para un fin -transporte, cosecha o control- sino también una fuente de creatividad estética. Se alienta a los creyentes a reconocer y alabar la belleza en el trabajo de los demás (incluidos sus cónyuges).

Diligencia (Cnt 1:7-8)

La mujer busca a su amante, a quien considera el mejor entre los hombres. Sus amigos le dicen que, por supuesto, lo puede encontrar en el trabajo, donde cuida a las ovejas. Su trabajo está organizado para que pueda haber interacción entre ella y su amante. No existe el concepto de que el tiempo de trabajo pertenece al empleador y el tiempo libre pertenece a la familia. Quizás las realidades del trabajo moderno hacen que la interacción familiar en el trabajo sea imposible en muchos casos. Los camioneros no deben enviar mensajes de texto a la familia mientras conducen, y los abogados no deben pedirle a su cónyuge que los visite al final del discurso. Pero puede que no sea del todo malo, ya que la separación entre el trabajo y el hogar que surgió con el sistema fabril en el siglo XIX está comenzando a desaparecer en muchas industrias.

Cuando el Trabajo es un Placer (Cnt 1:9 - 2:17)

En Cantar de los Cantares **1:9-2:7**, el hombre y la mujer cantan sobre su devoción mutua. Él habla de su belleza y ella declara lo feliz que es ser amada. Luego, en **Cnt 2:8-17**, cantan sobre el esplendor de la primavera que se acerca, y él la invita a que los acompañe. Esto contrasta con la economía agraria de los antiguos israelitas, en la que un viaje a los campos en primavera no era solo un picnic, sino que también requería trabajo. En particular, se debe podar para asegurar una cosecha abundante (**Cnt 2:12**, "es tiempo de podar"). Además, Cantar de los Cantares **2:15** dice que las zorras (que aman comer uvas tiernas) deben mantenerse alejadas de la cosecha. El hombre y la mujer tienen una actitud simpática y convierten esta misión en un juego, persiguiendo a los "pequeños zorros". Su obra está tan asociada a los juegos eróticos que lleva al doble sentido, "nuestra vid está en flor". La vibrante vida agrícola de esta primavera nos lleva de regreso al Jardín del Edén, donde cuidar las plantas es una delicia. Génesis **3:17-19** nos dice que a causa del pecado tal trabajo se vuelve arduo, pero ese no es el significado original o verdadero del trabajo. Este Cantar de los Cantares es un vistazo al tipo de vida que Dios quiere para nosotros, casi como si el pecado nunca hubiera entrado en el mundo. Era como si se hubiera cumplido Isaías **65:21**: "La gente edificará casas y las habitará, y plantará viñas y comerá su fruto". El reino de Dios no trae consigo la eliminación del trabajo, sino la restauración del gozo y las relaciones.

Pasión, Familia y Trabajo (Cnt 3:1 - 8:5)

En una serie de canciones, el texto describe el matrimonio de un hombre y una mujer y su unión. La mujer anhela estar con el hombre (**Cnt 3:1-5**) y luego viene a él en un hermoso palanquín (**Cnt 3:6-11**). El que lleva la corona la lleva (Cantares **3:11**). En una boda israelita, la novia llega en un palanquín rodeada de hombres poderosos (Can. **3**:7) y es recibida por su novio, quien es coronado. Cantar de los Cantares 3:11 confirma que este pasaje celebra "el día de su boda". Luego, el hombre canta sobre su amor por la novia (**Cnt 4:1-15**) y la noche de bodas se representa con vívidas imágenes y metáforas (**Cnt 4:16-5:8**). Luego la mujer canta sobre su amor por su amado (**Cnt 5:9-6:3**) y sigue otro canto sobre la belleza de la mujer (**Cnt 6:4-9**). Luego, la pareja canta sobre su amor mutuo (**Cnt 6:10-8:4**). El texto es abiertamente sugestivo desde el punto de vista sexual, y los predicadores y escritores cristianos han tendido a evitar el Cantar de los Cantares o interpretarlo alegóricamente por temor a que resulte demasiado ridículo para una sociedad bien educada de asociaciones religiosas. Sin embargo, el género en el texto es intencional. ¡Una canción sobre la pasión de dos amantes el día de su boda estaría incompleta sin mencionar el sexo! Y el sexo está entrelazado con la familia y el trabajo. Después del matrimonio, los amantes establecían un hogar, la principal unidad económica del mundo antiguo. Sin sexo, no pueden residir con trabajadores (es decir, niños). Además, la pasión (incluyendo el sexo) entre marido y mujer es como el pegamento que mantiene unido un hogar a través de la prosperidad, la adversidad, la alegría y el estrés, que caracteriza la vida y el trabajo de una familia. Hoy en día, muchas parejas dicen que no están satisfechas con el tiempo dedicado al sexo y al amor. La mayoría culpa a uno o ambos cónyuges por estar demasiado ocupados con el trabajo. El pasaje deja en claro que no es justo permitir tiempo de trabajo para la intimidad y el sexo con su cónyuge. A lo largo de estos versículos, vemos imágenes tomadas del paisaje de Israel y su agricultura y ganadería. El cuerpo de una mujer es un "huerto" (**Cnt 5:1**). Se dice del hombre que "sus mejillas eran como perfume" (Cantares **5:13**). Disfrutando de la compañía de su novia, es como un hombre que recoge lirios en un huerto (**Cnt 6:2**). Ella es tan hermosa como Jerusalén (**Cnt 6:4**). "Su cabello era como un rebaño de cabras que bajaba de Galaad" (**Cnt 6:5**). Sus dientes son como ovejas (**Cnt 6:6**). Cuerpo como un árbol de dátiles (**Cnt** 7:7). Querían entrar en la "viña" (**Cnt 7:12**). Ella desafió a su amado "debajo del manzano" (Cantares **8:5**). La alegría en su amor está íntimamente ligada al universo en su obra. Expresan su felicidad con dibujos hechos de lo que ven en sus huertas y rebaños. Esto indica que familia y trabajo van de la mano. En Cantar de los Cantares, toda la vida está integrada. Antes de la revolución industrial, la mayoría de las personas trabajaban con otros miembros de la familia en la casa donde vivían. Esto todavía sucede en muchas partes del mundo. Cantares presenta una visión idiosincrásica de esta modalidad. La realidad de trabajar desde casa se ha visto empañada por la pobreza, el trabajo duro, la humillación, la servidumbre por deudas y las relaciones abusivas. Aun así, el Cantar expresa nuestro deseo, y el propósito de Dios, de que nuestro trabajo teja el tapiz de nuestras relaciones, comenzando por el hogar.

En las economías avanzadas, la mayor parte del trabajo remunerado se realiza fuera del hogar. El Cantar no especifica los medios por los cuales el trabajo puede integrarse en la familia y otras relaciones en la sociedad actual. ¡Este no es un llamado para que todos nos traslademos a las granjas y cacemos las zorras pequeñas! Pero sugiere que los lugares de trabajo modernos no deberían ignorar la vida familiar y las necesidades de los empleados. Muchos lugares de trabajo brindan cuidado de niños a los trabajadores, permiten el desarrollo profesional que respeta las necesidades de los padres, les dan tiempo libre a los trabajadores para satisfacer las necesidades familiares y, en otros países, brindan cuidado de niños. Sin embargo, estos beneficios no están disponibles en todos los lugares de trabajo y los empleadores han eliminado algunos. La mayoría de los lugares de trabajo modernos están muy por debajo del modelo de familia solidaria que vemos en Cantar de los Cantares. Recientemente, ha habido una tendencia a trabajar desde casa en lugar de en la oficina, lo que puede mejorar o empeorar los casos dependiendo de la distribución de costos, ingresos, servicios de apoyo y riesgo. El Cantar de los Cantares puede ser una invitación a la creatividad para dar forma al mundo laboral del siglo **21**. Las familias pueden iniciar negocios donde puedan trabajar juntas. Las empresas pueden emplear a los cónyuges juntos o ayudar a uno de los cónyuges a encontrar trabajo cuando el otro se muda de casa. Ha habido grandes innovaciones e investigaciones en esta área en las últimas décadas, tanto en el mundo secular como en el cristiano, especialmente entre los católicos. Cantares también debería aumentar el valor que le damos al trabajo no remunerado. En los hogares preindustriales, no hay mucha diferencia entre el empleo remunerado y no remunerado, ya que el trabajo se realiza en una unidad integrada. En las sociedades industriales y posindustriales, gran parte del trabajo se realiza fuera del hogar y los salarios se ganan para mantener el hogar. El trabajo no remunerado realizado en el hogar suele ser menos respetado que el trabajo remunerado realizado fuera. El dinero, en lugar de una contribución familiar compartida, se convierte en una medida del valor del trabajo y, a veces, incluso del valor de las personas. Sin embargo, los hogares no pueden funcionar sin trabajo no remunerado para mantener el hogar, criar a los hijos, cuidar a los ancianos y discapacitados de la familia y mantener las relaciones sociales y comunitarias. La Canción describe el valor de la fuerza de trabajo en términos de su beneficio general para el hogar, no de su contribución monetaria. El Cantar de los Cantares puede ser un desafío para muchas iglesias y para los mentores de otros cristianos, ya que los cristianos rara vez reciben la ayuda que necesitan para organizar su vida profesional. No hay suficientes iglesias capaces de equipar a sus miembros para que tomen decisiones piadosas, sabias y realistas sobre los asuntos familiares y comunitarios. De hecho, es raro que los líderes de la iglesia tengan el conocimiento práctico necesario para ayudar a los miembros de la iglesia a encontrar trabajo o crear lugares de trabajo a lo largo del camino ideal presentado en el Cantar de los Cantares. Por ejemplo, si desea saber cómo combinar mejor la enfermería con las relaciones familiares, probablemente necesitará hablar con otras enfermeras más que con su pastor. Sin embargo, las iglesias pueden hacer más para ayudar a sus miembros a darse cuenta del propósito de Dios para el trabajo y las relaciones, expresar sus esperanzas y dificultades y comprometerse con aquellos que no son trabajadores en ocupaciones similares para desarrollar opciones viables.

El Gozo (Cnt 8:6-14)

El amor es sagrado y debe ser protegido. No se puede comprar (**Cnt 8**:7). La esposa compara su vida amorosa con la de su marido cuidando la viña (**Cnt 8**:**12**), asegurando que aunque Salomón tenía muchas viñas cuidadas por sus trabajadores, el cuidado (**Cnt 8**:**11**), pero su gozo es en el cuidado de su propia familia. . La felicidad no es riqueza u otras personas trabajando para ti; Es trabajar por el bien de aquellos a quienes amas. Entonces, el amor no es solo una expresión de sentimientos sino también una acción.

Conclusión de Cantar de los Cantares

La canción nos da una imagen ideal del amor y la familia, de la vida y el trabajo. La alegría del trabajo conjunto en el hogar es una característica principal, casi como si el pecado nunca hubiera aparecido en el mundo. En Cantar de los Cantares, el trabajo tiene una belleza propia de una vida sana y alegre. Cantares nos muestra el ideal que debemos buscar. El trabajo debe ser un acto de amor. Las relaciones familiares y conyugales deben apoyar y ser apoyadas por el trabajo. El trabajo es un aspecto esencial de la vida conyugal, pero siempre debe servir, y nunca excluir, al elemento más básico: el amor.

Introducción a los Doce Profetas de la Biblia

Los libros de los Doce Profetas abordan distintas circunstancias de la vida de Israel que presentan diferentes desafíos. El tema unificador de los relatos de estos profetas es que en Dios no hay separación entre la labor del culto y la de la vida cotidiana, ni entre el bienestar individual y el bien común. El pueblo de Israel es fiel o infiel a la alianza con Dios, y la medida de su fidelidad se pone inmediatamente de manifiesto en su culto o en su negligencia en el culto. La fidelidad o infidelidad del pueblo a la alianza con Dios se refleja no sólo en el ámbito espiritual, sino también en el entorno social y físico, incluida la propia tierra. El grado de fidelidad del pueblo se refleja también en su ética de vida y de trabajo, que a su vez determina la fecundidad de sus labores y su consiguiente prosperidad o pobreza. Los malvados pueden prosperar a corto plazo, pero tanto la disciplina de Dios como las consecuencias naturales del trabajo injusto acabarán por dejar a los injustos en la pobreza y la desolación. Sin embargo, cuando los individuos y las sociedades trabajan en fidelidad a Dios, Él los bendice con salud y prosperidad espiritual, ética y medioambiental.

Estos doce últimos libros del Antiguo Testamento se conocen en la tradición cristiana como los Profetas Menores. En la tradición hebrea, estos libros se encuentran en un único rollo llamado "*Libro de los Doce*", que forma una especie de antología con una progresión de pensamiento y una coherencia temática. El trasfondo principal de la colección es la alianza que Dios ha hecho con su pueblo, y la narración dentro de la colección es la historia de la violación de la alianza por parte de Israel y la restauración que Dios va desplegando lentamente para la nación y la sociedad israelitas.

En este contexto, cinco de los seis primeros libros de los Doce -Joel, Amós, Abdías y Miqueas-reflejan el impacto del pecado del pueblo, tanto en la alianza como en los acontecimientos mundiales. Los tres siguientes - Nahúm, Habacuc y Sofonías- hablan del castigo por el pecado, también en términos de la alianza y del mundo. Los tres últimos libros proféticos -Hageo, Zacarías y Malaquías- tratan de la restauración de Israel, de nuevo en términos de renovación de la alianza y restauración parcial de la posición de Israel en el mundo. Por último, Jonás es un caso especial. Su profecía no se refiere en absoluto a Israel, sino a la ciudad-estado no hebrea de Nínive. Es bien sabido que tanto su contexto como su composición son difíciles de datar con fiabilidad.

¿Quiénes eran los profetas?

Un profeta era aquel que, llamado por Dios y lleno de su Espíritu, proclamaba la Palabra del Señor a las personas que, de un modo u otro, se habían alejado de Dios. En cierto sentido, un profeta es un predicador. Sin embargo, en términos actuales, un profeta es un denunciante, especialmente cuando toda una tribu o nación se ha alejado de Dios.

Los profetas llenan las páginas de la historia de Israel. Moisés fue el profeta que Dios utilizó para rescatar al pueblo hebreo de la esclavitud en Egipto y conducirlo después a la tierra que Dios le había prometido. Una y otra vez, este pueblo se apartó de Dios. Moisés fue el primer portavoz de Dios para que volvieran a relacionarse con el Señor. En los libros de historia del Antiguo Testamento *(Josué, Jueces, **1** y **2** Samuel, **1** y **2** Reyes, **1** y **2** Crónicas, Esdras y Nehemías*), profetas como Débora, Samuel, Natán, Elías, Eliseo, Hulda y otros se levantan para hablar de la Palabra de Dios a un pueblo rebelde.

El culto religioso de Israel se organizaba en torno al trabajo de los sacerdotes, primero en el tabernáculo y luego en el templo. La descripción del trabajo diario de los sacerdotes es el sacrificio, descuartizamiento y asado de los animales de sacrificio traídos por la gente que los ofrecía. Sin embargo, el trabajo de un sacerdote iba más allá del duro trabajo físico de cuidar de miles de sacrificios de animales. Un sacerdote también era responsable de ser el líder espiritual y moral del pueblo. Aunque a menudo se consideraba al sacerdote como el mediador entre el pueblo y Dios en los sacrificios del templo, su mayor responsabilidad era enseñar al pueblo la ley de Dios (Lv. **10**:**11**; Dt. **17**:**8-10**; **33**:**10**; Ez. 7:**10**).

Por desgracia, en la historia de Israel era frecuente que los propios sacerdotes se corrompieran y se alejaran de Dios, llevando al pueblo a la idolatría. Los profetas se levantaron cuando los sacerdotes fracasaron en su tarea de gobernar la tierra con justicia. En cierto sentido, Dios llamó a los profetas y habló a través de ellos, utilizándolos como delatores cuando toda la nación israelita estaba al borde de la autodestrucción.

Una de las desgracias más escandalosas del pueblo de Dios era que adoraba continuamente a muchos de los dioses de las naciones paganas vecinas. Prácticas comunes de este culto idolátrico incluían el sacrificio de sus hijos a Moloc y la prostitución ritual con todas las prácticas obscenas imaginables "*en los lugares altos, en los montes y debajo de todo árbol verde*" (2Cr **28**:**4**). Pero una perversidad aún mayor en el abandono de *Yahvé* provino del olvido de la estructura divina para la vida comunitaria como pueblo santo apartado para Dios. El cuidado de los pobres, la viuda, el huérfano y el extranjero en la tierra fue sustituido por la opresión. Las prácticas comerciales quebrantaron las normas de Dios, de modo que la extorsión, el soborno y la deshonestidad se convirtieron en moneda corriente. Los líderes usaron el poder para destruir vidas, y los líderes religiosos despreciaron lo que era sagrado para Dios. Lejos de enriquecer a la nación, estas prácticas impías la llevaron a la ruina. Típicamente, los profetas eran las últimas voces en la tierra que llamaban a la gente a volver a Dios y restaurar su comunidad a la salud y la rectitud.

En la mayoría de los casos, los profetas no eran "*profesionales*", es decir, no vivían de sus actividades proféticas. Dios los utilizó para una tarea especial mientras estaban en medio de sus otras ocupaciones. Algunos profetas (como Jeremías y Ezequiel) eran sacerdotes y tenían las funciones descritas anteriormente. Otros eran pastores, como Moisés y Amós. Débora era una jueza que resolvía las disputas entre los israelitas. Hulda era probablemente una maestra en el sector académico de Jerusalén. Ser profeta significaba tener que trabajar.

Situar a los profetas en la historia de Israel

Los relatos de los primeros profetas están entretejidos en la historia de Israel en los libros de Josué a **2** Reyes, es decir, no se encuentran en un texto separado. Posteriormente, las palabras y los hechos de los profetas se conservaron en colecciones separadas que constituyen los últimos diecisiete libros del Antiguo Testamento, desde Isaías hasta Malaquías. A éstos se les suele llamar "*profetas posteriores*", o a veces "*profetas literarios*", porque sus palabras se escribieron en textos literarios separados y no a lo largo de los libros de historia, como ocurría con los profetas anteriores.

Cuando el reino unido se dividió en dos, las diez tribus del norte (Israel) se sumieron inmediatamente en la idolatría. Elías y Eliseo, los últimos de los profetas anteriores, fueron llamados por Dios para exhortar a los israelitas idólatras a adorar sólo a *Yahvé*. Los primeros profetas literarios, Amós y Oseas, fueron llamados a amonestar a los reyes apóstatas del norte de Israel, desde Jeroboam II hasta Oseas. Como tanto los reyes como el pueblo se negaron a volver a *Yahvé*, Dios permitió que el poderoso imperio de Asiria derrocara al reino septentrional de Israel en el **año 722** a.C. Los asirios, crueles y despiadados, no sólo destruyeron las ciudades y pueblos del país y saquearon sus riquezas, sino que también tomaron cautivos de entre los israelitas y los esparcieron por todo el imperio con la intención de destruir para siempre su sentido de nación (2 **Re 17,1-23**).

A medida que Israel se acercaba a la destrucción, la pequeña nación de Judá, al sur, dejó de adorar a *Yahvé* y comenzó a adorar a dioses extranjeros. Los reyes buenos hicieron que el pueblo abandonara el culto y las malas prácticas comerciales, pero los reyes malos anularon estas acciones. En el reino del sur (Judá), los primeros profetas literarios fueron Abdías y Joel, que actuaron como denunciantes durante los reinados de Jeroboam, Ocozías, Joás y la reina Atalía.

Isaías habló la Palabra de Dios en Judá durante los reinados de cuatro reyes -Uzías, Jotam, Acaz y Ezequías- y Miqueas también profetizó durante este período. El sucesor de Ezequías en el trono fue Manasés, de quien las Escrituras dicen que hizo más maldad ante el Señor que cualquiera de sus predecesores (**2** R **21:2-16**).

Los relatos de los primeros profetas están entretejidos en la historia de Israel en los libros de Josué a **2** Reyes, es decir, no se encuentran en un texto separado. Posteriormente, las palabras y los hechos de los profetas se conservaron en colecciones separadas que constituyen los últimos diecisiete libros del Antiguo Testamento, desde Isaías hasta Malaquías. A menudo se les denomina "*profetas tardíos*", o a veces "*profetas literarios*", porque sus palabras se escribieron en textos literarios separados y no a lo largo de los libros de historia, como sucedía con los profetas anteriores.

Cuando el reino unido se dividió en dos, las diez tribus del norte (Israel) cayeron inmediatamente en la idolatría. Elías y Eliseo, los últimos de los profetas anteriores, fueron llamados por Dios para exhortar a los israelitas idólatras a adorar sólo a *Yahvé*. Los primeros profetas literarios, Amós y Oseas, fueron llamados a amonestar a los reyes apóstatas del norte de Israel, desde Jeroboam II hasta Oseas. Debido a que tanto los reyes como el pueblo se negaron a volver a *Yahvé*, Dios permitió que el poderoso imperio de Asiria derrocara al reino del norte de Israel en el **año 722** a.C. Los crueles y despiadados asirios no sólo destruyeron las ciudades y pueblos del país y saquearon sus riquezas, sino que también tomaron cautivos de entre los israelitas y los esparcieron por todo el imperio con la intención de destruir para siempre su sentido de nación (**2** Re **17**:**1**-**23**).

A medida que Israel se acercaba a la destrucción, la pequeña nación sureña de Judá dejó de adorar a *Yahvé* y comenzó a adorar a dioses extranjeros. Los reyes buenos hicieron que el pueblo abandonara la adoración y las malas prácticas comerciales, pero los reyes malos revirtieron estas acciones. En el reino del sur (Judá), los primeros profetas literarios fueron Abdías y Joel, que sirvieron como denunciantes durante los reinados de Jeroboam, Ocozías, Joás y la reina Atalía.

Isaías proclamó la Palabra de Dios en Judá durante los reinados de cuatro reyes -Uzías, Jotam, Acaz y Ezequías- y Miqueas también profetizó durante este período. El sucesor de Ezequías en el trono fue Manasés, quien, según las Escrituras, hizo más maldad ante el Señor que cualquiera de sus predecesores (**2** Rey. **21**:**2**-**16**).

Cronología de los profetas bíblicos

La siguiente tabla muestra dónde encajan cronológicamente los profetas en el reino septentrional de Israel y el reino meridional de Judá.

Periodo	**Norte Reyes**	**Norte Profetas**	**Sur Reyes**	**Sur Profetas**
Reino Unido bajo Saúl, David, Salomón, c. **1030 - 931**				
Reino dividido	Jeroboam (**931-910**) Nadab (**910-909**) Baasha (**909-886**) Elah (**886**) Zimri (**885**) Omri (**885-874**) Ajab (**874-853**) Joram (**852-841**) Jehú (**841-814**) Joacaz (**814-798**) Joás (**798-782**) Jeroboam II (**793-753**) Zacarías (**753-752**) Shallum (**752**) Menahem **752-742**) Pekahiah (**742-740**) Peka (**752-732**) Oseas (**732-722**)	Elías Elisha Amos Jonás Oseas	Roboam (**931-913**) Abías (**913**) Asa (**911-870**) Josafat (**873-848**) Joram (**853-841**) Reina Atalía (**841-835**) Joás (**835-796**) Amasías (**796-767**) Uzías (**790-740**) Jotam (**750-731**) Ajaz (**735-715**) Ezequías (**715-686**) Manasés (**695-642**) Amón (**642-640**) Josías (**640-609**) Joacaz (**609**) Joaquín (**609-597**) Joaquín (**597**) Sedequías (**597-586**)	Abdías Joel Isaías Miqueas Jeremías Sofonías Hulda Nahum Habacuc
Exilio babilónico				Ezequiel Daniel
Profetas postexílicos			Zorobabel, gobernador Nehemías, gobierna	

Historia de los Doce Profetas

El contexto y la fecha de los relatos de los profetas de Israel y Judá son objeto de gran debate. Con respecto a los Doce, haremos una breve descripción. Dentro del primer grupo, existe un amplio consenso en que Oseas, Amós y Miqueas datan del siglo VIII a.C. Para entonces, el Reino Unido de Israel, gobernado por David y más tarde por Salomón, hacía tiempo que se había dividido en un reino del norte conocido como Israel y un reino del sur conocido como Judá. Miqueas era del reino del sur y hablaba al pueblo de su propio reino, Amós era del reino del sur y hablaba al reino del norte, y Oseas era del reino del norte y hablaba al pueblo de su propio reino.

A principios del siglo VIII, tanto el reino del norte como el del sur disfrutaban de una prosperidad y una seguridad fronteriza sin precedentes desde los tiempos de Salomón. Pero los que tenían ojos para ver, como nuestros profetas, vieron que el panorama se oscurecía. Internamente, la situación económica y política se volvió más precaria, ya que las luchas dinásticas asolaban a la clase dirigente. Externamente, el resurgimiento de Asiria como superpotencia en la región suponía una amenaza creciente para ambos reinos. De hecho, el ejército asirio destruyó por completo el reino del norte en torno al **721** a.C., y nunca resurgió como entidad política, aunque se pueden encontrar vestigios de su existencia en la identidad samaritana (2 **Re 17:1-18**). Los profetas culpan con razón al pueblo de Israel, y en menor medida al de Judá, por no rendir culto a *Yahvé en* favor de la idolatría y por violar los requisitos éticos de la ley. A pesar de estos fracasos, el pueblo se dejó llevar por una falsa sensación de seguridad debido a su pacto con *Yahvé* de ser Su pueblo.

El sur, bajo el gobierno del rey Ezequías, sobrevivió en cierta medida a la amenaza asiria (**2** Reyes **19**), pero se enfrentó a un desafío aún mayor con el ascenso del imperio babilónico (**2** Reyes **24**). Desgraciadamente, Judá no se arrepintió de su idolatría ni de sus defectos éticos después de escapar por los pelos de los asirios. La derrota final llegó a manos de los babilonios en **587** a.C., lo que provocó la destrucción de la infraestructura social de Judá y la deportación de sus líderes al exilio en el imperio babilónico (2R **24-25**). Los profetas vieron en esta derrota una prueba del castigo de Dios al pueblo. Entre los Doce Profetas, esto se registra más claramente en los libros de Nahum, Habacuc y Sofonías. Reflejan los escritos proféticos de Jeremías y Ezequiel, que también datan de este período. Otros libros aparte de la Biblia recogen sus carreras proféticas (*véase "Jeremías y Lamentaciones y la Obra" y "Ezequiel y la Obra"*), pero no los trataremos aquí.

Ciro, el gran rey persa, derrotó a Babilonia y se hizo con su hegemonía. De acuerdo con la política persa, el imperio permitió a los judíos regresar a su tierra y, lo que quizá sea más importante, reconstruir su templo y otras instituciones importantes (Ez **1**). Todo esto, al parecer, sucedió por voluntad del Imperio persa. Los profetas Ageo, Zacarías y Malaquías hicieron su trabajo durante esta fase de la historia de Israel.

En resumen, los libros de los Doce Profetas abarcan un amplio abanico de circunstancias contextuales en la vida del pueblo de Dios y, por tanto, muestran diferentes casos paradigmáticos en los que es necesario que la fe se manifieste en la obra.

La fe y la obra antes del exilio - Oseas, Amós, Abdías, Joel y Miqueas

O*seas, Amós, Abdías, Joel y Miqueas* ejercieron de profetas en el siglo VIII a.C., cuando el Estado estaba bien desarrollado pero la economía estaba en declive. El poder y la riqueza se acumulaban en las clases altas, dejando a una clase social en desventaja. Hay pruebas de que los agricultores empezaron a centrarse en cultivos comerciales que pudieran venderse a la creciente población urbana. Esto tuvo el efecto desestabilizador de dejar a los campesinos con una combinación de cultivos y animales que no podía soportar la pérdida de ningún cultivo o mercado. Las comunidades campesinas se volvieron vulnerables a las fluctuaciones anuales de la producción y, en consecuencia, las ciudades se vieron expuestas a altibajos en su suministro de alimentos (Am **4:6-9**). Cuando los profetas de esta época empezaron a hablar, los días de gloria de los opulentos proyectos de construcción y expansión territorial ya habían pasado. Tales circunstancias eran un caldo de cultivo para la corrupción de aquellos desesperados por aferrarse a su poder y riqueza en declive, y para una brecha cada vez mayor entre ricos y pobres. En consecuencia, los profetas de Dios de este periodo tienen mucho que aportar al mundo del trabajo.

Dios exige una transformación (Oseas 1:1-9; Miqueas 2:1-5)

Dios culpa al pueblo en su conjunto de la corrupción de Israel. Han abandonado la alianza con Dios, lo que rompe tanto su relación con Dios como las estructuras sociales justas de la ley del Señor, y conduce directamente a la corrupción y al declive económico. El término que los profetas utilizan a menudo para describir la violación de la alianza por parte de Israel es "*prostitución*" (por ejemplo, Jr **3**,**2**; Ez **23**,7). Para dramatizar la situación, Dios toma la metáfora literalmente y ordena al profeta Oseas: "*Toma para ti una ramera y engendra hijos de ramera; porque la tierra ha fornicado gravemente y ha abandonado a Yahveh*" (Os **1**:**2**). Oseas obedece el mandato de Dios y se casa con una mujer llamada Gomer, que aparentemente cumple el requisito, y tiene tres hijos con ella (Os **1**:**3**). Esto nos permite imaginar cómo debió de ser formar un hogar y criar hijos con una ramera.

Aunque los profetas utilizan las imágenes de la prostitución y el adulterio, Dios acusa a Israel de corrupción económica y social, no de inmoralidad sexual.

¡Ay de los que planean la iniquidad, de los que traman el mal en sus camas! A la luz de la mañana lo llevan a cabo, porque está en poder de sus manos. Codician campos y se apoderan de ellos, casas y las toman. Roban al dueño y su casa, al hombre y su heredad (Miq **2**,**1**-**2**).

Esto hace que la situación de la familia de Oseas sea un ejemplo dramático para los que trabajan en lugares corruptos o imperfectos hoy en día. Dios colocó intencionadamente a Oseas en una situación familiar corrupta y difícil. ¿Es posible que Dios coloque deliberadamente a las personas en lugares de trabajo corruptos y difíciles hoy en día? Si bien es posible buscar un trabajo cómodo con un empleador de buena reputación en una profesión respetable, es posible que podamos lograr mucho más para el reino de Dios trabajando en lugares que han hecho concesiones morales. Si aborreces la corrupción, ¿puedes combatirla más eficazmente trabajando como abogado en un bufete prestigioso o como inspector de edificios en una ciudad asolada por la mafia? No hay respuestas fáciles, pero la llamada de Dios a Oseas sugiere que marcar la diferencia en el mundo es más importante para Dios que mantenerse alejado del pecado. Como escribió Dietrich Bonhoeffer en medio de la Alemania controlada por los nazis: "La *pregunta más importante que debe hacerse un hombre responsable no es cómo salir heroicamente de la situación, sino cómo vivirá la siguiente generación*".

Dios permite el cambio (Oseas 14:1-9; Amós 9:11-15; Miqueas 4:1-5; Abdías 21)

El mismo Dios que exige el cambio también promete hacerlo posible. "*Está preparada una cosecha, cuando restauraré el bienestar de mi pueblo. Cuando curaré a Israel*" (Os **6**,**11**-7,**1**). Los Doce Profetas transmiten el optimismo crucial de que Dios actúa en el mundo para cambiarlo a mejor. A pesar del aparente triunfo del mal, Dios manda en última instancia y "*el reino será del Señor" (*Abd **21**). A pesar de las desgracias que la gente se provoca a sí misma, Dios actúa para restaurar la bondad con la que la vida y el trabajo fueron diseñados desde el principio. Él es "*compasivo y clemente, lento a la cólera y abundante en amor*" (Jl **2**,**13**). Las profecías finales de Joel, Oseas y Amós ilustran esto en términos económicos explícitos.

Las eras se llenarán de grano, y las tinajas rebosarán de vino nuevo y aceite nuevo... Comeréis hasta saciaros y os saciaréis; y alabaréis el nombre de Yahveh, vuestro Dios, que ha hecho maravillas con vosotros; y mi pueblo nunca se avergonzará. (Joel **2**:**24**, **26**)

[Los israelitas que habiten a su sombra volverán a cultivar trigo y florecerán como la vid. Su gloria será como el vino del Líbano (Os **14**:7).

Restauraré la prosperidad de mi pueblo Israel, y reconstruirán las ciudades desoladas y habitarán en ellas; también plantarán viñas y beberán su vino, y cultivarán huertos y comerán sus frutos. (Am **9**,**14**)

La palabra de Dios a su pueblo en tiempos de dificultades económicas y sociales es que Él tiene la intención de restaurar la paz, la justicia y la prosperidad si el pueblo vive de acuerdo con los preceptos de su pacto. El medio que Dios decide utilizar es la obra de su pueblo.

El trabajo injusto: Un estudio de Miqueas 1:1-7; 3:1-2

A pesar de las intenciones de Dios, el trabajo está sujeto al pecado humano. El caso más obvio es el trabajo inherentemente pecaminoso. Miqueas menciona la prostitución, en este caso probablemente la que tenía lugar en rituales sagrados, y promete que las ganancias serán quemadas con fuego (Miq **1**:7). Una aplicación sencilla sería excluir la prostitución de las ocupaciones legítimas, aunque pueda ser una opción comprensible para quienes no tienen otra forma de mantenerse a sí mismos y a sus familias. Hay otros trabajos que también plantean la cuestión de si deben realizarse o no. A todos se nos ocurren varios ejemplos, sin duda, y los cristianos harían bien en buscar trabajos que beneficien a los demás y a la sociedad en su conjunto.

Pero Miqueas se dirige a Israel en su conjunto, no sólo individualmente. Critica a una sociedad en la que las condiciones sociales, económicas y religiosas hacen de la prostitución una opción viable. La cuestión no es si es aceptable ganarse la vida mediante la prostitución, sino cómo debe cambiar la sociedad para que nadie sienta la necesidad de dedicarse a un trabajo degradante o perjudicial. Miqueas pide que se responsabilice a los líderes que no reforman la sociedad, no a quienes se ven obligados a realizar trabajos nocivos. Sus palabras son duras. "*Oíd ahora, jefes de Jacob y gobernantes de la casa de Israel: ¿no os corresponde a vosotros conocer la justicia? Vosotros que odiáis el bien y amáis el mal, que arrancáis la piel y la carne de los huesos*" (Miq **3**,**1**-**2**).

Existen similitudes y diferencias entre la sociedad de Miqueas y la nuestra. Las soluciones específicas que Dios promete al antiguo pueblo de Israel no son necesariamente las que Dios pretende para nuestro tiempo. Las palabras proféticas de Miqueas reflejan la relación entre la prostitución en los ritos sagrados y los cultos idolátricos de su época. Dios promete poner fin a los males sociales concentrados en los santuarios sectarios. "*Erradicaré de en medio de vosotros vuestras imágenes talladas y vuestras columnas sagradas, y ya no os inclinaréis ante la obra de vuestras manos. Desarraigaré de en medio de vosotros vuestros áceres y destruiré vuestras ciudades*" (Miq **5**,**13**-**14**). En nuestros días, necesitamos la sabiduría de Dios para encontrar soluciones eficaces a los factores sociales actuales que fomentan el trabajo pecaminoso y opresivo.

Trabajar injustamente (Oseas 4:1-10; Amós 5:10-15; 8:5-6; Joel 2:28-29)

Cuando los profetas hablan de fornicación, casi nunca se refieren sólo a este tipo concreto de obra. A menudo lo usan también como metáfora de la injusticia, que por su propia naturaleza es infidelidad a la alianza de Dios (Os **4**:**7**-**10**). Con un recordatorio general de que los salarios pueden ganarse injustamente, Amós acusa a los comerciantes que utilizan productos de calidad inferior, pesos falsos y otros engaños para obtener beneficios a expensas de los consumidores vulnerables. Formula varias acusaciones específicas contra las prácticas laborales israelitas porque el trabajo en Israel se ha vuelto injusto y opresivo (Am **5**:7). Allí, los que denuncian la corrupción y la explotación -o incluso los que simplemente dicen la verdad- son silenciados (Am **5**:**10**). Los hombres de negocios utilizan su poder para explotar a los pobres y a los débiles (Am **5**:**11**). La ley no es obstáculo para su explotación porque hay muchos funcionarios dispuestos a aceptar sobornos para ignorar la situación. De hecho, el gobierno ha abdicado por completo de su responsabilidad de ocuparse de los pobres (Am **5**:**12**). En todos estos casos, el problema no es que los israelitas tengan trabajos que sean intrínsecamente malos; el problema es que tergiversan los oficios que Dios quiere que usen para el bien -negocios, bienes raíces, leyes y gobierno- convirtiéndolos en formas de opresión. Se preguntan cuándo es el momento de "*acortar el efa, y aumentar el siclo [hacer trampas con las medidas], y engañar con balanzas falsas; comprar al pobre y al necesitado por el precio de un par de sandalias, y vender el desecho del trigo*" (Am **8**:**5**-**6**).

Muchas de las profesiones actuales, con las que la gente se gana la vida legítimamente, pueden llegar a ser injustas por la forma en que se ejercen. ¿Debe un fotógrafo fotografiar cualquier cosa que le pida un cliente sin tener en cuenta el efecto que tendrá en sí mismo y en los demás que verán el resultado? ¿Debe un cirujano realizar cualquier tipo de cirugía electiva por la que un paciente esté dispuesto a pagar? ¿Es responsable un agente hipotecario de asegurarse de que un prestatario potencial tiene capacidad para devolver el préstamo sin dificultades excesivas? ¿Es correcto no ayudar a los colegas que fracasan porque su fracaso nos hace parecer mejores en comparación? Si nuestro trabajo es una forma de servicio a Dios, no podemos ignorar estas cuestiones. Sin embargo, debemos tener cuidado de no creer que existe una jerarquía de ministerios. La afirmación de los profetas no es que algunos tipos de trabajo sean más piadosos que otros, sino que todo tipo de trabajo debe realizarse como contribución a la obra de Dios en el mundo. Dios promete que "*en aquellos días derramaré mi Espíritu sobre los siervos y sobre las siervas*" (Joel **2**:**29**).

La Interdependencia de los Individuos y las Comunidades (Amós 8:1-6; Miqueas 6:1-16)

La equidad en el lugar de trabajo no es sólo una cuestión individual. Los individuos tienen la responsabilidad de garantizar que todos los miembros de la sociedad tengan acceso a los recursos necesarios para ganarse la vida. La forma más clara en que Amós critica a Israel por su injusticia en este sentido es mediante una alusión a la ley de espigar. Espigar es el proceso de recoger el grano que sobra en un campo después de que hayan pasado los segadores. Según el pacto entre Dios e Israel, los campesinos no podían espigar en sus propios campos, sino que debían permitir que los pobres (literalmente, "*viudas y huérfanos*") espigaran en sus campos para su sustento (Dt. **24:19**). Esto creó una forma rudimentaria de bienestar social basada en dar a los pobres la oportunidad de trabajar (espigar) para que no tuvieran que mendigar, robar o pasar hambre. Espigar es una forma de participar en la dignidad del trabajo, incluso para quienes no pueden participar en el mercado laboral por falta de recursos, desorganización socioeconómica, discriminación, discapacidad u otros factores. Dios no sólo quiere que se satisfagan las necesidades de todos, sino también que todos tengan la dignidad de trabajar para satisfacer sus necesidades y las de los demás.

Amós se queja de que se viola este mandamiento. Los campesinos no dejan el grano sobrante en sus campos para que lo recojan los pobres (Miq 7,**1-2**). En lugar de ello, optan por vender a los pobres la paja, el desecho que queda después de la trilla, a un precio exorbitante. "*Oíd esto, vosotros que pisoteáis al necesitado y queréis destruir a los pobres de la tierra*", les acusa Amós de vender "*el desecho del trigo*" (Am **8**,**4.6**), y les reprocha que esperen con impaciencia el final del sábado para poder seguir vendiendo este producto comestible barato y adulterado a quienes no tienen otra opción (Am **8**,**5**).

Además, engañan incluso a los que pueden comprar grano puro, como demuestran las balanzas fraudulentas del mercado. Se jactan: Haremos más pequeño el efa [el trigo que se vende] y más grande el siclo [el precio de venta]. Miqueas proclama el juicio de Dios contra el comercio injusto. "*¿Acaso puedo yo justificar balanzas falsas y bolsas de pesas engañosas?*", dice el Señor (Miq **6**,**11**). Esto nos dice claramente que la justicia no es sólo una cuestión de derecho penal y expresión política, sino también de oportunidades económicas. La capacidad de trabajar para satisfacer las necesidades individuales y familiares es esencial para el papel del individuo en la alianza. La justicia económica es un componente fundamental de la famosa y resonante afirmación de

Miqueas apenas tres versículos antes: "*Y qué pide Yahveh de ti, sino que hagas justicia, ames la misericordia y camines humildemente con tu Dios*" (Miqueas **6**:**8**). Dios exige de su pueblo, como aspecto cotidiano de su caminar con Él, que ame la misericordia y haga justicia, individual y socialmente, en todos los aspectos del trabajo y de la vida económica.

Trabajo y devoción (Miqueas 6:6-8; Amós 5:21-24; Oseas 4-11)

A los ojos del profeta, la justicia no es simplemente una cuestión secular. El llamamiento de Miqueas a la justicia en el versículo **6:8** sigue a la observación de que la justicia es mejor que los sacrificios religiosos extravagantes (Miq **6:6**-**7**). Oseas y Amós desarrollan este punto. A través de Amós, Dios se opone a la separación entre el cumplimiento religioso y la acción ética.

Aborrezco y desprecio vuestras fiestas, ni me deleito en vuestras asambleas solemnes. Aunque me ofrezcáis holocaustos y vuestras ofrendas de grano, no los aceptaré, ni tendré en cuenta las ofrendas de paz de vuestros animales cebados. Apartad de mí el ruido de vuestros cantos, pues ni siquiera escucharé la música de vuestras arpas. Que corra el derecho como las aguas, y la justicia como un torrente inagotable (Am **5,21-24**).

Oseas nos muestra más profundamente la relación entre estar espiritualmente arraigados y hacer un buen trabajo. El buen trabajo fluye directamente de la fidelidad a la alianza de Dios y, a la inversa, el mal trabajo nos aleja de la presencia de Dios.

Escuchad la palabra del SEÑOR, hijos de Israel, porque el SEÑOR tiene un pleito con los habitantes de la tierra, porque en la tierra no hay fidelidad, ni misericordia, ni conocimiento de Dios. Sólo hay perjurio, mentira, asesinato, robo y adulterio. Usan la violencia, y el asesinato sigue al asesinato. Por eso llora la tierra, y languidece todo el que la habita, junto con las bestias del campo y las aves del cielo; hasta los peces del mar perecen... Mi pueblo es destruido por falta de conocimiento. Porque has rechazado el conocimiento, yo también te rechazaré a ti, para que no seas mi sacerdote; porque has olvidado la ley de tu Dios, yo también olvidaré a tus hijos. (Os **4,1-3.6**)

En verdad, si nos negamos a hacer obras justas, éticas y buenas, se pone en duda nuestra pretensión de ser adoradores de Dios. Si apartamos un día a la semana para adorar a Dios, pero luego ignoramos Sus caminos los otros seis días, ¿representa ese único día de adoración lo que realmente somos? Oseas se queja de que la maldad del trabajo de Israel desmiente su adoración a Dios. Su trabajo es fraudulento, ejemplificado por los guardias fronterizos que se mueven para engañar a sus vecinos y quitarles parte de su tierra (Os **5**:**10**). Practican el engaño (Os 7:**1**), aun cuando profesan adorar al Señor (Os **8**:**13-14**) y no cumplen sus promesas (Os **10**:**4**). Para validar su maldad, establecen alianzas políticas con potencias extranjeras opresoras (Os **11**:**5-12**:**1**).

Abusan de la capacidad de trabajo que Dios les ha dado (Os **13**:**2**). Parecen religiosos pero no obedecen a Dios (Os **11**:7). Su corrupción e injusticia en el trabajo son en realidad signos de que se han convertido en devotos de dioses falsos (Os **9**:7-**17**).

Esto nos recuerda que el mundo del trabajo no está separado del resto de la vida. Si no trabajamos de acuerdo con los valores y prioridades de la Alianza de Dios, nuestra vida y nuestro trabajo serán ética y espiritualmente incoherentes. Cómo trabajamos durante la semana no es tanto una cuestión de si somos obedientes al Dios que adoramos, sino de si realmente adoramos a Dios. Si Dios no es el Dios de nuestras vidas cada día, entonces es probable que no sea realmente nuestro Dios el domingo. Si no agradamos a Dios en nuestro trabajo, no podremos agradarle en nuestro culto.

Apatía debida a la riqueza (Amós 3:9-15; 6:1-7)

Los profetas critican a aquellos cuya riqueza les lleva a abandonar el trabajo por el bien común y a los que abandonan todo sentido de la responsabilidad por el prójimo. Amós vincula la riqueza ociosa con la opresión cuando acusa a los ricos ociosos de hacer el mal, ser violentos y robar (Am **3,10**). Dios acabará rápidamente con la riqueza de esa gente. Dice: "*También derribaré la casa de invierno con la casa de verano; también perecerán las casas de marfil*" (Am **3,15**). Amós lanza una ráfaga de severas críticas contra el lujo de "*los que habitan a sus anchas en Sión*" (Am **6,1**), señalando que viven tranquilamente mientras "*se acuestan en sus camas*" (Am **6,4**) e "*improvisan al son del arpa*" (Am **6,5**). Cuando Dios castiga a Israel, "*ahora irán al destierro a la cabeza de los desterrados*" (Am **6,7**).

Hoy oímos quejas sorprendentemente similares contra quienes tienen riqueza pero no la utilizan para el bien. Esto se aplica tanto a los individuos como a las empresas, gobiernos y otras instituciones que utilizan su riqueza para explotar la vulnerabilidad de los demás en lugar de crear algo útil acorde con su riqueza. Muchos cristianos -quizás la mayoría en Occidente- tienen cierta capacidad para cambiar estas cosas, al menos en su entorno laboral inmediato. Las palabras de los profetas son un desafío y un estímulo constantes para preocuparnos profundamente por la forma en que nuestro trabajo y nuestra riqueza sirven -o no sirven- a las necesidades de quienes nos rodean.

La fe y el trabajo de Nahum, Habacuc y Sofonías en el exilio

Nahum, Habacuc y Sofonías profetizaron en una época en que el reino del sur estaba en rápida decadencia. Las disensiones internas y la presión externa del próspero Imperio babilónico hicieron que Judá se convirtiera en un estado vasallo de Babilonia. Poco después, en **587** a.C., una insensata rebelión atrajo la ira de los babilonios sobre ellos, lo que provocó el colapso del estado de Judá y la deportación de la élite al corazón del imperio babilónico (2R **24-25**). En el exilio, el pueblo de Israel tuvo que encontrar la manera de ser fiel a pesar de estar separado de sus principales instituciones religiosas, como el templo, el sacerdocio e incluso la tierra. Si, como hemos visto, los seis primeros libros tratan de los efectos del pecado del pueblo, Nahum, Habacuc y Sofonías se refieren al castigo resultante del pecado durante este período.

El castigo de Dios en el trabajo (Nahum 1:1-12; Habacuc 3:1-19; Sofonías 1:1-13)

La principal contribución de Nahum es aclarar que el desastre político y económico es el castigo o la disciplina de Dios para Israel. Dios declara que los ha afligido (Nah **1:12**). Habacuc y Sofonías explican que una parte importante del castigo de Dios es la disminución de la capacidad del pueblo para ganarse la vida satisfactoriamente.

No brotará la higuera, ni habrá fruto en las viñas; el olivo no dará su fruto, ni los campos producirán sus cosechas; no saldrá el rebaño del redil, ni habrá manada en los establos (Hab **3,17**).

Todo el pueblo de Canaán será silenciado, y todos los que pesan plata serán eliminados (Sof **1:11**).

Entonces, ¿son los desastres políticos, económicos y naturales de hoy un castigo de Dios? Hay muchas personas dispuestas a afirmar que ciertos desastres son signos de la ira de Dios. El gobernador de Tokio y un presentador de noticias de MSNBC atribuyeron el terremoto y el tsunami de **2011** en Japón a un castigo divino. Pero a menos que nos unamos a las filas de los Doce o de los demás profetas de Israel, no deberíamos declarar a la ligera que la ira de Dios se manifiesta en los acontecimientos mundiales. ¿Fue Dios mismo quien reveló las razones del tsunami a estos comentaristas, o sacaron ellos sus propias conclusiones? ¿Reveló Su propósito a un número considerable de personas con mucha antelación, a lo largo de muchos años, como hizo con los profetas de Israel, o llegó a una o dos personas al día siguiente? Los que proclaman el juicio de Dios en los tiempos modernos, ¿fueron, como los profetas, provocados por años de sufrimiento junto con los afligidos, como fue el caso de Jeremías, los Doce y los demás profetas del antiguo pueblo de Israel?

Trabajo idolátrico (Habacuc 2:1-20; Sofonías 1:14-18)

La culpa del castigo la tiene el propio pueblo. Han trabajado infielmente, convirtiendo buenos materiales de piedra, madera y metal en ídolos. Pero el trabajo de hacer ídolos no vale nada, por muy costosos que sean los materiales o por muy bien hechos que estén los resultados.

De qué sirve el ídolo que su hacedor ha esculpido, o la imagen fundida, maestra de mentiras, si su hacedor confía en su obra cuando hace ídolos mudos (Hab. **2:18**).

Como dice Sofonías: "*Ni su plata ni su oro podrán librarlos*" (Sof **1,18**). La fidelidad no es algo superficial que nos lleva a adorar a Dios mientras trabajamos. Es el acto de hacer de las prioridades de Dios nuestras prioridades en el trabajo. Habacuc nos recuerda que "*Yahveh está en su santo templo; calle ante él toda la tierra*" (Hab **2,20**). Este silencio no es sólo un cumplimiento religioso, sino que implica silenciar nuestras propias ambiciones, miedos y motivaciones perversas para que las prioridades del pacto de Dios puedan convertirse en nuestras prioridades. Pensemos en lo que les espera a quienes defraudan a otros en la banca y las finanzas.

"*¡Ay del que aumenta lo que no es suyo (¿por cuánto tiempo?) y se enriquece pidiendo prestado!*". ¿No se levantarán de repente tus acreedores y se despertarán tus cobradores? Ciertamente serás presa de ellos (Hab **2,6**-7).

Los que atesoran sus ganancias mal habidas en bienes inmuebles, un fenómeno que parece constante a lo largo de los tiempos, también son trampas para sí mismos.

¡Ay del que hace ganancia ilícita para su casa, para poner su nido en alto, para librarse de la mano de la calamidad! Ha ideado una cosa vergonzosa para su casa, destruyendo a muchos pueblos, pecando contra sí mismo. Ciertamente la piedra gritará desde el muro, y la viga le responderá desde el armazón (Hab **2,9-11**).

Las personas que se aprovechan de la vulnerabilidad de los demás también se juzgan a sí mismas.

Ay de aquel que da de beber a su prójimo; ¡ay de ti, que mezclas tu veneno hasta embriagarlo, para contemplar su desnudez! Serás colmado de deshonor antes que de gloria. Bebe tú también y muestra tu desnudez. La copa de la diestra del Señor volverá sobre ti, y la vergüenza sobre tu gloria (Hab **2,15-16**).

El trabajo que oprime o se aprovecha de los demás acaba provocando su propia ruina.

Puede que hoy no hagamos ídolos con los materiales preciosos ante los que nos inclinamos, pero el trabajo también puede ser idolátrico si creemos que somos capaces de producir nuestra propia salvación. La esencia de la idolatría "*es confiar en algo hecho por tus propias manos*" (Hab **2:18**, NTV, comparar con NKJV arriba) en lugar de confiar en el Dios que nos creó para trabajar con Su guía y poder. Si codiciamos el poder y la influencia porque creemos que sin nuestra sabiduría, habilidad y liderazgo nuestro grupo de trabajo, nuestra empresa, organización o nación están destinados al fracaso, nuestra ambición es una forma de idolatría. Por el contrario, si deseamos poder e influencia para llevar a otros a una red de servicio en la que todos produzcan los dones de Dios para el mundo, entonces nuestra ambición es una forma de fidelidad. Si nuestra respuesta al éxito es felicitarnos a nosotros mismos, estamos practicando la idolatría. Si nuestra respuesta es la gratitud, estamos adorando a Dios. Si nuestra reacción ante el fracaso es la desolación, estamos sintiendo el vacío de un ídolo roto. Pero si nuestra reacción es la fe para intentarlo de nuevo, estamos experimentando el poder salvador de Dios.

Fidelidad en medio del trabajo (Habacuc 2:1; Sofonías 2:1-4)

En el exilio se produce otra dinámica. A pesar del énfasis en el castigo en Nahum, Habacuc y Sofonías, la gente también comenzó a reaprender a trabajar en fiel servicio a Dios durante este tiempo. Esto se explora más a fondo en otros capítulos, como "*Jeremías y Lamentaciones y el trabajo*" y "*Daniel y el trabajo*", pero también está implícito aquí en los libros de los Doce. El punto clave es que, incluso en las desgarradoras circunstancias del exilio, sigue siendo posible ser fiel. Cuando Habacuc vio la carnicería a su alrededor y sin duda deseó estar en otro lugar, optó por permanecer en su puesto y escuchar la palabra de Dios (Hab **2:1**). Pero es posible hacer algo más que quedarse en el puesto, por valioso que sea. También podemos encontrar la manera de ser justos y humildes.

Buscad al Señor, todos los humildes de la tierra que habéis guardado sus mandamientos; buscad la justicia, buscad la humildad. Tal vez os salvéis en el día de la ira del Señor (Sof **2,3**).

No hay lugares de trabajo ideales. Algunos son profundamente difíciles para el pueblo de Dios, con compromisos en muchos sentidos, mientras que otros son defectuosos en aspectos más generales. Pero incluso en lugares de trabajo difíciles, podemos ser testigos fieles de los propósitos de Dios, tanto en la calidad de nuestra presencia como en la calidad de nuestro trabajo. Habacuc nos recuerda que, por infructuoso que pueda parecer nuestro trabajo, Dios está ahí con nosotros, dándonos una alegría que ni siquiera las peores condiciones laborales podrían apagar por completo.

Aunque la higuera no brota,

y no hay fruto en la vid;

Aunque el olivo no da su fruto

y los campos no producen alimentos;

Aunque no haya ovejas en el redil

y las vacas no están en sus establos,

pero me regocijaré en el Señor,

Me regocijaré en el Dios de mi salvación.

El Señor Dios es mi fuerza;

Ha hecho mis pies como los pies de un asno,

Me hace caminar por las alturas (Hab. ***3, 17-19****).*

O, como lo parafrasea Terry Barringer,

Aunque el contrato haya finalizado,

Y no hay puestos de trabajo disponibles;

Aunque no hay demanda para mis habilidades,

Y nadie publica mi trabajo.

Aunque se acaben los ahorros,

Y la pensión no es suficiente para mantenerme;

Seguiré regocijándome en el Señor,

Me regocijaré en el Dios de mi salvación.

Como señala el versículo **19**, es posible obrar bien incluso en medio de circunstancias difíciles, porque el Señor es nuestra fuerza. La fidelidad no consiste sólo en soportar las dificultades, sino en mejorar incluso la peor situación en todo lo que podamos.

La fe y el trabajo después del exilio - Hageo, Zacarías y Malaquías

Cuando terminó el exilio, la vida civil y religiosa judía fue restaurada en la tierra prometida por Dios. Jerusalén y su templo fueron reconstruidos, junto con la infraestructura económica, social y religiosa de la sociedad judía. En consecuencia, los libros de los Doce mencionan ahora los retos del trabajo que sigue al pecado y al castigo.

La necesidad de capital social (Hageo 1:1-2:19)

Uno de los retos a los que nos enfrentamos en el lugar de trabajo es la tentación de anteponernos a nosotros mismos y a nuestras familias por encima de la comunidad. El profeta Ageo pinta un cuadro vívido de este desafío. Se enfrenta a personas que, mientras trabajan duro para reconstruir sus propios hogares, no contribuyen con recursos a la reconstrucción del templo, el centro de la sociedad judía. "*¿Es tiempo de que habitéis en vuestras casas de casetones mientras esta casa está desolada?*". (Hg **1**:**4**). Dice que no invertir en capital social reduce en realidad la productividad individual.

Sembráis mucho, pero cosecháis poco; coméis, pero no hay bastante para saciaros; bebéis, pero no hay bastante para embriagaros; os vestís, pero nadie se calienta; y el que recibe salario, recibe salario en una bolsa rota. (Hg **1**:**6**)

Pero a medida que el Señor despierta el espíritu del pueblo y de sus líderes, éstos comienzan a invertir en la reconstrucción del templo y del tejido social (Hg **1**:**14-15**).

Invertir en capital social nos recuerda que no existe el "*hombre que ha salido adelante por su propio esfuerzo*". Aunque el esfuerzo individual puede acumular grandes riquezas, cada uno de nosotros depende de recursos e infraestructuras sociales que, en última instancia, proceden de Dios. "*Llenaré de gloria esta casa*", dice el Señor de los ejércitos. "*Mía es la plata y mío es el oro*" - declara el Señor de los ejércitos (**2**:7-**8**). La prosperidad no es sólo -ni siquiera principalmente- una cuestión de esfuerzo personal, sino de una comunidad basada en la alianza con Dios. "*La gloria postrera de esta casa será mayor que la primera*", dice el Señor de los ejércitos (Heb **2**,**9**).

Somos tontos si pensamos que tenemos que mantenernos a nosotros mismos antes de poder dedicar tiempo a Dios y a la comunión con su pueblo. La verdad es que no podemos mantenernos si no es por la gracia de la generosidad de Dios y el trabajo mutuo de su comunidad. Este es el mismo concepto que subyace al diezmo. No es un sacrificio dar el diez por ciento de una cosecha, sino una bendición del cien por cien de la asombrosa productividad de la creación de Dios.

En nuestros días, esto nos recuerda la importancia de invertir recursos en los aspectos materiales de la vida. Las necesidades físicas como la vivienda, la comida, los coches y otras son importantes, pero Dios provee lo suficiente en abundancia como para que también podamos invertir en aspectos como el arte, la música, la educación, la naturaleza, la recreación y las muchas formas de alimentar el alma. Al igual que el empresario o el carpintero, quienes trabajan en las artes, las humanidades o la recreación, o quienes dan dinero para construir parques, patios de recreo y teatros, hacen una contribución igualmente importante al mundo que Dios ha creado.

Esto también sugiere que invertir en las iglesias y en la vida eclesiástica es crucial para fortalecer el trabajo de los cristianos. El culto en sí está estrechamente relacionado con la realización de un buen trabajo, como hemos visto, y quizá deberíamos dedicarnos a un culto que dé forma a un buen trabajo, no sólo a la devoción o al disfrute privado. Además, la comunidad cristiana podría ser una fuerza poderosa para el bien económico, cívico y social si aprendiera a hacer valer el poder espiritual y ético de la Palabra de Dios en cuestiones de trabajo en los ámbitos económico, social, gubernamental, académico y científico.

El trabajo, el culto y el entorno: Hageo 1:1-2:19; Zacarías 7:8-14

Hageo establece la conexión entre el bienestar social y económico del pueblo y el estado del medio ambiente. En un juego de palabras muy evidente en la lengua hebrea, Hageo relaciona la desolación del templo ("*desolado*", término hebreo hareb, Hg **1:9**) con la desolación de la tierra y sus cosechas ("*sequía*", término hebreo horeb) y la consiguiente ruina del bienestar general de "*los hombres, los ganados y todo el trabajo de vuestras manos*" (Hg **1:11**). El elemento clave en esta relación es el estado del templo, que se convierte en un indicador de la fidelidad o infidelidad religiosa del pueblo. Existe una triple relación entre el culto, la salud socioeconómica y el medio ambiente. Si hay una enfermedad en nuestro entorno físico, hay una enfermedad en la sociedad humana, y uno de los signos del malestar de una sociedad es su contribución a la enfermedad del medio ambiente.

También existe una relación entre la condición económica y política de una comunidad y la forma en que venera y cuida la tierra. Los profetas nos llaman a recordar que el respeto al Creador de la tierra en la que vivimos es un punto de partida para la paz entre la tierra y sus habitantes. Para Ageo, existe una relación entre la sequía de la tierra y la ruina del templo. El culto verdadero y sincero abre la puerta a la paz y a la bendición de la tierra.

Desde el día en que se pusieron los cimientos del Templo del Señor, considera bien: "¿Está *aún la semilla en el granero? La vid, la higuera, el granado y el olivo aún no han dado fruto; pero desde hoy os bendeciré*". (Hg **2,18-19**)

Zacarías también señala una conexión entre el pecado humano y la desolación de la tierra. Los poderosos oprimen a la viuda, al huérfano, al extranjero y al pobre (Zac 7:**10**). "*Y endurecieron su corazón como diamantes, para no escuchar la ley ni las palabras que enviaba Yahveh de los ejércitos*" (Zac 7,**12**). Como resultado, el medio ambiente se degradó y "*convirtieron la tierra deseable en desolación*" (Zac 7:**14**). Joel, sin embargo, había observado los comienzos de esta degradación mucho antes del exilio: "La *vid se seca, la higuera se marchita, el granado, la palmera, el manzano, todos los árboles del campo se marchitan. La alegría de los hijos de los hombres se ha secado*" (Joel **1,12**).

Dada la importancia del trabajo y de las prácticas laborales para el bienestar del medio ambiente, los cristianos podríamos tener un impacto profundamente beneficioso en el planeta y en todos los que lo habitan si trabajáramos según la visión de los Doce Profetas. Los fieles tienen la urgente responsabilidad medioambiental de aprender formas concretas de fundamentar su trabajo en el culto a Dios.

La extensa profecía de Hageo sobre la pureza (Hg **2:10-19**) también indica una relación entre la pureza y el bienestar de la tierra. Dios se queja de que, debido a la impureza del pueblo, "*toda obra de sus manos y lo que ofrecen aquí es impuro*" (Hg **2:14**). Esto forma parte de una relación más global entre el culto y el bienestar del medio ambiente. Una posible aplicación es que un medio ambiente puro es un medio ambiente que es tratado de forma sostenible por aquellos a quienes Dios ha dado la responsabilidad de su bienestar, es decir, la humanidad. Así pues, la pureza implica un respeto básico por la integridad de todo el orden creado, la salud de su ecosfera, la viabilidad y el bienestar de sus especies y la renovabilidad de su productividad. Y así, volvemos a la cuestión de los cristianos y las prácticas laborales responsables.

Por lo tanto, si la desolación es parte del castigo de Dios por el pecado del pueblo registrado en el libro de los Doce, entonces la tierra productiva es parte de la restauración. De hecho, en circunstancias muy diferentes, Zacarías tuvo una visión similar a la de Amós durante la época de prosperidad de Israel, en la que el pueblo experimenta el bienestar sentándose bajo las higueras que había plantado. "*Aquel día*", declara el Señor de los ejércitos, "*invitaréis cada uno a su prójimo bajo su vid y bajo su higuera*" (Zac **3,10**). La paz con Dios incluye el cuidado de la tierra que Dios ha creado. La tierra productiva, por supuesto, hay que trabajarla para obtener el fruto y, por tanto, el mundo del trabajo está íntimamente relacionado con la materialización de la vida abundante.

El pecado y la esperanza siguen presentes en la obra (Malaquías 1:1-4:6)

Incluso en la época de la restauración, el pecado humano sigue existiendo. Malaquías, el tercero de los profetas de la restauración, se queja de que algunas personas están empezando a lucrarse explotando a los más vulnerables de la sociedad israelita, especialmente estafando a los trabajadores con sus salarios (Mal **3:5**). Dios mismo les dice que cuando defraudan a otros, "*me robáis a mí*" (Mal **3:8**, énfasis añadido). No es de extrañar que estas personas también contaminen el culto en el templo al ahorrarse lo que aportan en ofrendas (Mal **1:8-19**), y que el medio ambiente se vea afectado como consecuencia de ello (Mal **3:11**).

Sin embargo, la esperanza de los profetas permanece, y en su centro está la obra. Comienza con la promesa de restaurar la infraestructura religiosa y social del templo.

He aquí que yo envío mi mensajero, y él preparará el camino delante de mí. El Señor a quien buscáis vendrá súbitamente a su templo, y el mensajero de la alianza en quien os complacéis, he aquí que viene, dice el Señor de los ejércitos (Mal **3,1**).

Y continúa con la restauración del medio ambiente. Dios promete: "*Reprenderé al devorador*" (Mal **3:11a**) y añade que será "*una tierra de delicias*" (Mal **3:12**). La gente trabaja con principios éticos (Mal **3:14**, **18**), y uno de los resultados es que se restaura la economía, incluyendo "*el fruto de la tierra*" y "*tu vid en el campo*" (Mal **3:11**).

Jonás y la bendición de Dios para todas las naciones

Como se ha señalado en la introducción, el libro de Jonás es atípico entre los Doce Profetas porque su historia no se desarrolla en Israel, el texto no está fechado ni contiene predicciones proféticas, y la atención no se centra en el pueblo al que es enviado el profeta, sino en su experiencia personal. Sin embargo, Jonás coincide con los demás profetas en que Dios actúa en el mundo (Jn **1,2.17**; **2,10**) y que la fidelidad (o infidelidad) a Dios mantiene una relación tripartita entre el culto, la salud socioeconómica y el medio ambiente. Cuando los marineros rezan al Señor y obedecen Su palabra, el mar se calma y Dios proporciona lo necesario para que los marineros y Jonás se recuperen (Jn **1:14-17**). Cuando Jonás vuelve a adorar como es debido, el Señor restablece el orden en el entorno: los peces en el mar y la gente en tierra firme (Jon **2**:7-**10**). Cuando Nínive decide escuchar al Señor, los animales y los seres humanos se unen en armonía y cesan las violaciones socioeconómicas (Jon **3**:**4-10**). Aunque el contexto de Jonás es diferente al del resto de los Doce Profetas, su lección no lo es. Las aportaciones especiales del libro de Jonás son (**1**) el enfoque en la llamada y la respuesta del profeta, y (**2**) el reconocimiento de que la obra de Dios para bendecir a Israel no es contra otras naciones, sino que Él desea bendecir a otras naciones a través de Israel.

La llamada y la respuesta de Jonás (Jonás 1:1-17)

Al igual que los Doce Profetas, el libro de Jonás comienza con una llamada de Dios (Jon **1**:**1-2**). Sin embargo, a diferencia de los demás, Jonás rechaza esta llamada e intenta tontamente escapar de la presencia del Señor embarcando en una nave con destino a tierra extranjera (Jon **1**:**3**). Como hemos visto a lo largo del libro de los Doce, romper el pacto con Dios tiene consecuencias tangibles, y las acciones de los individuos siempre afectan a la comunidad. Dios envía una tempestad que, en primer lugar, arruina las perspectivas comerciales de los marineros al obligarles a arrojar todos sus bienes al mar para aligerar la carga (Jn **1**,**5**). Y, por último, amenaza sus propias vidas (Jn **1**, **11**). La tormenta se calma y el peligro para la comunidad desaparece sólo cuando Jonás sugiere que los arrojen al mar (Jn **1**, **12-15**), lo que los marineros aceptan a regañadientes.

El propósito de una llamada de Dios es servir a los demás, y la llamada de Jonás es beneficiar a Nínive. Cuando rechaza la guía de Dios, no sólo se debilita el pueblo al que está llamado a servir, sino que también sufren los que le rodean. Cuando aceptamos que todos estamos llamados a servir a Dios en nuestro trabajo -que puede ser diferente del de Jonás, pero no menos importante para Dios- reconocemos que, cuando no lo hacemos, perjudicamos a nuestras comunidades. Cuanto mayores son nuestros dones y talentos, mayor es el daño que podemos causar al rechazar la dirección de Dios en nuestro trabajo. Ciertamente conocemos a personas cuyas prodigiosas habilidades les permiten hacer un gran daño en los negocios, el gobierno, la sociedad, la ciencia, la religión y todo lo demás. Imaginemos el bien que podrían haber hecho, el mal que podrían haber evitado, si primero hubieran sometido sus capacidades a la adoración y al servicio del Señor. Nuestros dones pueden parecer insignificantes en comparación, pero imagina el bien que podríamos hacer y el mal que podríamos evitar si hiciéramos nuestro trabajo como un servicio de por vida a Dios.

La bendición de Dios a todas las naciones (Jonás 1:16; 3:1-4:2)

Jonás desobedece la llamada de Dios porque se opone al deseo del Señor de bendecir a los enemigos de Israel, la nación de Asiria y su capital, Nínive. Cuando finalmente cede y su misión tiene éxito, se muestra consternado por la misericordia de Dios hacia ellos (Jn **4,1-2**). Esto es comprensible, ya que Asiria estaba conquistando el reino del norte de Israel en ese momento (2 **Re 17**:**6**), y Jonás fue enviado a bendecir al pueblo que detestaba. Pero ésta es la voluntad de Dios. Aparentemente, el deseo de Dios es usar al pueblo de Israel para bendecir a todas las naciones, no sólo a ellos mismos. (Véase "Bendición *para todas las naciones*", Jeremías **29,** en "*Jeremías y Lamentaciones y la Obra*", más arriba).

¿Es posible que cada uno intente poner sus propios límites al alcance de la bendición de Dios a través de su trabajo? A menudo creemos que debemos acaparar para nosotros los beneficios de nuestro trabajo, no sea que otros obtengan ventaja sobre nosotros. Podemos recurrir al secreto y al engaño, a la trampa y a los atajos, a la explotación y a la intimidación en un esfuerzo por adelantarnos a nuestros rivales en el trabajo. Parece que aceptamos como un hecho la suposición no demostrada de que nuestro éxito en el trabajo debe producirse a expensas de los demás. ¿Nos hemos convencido de que el éxito es un juego de suma cero?

La bendición de Dios no es un cubo de capacidad limitada, sino una fuente desbordante. "*Pruébame ahora*", dice el Señor de los ejércitos, "*si no te abro las ventanas del cielo y derramo bendición hasta que rebose*" (Mal **3**,**10**). A pesar de la competencia, la escasez de recursos y la malicia con que a menudo nos enfrentamos en el lugar de trabajo, la misión de Dios para nosotros no es algo tan trivial como la supervivencia contra viento y marea, sino la transformación milagrosa de nuestros lugares de trabajo para alcanzar la creatividad y la productividad, las relaciones y la armonía social, y el equilibrio medioambiental que Dios planeó desde el principio.

Aunque al principio Jonás se niega a participar en la bendición de Dios sobre sus adversarios, su fidelidad a Dios acaba superando su desobediencia. Finalmente, decide advertir a Nínive y, para su disgusto, sus ciudadanos responden apasionadamente a su mensaje. Toda la ciudad, "*desde el mayor hasta el menor*" (Jon **3**,**5**), desde el rey y sus nobles hasta la gente de la calle y los animales de sus rebaños, decide obedecer y "*cada uno se convirtió de su mal camino y de la violencia que tenía en sus manos*" (Jon **3**,**8**). "*Y los habitantes de Nínive creyeron a Dios*" (Jon **3**:**5**), y cuando "*vio Dios* *sus obras, que se convirtieron de su mal camino; entonces Dios se arrepintió del mal que había dicho que les haría, y no lo hizo*" (Jon **3**:**10**).

Esto desanima a Jonás porque quiere determinar los resultados de la obra a la que Dios le ha llamado. Quiere que Nínive sea castigada en vez de perdonada, juzga duramente los resultados de su propio trabajo (Jon **4**,**5**) y echa de menos la alegría de los demás. ¿Hacemos nosotros lo mismo? Cuando nos lamentamos de la aparente falta de sentido y éxito de nuestro trabajo, ¿olvidamos que sólo Dios puede ver el verdadero valor de nuestra labor?

Es posible que la dureza de corazón de Jonás estuviera motivada por la preocupación por su reputación. Proclamó la palabra de Dios de que "*Nínive será arrojada a la tierra*" (Jon **3**:**4**), pero al final no sucedió así. Incluso si fue su propio mensaje el que llevó al pueblo de Nínive a arrepentirse y evitar la destrucción, ¿es posible que Jonás sintiera que su credibilidad había quedado dañada? Esta idea parece estar en el centro de su queja en Jonás **4**:**2**. Él proclamó lo que Dios le dijo que hiciera. Él proclamó lo que Dios le dijo que proclamara, pero Dios cambió de opinión e hizo que Jonás quedara como un tonto. Dios está dispuesto a "arrepentirse *del mal que amenaza*", pero Jonás no está dispuesto a parecer un tonto, aunque eso signifique perdonar la vida a **128.000** personas. Como Jonás, es bueno preguntarnos si nuestras actitudes y acciones en el trabajo tienen más que ver con quedar bien que con llevar la gracia y el amor de Dios a los que nos rodean.

Sin embargo, incluso los pequeños y vacilantes momentos de obediencia a Dios de Jonás trajeron bendiciones a quienes le rodeaban. En la barca, confiesa: "*Temo al Señor, al Dios del cielo*" (Jon **1**:**9**) y se sacrifica por el bien de la gente que viaja con él. Como resultado, se salvan de la tormenta y también se convierten en seguidores del Señor. "*Aquellos hombres temían mucho al Señor, le ofrecían sacrificios y le hacían votos*" (Jn **1**,**16**).

Si vemos que nuestra labor al servicio de Dios se ve limitada por la desobediencia, el resentimiento, la laxitud, el miedo, el egoísmo u otras debilidades, la experiencia de Jonás puede servirnos de estímulo. Aquí tenemos a un profeta que puede haber sido incluso peor que nosotros en el servicio fiel, pero Dios logra la plenitud de Su misión a través del servicio vacilante, defectuoso e intermitente de Jonás. Por el poder de Dios, nuestro servicio defectuoso puede lograr todo lo que Él planea.

Dios cuida de los que responden a su llamada (Jonás 1:3, 12-14, 17; 2:10; 4:3-8)

Dada la experiencia de Jonás, podríamos temer que la llamada de Dios nos lleve al desastre y a la penuria. ¿No sería más fácil esperar que Dios no nos llame? Es cierto que responder a la llamada de Dios puede exigir grandes sacrificios y dificultades. En el caso de Jonás, sin embargo, la dificultad no proviene de la llamada de Dios, sino de la desobediencia de Jonás. El naufragio y los tres días en el mar dentro del gran pez son el resultado directo de su intento de huir de la presencia de Dios. Más tarde, su exposición al sol y al viento y su desesperación hasta el punto de suicidarse (Jon **4**:**3**-**8**) no son penalidades ordenadas por Dios, sino causadas por la negativa de Jonás a aceptar las bendiciones de un "*Dios clemente y compasivo, lento a la cólera y rico en misericordia*" que está dispuesto a arrepentirse del mal que amenaza (Jon **4**:**2**).

La verdad es que Dios siempre está actuando para cuidar y consolar a Jonás. Hace que la gente tenga compasión de Jonás, como cuando los marineros intentan remar hasta tierra firme antes de aceptar la oferta de Jonás de ser arrojado por la borda (Jon **1**:**12**-**14**). Dios envía un pez para salvar a Jonás de ahogarse (Jon **1**:**17**) y luego le ordena que lo arroje a tierra seca (Jon **2**:**10**). También permite que Jonás encuentre el favor del pueblo hostil de Nínive, que lo trata con aprecio y presta atención a su mensaje. En el momento de mayor necesidad de Jonás, Dios le proporciona sombra y refugio en Nínive (Jon **4**:**5**-**6**).

El caso de Jonás es un ejemplo de cómo la llamada de Dios a servir a los demás en el lugar de trabajo no se produce necesariamente a expensas de nuestro propio bienestar. Cuando creemos esto, nos quedamos atrapados en una mentalidad de juego de suma cero. Si Dios hizo cosas extraordinarias para proveer a Jonás a pesar de que rechazó la llamada del Señor, imagina las bendiciones que habría recibido si hubiera aceptado la llamada desde el principio. Los medios para viajar, amigos dispuestos a arriesgar sus vidas por él, armonía con el mundo natural, sombra y refugio, aprecio de la gente con la que trabajaba y un éxito asombroso en su trabajo: imagina cuán grandes habrían sido estas bendiciones si Jonás las hubiera aceptado como Dios quería. Incluso en la forma reducida en que Jonás las recibe, muestran que la llamada de Dios al servicio es también una invitación a la bendición.

Conclusión del Libro de los Doce Profetas

Los libros de los doce profetas ofrecen una perspectiva unificada de la obra en diferentes momentos y situaciones de la vida de Israel. En cada caso, muestran que Dios actúa en el mundo y está dispuesto a dar lo mejor a su pueblo si éste cumple su alianza. Antes del exilio, los profetas amonestaron a las élites de Israel sobre su ejercicio del poder y su fidelidad en el culto. Su tema constante es que Dios sólo acepta el culto que va acompañado de justicia económica y política, porque para Él no hay separación entre el trabajo del culto y el trabajo de la vida cotidiana. No acepta que algunos prosperen sin contribuir al bien común y a los miembros más pobres y vulnerables de la sociedad.

El fracaso de Israel a la hora de realizar el trabajo y el culto que Dios exige conduce al desastre nacional y al exilio en Babilonia. Durante el exilio, los profetas llaman al pueblo a enfrentarse a sus fracasos y a descubrir que tuvieron la oportunidad de ser fieles incluso en los peores momentos. Una vez más, su fidelidad se refleja tanto en su trabajo como en su culto. Los que trabajan por intereses egoístas no son mejores que los que adoran ídolos. En efecto, cuando el trabajo y la riqueza que de él se deriva se convierten en fines en sí mismos, el trabajo es idolatría. Pero quien trabaja rectamente, de acuerdo con la alianza con Dios, descubrirá que, incluso en las peores circunstancias, Dios está presente en su trabajo, aportando alegría y fruto.

Tras el regreso del exilio, los profetas exhortan a Israel a mantener prioridades piadosas mientras se restablece en la tierra y la reconstruye de la devastación. Una vez más, el desarrollo económico, el comercio justo, un gobierno que procure el bien común y el trabajo al servicio de los demás constituyen la base del verdadero culto. Todos están llamados a trabajar con Dios y la comunidad de fe en pos de la paz y el bienestar que Dios desea para su creación.

Esta es nuestra vocación hoy, como lo fue para el antiguo pueblo de Israel. En el orden hebreo del Antiguo Testamento, que es el mismo que el cristiano, los libros de los Doce Profetas proporcionan las últimas palabras antes del comienzo del Nuevo Testamento. Por tanto, apuntan a Jesús, que vino a cumplir el anhelo de los profetas de una vida abundante en todos los ámbitos de la actividad humana, incluido el trabajo, cumpliendo así la promesa de Dios a Zacarías: "*Dice el Señor de los ejércitos celestiales: (De nuevo las ciudades de Israel rebosarán de prosperidad)*" (Zac **1,17** NTV).

Introducción al libro de Isaías

El profeta Isaías recibió una visión de Dios: su gran poder, su gloriosa majestad y su santidad purificadora. La visión de la majestad de Dios le llevó a una perspectiva humillante de sí mismo y de su sociedad. "*Ay de mí, que estoy perdido, pues soy hombre de labios impuros y habito en medio de un pueblo de labios impuros*" (Is **6,5**). Ver quién es Dios en las Escrituras puede limpiar nuestra autoimportancia y la insuficiencia de nuestro culto de boquilla, y darnos una imagen clara de lo que es verdaderamente valioso en la vida. Esto cambia nuestra forma de vivir, de hacer negocios y de rendir culto. Cuando comprendemos quién es Dios y dónde estamos en relación con Él, nuestros valores y nuestra ética de trabajo se transforman.

El libro de Isaías, en particular, ofrece una imagen clara y a veces aterradora de lo que Dios espera de sus dirigentes. En cierto sentido, se trata de una evaluación extensa -y en su mayor parte negativa- de la actuación de los reyes y otros dirigentes de Israel y Judá. (En Isaías, Judá se refiere al reino del sur de la nación dividida de Israel, mientras que "*Israel*" se refiere al reino del norte o, más a menudo, al pueblo judío en su conjunto). Los lugares de trabajo modernos son muy diferentes de los del antiguo pueblo de Israel. Por ejemplo, los líderes que vemos en el libro trabajan en puestos gubernamentales, militares o religiosos, pero los líderes de hoy también trabajan en el mundo de los negocios, la empresa, la ciencia, el mundo académico y otros campos. No obstante, el texto de Isaías puede aplicarse al mundo actual si entendemos lo que significa este libro en su contexto original y tomamos principios que se apliquen al trabajo de hoy. Además, desde la perspectiva de Isaías, la forma en que trabajamos hoy tiene valor y significado en la nueva creación que Dios promete para su pueblo...

La evaluación de Dios de Israel y Judá

La mayor parte del libro muestra a Isaías expresando la valoración de Dios sobre el fracaso de Israel a la hora de cumplir la alianza de Dios. Isaías es el primero de los grandes "*profetas literarios*" del Antiguo Testamento: aquellos cuyas profecías están escritas en libros titulados con el nombre de cada profeta. Al leer los libros de los profetas es necesario tener algún conocimiento del libro del Deuteronomio, ya que la caracterización errónea que Dios hace de los dirigentes de Israel y Judá debe entenderse a la luz de la alianza expresada en la Ley de Moisés. A través de Moisés, Dios hizo un pacto con su pueblo. Les prometió seguridad, paz y prosperidad garantizadas por Su presencia entre ellos. A cambio, los israelitas prometieron adorarle y cumplir la ley que les había dado. Isaías, como los demás profetas literarios, proclama el fracaso del pueblo y especialmente de los dirigentes en obedecer la ley de Dios. No es casualidad que los judíos de la época de Jesús resumieran generalmente el Antiguo Testamento llamándolo "*la Ley y los Profetas*". Para entender mejor a los profetas, hay que leer sus relatos no sólo en su contexto histórico, sino también con el trasfondo de la alianza y la ley de Dios.

Perspectiva general del libro de Isaías

Según Isaías **1:1**, la carrera del profeta Isaías abarcó los reinados de cuatro reyes del reino meridional de Judá: Uzías, Jotam, Acaz y Ezequías. Fue el emisario de Dios en Judá durante más de cincuenta años (del **740** al **686** a.C.), casi cien años antes que los otros tres grandes profetas literarios: Jeremías, Ezequiel y Daniel. Aunque el escenario político de Judá era diferente al del reino septentrional de Israel, los pecados del pueblo eran tristemente similares: la adoración de dioses, la opresión y marginación de los pobres en beneficio propio y la práctica de negocios que amenazaban la ley de Dios de forma drástica. Al igual que su contemporáneo Amós (que llevó mensajes de Dios al impenitente pueblo de Israel en el lugar santo de Betel), Isaías vio claramente que la adoración con palabras vacías conduce a una ética social egoísta.

Isaías se diferencia de Jeremías y Ezequiel en que el carácter de su ministerio profético combina en gran medida la profecía (visión del futuro) con la predicación (proclamación de la verdad a un pueblo pecador). Aunque el libro de Isaías ofrece varios puntos históricos que sitúan al profeta en un periodo concreto de la historia de Judá, el texto extiende su visión desde la época de Isaías hasta el final de los tiempos, cuando Dios crea "*cielos nuevos y tierra nueva*" (Is **65**,**17**). Algunos eruditos han descrito el libro de Isaías como la visión de una cadena montañosa en la que son visibles varios picos, pero no los valles entre los picos (los periodos de tiempo que separan las diferentes ideas proféticas). Por ejemplo, la profecía al rey Acaz de que Dios daría como señal un niño llamado Emmanuel (Is 7:**14**) es retomada por Mateo setecientos años después (Mt **1**:**23) como** una visión del Mesías a punto de nacer.

Las notas históricas del libro que presenta al profeta Isaías en el siglo VI a.C. comienzan con la recepción por parte de éste de una visión de Dios y de una llamada al ministerio de la profecía "*el año de la muerte del rey Uzías*", es decir, el **740** a.C. (Is **6**,**1**). El texto pasa por alto el reinado de dieciséis años del rey Jotam (2 Re **15**,**32-38**) y retoma el relato de Is 7,**1** con el rey Ajaz (2 **Re 16**,**1** en adelante), que se enfrentaba a la destrucción aparentemente inminente de Jerusalén a manos de los sirios y sus aliados en lo que entonces era el reino septentrional de Israel. Más adelante, en los capítulos **36** y **37**, el profeta describe el dilema del rey Ezequías cuando el general asirio Senaquerib sitió Jerusalén y amenazó con su destrucción total (2Re **18**:**13-19**:37).

Isaías continúa con la historia de Ezequías en los capítulos **38** y **39**, una historia sobre la enfermedad mortal del rey y la voluntad de Dios de prolongar su vida quince años más. En cada uno de estos momentos históricos, el profeta Isaías se relacionó directamente con los reyes, comunicándoles las palabras de Dios.

La profecía de Isaías ofrece al pueblo de Dios una visión que abarca desde el inminente juicio nacional, pasando por la restauración por la gracia tras la catástrofe resultante, hasta la esperanza escatológica de algo tan diferente que sólo puede llamarse un cielo nuevo y una tierra nueva (Is **65**:**17**). Su obra (predicción y exhortación a la vez) abarca desde la monarquía en Judá hasta el exilio de la nación en Babilonia, pasando por la restauración y el retorno a Judá. Anuncia acontecimientos desde la venida del Mesías hasta la llegada de "*cielos nuevos y tierra nueva*". Estructuralmente, los capítulos **1-39** cubren el periodo del ministerio activo de Isaías, mientras que los capítulos restantes del libro (**40-66**) tratan en profundidad el futuro del pueblo de Dios. Así pues, la palabra profética del Señor a través de Isaías abarca incontables generaciones.

La vocación de Isaías era servir como emisario de Dios ante el pueblo de Judá, proclamando su condición pecaminosa ante Dios. Más tarde, el profeta insistió en que sus profecías quedaran registradas para las generaciones futuras: "*Ahora ve y escríbelo en una tabla delante de ellos... para que sirva de testimonio en el último día para siempre. Porque éste es un pueblo rebelde, hijos falsos, hijos que no escuchan la instrucción del Señor*" (Is **30**,**8**.**9**). El pecado del pueblo se define por su desatención a la ley de Dios o a los requisitos de la alianza de Dios para ellos como pueblo suyo. Las profecías contra el pueblo pecador son tan fuertes que la situación podría describirse así: El deseo de Dios para aquellos a quienes ha llamado a ser Su pueblo es tal que si no son Su pueblo, ni siquiera pueden ser un pueblo.

La perspectiva de Dios sobre nuestro trabajo

De los escritos de Isaías se desprenden siete temas principales relativos a nuestro trabajo diario: (**1**) hay una relación integral entre nuestra adoración y nuestra vida laboral; (**2**) el orgullo, la arrogancia y la autosuficiencia en nuestro trabajo nos harán fracasar; (**3**) Dios desprecia la riqueza obtenida explotando a los pobres y marginados; (**4**) Dios desea que vivamos en paz y prosperidad mientras confiemos en Él; (**5**) Dios, nuestro Creador, es la fuente de todas las cosas; (**6**) en Isaías vemos un poderoso ejemplo de un siervo de Dios en el trabajo; y finalmente, (**7**) el significado último del trabajo hoy se encuentra en la nueva creación. Estos temas se tratarán en el orden en que aparecen en el libro de Isaías.

Adoración y trabajo (Isaías 1)

Isaías comienza subrayando que los rituales religiosos son aborrecibles para Dios cuando van acompañados de una vida de pecado:

¿Cuál es la plenitud de tus sacrificios para Mí? -dice el Señor. Ya estoy harto de holocaustos de carneros y de vacas cebadas; y la sangre de toros, corderos y machos cabríos no me agrada... ¿quién os pide esto, que pisoteéis mis atrios? No traigáis más vuestros vanos sacrificios, porque el incienso es abominación para Mí ... esconderé de vosotros Mis Ojos; sí, aunque multipliquéis las oraciones, no oiré. Vuestras manos están llenas de sangre. Lavaos, purificaos, quitad de delante de Mí la maldad de vuestras obras; dejad de hacer el mal, aprended a hacer el bien, buscad la justicia, reprended al opresor, defended al huérfano, abogad por la viuda (Is **1,11-17**).

Más adelante, repite la exigencia de Dios: "*Este pueblo se acerca a mí con sus palabras y me honra con sus labios, pero se aparta de mí con su corazón, y su culto hacia mí es sólo una tradición aprendida de memoria*" (Is **29,13**). El desastre que se cierne sobre la nación es consecuencia directa de su decisión de oprimir a los trabajadores y no atender a los necesitados económicamente.

Declara a mi pueblo su transgresión, y a la casa de Jacob sus pecados. Sin embargo, me buscan día a día y se deleitan en conocer mis caminos como un pueblo que ha hecho justicia y no ha abandonado la ley de su Dios. Me piden juicios justos; se deleitan en la cercanía de Dios. Dicen: "*¿Por qué hemos ayunado, y no ves? ¿Por qué nos hemos humillado, y Tú no lo ves?*". He aquí que en el día de vuestro ayuno buscáis vuestra comodidad y oprimís a todos vuestros siervos. He aquí que ayunáis para la contienda y el pleito, y para golpear con puño maligno.

¿No es verdad que debes partir el pan con el hambriento y acoger al desamparado, que cuando veas al desnudo debes cubrirlo y no esconderte de tu prójimo? Entonces brotará tu luz como el alba, y tu curación brotará pronto; tu justicia irá delante de ti, y la gloria de Yahveh será tu retaguardia. (Isa **58:1b-4**, **6-8**).

En nuestro mundo de hoy, en el que nuestro trabajo diario parece estar desconectado de nuestra adoración de fin de semana, Dios dice: "*Si conoces mi ley y me amas, no maltratarás a tus trabajadores*". Isaías sabía por experiencia propia que una verdadera visión de Dios cambia nuestras vidas, incluida la forma en que vivimos como cristianos en el lugar de trabajo.

¿Cómo ocurre esto? Una y otra vez, Isaías nos da una visión de Dios que es alto y exaltado sobre todos los dioses:

- "*El Señor de los ejércitos es a quien has de santificar. Él será tu temor y tu miedo. Él será tu santuario*" (Is **8,13-14**).

- El poder incomparable de Dios está templado por la compasión hacia su pueblo: "¿Por *qué dices*", oh Jacob, y dices, oh Israel: 'Mi camino está oculto a Yahveh, y mi derecho no es conocido por mi Dios'? ¿no lo sabes? ¿no lo has oído? El Eterno Dios, el Señor, el Creador de los confines de la tierra, no se cansa ni desmaya. Su entendimiento es inescrutable. "*Él da fuerza a los cansados y fortaleza a los pusilánimes*" (Isaías **40:27-29**).

- "*Yo soy desde siempre, y no hay quien pueda librar de mi mano; yo obro, ¿y quién podrá deshacerlo?*". (Isaías **43:13**).

- Yo soy el primero y Yo soy el último, y no hay otro Dios fuera de Mí. "*¿Y quién es como Yo?*" Que declare y declare. Sí, ¿quién en orden lo he ensayado delante de Mí desde que establecí la antigua nación? Que les declare lo que ha de venir y lo que ha de hacerse" (Is **44,6-7**).

- "*Escúchame, Jacob. Yo soy, yo soy el primero y también soy el último. Ciertamente mi mano fundó la tierra, y mi diestra extendió los cielos*" (Is **48,12-13**).

Puede que el poder de Dios nos haga temblar, pero su compasión por nosotros nos atrae hacia Él. En respuesta, le adoramos y vivimos en todo momento a la luz de su deseo de que reflejemos su preocupación por la justicia y la rectitud. Nuestro trabajo y nuestra adoración están vinculados por nuestra perspectiva del Santo. Nuestra comprensión de quién es Dios cambiará nuestra forma de trabajar, de actuar y de ver y tratar a las personas que puedan beneficiarse de nuestro trabajo.

La conexión integral entre nuestro trabajo y la aplicación práctica de nuestra adoración se ve también en las historias de dos reyes a quienes el profeta llamó a confiar en Dios en su trabajo. Acaz y Ezequías tenían responsabilidades de liderazgo como monarcas de Judá. Ambos se enfrentaron a formidables enemigos empeñados en la destrucción de su nación y de la ciudad de Jerusalén. Ambos tuvieron la oportunidad de creer en la palabra de Dios a través del profeta Isaías de que Dios no permitiría que la nación cayera en manos del enemigo. De hecho, la palabra de Dios a Acaz fue que lo que más temía el asustado rey no sucedería, pero "*si no crees, no podrás resistir*" (Isaías **7:9**). Acaz se negó a confiar en que Dios los salvaría y, en su lugar, recurrió a una alianza imprudente con Asiria.

Una generación más tarde, Ezequías se enfrentó a un enemigo aún más formidable, e Isaías le aseguró que Dios no permitiría que la ciudad cayera en manos de los ejércitos de Senaquerib. Ezequías decidió creer a Dios, y "*el ángel de Yahveh salió y mató a ciento ochenta y cinco mil en el campamento de los asirios; y cuando los demás se levantaron por la mañana, he aquí que todos estaban muertos. Entonces Senaquerib, rey de Asiria, partió, volvió a su tierra y habitó en Nínive*" (Isaías **37**:**36**-**37**).

En estos dos relatos, Isaías nos subraya el contraste entre la fe en Dios (base de nuestra adoración) y el miedo que nos causan quienes nos amenazan. El trabajo es un lugar donde tenemos que elegir entre la fe y el miedo. ¿Dónde está el Señor cuando trabajamos? Él es Emmanuel, "*Dios con nosotros*" (Isaías **7**:**14**), incluso en el trabajo. Lo que creamos sobre el carácter de Dios determinará si "*permaneceremos firmes en la fe*" o si nos dejaremos vencer por el miedo a quienes tienen el poder de hacernos daño.

Orgullo, arrogancia y autosuficiencia (Isaías 2)

En los escritos de Isaías, el orgullo, la arrogancia y la autosuficiencia se asocian especialmente con la negación de la autoridad y la majestad de Dios en todos los ámbitos. Sustituimos el excepcionalísimo de Dios por la confianza en el ingenio humano o en dioses extranjeros. Isaías abordó este problema directamente en la primera parte de su libro: *"El rostro altivo del hombre será abatido, y la soberbia del hombre será humillada; y sólo el Señor será exaltado en aquel día"* (Isaías **2:11**).

El orgullo de una nación se revela en tres aspectos: su riqueza, su poderío militar y su idolatría. La combinación de estos tres factores crea una tríada dañina y destructiva que aleja a la gente de la humilde dependencia de Dios. En lugar de ello, dependen del trabajo de sus manos: ídolos, así como de la riqueza y el poder militar.

Isaías describe su riqueza en plata y oro: "*Sus tesoros no tienen fin*" (Isaías **2:7**). Hace la misma afirmación sobre su poderío militar y sus ídolos: parece no haber límite para el pueblo. El profeta se burla de los ídolos que los hombres crean y luego adoran como dioses (Is **44,10-20**). Dios aborrece el orgullo y la autosuficiencia humanos. La riqueza acumulada o la búsqueda de riqueza que empuja la majestad de Dios a los márgenes de nuestra vida cotidiana es una ofensa al Señor: "*Que deje de ser estimado el hombre, cuyo aliento de vida está en su nariz; porque ¿cómo puede ser estimado?*". (Is **2,22**). En el capítulo **39**, el rey Ezequías cae bajo el juicio de Dios porque decidió mostrar el tesoro del templo a los enviados de la lejana Babilonia. En lugar de tratar de impresionar a un adversario con las riquezas del reino, el rey debería haberse humillado ante Dios.

Explotación y marginación (Isaías 3)

Una acusación recurrente a lo largo del libro de Isaías es que los líderes eran infieles a la alianza de Dios porque buscaban riqueza y estatus a costa del bienestar de los pobres y marginados. Isaías **3:3-15** recoge el juicio de Dios sobre los ancianos y líderes del pueblo por aumentar su propia riqueza saqueando y oprimiendo a los pobres. Respecto a la situación descrita en Isaías **3:14**, H. G. M. Williamson hace la siguiente observación:

Esto se asocia generalmente con el desarrollo en este periodo de una estructura de clases en la que la riqueza, y por tanto el poder, se concentró cada vez más en manos de una minoría privilegiada a expensas de los pequeños productores y otros agentes similares. .... La necesidad de crédito, con los consiguientes peligros de la esclavitud... la ejecución hipotecaria y, finalmente, la esclavitud por deudas, era el medio por el que esta situación podía resolverse legalmente, aunque de forma injusta, en opinión de los profetas.

Del mismo modo, en la parábola de la viña de Isaías **5**, el primero de varios lamentos contra el pueblo de Judá se refería precisamente a su explotación de los pobres para acumular riqueza: "*Ay de vosotros, que juntáis casa con casa, y añadís campo con campo, hasta que ya no queda sitio, para que habitéis solos en medio de la tierra*" (Isaías **5:8**).

Como pueblo de Dios, estaban llamados a ser diferentes de las culturas rivales que les rodeaban. La explotación de los pobres para el avance de la élite social era una violación de los requisitos del pacto de Dios de que Su pueblo fuera verdaderamente Su pueblo. Este patrón puede verse antes en la historia de Israel, en el reinado de Acab a través de su esposa extranjera, Jezabel, quien robó la viña de un granjero llamado Nabot después de haberlo hecho matar. El profeta Elías se enfureció y dijo: "*Los perros se comerán a Jezabel en la tierra de Jezreel*" (**1 Re 21,23**). Isaías vio que el modelo de ambición egoísta basado en la injusticia contra los pobres y marginados seguía presente en Judá y declaró que llegaría el día en que el Mesías de Dios acabaría con él. "*Juzgará con justicia a los pobres y gobernará con justicia a los afligidos de la tierra*" (Isaías **11:4**).

Aunque Isaías se centró en los pecados del pueblo de Dios en Judá, también incluyó el juicio de Dios sobre las naciones: "*Este es el plan que se ha acordado contra toda la tierra, y esta es la mano que se extiende contra todas las naciones*" (Is **14,26**). Babilonia sería derrocada (Is **13,9-11**); en tres días acabaría la gloria de Moab (Is **15**); Siria caería (Is **17,7-8**), al igual que Etiopía (Is **18**), Egipto (Is **19,11-13**) y Tiro (Is **23,17**). Dios destruiría al rey de Asiria a causa de su corazón arrogante y su semblante altivo (Is **10:12**). "*La tierra está contaminada por sus habitantes, porque han transgredido las leyes... Por eso una maldición devora la tierra, y los que viven en ella son tenidos por culpables*" (Is **24,5-6a**).

La preocupación de Dios por la justicia y la rectitud le lleva hoy a juzgar a naciones, gobiernos, comunidades, corporaciones, instituciones, organizaciones e individuos que engañan y estafan a otros para su beneficio personal. En nuestros días, vemos la explotación de naciones enteras por sus propios líderes, como en Myanmar; el desastre causado por la negligencia de corporaciones extranjeras, como en el desastre de Bhopal en India; y la estafa a inversores por individuos como Bernie Madoff. Igualmente importantes son las injusticias aparentemente pequeñas que vemos y en las que participamos, como las compensaciones injustas, las cargas de trabajo excesivas, las cláusulas contractuales gravosas, hacer trampas en los exámenes y hacer caso omiso de los abusos en casa, en el trabajo, en la iglesia o en la calle. Al final, Dios juzgará a quienes se enriquecen o conservan sus empleos o privilegios explotando a los pobres y marginados.

Paz y prosperidad (Isaías 9)

En contraste con el orgullo, la arrogancia y la autosuficiencia que nos destruirán, o con los que explotan a los pobres para enriquecerse, el cuarto tema de Isaías dice que cuando ponemos nuestra confianza en el único Dios verdadero, viviremos en paz y prosperidad. El pueblo de Dios se alegrará ante su Señor "*como con la alegría de la siega*" (Isaías **9**:**3**). Por el poder del Espíritu de Dios, el pueblo vivirá en paz y seguridad y disfrutará de su trabajo (Isaías **32**:**15**): "*Bienaventurados los que sembráis junto a todas las aguas, y dejáis libres al buey y al asno*" (Isaías **32**:**20**).

Del mismo modo, una de las promesas que vinieron después de que Ezequías confiara en la liberación de Dios del rey asirio Senaquerib fue que el pueblo disfrutaría de los frutos de su propio trabajo:

"*Esto os servirá de señal: este año comeréis lo que crezca espontáneamente; el segundo año lo que brote por sí mismo; y el tercer año sembraréis, segaréis, plantaréis viñas y comeréis su fruto*" (Isaías **37**:**30**). Debido al temor a la inminente invasión de Senaquerib, la tierra estaba aletargada. Dios prometió que de ella saldrían alimentos, aunque no hubiera sido cultivada. Pero para que un pueblo pueda disfrutar del fruto de una viña, se necesitan años de paz para cultivarla adecuadamente. Las condiciones de paz son una bendición de Dios. El trabajo exitoso de Judá en el campo y en la viña sirvió como una señal continua del amor del pacto de Dios.

En la imagen de la nueva Sión de Isaías **62**, una de las promesas de Dios es que el pueblo disfrutará de su propia comida y del vino por el que ha trabajado (Isaías **62**:**8**-**9**). Asimismo, en la descripción de los cielos nuevos y la tierra nueva, donde las cosas del pasado serán olvidadas en la nueva creación, el pueblo de Dios ya no estará oprimido, sino que construirá sus propias casas, beberá su propio vino y comerá su propia comida (Is **65**:**21**-**22**).

Dado que el trabajo en el campo era la ocupación principal de la mayoría de la gente en el Antiguo Testamento, muchos de los ejemplos de la Biblia están sacados de la vida y las expectativas agrícolas. Sin embargo, el principio general es que Dios nos llama, sea cual sea nuestra vocación, a confiar en Él tanto en nuestro trabajo como en los aspectos aparentemente más religiosos de nuestras vidas.

Dios valora las funciones creativas que desempeña su pueblo cuando se esfuerza por sobresalir en lo que hace bajo la alianza de Dios. "*También plantarán viñas y comerán sus frutos*" (Is **65**:**21**). Los problemas surgen cuando intentamos dar la vuelta a la distinción Creador/criatura, sustituyendo los valores y la provisión de Dios por nuestros propios valores y nuestra ambición desmedida. Esto sucede cuando colocamos nuestro trabajo en un lugar aparte, como un asunto secular que parece desconectado del reino de Dios. En un mundo caído, por supuesto, vivir fielmente no siempre conduce a la prosperidad. Pero el trabajo realizado al margen de la fe puede conducir a resultados aún peores que la pobreza material, que es precisamente lo que descubrió Judá según se relata en los primeros capítulos de la profecía de Isaías.

Dios: Fuente de vida, conocimiento y sabiduría (Isaías 28)

Más que ningún otro profeta literario, Isaías nos muestra repetidamente una visión de Dios que, una vez captada, nos hace inclinarnos en humilde adoración. Dios es la fuente de todo lo que somos, de todo lo que tenemos y de todo lo que sabemos. Trescientos años antes, Salomón resumió esta verdad: "*El temor del Señor es el principio de la sabiduría*" (Proverbios **1**:7) y "*El temor del Señor es el principio de la sabiduría*" (Proverbios **9**:**10**). Ahora Isaías nos muestra al Dios que es la fuente de este conocimiento y sabiduría, y por qué nuestra percepción de quién es el Señor adquiere relevancia para nuestra vida y nuestro trabajo.

Dios es quien nos dio nuestro ser: "*Tú que fuiste llevada por Mí desde el vientre materno, tú que fuiste llevada por Mí desde el vientre materno. Hasta tu vejez seré el mismo, y hasta tu vejez te sostendré. Yo he hecho esto, y yo te llevaré; yo te sostendré, y yo te libraré*" (Isaías **46**,**3**-**4**). Dios nos ha dado sabiduría y entendimiento: "*Yo soy el Señor, tu Dios, que te enseña para tu bien, que te guía por el camino que debes seguir*" (Isaías **48**,**17**). El Dios que nos creó y nos dio entendimiento es la única fuente de tal conocimiento:

El que midió las aguas en el hueco de Su mano, El que midió los cielos con la envergadura de Su mano, El que pesó el polvo de la tierra con un tercio de medida, El que pesó los montes con una balanza, y las colinas con un par de balanzas? He aquí que Él levanta las islas como polvo fino. El Líbano no basta para el fuego, ni sus bestias para los holocaustos. Todas las naciones ante él son como nada, menos que nada, e insignificantes a sus ojos. ¿Con quién, pues, compararéis a Dios, o con qué semejanza lo compararéis? (Is **40**,**12**-**18**)

Una vez que reconocemos a Dios como fuente de nuestra vida, conocimiento y sabiduría, tenemos una nueva perspectiva de nuestro trabajo. El mismo hecho de que tengamos el conocimiento o la habilidad para el trabajo que hacemos nos remite a nuestra fuente, Dios, que nos creó con el conjunto de habilidades e intereses que tenemos. Vivir en "temor" del Señor es el punto de partida para el conocimiento y la sabiduría. Reconocer esto también nos permite aprender de otros a quienes Dios ha dado conocimientos o habilidades complementarias. El trabajo creativo en equipo es posible cuando respetamos la obra de Dios tanto en los demás como en nosotros mismos.

Cuando experimentamos a Dios obrando en nosotros, nuestro trabajo da fruto. "*El agricultor sabe exactamente lo que tiene que hacer porque Dios le ha dado entendimiento*" (Is **28,26** NTV). También podríamos decir: "*El artesano sabe exactamente qué hacer porque Dios le ha dado entendimiento*", o "El hombre de negocios sabe exactamente qué hacer porque Dios le ha dado entendimiento". De manera misteriosa, nos convertimos en co-creadores con Dios en nuestro trabajo como instrumentos en la mano de Dios para propósitos más profundos de lo que nos damos cuenta.

El siervo en acción (Isaías 40)

Aunque "rectitud" o "justicia" en Isaías **1-39** (a menudo asociado con justicia, el término mishpat) es una palabra utilizada para revelar los defectos y la infidelidad de Judá, "rectitud" o "justicia" en Isaías **40-55** se entiende principalmente como un don que Dios realiza en favor de su pueblo. Isaías mismo sirve como primer ejemplo de siervo que trae este don de Dios.

El enigmático "*siervo*" implicado en Isaías **40-55** establece la justicia o el juicio. Isaías **42:1-4**, el primero de los llamados cantos del siervo, habla del siervo como alguien que establece la justicia en la tierra. Aquí, en la figura del Siervo, Dios responde al clamor de justicia de Judá en Isaías **40:27**: "*Mi camino está oculto a Yahveh, y mi derecho [mishpat] pasa inadvertido a mi Dios*". La iniciativa divina de Dios se ordena ahora para realizar en favor de su pueblo lo que éste no podía realizar por sí mismo. El medio por el que Dios logra la salvación tanto para Israel como para las naciones se encuentra en esta figura evolutiva del Siervo de Dios. El siervo es el que realiza la justicia y la rectitud.

La identidad narrativa del siervo se desarrolla a partir del propio Israel en los capítulos **40-48** como figura individual que carga sobre sus hombros la identidad misional de Israel tanto para el mismo pueblo como para las naciones en los capítulos **49-53**. La razón del paso de la nación de Israel a una figura que es Israel encarnado (o un Israel idealizado) es el fracaso del pueblo en el cumplimiento de su misión a causa de su pecado. Lo que vemos en la figura de este siervo es que es el único medio por el que Dios comunica su presencia misericordiosa y sus intenciones de restauración a su pueblo rebelde. Es a través de la figura del siervo como la justicia (entendida ahora como fidelidad pactada con el pueblo de Dios) se le ofrece como un don de la libertad soberana de Dios y del compromiso con sus promesas. La justicia es algo que se recibe, no que se alcanza.

Los dos retratos de la justicia presentados en Isaías **1-39** y **40-55** se estudian para ofrecernos una comprensión matizada de la justicia en Isaías **56-66**. Es esta porción de Isaías la que presenta algunos de los retratos más claros de una doctrina para el trabajo. La justicia ofrecida como don en Isaías **40-55** es ahora una obligación que hay que cumplir en los capítulos **56-66**: "*Así dice el Señor: (Conservad el derecho y haced justicia, porque viene mi salvación y mi justicia se va a manifestar)*" (Isaías **56:1**).

El llamamiento de Isaías **56-66** a defender la justicia y obrar con rectitud es una posibilidad que se ofrece ahora al pueblo de Dios, gracias a la anterior declaración de la gracia del Señor sobre ellos en la figura del Siervo. El lenguaje de Isaías **56:1** está relacionado con Isaías **51:4-8**, donde Judá es llamado de nuevo a perseguir la justicia y la rectitud. En este pasaje, la posibilidad creada para que el pueblo de Dios haga justicia se encuentra en las frases finales de Isaías **51:6**, **8**: la justicia y la salvación de Dios no fallarán, sino que perdurarán para siempre. A medida que los capítulos **40-55 se** despliegan en su forma literaria, vemos la justicia y la salvación de Dios promulgadas en la persona del siervo (Is **53**) que sufre por y en lugar de los demás. El llamamiento a "*hacer justicia*" de los capítulos **56-66** es posible gracias a que Dios se ocupó previamente de la infidelidad de Israel mediante la acción misericordiosa del Siervo y su sustitución. En lenguaje teológico, la gracia de Dios precede a la ley, como demuestra la iniciativa misericordiosa de Dios de redimir a Su pueblo a toda costa. Este es el único medio por el que puede haber una conversación sobre la responsabilidad humana o la acción justa. Es en la seguridad del perdón de Dios que encontramos en Jesucristo donde se realiza el ímpetu de las buenas obras.

El profeta cambia el argumento de lo negativo a lo positivo presentando "*el ayuno que yo [Dios] he elegido*" (Is **58**,**6**). Este ayuno incluye romper las cadenas de la injusticia, liberar al oprimido, compartir la comida con el hambriento, dar cobijo al pobre peregrino, vestir al desnudo y cuidar de la familia (Is **58**,**6**-7). Isaías presenta una imagen de los valores que deberían caracterizar al pueblo de Dios en marcado contraste con los de la mayoría de las culturas de su entorno. La lealtad a Dios se rompe a causa de la religión externa o del comportamiento religioso, que puede mezclarse con una ética del trabajo caracterizada por la falta de preocupación por los trabajadores (en la que los trabajadores, empleados o subordinados son simples instrumentos para el desarrollo personal o corporativo), o un estilo de liderazgo dado al conflicto, la lucha, la calumnia, un temperamento irascible y una ira incontrolada. Se reclama al pueblo de Dios el perdón previo de nuestros pecados en la persona y obra de Jesucristo. La promesa después del asalto en el capítulo **58** desata todas las promesas de Dios en medio de su pueblo: "*Entonces brotará tu luz... tu justicia irá delante de ti, y la gloria de Jehová será tu retaguardia*" (Isaías **58**:**8**; cf. Isaías **52**:**12**).

Al trazar el desarrollo del "*siervo*" desde la nación de Israel a un Israel idealizado, luego al siervo del Señor en los capítulos **52-53**, y después a los siervos de ese siervo, nos detenemos a considerar las implicaciones para el ministerio del modelo de siervo que vemos en Jesucristo. Isaías construye cuidadosamente su descripción del siervo para dejar claro que es un reflejo de Dios mismo. Por eso, los cristianos han dicho tradicionalmente que el Siervo es el propio Jesús. La descripción que hace Isaías del sufrimiento del Siervo en los capítulos **52-53** nos recuerda que, como siervos de Dios, podemos ser llamados al sacrificio en el trabajo, como lo fue Jesús.

Estaba más desfigurado que cualquier hombre, y su aspecto más desfigurado que el de los hijos de los hombres... Despreciado y desechado entre los hombres, varón de dolores y experimentado en quebranto; y como aquél a quien los hombres ocultan el rostro, fue menospreciado, y no le tuvimos en estima... Mas Él herido fue por nuestras rebeliones, molido por nuestros pecados. El castigo de nuestra paz fue sobre Él, y por sus llagas fuimos nosotros curados... Pero no abrió su boca; como cordero llevado al matadero, y como oveja muda ante sus trasquiladores, no abrió su boca. (Isaías **52:14**; **53:3**, **5**, 7).

Una visión adecuada de Dios nos motivará a hacer nuestra Su norma, no sea que permitamos que el egoísmo y el engrandecimiento propio perviertan nuestro trabajo. En su muerte y resurrección, Jesús satisfizo una necesidad que nos era imposible satisfacer por nosotros mismos. La norma de Dios nos llama a satisfacer las necesidades de justicia y rectitud a través de nuestro trabajo:

La justicia ha retrocedido, y la rectitud está lejos; porque la verdad ha tropezado en la calle, y la rectitud no puede entrar. Sí, falta la verdad, y el que se aparta del mal es hecho presa. Y lo vio el Señor, y desagradó a sus ojos que no hubiera justicia. Al ver que no la había, se asombró de que no hubiera quien intercediera. Entonces su brazo le trajo salvación, y su justicia lo sostuvo. (Is **59,14-16**).

Como servidores del siervo del Señor, estamos llamados a satisfacer las necesidades insatisfechas. En el lugar de trabajo, esto puede verse de diversas maneras: preocupación por un empleado o compañero de trabajo que está siendo maltratado, atención a la integridad de un producto que se vende a los consumidores, negativa a utilizar atajos en los procesos que privan a las personas de su aportación, incluso negativa a acaparar en tiempos de escasez. Como escribió Pablo a los gálatas: "*Sobrellevad los unos las cargas de los otros, y cumplid así la ley de Cristo*" (Gal **6:2**).

Como siervos del siervo del Señor, puede que no recibamos el reconocimiento que deseamos. Las recompensas pueden demorarse, pero sabemos que Dios es nuestro juez. Isaías lo expresa de esta manera: "Porque así dice el Alto y Sublime que vive para siempre, cuyo nombre es Santo: "*Yo habito con los altos y santos, y con los mansos y humildes de espíritu, para vivificar el espíritu de los humildes, y para vivificar el corazón de los contritos*" (Isaías **57:15**).

El significado del trabajo (Isaías 60)

- A lo largo del libro, Isaías anima a Israel con la esperanza de que Dios acabará por remediar el sufrimiento actual del pueblo. El trabajo y sus frutos están incluidos en esta esperanza. En el capítulo **40,** cuando el libro pasa de decir la verdad sobre el presente a decir la verdad sobre el futuro, aumenta el sentimiento de esperanza. El material del siervo sufriente de los capítulos **40-59** sólo puede entenderse como un regalo de esperanza de Dios en el cumplimiento futuro de Su reino.
- En los capítulos **60-66** esta esperanza se expresa finalmente en su plenitud. Dios reunirá a su pueblo (Is **60,4**), derrotará a los opresores (Is **60,12-17**), redimirá a los rebeldes arrepentidos (Is **64,5-65,10**) y establecerá su reino justo (Is **60,3-12**). Dios mismo gobernará en lugar de los líderes infieles de Israel: "*Sabrás que yo, Yahveh, soy tu Salvador y tu Libertador, el Poderoso de Jacob*" (Is **60,16**). El cambio es tan radical que equivale a una nueva creación, de un poder y una majestad paralelos a los de la primera creación del mundo por Dios. "*Voy a crear cielos nuevos y una tierra nueva, y de lo primero no habrá memoria ni vendrá al pensamiento*" (Is **65,17**).
- Los capítulos **60-66** están llenos de retratos gráficos del reino perfecto de Dios. De hecho, gran parte de la metáfora y la enseñanza para el ministerio del Nuevo Testamento proviene de estos capítulos de Isaías. Los capítulos finales del Nuevo Testamento (Apocalipsis **21-22**) son esencialmente una recapitulación de Isaías **65-66** en términos cristianos.
- Puede sorprender a algunos lo mucho que Isaías **60-66** tiene que ver con el trabajo y sus efectos. Las cosas por las que la gente trabaja en la vida finalmente prosperan, incluyendo
- - Mercados y comercio, que incluye el movimiento de oro y plata (Is. **60**:7, **9**), el crecimiento de los árboles y la apertura de puertas para el comercio. "*Tus puertas estarán siempre abiertas; no se cerrarán ni de día ni de noche, para que te traigan las riquezas de las naciones, con sus reyes en procesión*" (Is. **60:11**).
- - Productos agrícolas y forestales, como el incienso, los rebaños, los carneros (Is **60,6-**7), el ciprés y el boj (Is **6,13**).
- - Transporte por tierra y mar (Is **60:6, 9**), y quizá incluso por aire (Is **60:8**).
- - Justicia y paz (Is **60,17-18; 61,8; 66,16**)
- - Servicios sociales (Isaías **61:1-4**)

- - Comida y bebida (Isa **65**:**13**)
- - Salud y longevidad (Is **65**:**20**)
- - Construcción y vivienda (Is **65**:**21**)
- - Prosperidad y riqueza (Is **66**:**12**).

Todas estas bendiciones se le escaparon a Israel en su infidelidad a Dios. De hecho, cuanto más intentaban obtenerlas, menos les importaba adorar a Dios o seguir Sus caminos. El resultado fue que les faltó aún más. Pero cuando el libro de Isaías presenta la esperanza futura de Israel como la Nueva Creación, todas las promesas anteriores del libro pasan a primer plano. La imagen que se presenta es la de un futuro escatológico o último día en el que los "descendientes justos del siervo" disfrutarán de todas las bendiciones de la era mesiánica descrita anteriormente. Entonces la gente recibirá realmente aquello por lo que trabaja, pues "no trabajarán en vano" (Is **65**:**23**). El luto de Israel se transformará en alegría, y uno de los motivos dominantes de esta alegría venidera es el disfrute del trabajo de sus propias manos.

Conclusiones del Libro de Isaías

Como cristianos que vivimos en la tensión entre la inauguración del reino de Dios y su próxima realización, el disfrute de nuestro trabajo y del fruto de nuestra labor para alabar la gloria de Dios anuncia el día en que esa tensión terminará. Podría decirse que cuando los cristianos disfrutan de su trabajo y del fruto que produce para alabanza de la gloria de Dios, saborean un poco del cielo en la tierra. Cuando todo se arregle, y el cielo y la tierra sean como fueron concebidos originalmente, el trabajo no cesará, sino que continuará y será una gran alegría para quienes lo realicen, pues el aguijón de la Caída habrá desaparecido irrevocablemente.

El trabajo duro y la alegría de sus frutos son dones de Dios que hay que disfrutar y compartir con los demás. A través de estos dones podemos contribuir al florecimiento humano y a aliviar el sufrimiento. La profecía de Isaías describe bellamente el hecho de que incluso en nuestro trabajo de lunes a viernes debemos cumplir la ley amando a Dios y al prójimo (véase Mt **22:33-40**). En la economía de Dios, no podemos amar al Señor y no amar a nuestro prójimo. Cuando hacemos nuestro trabajo en este contexto de gracia, hecho posible por la obra perdonadora y restauradora de Jesucristo, nuestra alegría puede ser completa. Cuando el trabajo y la labor se convierten en enfoques retorcidos de nuestro propio engrandecimiento personal a costa de la dignidad de nuestros subordinados y de la opresión de los pobres y marginados, la sarcástica palabra profética de Isaías nos sigue hablando con fuerza: "*Este no es el ayuno que yo he elegido*". Cuando se disfruta del trabajo en el contexto del amor a Dios y del amor al prójimo, se puede saborear en el aquí y el ahora el sabor de los cielos nuevos y de la tierra nueva.

Introducción al libro de Jeremías y Lamentaciones

El tema básico del libro de Jeremías es medir la fidelidad del pueblo a Dios en un entorno difícil. Dios condena las prácticas deshonestas en el mismo contexto en que condena la idolatría y la hipocresía religiosa, dejando claro que este libro profético no trata sólo de problemas religiosos, sino también de cuestiones sociales y éticas. Jeremías se ocupa de la fidelidad en los ámbitos religioso, familiar, militar, gubernamental, agrícola y en todas las demás esferas de la vida y el trabajo. Como trabajadores de hoy, nos enfrentamos a un problema similar al de la época del profeta. Estamos llamados a ser fieles a Dios en el trabajo, pero no es fácil seguir los caminos de Dios en muchos lugares de trabajo.

Jeremías tuvo que enfrentarse a la infidelidad de casi todo el pueblo. Todos eran infieles al Señor, desde los reyes y príncipes hasta los profetas, y sin embargo, por lo general acudían al templo, ofrecían sacrificios e invocaban el nombre del Señor, aunque no reconocían a Dios en su forma de vida en todos los demás aspectos (Jer **7,1-11**). Son los mismos que hoy asisten a la iglesia los domingos y dan sus ofrendas, pero viven el resto de su vida como si Dios no estuviera presente.

En el marco de la fidelidad a Dios, el libro de Jeremías contiene varios pasajes directamente relacionados con el trabajo y muchos otros que abordan el tema de la fidelidad a Dios en todos los aspectos de la vida, con claras implicaciones para el trabajo.

Jeremías no presenta muchos principios o mandamientos nuevos en sus profecías sobre el trabajo, sino que reconoce los revelados en los libros anteriores de la Biblia, especialmente en la Ley de Moisés. Reprendió al pueblo de Dios por no seguir la ley y les advirtió que eso les traería el desastre. Cuando llegó el desastre, les enseñó cómo vivir realmente la ley de Dios en su nueva -y deprimente- situación. También les animó con la promesa de Dios de que acabaría devolviéndoles la alegría y la prosperidad si decidían volver a la fidelidad.

Aunque las palabras de Jeremías sobre el trabajo se pronunciaron unos seiscientos años antes que el apóstol Pablo, pueden resumirse fácilmente en Colosenses **3:23**: "*Y todo lo que hagáis, hacedlo de todo corazón, como para el Señor y no para los hombres*".

Jeremías y su contexto

Muchos de nosotros encontramos nuestros trabajos problemáticos, al menos algunas veces. Uno de los aspectos sorprendentes del libro de Jeremías es que la situación del profeta era extremadamente difícil. Su lugar de trabajo (entre las élites que gobernaban Judá) era corrupto y hostil a la obra de Dios. Jeremías estaba en peligro constante, pero era capaz de ver la presencia del Señor en las situaciones más difíciles. Su perseverancia nos recuerda que es posible aprender a experimentar la presencia de Dios en los lugares de trabajo más problemáticos.

Jeremías creció en una pequeña ciudad llamada Anatot, a cinco kilómetros al noreste de Jerusalén, la capital de Judá. Aunque geográficamente cercanas, las dos comunidades eran muy diferentes cultural y políticamente. Jeremías había nacido en la línea sacerdotal de Abiatar, pero no tenía mucho prestigio entre los sacerdotes de Jerusalén. Siglos antes, Salomón había suprimido la autoridad de Abiatar (**1** Re **1,28-2,26**) y lo había sustituido por la línea sacerdotal de Sadoc en Jerusalén.

Cuando Dios le llamó a ser profeta en Jerusalén, Jeremías se encontró en medio de sacerdotes que no aceptaban su sacerdocio heredado. Durante toda su larga carrera en Jerusalén, fue un forastero sospechoso e impopular. Las personas que se enfrentan a prejuicios culturales, étnicos, raciales, lingüísticos, religiosos o de otro tipo en sus lugares de trabajo actuales pueden identificarse con lo que Jeremías afrontó cada día de su vida.

La llamada de un profeta reticente y la descripción del papel que debe desempeñar

En el año decimotercero del reinado de Josías, a los veinte años, Jeremías fue llamado por Dios para ser profeta (Jer. **1**:**2**). Su tarea consistía en llevar los mensajes de Dios "*sobre las naciones y sobre los reinos, para levantar y para derribar, para destruir y para derribar, para edificar y para plantar*" (Jer **1**:**10**). Los mensajes de Dios a través de Jeremías no eran ni amables ni positivos, pues los judíos estaban desastrosamente cerca de dejar de ser fieles a Dios. A través de Jeremías, el Señor los llamó a volver a Él antes de que estallara el caos. Como un consultor externo contratado para reorganizar el orden establecido en una corporación, el profeta fue llamado a cambiar las prácticas establecidas en el reino de Judá. Parte de su tarea consistía en oponerse a la idolatría y a las malas prácticas que se habían convertido en parte del culto.

Su labor profética comenzó durante el buen reinado del rey Josías y continuó durante los reinados de los malvados sucesores Joacaz, Joaquín, Joaquín y Sedequías, y durante la destrucción total de Jerusalén que tuvo lugar bajo el dominio del babilonio Nabucodonosor en **586** a.C. Durante sus cuatro décadas como profeta de Dios en Jerusalén, Jeremías fue ridiculizado constantemente y era el hazmerreír de los habitantes de la ciudad. De hecho, escapó por los pelos a varios complots contra su vida (Jer **11**:**21**; **18**:**18**; **20**:**2**; **26**:**8**; **38**).

Jeremías no solicitó el cargo de profeta, y no encontramos en ninguna parte del texto que "*aceptara*" la llamada de Dios para ser Su portavoz. Esto contrasta con el texto de Isaías, quien, tras su visión de la santidad y majestad de Dios, le oyó preguntar: "¿A *quién enviaré y quién irá por nosotros?*". A lo que Isaías respondió: "*Aquí estoy; envíame a mí*" (Isaías **6**:**8**). Cuando Dios dijo a Jeremías que sería Su portavoz en Jerusalén, el profeta protestó por su juventud y falta de experiencia (Jeremías **1**:**6**-**7**). Sin embargo, Dios pareció ignorar esta protesta dándole inmediatamente mensajes proféticos para el pueblo (Jer. **1**:**11**-**16**). Más tarde, Dios también dio al nuevo profeta instrucciones, una advertencia y una promesa:

Por tanto, ciñe tus lomos, levántate y diles todo lo que yo te mando. No tengas miedo de ellos, no sea que yo te haga tener miedo de ellos. He aquí, yo te he puesto hoy como ciudad fortificada, columna de hierro y muro de bronce contra toda esta tierra, contra los reyes de Judá, sus príncipes, sus sacerdotes y el pueblo del país. "*Lucharán contra ti, pero no prevalecerán contra ti, porque yo estoy contigo*", declara Yahveh, "*para librarte*" (Jr **1**,**17**-**19**).

Jeremías supo desde el principio que su trabajo como profeta sería difícil. Su tarea lo enfrentaría a toda la nación de Judá, desde el rey, los príncipes y los sacerdotes hasta la gente de las calles de la ciudad. Pero recibió una clara llamada de Dios para realizar este difícil trabajo, y confió en que Dios le guiaría.

Visión general del libro de Jeremías

El libro de Jeremías refleja la situación de deterioro en la que se encontraba el profeta. En varias ocasiones, tuvo la nada envidiable tarea de denunciar la hipocresía religiosa, la deshonestidad económica y las prácticas opresivas de los líderes de Judá y sus seguidores. Jeremías era la voz de alarma, el perro guardián que llamaba la atención sobre verdades difíciles que otros preferían ignorar.

Porque así dice el SEÑOR acerca de la casa del rey de Judá.... Te convertiré en un desierto como las ciudades deshabitadas. Pondré contra ti destructores. Muchas naciones pasarán junto a esta ciudad, y cada una dirá a su vecina: "*¿Por qué ha hecho esto el Señor con esta gran ciudad?*". Entonces responderán: "*¡Porque han abandonado la alianza de Yahveh, su Dios!*". (Jer **22,6-9**)

Era el pesimista que en realidad era el realista. Además, fue rechazado y ridiculizado por falsos profetas que insistían en que Dios nunca permitiría que la ciudad de Jerusalén cayera en manos de un invasor.

La persistencia de Jeremías con su mensaje no deseado durante cuatro décadas es extraordinaria; simplemente no se rindió ante lo que parecía una tarea imposible. ¿Cuántos de nosotros nos hemos rendido en situaciones similares? La fidelidad constante de Jeremías al seguir las instrucciones de Dios es impresionante a la luz de la implacable oposición y las duras críticas a las que se enfrentó. Aunque a menudo se le llamaba el "*profeta llorón*" porque se lamentaba por el pecado de su pueblo y no lograba convencerlo de que volviera a *Yahvé*, la confianza de Jeremías nunca flaqueó. Sabía que Dios, que lo había colocado donde estaba, confirmaría la verdad de su mensaje. El profeta podía ser fiel a su vocación no deseada porque Dios había prometido serle fiel. "*Lucharán contra ti, pero no te vencerán, porque yo estoy contigo*", declara el Señor, "*para librarte*" (Jer. **1, 19**).

En **el año 605**, Nabucodonosor de Babilonia atacó Jerusalén y se llevó a diez mil de los judíos más competentes (incluidos Ezequiel y Daniel). En ese momento, el papel de Jeremías se amplió para llevar la Palabra de Dios a los judíos exiliados (Jer **29**). Entre los judíos capturados había falsos profetas que aseguraban a los exiliados que los días de Babilonia estaban contados y que Dios nunca permitiría que los habitantes de Jerusalén fueran cautivos, mientras que Jeremías les advertía que estarían en Babilonia durante setenta años. En lugar de actuar con falsas esperanzas, los judíos se asentaron en la tierra, construyeron casas, plantaron jardines, dieron a sus hijos en matrimonio y dejaron de escuchar a los falsos profetas.

Mientras tanto, los habitantes restantes de Judá seguían rechazando el mensaje de Dios. En **586**, los babilonios regresaron, saquearon Jerusalén, derribaron las murallas, destruyeron el templo piedra a piedra y tomaron prisioneros a los que quedaban sanos. Una vez más, el papel de Jeremías cambió (Jer. **40-45**). Dios lo mantuvo en la ciudad en ruinas, que fue gobernada brevemente por Gedalías, para animar al nuevo gobernador y ayudar al pueblo a comprender lo que había sucedido y cómo seguir adelante en medio de la destrucción. Pero una vez más, a pesar de sus súplicas para que escucharan el mensaje de Dios, depositaron su fe en una patética alianza militar con Egipto, que Babilonia derrotó rápidamente. Jeremías fue llevado a Egipto, donde murió. Al final, el profeta tuvo que soportar tanto la terquedad y la negativa de los gobernantes a escuchar los mensajes de Dios como el desastre resultante. Los profetas y los cristianos en el lugar de trabajo pueden descubrir que no tienen la capacidad de vencer todo mal. A veces el éxito significa hacer lo que sabemos que es correcto incluso cuando todo está en nuestra contra.

Los últimos capítulos (**46-52**) tratan principalmente del juicio que Dios traerá sobre todas las naciones, no sólo sobre Judá. Aunque Dios usó a Babilonia contra Judá, Babilonia tampoco escaparía al castigo.

Al leer Jeremías, uno no puede dejar de sorprenderse por los desastrosos resultados de la persistente falta de fe por parte de los líderes de Judá: los reyes, los sacerdotes y los profetas. Su falta de visión y su disposición a creer las mentiras que se decían unos a otros condujeron a la destrucción total de la nación y de su capital, Jerusalén. El trabajo que Dios nos da es un asunto serio. El no seguir la Palabra de Dios en nuestro trabajo puede causar serios daños a nosotros mismos y a los que nos rodean. Guiar al pueblo de Israel era tarea del rey, los sacerdotes y los profetas. El desastre nacional que pronto se abatió sobre Israel fue el resultado directo de sus malas decisiones y del incumplimiento de sus responsabilidades según el pacto.

Temas relacionados con el trabajo en el libro de Jeremías

El libro de Jeremías no está estructurado como un tratado sobre el trabajo. Por eso, los temas relacionados con el trabajo aparecen en distintos lugares del libro, a veces separados por muchos capítulos, y a veces juntos en el mismo capítulo o pasaje. En la medida de lo posible, tomaremos estos temas y pasajes en el orden en que aparecen en Jeremías.

Hemos visto que la principal preocupación de Jeremías es que el pueblo sea fiel a Dios. A medida que avanzamos en la lectura, podemos ver nuestro trabajo como un área importante en la que Dios quiere que seamos fieles. Si es así, experimentaremos la presencia de Dios en nuestro trabajo. Por lo tanto, nuestra fidelidad a Dios y su presencia en nuestro trabajo son temas relacionados a los que volveremos con frecuencia.

La llamada al trabajo (Jeremías 1)

Como hemos visto, Dios preparó a Jeremías para la labor de profeta antes de que naciera (Jer **1**:**5**), y en el momento oportuno lo llamó a esa labor (Jer **1**:**10**). Jeremías respondió fielmente al llamado de Dios a su trabajo, y Dios le dio el conocimiento que necesitaba para hacerlo (Jer **1**:**17**).

Aunque la vocación de Jeremías era la de profeta, no hay ninguna razón de peso para creer que el modelo de la llamada de Dios, seguida de una respuesta humana fiel y, a continuación, la provisión de Dios para la obra, se limita a los profetas. Dios llamó y equipó a José (Génesis **39**:**1**-**6**; **41**:**38**-**57**), a Bezaleel y Aholiab (Éxodo **36**-**39**) y a David (**1** Samuel **16**:**1**-**13**) para servir como tesorero, jefe de obras y rey, respectivamente. En el Nuevo Testamento, Pablo dice que Dios prepara a todos los creyentes para trabajar según Sus propósitos para el mundo (1Co **12**-**14**). Podemos ver en Jeremías un modelo para todos aquellos que siguen fielmente a Dios en su trabajo. Como dijo William Tyndale hace mucho tiempo:

No hay trabajo que pueda agradar a Dios más que otros: servir un vaso de agua, lavar platos, ser zapatero o apóstol, todos son iguales; lavar platos y predicar son iguales, en cuanto a la acción, para agradar a Dios.

Dios conoce las formas en que nosotros, como Jeremías, somos construidos de acuerdo a Su diseño. Dios nos guía para usar nuestras habilidades y talentos de manera piadosa en el mundo. Puede que no tengamos la misma vocación que Jeremías, y puede que nuestra vocación no sea tan directa, específica e innegable como la suya. Sería un error pensar que nuestro llamado al ministerio debe ser como el de Jeremías. Tal vez Dios fue extraordinariamente directo con Jeremías. Tal vez Dios fue extraordinariamente directo con este profeta porque era tan reacio a aceptar la llamada del Señor. De cualquier manera, podemos confiar en que Dios nos dará lo que necesitamos para hacer nuestro trabajo, cualquiera que sea, si somos fieles a Él en el trabajo.

La bondad y la contaminación del trabajo (Jeremías 2)

Mucho antes de que Jeremías naciera, Dios declaró que el trabajo era bueno para el hombre (Gn **1-2**). Como dijimos antes, el método de Jeremías consistía en reconocer lo que Dios había revelado anteriormente y señalar cómo estos principios se estaban poniendo en práctica -o no- en su época. En el capítulo **2**, Jeremías habló de cómo el pueblo estaba pervirtiendo la bondad de la obra. Dios dijo a su pueblo: "*Os traje a una tierra fértil para que comierais de su fruto y de su bondad; pero vinisteis y contaminasteis mi tierra y convertisteis mi heredad en abominación*" (Jer **2**:7). Añadió que el pueblo había "*ido tras cosas que no tienen provecho*" (Jer **2**:**8**).

El Señor trajo al pueblo a una tierra fértil donde el fruto de su trabajo sería abundante, pero ellos rechazaron Su presencia profanando Su tierra. Esta es una expresión habitual del privilegio teológico en el antiguo Cercano Oriente: Dios creó y es dueño de la tierra, pero se la dio al pueblo para que la administrara. Dios concedió a su pueblo el gran privilegio de trabajar su tierra, el lugar que había elegido para su templo, el lugar donde moraba su presencia. Aunque el pueblo de la época de Jeremías trabajaba la tierra de Dios con desprecio, el trabajo mismo fue creado por el Señor como algo bueno. "*Cuando comas del trabajo de tus manos, serás feliz y te irá bien*" (Sal **128**,**2**). Trabajar la tierra es necesario y, cuando se hace a la manera de Dios, trae alegría y un profundo sentido de la presencia y el amor de Dios. "*No hay nada mejor para un hombre que comer y beber, y decirse a sí mismo que su trabajo es bueno. He visto que viene de la mano de Dios*" (Ecl **2**,**24**).

Pero la obra se contaminó cuando la gente dejó de ser fiel a Dios en su trabajo. Contaminaron la tierra porque dejaron de seguir a Dios y "*fueron tras cosas vanas y se envanecieron*" (Jer **2**:**5**). Si nuestro trabajo no va bien, puede ser una señal de que nuestra comunión con Dios se ha debilitado. Tal vez hemos dejado de pasar tiempo con Dios, quizá porque trabajamos mucho. Sin embargo, a menudo sentimos la tentación de intentar arreglar el problema dedicando más tiempo a tareas "*inútiles*" (Jer **2**,**8**), con lo que descuidamos aún más la comunión con Dios. Nuestras tareas no son inútiles porque no trabajemos el tiempo suficiente, sino porque sin Dios en nuestro trabajo, éste se vuelve infructuoso e ineficaz. ¿Qué pasaría si llegáramos al fondo del problema y pasáramos más tiempo en comunión con Dios? ¿Podríamos anticipar con Dios todas las acciones y decisiones importantes que tomaremos durante el día? ¿Podríamos recordar y rezar por todas las personas con las que nos encontraremos? ¿Podríamos revisar nuestro trabajo con Dios al final del día?

Reconocimiento de la provisión de Dios (Jeremías 5)

Jeremías se lamentaba de que "este pueblo tiene un corazón obstinado y rebelde; se ha desviado y extraviado" (Jr **5,23**). Son administradores de la tierra de Dios, llamados a trabajarla en el "*temor*" del Señor. El "*temor*" (el término hebreo yare) de Dios se utiliza a menudo en el Antiguo Testamento como sinónimo de "*vivir en respuesta a Dios". Pero Jeremías advirtió que no eran conscientes de Dios como fuente de la lluvia y de la seguridad de las cosechas. "No dicen en su corazón: Temamos al Señor, nuestro Dios, que da la lluvia a su tiempo, la lluvia de otoño y la lluvia de primavera, y que nos guarda las semanas señaladas de la siega*" (Jer **5,24**). Son infieles porque se imaginan que son la fuente de su propia cosecha (véase Jr **17,5-6**). Como resultado, su cosecha ya no es buena. "*Vuestras iniquidades las han desviado, y vuestros pecados os han privado del bien*" (Jer **5,25**).

Este pasaje es uno de los muchos lugares de los capítulos **1-25** que hablan de la "profanación" de la tierra: "*Una cosa espantosa y terrible ha sucedido en la tierra: los profetas profetizan en falso, los sacerdotes gobiernan por su cuenta, y mi pueblo se complace en ello*" (Jer **5,30-31**). En la antigüedad, cuando la economía dependía principalmente de la agricultura, la contaminación de la tierra no era sólo una pérdida estética, sino también una pérdida de productividad y abundancia. También era un rechazo al Dios que les había dado la tierra. Chris Wright señala que la tierra -además de un sacramento o un signo visible- es un termómetro de nuestra relación con Dios. La violación de la tierra (ya sea por corporaciones, ejércitos o individuos) niega que Dios sea su dueño y que tenga un propósito al hacernos sus administradores.

El éxito y el fracaso de las posesiones materiales (Jeremías 5)

¿Preserva Dios del éxito material a quienes hacen el mal a Sus ojos? Jeremías está diciendo lo que algunos cristianos modernos se atreverían a decir: La falta de provisión de Dios puede ser una señal de que Dios no aprueba su trabajo. Dios retuvo la lluvia de Judá a causa del pecado de su pueblo. "*Vuestras iniquidades os han impedido estas cosas [las lluvias], y vuestros pecados os han privado de bienes*" (Jer **5,25**). El profeta no dice que todos los casos de falta de provisiones o de éxito sean signos del juicio de Dios. Esta es una de las cuestiones abiertas que Jesús abordó casi seiscientos años después, cuando dijo que el ciego de nacimiento no tenía esta limitación como señal del juicio de Dios (Jn **9,2-3**). Además, Dios proporciona el bien material incluso a los que son malos. Según Jesús, Dios "*hace salir su sol sobre malos y buenos, y hace llover sobre justos e injustos*" (Mt **5,45**). Del libro de Jeremías sólo podemos decir que el éxito material depende de la provisión de Dios, y que Dios puede -al menos a veces- negar el éxito material a quienes practican la injusticia y la opresión.

Sin embargo, debemos tener cuidado de no llegar a la conclusión de que existe una relación absoluta de causa-efecto entre nuestro pecado y el castigo de Dios en todas las situaciones de falta de recursos. ¿Las privaciones de los pobres se deben a que son malvados o perezosos? Jeremías diría que los pobres carecen de recursos porque los malvados o los perezosos los oprimen.

Injusticias, codicia, bien común e integridad (Jeremías 5-8)

Injusticia en el mundo

Como no reconocían a Dios como fuente de sus abundantes cosechas, el pueblo de Judá perdió todo sentido de responsabilidad ante el Señor por la forma en que trabajaba. Esto los llevó a oprimir y engañar a los débiles e indefensos:

Exageran en obras de maldad; no defienden la causa del huérfano, para que prospere, ni defienden los derechos del pobre (Jer **5,28**).

Se aferran al engaño, se niegan a volver. He oído y escuchado; han hablado lo que no es justo; ni uno solo de ellos se arrepiente de su maldad y dice: "*¿Qué he hecho?*" (Jer **8,5-6**)

Lo que debería haberse hecho por el bien de todos en la tierra de Dios, se hizo sólo en beneficio de ciertos individuos y sin temor al Dios para quien debían trabajar. Por lo tanto, el Señor les retuvo la lluvia, y pronto aprendieron que ellos no eran la fuente de su propio éxito. Existen aquí paralelismos con la crisis económica de **2008-2010** y su relación con la compensación, la honestidad en los préstamos y empréstitos, y la búsqueda de beneficios rápidos incluso a expensas de los demás. Es importante evitar el simplismo, ya que los principales problemas económicos actuales son demasiado complejos para los principios generalizados que tomamos de Jeremías. No obstante, existe una conexión -aunque compleja- entre el bienestar económico de las personas y las naciones y sus vidas y valores espirituales. El bienestar económico es una cuestión moral.

Codicia

Dios llama a las personas a tener un propósito más elevado que el egoísmo económico. Nuestro objetivo primordial es nuestra relación con Dios, dentro de la cual la provisión y el bienestar material son cuestiones importantes pero limitadas.

De ti me acuerdo del cariño de tu juventud, del amor de tus desposorios, cuando me seguías por el desierto, por tierra no sembrada. Israel era santo para el Señor, primicia de su mies (Jer **2,2-3**).

Jeremías miró a su alrededor y vio que la codicia -la búsqueda desenfrenada de beneficios económicos- había suplantado al amor a Dios como interés primordial del pueblo. "*Porque desde el más pequeño hasta el más grande, todos buscan ganancias; desde el profeta hasta el sacerdote, todos practican el engaño*" (Jer **8:10**). Nadie escapó a la condena de Jeremías por codicia. El profeta no favorecía ni al rico ni al pobre, ni al pequeño ni al grande. Le vemos recorrer "*las calles de Jerusalén*" para encontrar al menos "*un hombre, si lo hay, que haga justicia, que busque la verdad*" (Jer **5,1**). Primero, Jeremías preguntó a los pobres, pero los encontró endurecidos (Jer **5,4**). Luego se dirigió a los ricos, "*pero también ellos habían roto todos a la vez el yugo y las cadenas*" (Jer **5,5**).

Como dice Walter Brueggemann, Se culpa a todas las personas, pero especialmente a los líderes religiosos, por su falta de principios en el ámbito económico... Esta comunidad ha perdido todas las normas por las que juzgar y examinar su avaricia insaciable y explotadora. Los corazones se han inclinado a enriquecerse en lugar de temer a Dios y amar a los demás. Ya sea del rico (el rey, Jer **22:17**) o del pobre, tal codicia provocó la ira divina.

Trabajar en beneficio de todos

El deseo de Dios es que vivamos y trabajemos en beneficio de los demás, no sólo de nosotros mismos. Jeremías criticó al pueblo de Judá por no cuidar de quienes no podían proporcionar ningún beneficio económico a cambio, incluidos los huérfanos y los necesitados (Jr **5,28**), los extranjeros, las viudas y los inocentes (Jr 7,**6**). Esto va más allá de los cargos por desobedecer partes específicas de la ley, como el robo, el asesinato, el adulterio, los juramentos falsos y la adoración de dioses falsos (Jer 7:**9**). Jeremías formuló esta acusación contra individuos concretos ("*hay maldad en mi pueblo*", Jr **5,26**), contra todos ("*todo Judá*", Jr 7,**2**), contra los dirigentes de los negocios (los ricos, Jr **5,27**) y del gobierno (los jueces, Jr **5,28**), contra las ciudades (Jr **4,16-18**; **11,12**; **26,2**; y otros), y contra la nación en su conjunto ("*este pueblo malvado*", Jr **13,10**). Todos los componentes de la sociedad, individual e institucionalmente, habían roto la alianza con Dios.

La insistencia de Jeremías en que nuestro trabajo y sus frutos beneficien a los demás es una base importante para la ética empresarial y la motivación personal. Que una acción contribuya al bienestar de los demás es tan importante como su legalidad. Puede ser legal hacer negocios de una manera que perjudique a los clientes, a los empleados o a la comunidad, pero eso no lo hace legítimo a los ojos de Dios. Por ejemplo, la mayoría de las empresas forman parte de una cadena de producción que comienza con materias primas para producir piezas que se convierten en conjuntos y luego en productos acabados que entran en el sistema de distribución y llegan a los consumidores. Tal vez un actor de la cadena tenga la oportunidad de ganar poder sobre los demás, reducir los márgenes y llevarse todos los beneficios. Pero incluso si esto se hace legalmente, ¿es bueno para la industria y la comunidad? ¿Es incluso sostenible a largo plazo? También puede ser legal que un sindicato conserve las prestaciones de los trabajadores actuales negociando menos prestaciones para los nuevos trabajadores, pero si todos los trabajadores necesitan esas prestaciones, ¿se cumple realmente el objetivo del sindicato?

Son preguntas complejas, y no encontramos una respuesta precisa en Jeremías. Lo que sí es relevante en el libro es que el pueblo de Judá, en su mayor parte, pensaba que vivía de acuerdo con la ley, lo que probablemente incluía sus numerosas regulaciones económicas y laborales. Por ejemplo, a diferencia de otros profetas (por ejemplo, Ezequiel **45**:**9-12**), Jeremías no menciona que los mercaderes con los que entró en contacto utilizaban pesos y medidas injustos, lo que habría violado las leyes de Levítico **19**:**36**. Sin embargo, Dios consideró que su economía y su trabajo eran injustos. Sin embargo, Dios consideró infieles sus prácticas económicas y laborales porque seguían la letra de la ley pero no el espíritu. Jeremías dice que esto finalmente no permitió que todo el pueblo disfrutara del fruto de su trabajo en la tierra de Dios.

Como el pueblo de Judá, todos tenemos oportunidades de acumular o compartir los beneficios que recibimos de nuestro trabajo. Algunas empresas dan la mayor parte de sus primas y oportunidades de compra de acciones a los altos ejecutivos. Otras las distribuyen ampliamente entre todos los empleados. Algunas personas intentan llevarse todo el mérito por los logros en los que han participado. Otras dan todo el mérito que pueden a sus empleados. Una vez más, las cuestiones son complejas y debemos evitar hacer juicios precipitados sobre los demás. Sin embargo, todo el mundo puede hacerse una pregunta sencilla: La forma en que utilizo el dinero, el poder, el reconocimiento y otras recompensas de mi trabajo, ¿me beneficia principalmente a mí o beneficia a mis compañeros, a mi organización y a mi sociedad?

Del mismo modo, las organizaciones pueden guiarse por la codicia o por el bien común. Cuando una empresa utiliza su poder monopolístico para cobrar precios elevados o recurre al engaño para vender sus productos, está actuando de acuerdo con su codicia de dinero. Cuando un gobierno utiliza su poder para promover sus propios intereses por encima de los de sus vecinos, o a sus dirigentes por encima de sus ciudadanos, está actuando de acuerdo con su codicia de poder.

Jeremías ofrece una amplia perspectiva sobre el bien común y su opuesto, la codicia. La codicia no se limita a la ganancia que viola una ley particular, sino que incluye cualquier tipo de ganancia que ignore las necesidades y circunstancias de los demás. Según Jeremías, nadie en su época estaba libre de tal codicia. ¿Es diferente hoy en día?

Integridad

La palabra integridad significa vivir según un conjunto único y coherente de valores éticos. Cuando seguimos las mismas normas éticas en casa, en el trabajo, en la iglesia y en la comunidad, tenemos integridad. Cuando seguimos normas éticas diferentes en distintos ámbitos de la vida, carecemos de integridad.

Jeremías lamenta la falta de integridad que ve en el pueblo de Judá. Aparentemente creían que podían violar las normas éticas de Dios en su trabajo y en su vida cotidiana y luego ir al templo, actuar santamente y salvarse de las consecuencias de sus actos.

Robar, matar, cometer adulterio, jurar en falso, ofrecer sacrificios a Baal e ir tras otros dioses que no habéis conocido. ¿Vendréis, pues, y os pondréis delante de mí en esta casa sobre la cual es invocado mi nombre, y diréis: "*Ya estamos salvados*"; y luego seguiréis haciendo todas estas abominaciones? "*¿Acaso esta casa, que es llamada por mi nombre, se ha convertido a vuestros ojos en una cueva de ladrones? He aquí que yo mismo lo he visto*", declara Yahveh (Jr 7,**9-11**).

Jeremías les llama a vivir en integridad, o su piedad no significará nada para Dios. "*Y os echaré de mi presencia*", dice Dios (Jer 7,**15**). Nuestros corazones no están bien con Dios simplemente por ir al templo. Nuestra relación con Él se refleja en nuestras acciones, en lo que hacemos cada día, incluido lo que hacemos en el trabajo.

Fe en la provisión de Dios (Jeremías 8:16)

En Jeremías **5** vimos que el pueblo no reconocía la provisión de Dios. Si la gente no reconocía a Dios como la fuente última de las cosas buenas que ya tenían, ¿cuánta fe podían tener para depender de la provisión de Dios en el futuro? John Cotton, el teólogo puritano, dice que la fe debe ser la base de todo lo que hacemos en la vida, incluido nuestro trabajo o vocación:

El cristiano que cree de verdad... vive en su vocación por su fe. No sólo mi vida espiritual, sino incluso mi vida civil en este mundo y todo lo que vivo es por la fe del Hijo de Dios: para él nada en la vida está exento de la unidad de su fe.

He aquí de nuevo el fracaso fundamental del pueblo de Judá en tiempos de Jeremías, su falta de fe. A veces Jeremías lo expresaba como "*no conocer*" al Señor, que es un requisito previo para la fidelidad. Otras veces lo describe como no "*oír*", es decir, no escuchar, obedecer e incluso dar importancia a lo que Dios ha dicho. Otras veces lo ha llamado falta de "*temor*". Pero todo esto no es más que falta de fe: una fe viva y activa en quién es Dios y en lo que hace o dice. Esta falta contamina la visión que la gente tiene del trabajo, lo que lleva a violaciones flagrantes de la ley de Dios y a la explotación de los demás en beneficio propio.

La gran ironía es que, al confiar en sus propias acciones en lugar de ser fieles al Señor en su trabajo, la gente acabó por no encontrar la alegría, la satisfacción y la bondad de la vida. Con el tiempo, Dios se ocupará de su falta de fidelidad y "*elegirá la muerte en lugar de la vida para todo el remanente que quede de esta semilla malvada*" (Jer **8**:**3**). Las leyes de Dios son para nuestro propio bien y son dadas para mantenernos enfocados en nuestro propósito correcto. Cuando dejamos de lado las leyes de Dios porque nos impiden cuidarnos a nuestra manera, rechazamos el plan de Dios para nosotros y nos convertimos en lo contrario. Cuando trabajamos por nuestra cuenta -y especialmente cuando hacemos caso omiso de las leyes de Dios para hacerlo-, el trabajo no alcanza su propósito adecuado. Negamos la presencia de Dios en el mundo. Pensamos que sabemos mejor que Dios cómo conseguir lo que queremos. Así que trabajamos según lo que queremos, no según lo que Dios quiere. Sin embargo, esto no nos da las cosas buenas que Dios quiere que tengamos. Al experimentar esta carencia, nos involucramos en actos de egoísmo cada vez más desesperados. Tomamos atajos, oprimimos a los demás y acaparamos lo poco que tenemos. Ahora no sólo no recibimos lo que Dios quiere darnos, sino que tampoco producimos nada de valor para nosotros ni para los demás. Si toda la comunidad o nación actúa de la misma manera, pronto estaremos enfrentados unos con otros, buscando productos cada vez menos satisfactorios de nuestro trabajo.

Nos hemos convertido en lo contrario de lo que debíamos ser como pueblo de Dios. Ahora todos "*reconocen y ven que es malo y amargo abandonar al Señor, tu Dios, y no temerme*", declara el Señor, el Dios de los ejércitos (Jer. **2,19**).

El tema del abandono de Dios, la pérdida de fe en Su provisión y la opresión dentro del pueblo se repite a intervalos a lo largo de Jeremías **8-16**. La prosperidad del pueblo desaparece. Como resultado, su prosperidad desaparece: "*Ya no se oye el bramido del ganado; de las aves del cielo hasta las bestias han huido; se han ido*" (Jr **9,10**). Como consecuencia, intentan compensar la pérdida engañándose unos a otros. "*Cada uno engaña a su prójimo y no dice la verdad... Vuestra morada está en medio del engaño*" (Jer **9,5-6**).

El papel del trabajo en una vida equilibrada (Jeremías 17)

Jeremías también se centró en el ciclo de trabajo y descanso. Como siempre, el profeta partió de la revelación previa de Dios, en este caso sobre el descanso del sábado:

Y en el séptimo día terminó Dios la obra que había hecho, y descansó el séptimo día de toda la obra que había hecho (Gn **2**:**2**).

Acuérdate del día de reposo para santificarlo. Seis días trabajarás y harás toda tu obra, pero el séptimo día es sábado de descanso para el Señor, tu Dios (Ex **20**:**8**-**10**).

Pero Jeremías se encontró con un pueblo que se negaba a guardar el sábado:

Esto dice Yahveh: 'Guardaos de llevar carga en sábado y de introducirla por las puertas de Jerusalén. No saquéis carga de vuestras casas en el día de reposo, ni hagáis ningún trabajo, sino santificad el día de reposo, como mandé a vuestros padres. Pero ellos no escucharon, ni inclinaron sus oídos, sino que endurecieron sus cuellos para no oír ni recibir corrección (Jer **17**:**21**-**23**).

Anteriormente, en el mismo capítulo **17**, Dios habló a través de Jeremías y dijo:

Maldito el hombre que confía en el hombre, y hace de la carne su fuerza, y aparta de Yahveh su corazón. Será como un arbusto en el desierto, y no verá el bien cuando llegue; habitará en los pedregales del desierto, tierra salada y sin morador. Bienaventurado el hombre que confía en el Señor, cuya confianza está en el Señor. Será como un árbol plantado junto a las aguas, que extiende sus raíces junto a la corriente; no temerá en el calor, y sus hojas estarán verdes; en el año de sequía no temerá, ni dejará de dar su fruto. (Jer **17**,**5**-**8**).

Básicamente, Jeremías estaba repitiendo su idea sobre la fe en la provisión de Dios que discutimos en los capítulos **8** al **16**, usando el sábado como ejemplo concreto. Cuando confiamos en nosotros mismos en lugar de ser fieles a Dios, creemos que no podemos tomarnos tiempo para descansar. Hay demasiado trabajo que hacer si queremos tener éxito en nuestras carreras, hogares y aficiones, así que ignoramos el sábado para hacerlo. Pero según Jeremías, si confiamos en nosotros mismos y hacemos de "*la carne*" nuestra fuerza, nos llevará al "*desierto*" mientras nos presionamos sin descanso **las 24 horas del día** para alcanzar el éxito. No "*verá el bien cuando venga*". En cambio, el que confía en el Señor "*no dejará de dar fruto*". *En definitiva, es contraproducente ignorar la necesidad de un equilibrio entre el trabajo y el descanso*".

El trabajo bendice a toda la sociedad (Jeremías 29)

En Jeremías **29**, el profeta subraya que Dios pretende que el trabajo de su pueblo bendiga y sirva a las comunidades circundantes, no sólo al pueblo de Israel.

Esto es lo que el Señor de los ejércitos, el Dios de Israel, dice a todos los desterrados que he enviado al exilio desde Jerusalén a Babilonia: "*Construid casas y vivid en ellas, plantad huertos y comed del fruto de ellos.* Tomen esposas y tengan hijos e hijas... multiplíquense allí y no disminuyan. "*Y buscad el bienestar de la ciudad a la que os he expulsado, y rogad por ella a Yahveh; porque en su bienestar encontraréis* bienestar". (Jer **29**:**4**-7)

Este tema se encuentra en capítulos anteriores, como la orden de Dios de no oprimir a los extranjeros que viven dentro de las fronteras de Judá (Jer **7**:**6**; **22**:**3**). También forma parte del pacto que Jeremías recordó a Judá. "*Abraham se convertirá en una nación grande y poderosa, y en él serán bendecidas todas las naciones de la tierra*" (Gn **18**:**18**). Sin embargo, los falsos profetas en el exilio aseguraron a los judíos exiliados que el favor de Dios estaría siempre con Israel, con exclusión de sus vecinos. Babilonia caería, Jerusalén se salvaría y el pueblo pronto regresaría a casa. Jeremías trató de contrarrestar esta falsa afirmación con la verdadera palabra de Dios para ellos: *"Estaréis en el exilio en Babilonia durante setenta años"* (Jer **29**:**10**).

Babilonia sería el único hogar para esa generación. Dios le dijo al pueblo que trabajara la tierra diligentemente: "*construyan casas... planten huertos y coman sus frutos*". Los judíos debían salir como pueblo de Dios, aunque estuvieran en un lugar de castigo y penitencia para ellos. Además, el éxito de los judíos en Babilonia estaba ligado al éxito de Babilonia. "*Orad al Señor por ella [la ciudad], porque en su prosperidad prosperaréis*" (Jer **29**:7). Este llamamiento a la responsabilidad cívica de hace dos mil seiscientos años sigue siendo válido hoy. Estamos llamados a trabajar por el bienestar de toda la comunidad, no sólo por nuestros propios intereses. Como los judíos de la época de Jeremías, estamos lejos de ser perfectos. Incluso podemos sufrir nuestra propia falta de fidelidad y corrupción. Sin embargo, estamos llamados y dotados para ser una bendición para las comunidades en las que vivimos y trabajamos.

Dios ha llamado a Su pueblo a utilizar sus muchas habilidades vocacionales para servir a la comunidad circundante. "*Y buscad el bienestar de la ciudad a la que os he desterrado*" (Jer **29**:**7**). Se podría argumentar que este pasaje no prueba realmente que Dios esté interesado en los babilonios. Simplemente sabe que los israelitas no pueden prosperar como prisioneros allí a menos que sus captores también lo hagan. Pero, como hemos visto, la preocupación por los que no forman parte del pueblo de Dios es un elemento inherente a la alianza y aparece en las enseñanzas anteriores de Jeremías.

En Jeremías **29, los** constructores de casas, los jardineros, los agricultores y los obreros de todo tipo fueron llamados específicamente a trabajar por el bien de toda la sociedad. La provisión de Dios es tan grande que incluso cuando los hogares de su pueblo sean destruidos, las familias deportadas, las tierras confiscadas, los derechos violados y la paz destruida, tendrán lo suficiente para prosperar y bendecir a los demás. Esto sólo será posible si dependen de Dios; de ahí la exhortación a orar de Jeremías **29**:7. A la luz de Jeremías **29**, es difícil leer **1** Corintios **12-14** y los demás pasajes del Nuevo Testamento sobre los dones como aplicables sólo a la Iglesia o a los cristianos. (Para un análisis de este punto, véase "*1 Corintios*" en Enseñanza para la Obra). Dios llama y capacita a su pueblo para ministrar a todo el mundo.

La presencia de Dios en todas partes (Jeremías 29)

Esto no es sorprendente, por supuesto, ya que "*del Señor es la tierra y todo lo que hay en ella, el mundo y los que lo habitan*" (Sal **24:1**). La presencia de Dios no está sólo en Jerusalén o Judá, sino incluso en la capital del enemigo. Podemos ser una bendición dondequiera que estemos, porque Dios está con nosotros dondequiera que estemos. Allí, en el corazón de Babilonia, el pueblo de Dios fue llamado a trabajar como si estuviera en la presencia de Dios. Hoy nos resulta difícil comprender lo chocante que debió de ser esto para los exiliados, que pensaban que Dios sólo estaba presente en el templo de Jerusalén. Ahora se les decía que debían vivir en la presencia de Dios sin el templo y lejos de Jerusalén.

La sensación de exilio es familiar para muchos cristianos trabajadores. Estamos acostumbrados a encontrar la presencia de Dios en la iglesia, entre sus seguidores. Pero en el trabajo, junto a creyentes y no creyentes, puede que no esperemos encontrar la presencia de Dios. Esto no significa que estas instituciones sean necesariamente poco éticas u hostiles a los cristianos, sino simplemente que sus planes no incluyen trabajar en presencia de Dios. Sin embargo, Dios está presente y siempre busca revelarse a quienes lo reconocen allí. Cuando te establezcas en la tierra: planta huertos y come lo que produzcas, trabaja y lleva el salario a casa. Dios está allí contigo.

Una bendición para todas las naciones (Jeremías 29)

Aquí encontramos una visión ampliada del bien común. Reza por Babilonia porque el propósito de Israel es ser una bendición para toda la humanidad, no sólo para sí mismo: "*En ti serán bendecidas todas las familias de la tierra*" (Gn **12**,**3**). En la derrota absoluta llega el momento en que son llamados a bendecir incluso a sus enemigos. Esta bendición incluía la prosperidad material, como deja claro Jeremías **29**:7. Qué irónico que en los capítulos **1-25** Dios privara a Judá de Su paz y prosperidad por su falta de fidelidad, pero en el capítulo **29** Dios bendijera a Babilonia con paz y prosperidad incluso ante la falta de fe de los babilonios en el Dios de Judá. ¿Por qué? Porque el verdadero propósito de Israel era ser una bendición para todas las naciones.

Esto cuestiona inmediatamente cualquier plan diseñado para el beneficio particular de los cristianos. Como parte de nuestro testimonio, los cristianos estamos llamados a competir eficazmente en el mercado. No podemos dirigir negocios mediocres y esperar que Dios nos bendiga mientras rendimos por debajo de nuestras posibilidades. Los cristianos debemos competir con excelencia en igualdad de condiciones si queremos bendecir al mundo. Cualquier organización empresarial, relación privilegiada con los proveedores, preferencia de contratación, ventaja fiscal o reglamentaria, u otro sistema diseñado para beneficiar sólo a los cristianos no es una bendición para la ciudad. Durante las hambrunas de Irlanda a mediados del siglo XIX, muchas iglesias anglicanas proporcionaban alimentos sólo a las personas que se convertían del catolicismo romano al protestantismo. La mala voluntad que esto causó aún resuena ciento cincuenta años después, y fue simplemente un acto de interés propio de una secta cristiana contra otra. Imagínense el daño mucho mayor causado por los cristianos que discriminan a los no creyentes, que llena las páginas de la historia desde la antigüedad hasta nuestros días.

El trabajo de los cristianos en su fidelidad a Dios está destinado a beneficiar a todos, empezando por los que no forman parte del pueblo de Dios y extendiéndose a través de ellos al propio pueblo de Dios. Este es quizá el principio económico más profundo de Jeremías: que trabajar por el bien de los demás es la única manera fiable de trabajar por nuestro propio bien. Los líderes empresariales de éxito entienden que el desarrollo de productos, el marketing, las ventas y el servicio al cliente son eficaces cuando ponen al cliente en primer lugar. Sin duda, ésta es una buena práctica que deberían reconocer todos los empleados, sean seguidores de Cristo o no.

El restablecimiento de la bondad en el trabajo (Jeremías 30-33)

Durante veintitrés años, Jeremías profetizó la próxima destrucción de Jerusalén (a partir de los argumentos de Dios contra Judá en los capítulos **2** a **28**). Luego, en los capítulos **30-33**, el profeta mostró su anhelo por la restauración del reino de Dios. Lo describió en términos de la alegría del trabajo sin la corrupción del pecado:

De nuevo te edificaré, y serás de nuevo edificada, oh virgen de Israel; de nuevo tomarás tus panderos, y saldrás a los bailes con los que se alegran. De nuevo plantarás viñas en los montes de Samaria; los plantadores las plantarán y las disfrutarán. Porque llegará el día en que los centinelas de la región montañosa de Efraín gritarán: "*Levantaos, subamos a Sión, al Señor nuestro Dios*". (Jer. **31**:**4-6**).

También en esa tierra se comprarán casas, campos y viñedos (Jer. **32**:**15**).

El contexto general de las profecías de Jeremías es el pecado, el exilio y la restauración, como vemos aquí. Incluso la forma en que se la llama ("*virgen de Israel*") es una declaración de restauración en comparación con Jer **2,23-25.33** y **3,1-5**. Aunque la restauración de Judá aún no era inminente, el profeta hablaba de la esperanza prometida a los exiliados en **29,11**. En el mundo restaurado, el pueblo se convertiría en un pueblo de paz. En el mundo restaurado, el pueblo seguiría trabajando, pero aunque su trabajo había sido inútil en el pasado, más tarde disfrutaría del fruto. La vida del pueblo restaurado tendría los aspectos del trabajo, el disfrute, la fiesta y la adoración, todos entrelazados. La imagen de plantar, cosechar, hacer música, bailar y disfrutar de la cosecha describe la alegría de trabajar mientras se es fiel a Dios. Esta sigue siendo la visión cristiana del reino, parcialmente cumplida en el mundo actual y completada en la nueva creación descrita en Apocalipsis **21-22**.

La fidelidad a Dios no es una cuestión secundaria, sino que es fundamental para disfrutar del trabajo y de sus frutos. La "*nueva alianza*" descrita en Jeremías **31**:**31-34** y **32**:**37-41** "*reitera la importancia de la fidelidad*".

He aquí que vienen días -declara el Señor- *en que haré una nueva alianza con la casa de Israel y con la casa de Judá, no como la alianza que hice con sus padres el día que los tomé de la mano para sacarlos de la tierra de Egipto, mi alianza que ellos rompieron, siendo yo su esposo* -declara el Señor-;

porque ésta es la alianza que haré con la casa de Israel después de aquellos días -declara el Señor-. Pondré mi ley en su interior y la escribiré en su corazón; seré su Dios y ellos serán mi pueblo. Y ya no será necesario que enseñen de vecino a vecino, ni de hermano a hermano, diciendo: 'Conoce a Yahveh'; porque todos ellos, desde el más pequeño hasta el más grande, me conocerán" (Jer **31,31-34**).

De un solo golpe, vemos un mundo restaurado: el trabajo del pueblo de Dios disfrutado como siempre debió ser, con corazones fieles a la ley del Señor. Las personas vuelven a ser lo que siempre debieron ser, trabajando por el bien común y experimentando la presencia de Dios en todos los aspectos de la vida. Robert Carroll comenta: "*La comunidad restaurada es aquella en la que el trabajo y el culto están integrados*". Aunque no esperamos que esto sea una realidad completa para nosotros, ya que todavía estamos en un mundo de pecado, podemos ver algunos atisbos de tal escenario hoy en día.

La emancipación de los esclavos (Jeremías 34)

Uno de los nuevos mandamientos de Dios en Jeremías es la renuncia a la esclavitud (Jr **34**,**9**). La Ley de Moisés exigía que los esclavos hebreos fueran liberados tras seis años de servicio (Éxodo **21**:**2-4**; Deuteronomio **15**:**12**). Los adultos podían venderse y los padres podían vender a sus hijos como esclavos durante seis años. Después, debían ser liberados (Lev **25**:**39-46**). En teoría, era un sistema más humano que la servidumbre moderna o la esclavitud, pero los amos abusaban de él ignorando básicamente el requisito de liberar a los esclavos al final del plazo o de volver a tomar esclavos para toda su vida por períodos consecutivos de seis años (Jer **34**:**16-17**).

Jer **34**:**9** es significativo porque exigía la liberación inmediata de todos los esclavos hebreos, independientemente del tiempo que hubieran trabajado como esclavos. Y lo que es aún más drástico, disponía *que "nadie tendrá por esclavo a un judío, su hermano... para que nadie los tenga ya por esclavos*" (Jer **34**:**9-10**). En otras palabras, se trataba de la abolición de la esclavitud, al menos en lo que respecta a los judíos que tenían a otros judíos como esclavos. No está claro si iba a ser una abolición permanente o si fue una respuesta a las circunstancias extremas de la derrota militar y el exilio inminente. En cualquier caso, no se aplicó durante mucho tiempo, y los amos no tardaron en recuperar a sus antiguos esclavos como esclavos. No obstante, es un avance económico impresionante, o lo habría sido si se hubiera convertido en una medida permanente.

Desde el principio, Dios prohibió la esclavitud involuntaria y de por vida entre los judíos porque "*fuiste esclavo en la tierra de Egipto, y el Señor, tu Dios, te redimió*" (Deut. **15**:**15**). Si Dios extendió su brazo para liberar a un pueblo, ¿cómo podría soportar que volvieran a ser esclavos, incluso de otros del mismo pueblo? Pero en Jeremías **34**, Dios añadió un nuevo elemento: "*proclamando la libertad a cada uno su hermano y a cada uno su prójimo*" (Jr **34**,**17**). Es decir, la humanidad de los esclavos -a los que se refiere llamándolos "*hermano y prójimo*"- exigía que fueran liberados. Merecían ser libres porque eran -o deberían haber sido- miembros queridos de la comunidad. Esto trascendía la clasificación religiosa o racial, ya que personas de diferentes religiones y razas podían ser vecinos entre sí. No tenía nada que ver con descender de la nación concreta, Israel, que Dios había liberado de Egipto. Los esclavos debían ser liberados simplemente porque eran humanos, al igual que sus amos y las comunidades que los rodeaban.

Este principio básico sigue siendo válido. Los millones de personas que siguen esclavizadas en todo el mundo necesitan urgentemente ser liberadas, simplemente porque son seres humanos. Además, todos los trabajadores -no sólo los esclavizados- deben ser tratados como "*hermanos, hermanas y prójimos*". Este principio se aplica tanto a las condiciones de trabajo inhumanas, las violaciones de los derechos civiles de los trabajadores, la discriminación injusta, el acoso sexual y una serie de males menores como a la esclavitud en sí misma. Lo que no haríamos a nuestros semejantes, lo que no toleraríamos que les ocurriera a nuestros hermanos, no debemos tolerarlo en nuestras empresas, organizaciones, comunidades o sociedades. En la medida en que los cristianos podemos configurar el entorno de nuestros lugares de trabajo, tenemos el mismo mandato que el pueblo de Judá en tiempos de Jeremías.

Mantente firme en el trabajo (Jeremías 38)

La mayor parte de lo que queda del libro describe las pruebas de Jeremías como profeta (capítulos **35-45**), sus presagios a las naciones (capítulos **46-51**) y el relato de la caída de Jerusalén (capítulo **52**). La historia de Ebed-melec es un pasaje que destaca en la obra. La historia es sencilla: Jeremías predicó al pueblo mientras Jerusalén estaba sitiada por el ejército babilónico. Su mensaje era que la ciudad caería y que cualquiera que saliera y se rindiera a los babilonios viviría, pero los funcionarios de Judá no se lo tomaron como un discurso motivador. Con el permiso del rey, metieron a Jeremías en una cisterna, donde moriría de hambre durante el asedio de Babilonia o se ahogaría con la siguiente lluvia (Jer **38**:**1-6**).

Entonces ocurrió algo sorprendente. Un inmigrante llamado Ebed-melec, que era sirviente en el palacio real, oyó que Jeremías había sido puesto en la cisterna. Cuando el rey estaba sentado en la puerta de Benjamín, Ebed-melec salió del palacio y le dijo: "*Oh rey, señor mío, estos hombres han hecho mal en todo lo que han hecho al profeta Jeremías al arrojarlo a la cisterna; morirá donde está a causa del hambre, pues no queda pan en la ciudad*". Entonces el rey ordenó a Ebed-melec el etíope, diciendo: "*Toma de aquí tres hombres a tus órdenes y saca al profeta Jeremías de la cisterna antes de que muera*" (Jer **38**,**7-10**).

Es muy probable que el cambio de decisión del rey mostrara simple indiferencia en el asunto (aunque Dios puede utilizar tanto la indiferencia como la actividad por parte de un rey). Es el esclavo gentil sin nombre (Ebed-melec significa simplemente "*esclavo del rey*") quien destaca como fiel. Aunque su condición de inmigrante y su diferencia racial le convertían en un trabajador vulnerable, su fidelidad a Dios le llevó a denunciar la injusticia en su lugar de trabajo. Como resultado, se salvó una vida. Un engranaje anónimo en un torno marcó la diferencia entre la vida y la muerte.

La acción de Ebed-melec en favor del profeta ilustra el mensaje de Jeremías de que la fidelidad a Dios tiene más peso que cualquier otra consideración en el lugar de trabajo. Ebed-Melec no sabía de antemano si el rey actuaría con justicia o si salirse de la cadena jerárquica sería un movimiento que limitaría su carrera (o un movimiento que acabaría con su vida, dado lo que le ocurrió a Jeremías). Parece que confió en que Dios proveería, independientemente de la respuesta del rey. Así que Ebed-Melec fue alabado por Dios. "*Yo te libraré... porque has confiado en mí, dice Yahveh*" (Jer **39**,**18**).

Jeremías poeta en acción: Lamentaciones

Aunque no hay pruebas en la propia Biblia de que el libro de las Lamentaciones fuera escrito por Jeremías, la tradición rabínica, los temas paralelos de Jeremías y las Lamentaciones, y el carácter de testigo ocular de las Lamentaciones señalan a Jeremías como el autor más probable de estos cinco poemas de aflicción. Judá y su capital, Jerusalén, fueron completamente destruidas. Tras dos años de asedio, los babilonios tomaron la ciudad, derribaron sus murallas, saquearon y destruyeron el templo de Dios y se llevaron a los habitantes sanos al exilio en Babilonia.

Jeremías es uno de los pocos supervivientes que quedan en la tierra, viviendo entre los que se han aferrado a la vida durante la hambruna y han visto morir a niños hambrientos mientras los falsos profetas siguen engañando al pueblo sobre los propósitos de Dios. El libro de las Lamentaciones capta la desolación de la ciudad y la desesperación del pueblo, al tiempo que señala la causa de esa desolación.

Aquí vemos al poeta en acción. En cinco poemas estrechamente estructurados, utiliza poderosas imágenes de la matanza en la ciudad cuando Dios permite que su pueblo sea castigado por sus atroces pecados. Pero a pesar de la profundidad emocional de su lamento, el artista capta la devastación de una forma poética controlada. Es arte al servicio de la liberación emocional. Aunque no es habitual que un debate sobre el "trabajo" incluya el trabajo de los artistas, estos poemas nos obligan a reconocer el poder del arte para encapsular los altibajos de la experiencia humana.

El artista añade una nota de esperanza en medio de la desesperación, arraigando el futuro en la bondad de Dios:

Esto traigo a mi corazón, pues esto espero: Que la misericordia del Señor nunca cese, pues su bondad nunca falla; es nueva cada mañana; ¡grande es su fidelidad! "*El Señor es mi porción*", dice mi alma, "*por eso espero en Él. El Señor es bueno con los que en Él esperan, con el alma que le busca*" (Lam **3,21-25**).

Porque el Señor no rechaza para siempre, sino que si aflige, también tendrá compasión según su gran misericordia. Porque no castiga por placer, ni aflige a los hijos de los hombres (Lam **3,31-33**).

¿Por qué han de quejarse los vivos? ¡Que sean valientes ante sus pecados! Examinemos y escudriñemos nuestros caminos, y volvámonos al Señor; elevemos nuestro corazón en nuestras manos a Dios en los cielos. (Lam **3,39-41**).

En la destrucción de Jerusalén, los inocentes sufrieron junto con los culpables. Los niños murieron de hambre, y profetas fieles como Jeremías soportaron la misma miseria impuesta a aquellos cuyos pecados provocaron la destrucción de la ciudad. Esta es la realidad de vivir en un mundo caído. Cuando las empresas se hunden bajo el peso de malas decisiones, negligencias graves o prácticas ilegales, personas inocentes pierden sus empleos y pensiones junto con los causantes del desastre. Al mismo tiempo, las injusticias de esta vida no son eternas para los cristianos que trabajan. Dios reina y su misericordia nunca falla (Sal **136**). No es fácil aferrarse a esta realidad divina en medio de sistemas pecaminosos y líderes sin principios, pero Lamentaciones nos dice que "*el Señor no será negado para siempre*". Caminamos por la fe en el Dios vivo, cuya fidelidad hacia nosotros nunca fallará.

Introducción al Libro de Ezequiel

Vivir con Dios no es sólo una cuestión de adoración y devoción personal. Vivir con Dios es también una cuestión de vivir rectamente, ya sea en el lugar de trabajo, en casa, en la iglesia o en la sociedad. Esto no contradice la enseñanza de que la salvación es sólo por gracia mediante la fe en Jesucristo (Romanos **5:1**), pero sí señala que la vida con Dios comienza con la fe en Cristo y se completa viviendo rectamente en todos los aspectos de la vida.

En el libro de Ezequiel encontramos un relato convincente del sufrimiento del pueblo judío mientras viven en la incertidumbre y la opresión -incluso la muerte- como prisioneros en el imperio conquistador de Babilonia. Cuando preguntan por qué Dios les ha permitido sufrir así, Ezequiel les da la respuesta de Dios: por su forma de vida injusta (Ez **18:1-17**). El comportamiento injusto de Israel abarcaba todos los ámbitos de la vida: el matrimonio y la sexualidad, el culto y la idolatría, el comercio y el gobierno.

Nos centramos en las prácticas laborales, y Ezequiel tiene mucho que decir sobre el lugar de trabajo. Sus palabras abarcan temas como las finanzas y la deuda, el desarrollo económico, la honradez, la asignación de capital, la evaluación del trabajo, el rendimiento justo de la inversión, el oportunismo económico, el éxito y el fracaso, la denuncia de irregularidades, el trabajo en equipo, la remuneración de los ejecutivos y la gobernanza empresarial. Además, la poderosa llamada de Ezequiel a la profecía nos da un ejemplo de cómo Dios llama a un tipo específico de trabajo.

La llamada de Ezequiel a ser profeta (Ezequiel 1-17)

Empecemos como empieza el libro, con la llamada de Dios a Ezequiel para que sea profeta. Cuando conocemos a Ezequiel, descendiente de Leví, hijo de Jacob, es sacerdote de profesión (Ez **1,2**). Como tal, su trabajo diario consistía en sacrificar, descuartizar y asar los animales que el pueblo le llevaba al templo de Jerusalén. Como sacerdote, también era el líder moral y espiritual del pueblo, enseñaba la ley de Dios y dirimía las disputas (Lv **10:11**; Dt **17:8-10**; **33:10**).

Sin embargo, su ministerio sacerdotal se vio violentamente interrumpido cuando fue llevado cautivo a Babilonia en la primera deportación de judíos de Jerusalén en el **año 605** a.C. En Babilonia, la comunidad judía exiliada se agobiaba con dos preguntas: "*¿Ha sido Dios injusto con nosotros?*" y "*¿Qué hemos hecho para merecer esto?*". El Salmo **137:1-4** capta bien la desesperación de estos judíos exiliados:

Junto a los ríos de Babilonia nos sentamos y lloramos, recordando a Sión. En los sauces, en medio de ella, colgamos nuestras arpas. Porque allí nos pedían canciones los que nos llevaban cautivos, y nos pedían alegría los que nos atormentaban, diciendo: "*Cantadnos uno de los cantos de Sión. ¿Cómo cantaremos el cántico del Señor en tierra extraña?*".

En el exilio de Babilonia, Ezequiel recibe una tremenda llamada de Dios. Al igual que la llamada de Isaías (Is **6:1-8**), la de Ezequiel comienza con una visión de Dios (Ez **1:4-2:8**) y termina con la orden de convertirse en profeta. Las llamadas directas a un tipo específico de trabajo son raras en la Biblia, y la de Ezequiel es una de las más llamativas. Aunque la vocación original de Ezequiel era el sacerdocio, Dios le llamó a una carrera profética que era a la vez política y religiosa. Es lógico que la visión en la que recibió su llamada incluya símbolos políticos como ruedas (Ez **1,16**), un ejército (Ez **1,24**), un trono (Ez **1,26**) y un centinela (Ez **3,17**), pero no símbolos sacerdotales. La llamada de Ezequiel debería acabar con la idea de que las llamadas de Dios sacan a las personas de sus ocupaciones seculares y las llevan al ministerio eclesiástico. O para decirlo con más precisión, Ezequiel, como todos en el antiguo pueblo de Israel, no ve ninguna ocupación como secular. Cualquier trabajo que hagamos es un reflejo de nuestra relación con Dios; no hay necesidad de cambiar de ocupación para hacer un trabajo que sirva a Dios.

La carrera profética de Ezequiel comienza con el exilio en Babilonia, once años antes de la destrucción final de Jerusalén. Lo primero que Dios le pide es que cuestione las falsas promesas de los falsos profetas que aseguraban a los exiliados que Babilonia sería derrotada y que pronto volverían a casa. En los primeros capítulos del libro, Ezequiel tiene una serie de visiones que describen los horrores del asedio de Jerusalén y luego la matanza en la toma de la ciudad.

La responsabilidad de la crisis de Israel (Ezequiel 18)

La pregunta "*¿Qué hemos hecho para merecer esto?*" formulada por los judíos en el exilio proviene de la creencia errónea de que estaban siendo castigados por las acciones de sus antepasados, no por sus propias acciones. Lo vemos en el falso proverbio que citan: "*Los padres comen uvas agrias, pero los hijos tienen dolor de muelas*" (Ez **18,2**). Está claro que Dios rechaza esta afirmación. El punto aquí es que los exiliados se niegan a asumir la responsabilidad de su situación, alegando que los pecados de las generaciones anteriores son los culpables. Dios deja claro que cada persona será juzgada por sus propias acciones, ya sean justas o malvadas. La metáfora del hombre justo (Ez **18:5-9**), su hijo pecador (Ez **18:10-13**) y su nieto honrado (Ez **18:14-17**) ilustra que las personas no tienen que rendir cuentas por la moralidad de sus antepasados. Dios hace responsable al "*alma"* de cada persona. No obstante, los eruditos tienen razón al señalar que Ezequiel tiene un enfoque comunitario.

Se exige justicia a título individual, pero la restauración de Dios no tendrá lugar hasta que toda la nación viva de manera justa. Así, Dios exige que los exiliados vivan rectamente y rindan cuentas como pueblo, independientemente de lo que hayan hecho las generaciones anteriores.

Ezequiel **18:5-9** identifica varias acciones morales y de culto, tanto justas como injustas, que se convierten en los principios por los que una persona dice "*vivir*" o "*morir*". Cuatro de estas acciones están relacionadas con el trabajo: devolver la prenda al deudor, cuidar de los pobres, no cobrar intereses excesivos y trabajar con justicia. No mantener normas justas y rectas -o peor aún, derramar indiscriminadamente la sangre de otra persona- acarreará "*la pena de muerte*" (Ez **18:13**).

El justo no reprime, devuelve la prenda al deudor (Ezequiel 18:5, 7)

Este principio combina el pecado general de opresión (el hebreo daka) con el pecado específico de no devolver algo tomado como prenda (hăbōl) por un préstamo. Para entender y aplicar este principio, comenzamos con la ley israelita del préstamo, tal como se resume en *The Anchor Yale Bible Dictionary:*

La Biblia hebrea reconoce abiertamente la necesidad de los préstamos e intenta evitar el cobro de intereses a los deudores. Los intereses de los préstamos en el antiguo Cercano Oriente podían ser exorbitantes para los estándares modernos (y podían cobrarse por adelantado, desde el principio del préstamo). El intento de convencer a los prestamistas de que renunciaran a posibles beneficios se basaba en la preocupación por la comunidad que Dios había liberado de la esclavitud. Un hermano podía caer en la pobreza y necesitar un préstamo, pero no debían cobrarse intereses en nombre del mismo Señor que dice: "*Yo os saqué de la tierra de Egipto*" (Lev **25**:**35**-**38**). El deseo de cobrar intereses se considera peligroso porque podría hacer que Israel cambiara una forma de esclavitud por otra forma -económica- de opresión. Es importante señalar que la totalidad del Levítico **25** se ocupa precisamente de mantener la integridad de lo que Dios ha redimido, con respecto a la liberación que debía tener lugar durante los años sabáticos y jubilares (Lev **25**,**1**-**34**), con respecto a los préstamos (Lev **25**,**35**-**38**) y con respecto a las personas contratadas como siervos (Lev **25**,**39**-**55**). El derecho de un prestamista a recibir una prenda se reconoce implícitamente en el requisito de no esperar intereses, y además se prohíben las libertades indebidas con las prendas recibidas (véase Éxodo **22**:**25**-**27**; Deuteronomio **24**:**10**-**13**). Sin embargo, ciertas prendas, manejadas adecuadamente, podían producir sus propios beneficios y, además, a los extranjeros se les podían cobrar intereses de todos modos (véase Levítico **23**:**19**-**20**). Incluso bajo una interpretación estricta de la Torá, un prestamista podía ganarse la vida.

Según la Ley de Moisés, por lo general no era legal que un prestamista embargara permanentemente un objeto dado como garantía de un préstamo. En general, las leyes bancarias modernas permiten a los prestamistas quedarse con los artículos dados como garantía (como en las casas de empeño) o embargarlos (como en los préstamos hipotecarios o para automóviles). Determinar si todo el sistema moderno de garantías es antibíblico está fuera del alcance de este capítulo.

Las leyes modernas también limitan o regulan el proceso por el que un prestamista puede tomar posesión de una garantía. Por ejemplo, en general es ilegal que un prestamista ocupe una vivienda hipotecada y obligue al prestatario a abandonarla mientras éste se encuentra bajo protección judicial durante un procedimiento de quiebra. Que un prestamista hiciera esto de todos modos sería una forma de opresión. Sólo podría ocurrir si el prestamista tuviera el poder y la impunidad para operar al margen de la ley.

En el nivel más básico, Dios dice en Ezequiel **18**:7: "*No quebrantes la ley para conseguir lo que crees que te pertenece por derecho, aunque tengas el poder de salirte con la tuya*". En las prácticas comerciales de la vida real, la mayoría de los prestamistas (salvo los usureros) no ejecutan las hipotecas al margen de la ley. Así que tal vez Ezequiel **18**:7 no tenga nada de desafiante para los lectores modernos en negocios legítimos.

Pero no tan rápido. En toda la ley de préstamos del Antiguo Testamento subyace la suposición de que los préstamos se hacen principalmente por el bien del prestatario, no del prestamista. La razón por la que prestas dinero a la gente con la garantía de su manto, incluso si sólo puedes quedarte con el manto hasta el atardecer, es porque tienes dinero de sobra y el prestatario lo necesita. Como prestamista, tienes derecho a estar seguro de que recuperarás tu dinero, pero sólo si el prestatario se ha beneficiado lo suficiente como para devolvértelo. No debes conceder un préstamo que sabes que es improbable que el prestatario devuelva porque no puedes retener la garantía indefinidamente.

Esto tiene aplicaciones obvias a la crisis hipotecaria de **2008-2009**. Los prestamistas de alto riesgo concedieron préstamos hipotecarios que sabían que era improbable que millones de prestatarios devolvieran. Para recuperar su inversión, los prestamistas confiaban en el aumento de los precios de la vivienda y en su capacidad para forzar la venta o recuperar la propiedad si el prestatario no pagaba. Los préstamos se concedían independientemente del beneficio del prestatario, siempre que beneficiaran a los prestamistas. O al menos esa era la intención. En realidad, la repentina aparición de cientos de miles de propiedades embargadas en el mercado deprimió tanto el valor de las propiedades que los prestamistas perdieron dinero incluso después de embargarlas. La declaración de Dios en torno al **año 580** a.C. de que "*la sangre del opresor caerá sobre su cabeza*" (Ezequiel **18**:**13**) resultó ser cierta para el sistema bancario en el **año 2000 d.**C.

La condena divina de los tratos que no proporcionan ningún beneficio al comprador no tiene por qué limitarse a la deuda titulizada. Ezequiel **18**:7 se refiere a los préstamos, pero el mismo principio se aplica a productos de todo tipo. Ocultar información sobre los defectos y riesgos de un producto, vender productos más caros de lo que el comprador necesita, desajustar los beneficios del producto con las necesidades del comprador... todas estas prácticas son similares a la opresión descrita en Ezequiel **18**:7. Pueden introducirse incluso en empresas bienintencionadas. Pueden introducirse incluso en empresas bienintencionadas. Pueden colarse incluso en negocios bienintencionados a menos que el vendedor haga del bienestar del comprador un objetivo inviolable de la transacción de venta. Cuidar del comprador es "*vivir*", en la terminología de Ezequiel.

El justo no roba, sino que da de comer al hambriento y viste al desnudo" (Ezequiel 18:7)

Puede parecer una extraña combinación de ideas. ¿Quién podría discutir la prohibición de robar? Pero, ¿qué relación existe entre robar y la obligación de alimentar al hambriento y vestir al desnudo? Como en Ezequiel **18**:7**a**, el vínculo es la exigencia de interesarse por el bienestar económico de los demás. En este caso, sin embargo, "*los demás*" no son la contrapartida de una transacción comercial, sino simplemente cualquier persona con la que nos encontramos en un día cualquiera. Si conoces a alguien que tiene algo que necesita pero tú quieres, no debes robarle. Si conoces a alguien que carece de algo que a ti te sobra, debes dárselo, o al menos cubrir sus necesidades básicas, como comida y ropa.

Detrás de esta advertencia un tanto sorprendente está la ley económica de Dios: somos administradores, no propietarios, de todo lo que tenemos. Debemos considerar la riqueza como una riqueza común, pues todo lo que tenemos es un don de Dios para que ninguno de nosotros sea pobre (Dt **6**,**10-15**; **15**,**1-18**). Esto queda claro en las leyes que exigen la cancelación de las deudas cada siete años y la redistribución de la riqueza acumulada en el año del Jubileo (Lev **25**). Una vez cada cincuenta años, el pueblo de Dios debía reequilibrar la riqueza de la tierra para corregir los males de la sociedad humana. En los años intermedios, debían vivir como administradores de todo lo que poseían:

No os hagáis mal los unos a los otros, sino temed a vuestro Dios, porque yo soy el Señor, vuestro Dios. Guardaréis mis estatutos y observaréis mis leyes para ponerlas por obra, a fin de que habitéis seguros en la tierra. (Lev **25**,**17-18**)

La tierra no se venderá permanentemente, porque la tierra es mía; pues vosotros sólo sois extranjeros y forasteros conmigo (Lev **25**:**23**).

Si un hermano tuyo se empobrece y sus medios disminuyen contigo, lo mantendrás como forastero o extranjero para que pueda vivir contigo. No le saques intereses ni usura, sino teme a tu Dios para que tu hermano viva contigo. No le darás tu dinero por interés, ni tu comida por ganancia. "*Yo soy el Señor, tu Dios, que te saqué de la tierra de Egipto para darte la tierra de Canaán, y para ser tu Dios*". (Lev **25**,**35-38**).

El decreto de Ezequiel **18**:7 no está directamente relacionado con la enseñanza del trabajo, ya que tiene poco que ver con la producción real de cosas de valor. En cambio, forma parte de la enseñanza sobre la riqueza, la administración y la disposición de las cosas de valor. Sin embargo, puede haber una conexión. ¿Qué pasaría si trabajaras para satisfacer las necesidades de otra persona en lugar de las tuyas? Además de evitar el robo, esto le motivaría a trabajar de forma que proporcionara alimentos, ropa y otras necesidades a personas necesitadas. Un ejemplo sería una empresa farmacéutica que crea una política de uso compasivo cuando planifica un nuevo medicamento. Otro ejemplo sería una empresa minorista que tiene la accesibilidad como elemento clave de su modelo de negocio. Por otro lado, este principio se opone a un negocio que sólo puede tener éxito cobrando precios elevados por productos que no satisfacen necesidades reales, como una empresa farmacéutica que produce reformulaciones triviales para prolongar la vida de sus patentes.

El justo no presta dinero con usura ni pide prestado con interés (Ezequiel 18: 8)

Los estudiosos de la Biblia han dedicado mucho tiempo a investigar y especular si la ley del Antiguo Testamento prohíbe completamente el cobro de intereses. La traducción más natural de Ezequiel **18**:8a puede ser la NKJV: "*que no presta dinero a interés ni cobra usura*". No fue hasta algún tiempo después de la Reforma cuando los cristianos interpretaron generalmente que la Biblia prohibía el cobro de intereses en los préstamos. Por supuesto, esto interferiría gravemente con el uso productivo del capital tanto en la época moderna como en la antigua, y parece que los intérpretes contemporáneos han tendido a relajar la prohibición refiriéndose a la usura, como hace la RVA. Para justificar esta relajación, algunos han argumentado que los descuentos iniciales (lo que ahora llamamos "*bonos de cupón cero*") estaban permitidos en la antigua nación de Israel, y que sólo estaban prohibidos los intereses adicionales, incluso si el préstamo no se devolvía a tiempo. Al igual que con la cuestión de la garantía de pago tratada anteriormente, está fuera del alcance de este capítulo evaluar la legitimidad de todo el sistema moderno de intereses. En su lugar, examinaremos el resultado de cada caso.

Si se mantiene la interpretación más estricta, las personas con dinero tendrán la opción de prestar o no prestar. Si no se les permite cobrar intereses y no se les permite embargar la garantía para el pago, entonces pueden preferir no prestar dinero a nadie. Pero tal respuesta está prohibida por Dios: "*Pero tú le abrirás libremente la mano y le prestarás generosamente lo que necesite para cubrir sus necesidades*" (Deut. **15**:**8**). En Lucas **6**:**35**, Jesús repite y amplía este mandamiento: "*Amad a vuestros enemigos, haced el bien y prestad sin esperar nada a cambio*". La finalidad del préstamo es principalmente en beneficio del prestatario, no del prestamista. El temor del prestamista a no ser reembolsado debe convertirse en una preocupación secundaria. El prestamista potencial tiene el capital y el prestatario potencial lo necesita.

Por otra parte, si aceptamos que el sistema moderno de intereses es justo, entonces también se aplica este principio. El capital debe invertirse productivamente, no retenerse por miedo, y éste es precisamente el significado literal de la parábola de los talentos de Jesús (Mt **25**, **14-30**). Dios prometió a Israel, su preciosa posesión, que proveería a sus necesidades. Cuando una persona descubre que le sobra capital, le debe al Dios de la provisión utilizarlo -ya sea mediante una inversión o un donativo- para atender a los necesitados. El desarrollo económico no está prohibido; al contrario, es necesario. Pero debe ser de utilidad productiva para quienes necesitan capital, y no meramente para la conveniencia de quienes lo poseen.

El justo no comete injusticia, sino que juzga rectamente a las partes (Ezequiel 18:8)

Como había hecho antes, aquí Ezequiel presenta a sus lectores una norma general (no hacer el mal) junto con una norma específica (juzgar con justicia entre las personas). Una vez más, el principio unificador es que la persona con más poder debe preocuparse por la necesidad de la persona con menos poder. En este caso, el poder en cuestión es el de juzgar entre dos personas. Todos los días, la mayoría de nosotros nos enfrentamos a momentos en los que podemos juzgar entre una persona y otra. Puede ser tan pequeño como decidir qué voz prevalece a la hora de elegir dónde comer. Puede ser tan grande como decidir a quién creer en una acusación de comportamiento inapropiado. Rara vez nos damos cuenta de que cada vez que tomamos una decisión de este tipo, ejercemos el poder de juzgar.

Muchos problemas graves en el trabajo surgen porque las personas sienten que se las considera menos importantes que a otras de su entorno. Esto puede deberse a juicios formales u oficiales, como las evaluaciones de rendimiento, las decisiones sobre proyectos, los premios a los empleados o los ascensos. O puede surgir de juicios informales, como quién presta atención a sus ideas o con qué frecuencia son el blanco de las bromas. En cualquier caso, los hijos de Dios tenemos la obligación de ser conscientes de este tipo de juicios y de ser justos a la hora de participar en ellos. Sería interesante llevar un registro de los juicios (grandes o pequeños) en los que participamos durante un solo día, y luego preguntarnos cómo actuaría en cada uno la persona justa de Ezequiel **18**:**8**.

Ezequiel **18** es más que un conjunto de normas para la vida en el exilio; es una respuesta a la desesperación de los exiliados expresada en el estribillo de Ezequiel **18**:**2**: "*Los padres comen las uvas agrias, pero a los hijos les duelen los dientes*". El argumento del capítulo **18** refuta el proverbio, pero no mediante la eliminación total de la retribución transgeneracional. La enseñanza de la responsabilidad moral personal es una respuesta a la desesperación del exilio (véase Sal **137**) y a las cuestiones de teodicea que se encuentran en la frase: "*El camino del Señor no es recto*" (Ez **18**,**25**.**29**). El Señor responde a las preguntas de los exiliados: "*Si somos pueblo de Dios, ¿por qué nos han desterrado?*". "*¿Por qué sufrimos*? "*¿Le importa a Dios?*"- con una llamada a vivir rectamente.

En el periodo entre la transgresión pasada y la restauración futura, entre la promesa y el cumplimiento, entre la pregunta y la respuesta, los exiliados deben vivir rectamente. De ese modo podrán encontrar sentido, propósito y recompensa final. Dios no se limita a repetir leyes de buena y mala conducta para que la gente las cumpla, sino que les llama a vivir rectamente a nivel nacional, cuando Israel sea finalmente "*Mi pueblo*" (Ez **11**:**20**; **14**:**11**; **36**:**28**; **37**:**23**, **27**).

Las características de la justicia en Ezequiel **18** proporcionan un importante modelo para la vida en la nueva alianza, cuando la comunidad se caracterizará por la ética de la "*justicia*" (Ezequiel **18**:**5**, **19**, **21**, **27**). Es un desafío al lector para que viva ahora según la nueva alianza, que es un medio de asegurar la esperanza en el futuro. En nuestros días, los cristianos son miembros de la nueva alianza con el mismo llamamiento de Mateo **5**:**17**-**20** y **22**:**37**-**40**. De este modo, Ezequiel **18** es sorprendentemente instructivo y aplicable a nuestras propias vidas en el lugar de trabajo, independientemente del entorno. Vivir esta rectitud personal en el lugar de trabajo da vida y sentido a nuestras circunstancias presentes, anticipando un mañana mejor, trayendo el futuro reino de Dios al presente y proporcionando una visión de lo que Dios espera de su pueblo en su conjunto. Dios recompensa ese comportamiento, que sólo es posible mediante un corazón nuevo y un espíritu nuevo (Ez **18**:**31**-**32**; 2Co **3**:**2**-**6**).

El colapso sistémico de Israel (Ezequiel 22)

En caso de que los judíos exiliados en Babilonia se perdieran el modelo positivo del capítulo **18**, Ezequiel **22** les da una imagen explícita del lugar donde la nación se desvió del camino ordenado por Dios. Jerusalén es el escenario en el que el profeta observa los factores políticos, económicos y religiosos que condujeron a su destrucción final. Según Robert Linthicum, la finalidad del sistema político es establecer una política de justicia y obediencia a Dios (Deut. **16**:**18-20**; **17**:**8-18**). El sistema económico consiste en mantener una economía de mayordomía y generosidad (Dt **6**:**10-15**; **15**:**1-18**). El sistema religioso es el principal responsable de llevar a las personas a una relación con Dios y de fundamentar los sistemas político y económico en Dios (Dt **10**:**12**; **11**:**28**). La religión es una especie de valla para la comunidad y da sentido a la vida. El sistema político proporciona el proceso y el sistema económico el sustento de la comunidad. Cuando el sistema religioso deja de funcionar, todo lo demás cae en el caos. Según la ley de Dios, la brecha entre ricos y pobres (riqueza y pobreza) es un indicador directo de la distancia entre Dios y una comunidad o nación.

En Ezequiel **22**, el profeta muestra a los judíos exiliados por qué el juicio de Dios debe caer sobre su nación: "*Desde los príncipes hasta los sacerdotes, los falsos profetas y todo el pueblo de la tierra, todos os habéis convertido en escoria*" (Ezequiel **22**:**19**). La paciencia de Dios ha llegado a su límite, y la paga de cada pecado "*comercial*" traerá muerte y destrucción a los responsables. ¿Qué se incluye en esta lista de pecados? Usar el poder para derramar sangre (Ez **22**:**6**); tratar a los padres con desprecio, tratar al forastero con violencia y oprimir al huérfano y a la viuda (Ez **22**:7); calumniar con el propósito de derramar sangre (Ez **22**:**9**); pecados sexuales y acoso (Ez **22**:**11**); cobrar intereses y obtener ganancias a expensas de los pobres, hacer ganancias injustas (Ez **22**: **12**); conspirar para devastar al pueblo, robar tesoros y cosas preciosas y dejar viudas a muchas mujeres (Ez **22**:**25**); quebrantar la ley, profanar las cosas santas, enseñar el mal e ignorar el sábado de Dios (Ez **22**:**8**, **26**); líderes que son como lobos y despedazan a sus presas para obtener ganancias injustas (Ez **22**:**27**); los profetas que encubren estas acciones (i. e., profetas que encubren estos actos con visiones y predicciones falsas (Ez **22**:**28**); y el pueblo que practica la extorsión y el robo en la tierra, que oprime al pobre y al necesitado, que maltrata al extranjero y le niega la justicia (Ez **22**:**29**).

Al final, Dios buscó al menos a una persona justa que se interpusiera en la brecha, pero no la encontró. Es esta falta total de interés en las relaciones justas lo que trae la ira y el castigo de

Dios. El capítulo termina (Ez **22:31**) cuando Dios deja de proteger al pueblo mientras éste se destruye a sí mismo. ¿Cómo trae Dios el juicio? Permite que los sistemas sigan su curso natural sin intervenir, de modo que la espiral descendente termina en destrucción.

Las palabras de Ezequiel siguen siendo actuales. Todavía hay personas que se benefician de actividades ilegales como la extorsión, el robo, el fraude, la calumnia y la violencia. Pero aún más preocupantes son las muchas maneras que la gente encuentra para mantenerse dentro de la ley mientras comete injusticias en su afán de lucro. Por ejemplo, ofrecen a los consumidores desprevenidos préstamos e instrumentos financieros de alto coste, alimentos y bebidas poco saludables y bienes y servicios con precios excesivos. Utilizan demandas judiciales, cláusulas contractuales abusivas, cartas intimidatorias y otras tácticas para impedir que las personas vulnerables ejerzan sus derechos legales. Utilizan publicidad y prácticas de venta engañosas. Hacen trampas con los impuestos, ocultan ingresos y obtienen títulos falsos para obtener beneficios. Incumplen sus promesas. Si Dios buscara hoy al menos a una persona justa, ¿sería alguien que siempre ha actuado honestamente en los negocios y las finanzas?

¿De dónde viene el éxito? (Ezequiel 26-28)

Las profecías contra Tiro en Ezequiel **26-28** ofrecen otro ejemplo de vida deshonesta. Los habitantes de Tiro se alegran de la destrucción de Jerusalén, esperando beneficiarse de la ausencia de competencia comercial (Ezequiel **26**:**2**). Dios promete castigarlos y humillarlos (Ezequiel **26**:7-**21**) por no ayudar a Judá en este momento de necesidad. "*Tiro puede representar la búsqueda -a través de la riqueza, la prominencia política e incluso la cultura- de una seguridad y autonomía que contradicen la naturaleza de una realidad creada*". La verdad es que ninguna persona o nación puede garantizar verdaderamente su propia seguridad y prosperidad. Sin embargo, Tiro presume de su éxito comercial, su perfección y su abundancia (Ezequiel **27**:**2**-**4**). Esta ciudad, que se había convertido en una potencia marítima comerciando con (o beneficiándose de) innumerables pueblos de todo el mundo mediterráneo (Ezequiel **27**:**5**-**25**), acabó derrumbándose bajo el peso de su abundante carga. El exceso de confianza y los tratos egoístas de Tiro acabaron en un naufragio que provocó el desprecio de los mercaderes de la nación (Ezequiel **27**:**26**-**36**). Dios pide cuentas a Tiro por su arrogancia y sus deseos materiales, culminando en un poema contra el rey en el capítulo **28**. El rey atribuye a su propia condición divina el ingenio y la sabiduría para conseguir gran prominencia y éxito material.

Hoy en día, los poderosos también sienten la tentación de atribuir su éxito a la ayuda divina o a su posición. Lloyd Blankfein, Consejero Delegado de Goldman Sachs, destacó el servicio crucial de los banqueros a la hora de reunir capital para ayudar a las empresas a crecer, producir bienes y servicios y crear empleo. Pero cuando el tema giró en torno a las remuneraciones récord en el sector bancario, a muchos les pareció que su afirmación: *"Estamos haciendo el trabajo de Dios"*, cruzaba la línea de la toma de posición divina. Las palabras de Ezequiel nos siguen recordando que todas las áreas de trabajo tienen el potencial tanto de servir a los propósitos de Dios como de excusar nuestros propios excesos.

Las lecciones de los capítulos **26-28** para el ministerio en el mundo son significativas. Dios nos prohíbe creer que somos la fuente principal del éxito laboral. Aunque nuestro trabajo duro, talento, perseverancia y otras virtudes contribuyen al éxito laboral, no son su causa. Incluso la persona de más éxito que haya sido artífice de su propio éxito ha tenido que depender de un universo de oportunidades, circunstancias fortuitas, el trabajo de otros y el hecho de que nuestra propia existencia proviene de algo más allá de nosotros mismos.

Atribuir el éxito únicamente a nuestros propios esfuerzos crea una arrogancia que rompe nuestra relación con Dios. En lugar de agradecer a Dios por nuestro éxito y confiar en que Él continuará proveyendo, pensamos que hemos alcanzado el éxito por nosotros mismos. Sin embargo, no tenemos el poder de controlar todas las circunstancias, oportunidades, personas y eventos de los que depende nuestro éxito. Cuando creemos que somos los artífices de nuestro propio éxito, nos obligamos a intentar controlar factores incontrolables, lo que nos presiona para que las cosas se vuelvan a nuestro favor. Aunque en el pasado hayamos tenido éxito haciendo negocios de forma honesta y legal, ahora podemos intentar mejorar las probabilidades cambiando la verdad en nuestro beneficio, participando entre bastidores en la manipulación de licitaciones, manipulando a otros para que hagan lo que nosotros queremos o ganándonos el favor de los demás mediante sobornos estratégicos. Incluso si podemos mantenernos en el lado correcto de la ley, podemos volvernos despiadados y "*violentos*" (Ezequiel **28**:**16**) en nuestros tratos comerciales.

Los que eran verdaderamente sabios se comportaban con rectitud y no usurpaban el lugar de Dios en su pensamiento mientras esperaban que Él cumpliera sus promesas. Permanecieron fieles a su pacto con el Señor, que recompensará a los fieles con los beneficios apropiados para cumplir su parte del pacto (véase la esperanza para Israel en Ez **28**:**22-26**). Por último, Dios separará a los justos de los impíos (Ez **34**,**17-22**; cf. Mt **25**,**31-46**). Esto da una gran esperanza a los "*exiliados*" que esperan el cumplimiento del reino de Dios, tanto si viven en el mundo antiguo como en el moderno, sobre todo cuando se plantean cuestiones de justicia y desolación.

Atención a la advertencia a los demás (Ezequiel 33)

Ezequiel **18** y **33** presentan un tema similar y tienen funciones estructurales dentro del conjunto del libro. La llamada a la justicia personal para *"vivir"* y la llamada al arrepentimiento en medio del cuestionamiento de la justicia de Dios, presentadas por primera vez en el capítulo **18**, se esbozan en el capítulo **33** de forma casi literal. Sin embargo, el capítulo **33** presenta una idea que no se encuentra en el capítulo **18**: en Ezequiel **33**:**1-9**, Dios reevalúa la llamada de Ezequiel a ser vigilante o centinela de la nación, tal y como se estableció por primera vez en el capítulo **3**. Como vigilante a la puerta de la nación, Ezequiel se convierte en el centinela de la nación. Como centinela a la puerta de la ciudad, responsable de advertir a los habitantes de una amenaza del enemigo, Ezequiel es personalmente responsable de proclamar el inminente juicio de Dios y animarles a arrepentirse para ser liberados de su culpa:

Y a ti, hijo de hombre, te he puesto por centinela de la casa de Israel; escucha, pues, la palabra de mi boca, y adviérteles de mi parte. Si yo dijere al impío: Impío, de cierto morirás, y tú no hablares para amonestar al impío de su camino, ese impío morirá por su iniquidad, y yo demandaré su sangre de tu mano. Pero si por tu parte adviertes al impío para que se aparte de su camino, y él no se aparta de su camino, morirá por su iniquidad, pero tú habrás redimido tu vida. (Ez **33**:**7-9**)

Se trata de un importante añadido a la llamada a la justicia presentada en Ezequiel **18** y recordada en el capítulo **33** en vísperas de la destrucción de Jerusalén (Ez **33**:**21-22**). Dios exige que el Atalaya desempeñe un papel importante en el llamamiento a la justicia individual y colectiva asumiendo la responsabilidad personal y la propiedad del arrepentimiento de los exiliados.

Debemos identificarnos no sólo con los oyentes de Ezequiel (Ez **18**), sino también con el propio Ezequiel. Aceptamos la tarea encomendada por Dios de llamar a otros a vivir rectamente y a volver a una relación correcta con Dios. En el Antiguo Testamento, algunas personas fueron llamadas a ser profetas y recibieron el mandato de llevar la Palabra de Dios al pueblo. Pero como miembros de la Nueva Alianza, todos los cristianos están llamados a realizar la labor del profeta. El profeta Joel lo predijo cuando proclamó la Palabra de Dios: *"Derramaré mi Espíritu sobre toda carne; y vuestros hijos y vuestras hijas profetizarán, vuestros ancianos soñarán sueños, vuestros jóvenes verán visiones"* (Joel **2**,**28**). Además, el apóstol Pedro la proclamó como una realidad presente el día de Pentecostés (Hch **2**,**33**).

La responsabilidad profética de todos los cristianos ofrece varias lecciones para la enseñanza y es relevante para nuestro testimonio en el lugar de trabajo. Dios llama a cada uno de nosotros a responsabilizarse personalmente del destino de los demás. Debemos ser centinelas por derecho propio, pidiendo cuentas a quienes nos rodean. No sólo están en juego sus vidas, sino también las nuestras (Ez **33**:**9**).

Esto no nos resulta natural en una época y una cultura que valoran el individualismo, pero Dios sí nos hará responsables ante Él por las vidas justas de los demás. Como sucedía en Babilonia, así sucede hoy: las estructuras sociales a menudo nos tientan a permitir prácticas abusivas o injustas. En términos del lugar de trabajo, esto significa que los cristianos tienen la responsabilidad personal de trabajar por la justicia en sus lugares de trabajo. Este tema plantea algunas preguntas que podemos hacernos sobre tal responsabilidad. Por ejemplo:

- *¿Estamos comunicando las palabras de Dios a las personas con las que trabajamos? En todos los lugares de trabajo, los cristianos observamos -y nos sentimos presionados a participar- en cosas que sabemos que son inconsistentes con la Palabra de Dios. ¿Ponemos la verdad de Dios por encima de la aparente comodidad de encajar en el grupo? Esto no es un llamado a juzgar en el trabajo, pero puede significar defender a la persona que es tratada como chivo expiatorio por el fracaso de un departamento, o ser el primero en votar para poner fin a una campaña publicitaria engañosa. Puede significar admitir la propia implicación en un conflicto de oficina, o expresar confianza en que una revisión honesta del rendimiento acabará compensando lo que parece estar causando. Son formas de comunicar las palabras de Dios a los demás en el lugar de trabajo.*
- *¿Son nuestras vidas una ilustración del mensaje de Dios? Nuestra comunicación no se limita a las palabras, sino también a los hechos. A lo largo de su ministerio, Ezequiel fue literalmente una ilustración visual andante de las promesas y los juicios de Dios. Un director general de Silicon Valley pidió al director financiero que "encontrara" dos millones de dólares más de beneficios para el informe trimestral que debía presentarse dentro de una semana. La directora financiera sabía que para ello tendría que clasificar erróneamente ciertos gastos como inversiones y ciertas inversiones como ingresos. Esa misma semana, tuvo su reunión mensual con otros directores financieros cristianos, que la animaron a defender su postura ante el director general. El día que tenía que presentar el informe, le dijo al director general: "Aquí está el informe con los dos millones de dólares de beneficios adicionales que usted pidió". Puede que sea legal, pero no es cierto. No puedo firmarlo, así que sé que va a tener que despedirme. La respuesta de tu director general fue: "Si no lo firmas tú, no lo firmo yo". Confío en que sepa lo que hace. Tráiganme el informe original*

> *con la información correcta; lo publicaremos y asumiremos la responsabilidad por no alcanzar la rentabilidad estimada. Tanto de palabra como de obra, este director financiero demostró lo que significa vivir según la Palabra de Dios, y esto influyó en el director general para que hiciera lo mismo.*

Ezequiel **33** muestra que, aunque cada individuo está llamado a la justicia personal, los profetas también son responsables de advertir a otros exiliados para que actúen con justicia. La metáfora del vigilante en Ezequiel **33** refleja la expectativa de Dios de que nos interesemos especialmente por la vida de los demás en nuestro lugar de trabajo. Esto prepara el terreno para una idea similar en el capítulo siguiente, donde la metáfora cambia.

El fracaso de Israel en el liderazgo (Ezequiel 34)

La culpa del fracaso en el cuidado del pueblo recae en los líderes de Israel. Ezequiel **34** utiliza la metáfora del pastoreo para ilustrar cómo los dirigentes de Israel (los pastores) oprimían al pueblo (el rebaño) dentro del reino de Dios. Los pastores sólo buscaban sus propios intereses vistiéndose y alimentándose a sí mismos a expensas de las necesidades del rebaño (Ez **34**:**2**-**3**, **8**). En lugar de fortalecer y curar a las ovejas en sus momentos de necesidad o buscarlas cuando se perdían, los pastores las gobernaban con dureza (Ez **34**:**4**). Esto dejó a las ovejas vulnerables ante las bestias salvajes (las naciones hostiles) y las dispersó por todo el mundo (Ez **34**:**5**-**6**, **8**). Por lo tanto, Dios promete rescatar a las ovejas de la "*boca*" de los pastores (los gobernantes de Israel), buscarlas y cuidarlas, y traerlas de vuelta desde donde fueron dispersadas (Ez **34**:**9**-**12**). Los devolverá a su tierra, los alimentará y los apacentará en pastos buenos y seguros (Ez **34**,**13**-**14**). Por último, Dios juzgará entre las ovejas gordas (las beneficiarias y partícipes de la opresión) y las ovejas flacas (las débiles y oprimidas, Ez **34**:**15**-**22**). Esta salvación culmina con el futuro nombramiento del pastor supremo, un segundo David, que apacentará y cuidará el rebaño de Dios como debería hacerlo un príncipe bajo el gobierno de Dios (Ez **34**:**23**-**24**). Esto marcará un tiempo en el que Dios hará un pacto de paz con Sus ovejas/pueblo que asegurará las bendiciones de Dios de protección, fecundidad y libertad en la tierra (Ez **34**:**25**-**31**). Entonces todos sabrán que Dios está con Su pueblo y que Él es su verdadero Dios (Ez. **34**:**30**-**31**).

Esto marcará un tiempo en el que Dios hará un pacto de paz con Su pueblo/oveja que asegurará las bendiciones de Dios de protección, fruto y libertad en la tierra (Ez. **34**:**25**-**31**). De este modo, todos sabrán que Dios está con Su pueblo y es su verdadero Dios (Ez. **34**:**30**-**31**). La metáfora del pastoreo envía un mensaje que promete juicio sobre los malvados gobernantes de Israel y esperanza para los oprimidos y desprotegidos de la nación. Este mensaje de liderazgo del pastoreo también se aplica a otras profesiones. Los buenos líderes buscan los intereses de los demás antes de "*alimentarse*" a sí mismos. El liderazgo que imita al "*buen pastor*" de Juan **10**:**11**, **14** es fundamentalmente un ministerio que requiere una preocupación genuina por el bienestar de los subordinados. Dirigir personas no es abusar del poder o tener poder sobre otros. Por el contrario, los supervisores piadosos buscan asegurar que las personas bajo su cuidado prosperen. Esto es coherente con las mejores prácticas de gestión que se enseñan en las escuelas de negocios y que se utilizan en muchas empresas, pero las personas piadosas lo hacen por su fidelidad a Dios, no porque sea una práctica aceptable en sus organizaciones.

Andrew Mein señala que la mayoría de los lectores "*prestan muy poca atención a cómo las realidades económicas pueden guiar cualquier uso particular de una metáfora, con el resultado de que todas las imágenes bíblicas del pastoreo se convierten en una imagen bastante monocromática de generosidad bondadosa*". Aunque Ezequiel **34** refleja el cuidado de Dios por sus ovejas (al igual que otros pasajes sobre el pastoreo, por ejemplo, Jeremías **23**; Salmo **23**; Juan **10**), el capítulo reflexiona más específicamente sobre la economía del pastoreo antiguo y, por tanto, se aplica más específicamente a las responsabilidades económicas de un líder. Los pastores han violado la economía de sus obligaciones al "*no producir el rendimiento requerido de una inversión y apropiarse indebidamente de la propiedad del dueño*". Dios les pide cuentas cuando reclama su rebaño. Es poco decir que los pastores de Israel no velaron por los intereses de las ovejas, pues tampoco trabajaron en interés del dueño de las ovejas que los contrató y esperaba un rendimiento valioso de su inversión. Esta perspectiva puede aplicarse hoy a las cuestiones de la remuneración de los ejecutivos y la gobernanza de las empresas. Ezequiel no hace una declaración general sobre estas cuestiones, sino que proporciona los criterios con los que se pueden evaluar las prácticas de cada empresa.

Así pues, Ezequiel **34** es un texto valioso para enseñar sobre el trabajo. Los líderes deben preocuparse por las necesidades y los intereses de aquellos a quienes dirigen (Fil **2**:**3-4**). Además, son responsables de llevar a cabo la tarea económica para la que fueron contratados. Debemos trabajar por la rentabilidad y el bienestar de los que están por encima y por debajo de nosotros en la escala empresarial (Ef **6**:**5-9**; Col **3**:**22-24**). Por último, todos debemos trabajar para la gloria que Dios merece.

En este sentido, la rentabilidad o productividad económica se considera una búsqueda piadosa. A menudo las iglesias parecen olvidar esto, como si el beneficio fuera un subproducto neutro o apenas tolerable del trabajo cristiano. Sin embargo, Ezequiel **34** sugiere que el trabajador que causa pérdidas económicas o el directivo que no dirige al equipo para cumplir la tarea no son mejores que los que maltratan a sus compañeros o subordinados. Tanto las personas como el trabajo importan. Cuando Pablo escribió siglos después: "*Y todo lo que hagáis, hacedlo de corazón, como para el Señor y no para los hombres*" (Col **3**,**23**), se estaba poniendo en el lugar de Ezequiel. Haz el trabajo por el que te pagan (que incluye obtener un beneficio como parte inalienable) como si trabajaras para el Señor. Si trabajas en un negocio rentable, entonces eres responsable ante Dios de ayudar a obtener beneficios.

Pero si la rentabilidad es una obligación ante Dios, entonces los cristianos están obligados a perseguir sólo el beneficio piadoso. Como seguidores de Jesús, estamos en deuda con nuestra empresa por un día de trabajo bien hecho: un plan de ventas bien ejecutado, un buen trabajo de enmarcado, o cualquiera que sea el producto de nuestro trabajo. Los empleadores deben aprender a esperar esto de nosotros. Además, como seguidores de Jesús, nunca podemos dar a nuestra empresa una reclamación medioambiental falsa, nunca engañar a los empleados ni aprovecharnos de su ignorancia, y nunca ocultar un problema de control de calidad. Los empresarios deberían esperar lo mismo de nosotros. Lo que nos convierte en trabajadores buenos y productivos, leales a nuestras empresas, también nos convierte en trabajadores honestos y compasivos, comprometidos con nuestro Señor.

Esperanza de la Alianza de Israel (Ezequiel 35-48)

La enseñanza de la obra de Ezequiel quedaría incompleta sin situarla en el contexto pleno de la futura restauración mencionada a lo largo del libro. El pacto entre Dios e Israel parece haberse roto porque Israel no ha cumplido sus obligaciones, pero Dios restaurará Israel y cumplirá sus promesas cuando Israel vuelva a Él. Este cumplimiento alcanza su clímax en las profecías de restauración y en la sección del libro dedicada al nuevo templo (capítulos **35** a **48**). Aquí el lector ve una imagen más completa del futuro que el fiel exiliado debe anunciar en el presente mediante una vida recta y la responsabilidad colectiva.

La promesa de un pastor davídico en la era de la futura restauración es inherente al "*pacto de paz*" de Dios con Israel (Ez **34**:**25**) y se denomina "*pacto eterno*" (Ez **37**:**24**-**26**). Ezequiel espera con impaciencia el día en que este rey pastor dé paso a las bendiciones que Dios promete a Israel y, lo que es más importante, les lleve a cumplir su vocación como "*pueblo de Dios*". Ezequiel deja claro que Dios les concederá esto dándoles un corazón fiel y un espíritu nuevo para cumplir Sus leyes, como ordenó en Ezequiel **18**:**31** (véase también Ezequiel **11**:**19**-**20**; **36**:**26**-**28**; **39**:**29**). El pueblo de Dios tendrá todo lo que necesita para hacer Su voluntad y será santificado por la presencia de Dios en el nuevo santuario en medio de ellos (Ez **37**:**28**). Ezequiel dedica nueve capítulos al diseño de un nuevo templo para el día de la restauración y al culto requerido (Ez **40**-**48**). Dados los estrechos paralelismos entre Ezequiel **38**-**48** y Apocalipsis **20**-**22**, cabe preguntarse si la visión de Ezequiel prevé una restauración literal del templo, o si apunta a la realidad mayor de la Nueva Jerusalén, donde no hay templo, "*porque su templo es el Señor, el Dios Todopoderoso, y el Cordero*" (Ap **21**:**22**).

Como cristianos, ponemos nuestra confianza en el pastor supremo de Cristo. Es Él quien no sólo ha cumplido la justicia personal, sino que también ha asumido toda la responsabilidad colectiva de la humanidad al derramar su propia sangre en nuestro favor. A través de la muerte y resurrección de Jesús, el día de Ezequiel del cumplimiento del pacto ha comenzado para el cristiano. Pero el día no ha terminado, y el pacto no se ha cumplido plenamente. Ezequiel nos enseña que cuando se nos llama a trabajar, se nos llama a una actividad justa en el exilio mientras afrontamos los retos inherentes a la espera de la consumación del reino de Dios. Dios exige un estilo de vida de rectitud individual y responsabilidad colectiva que prefigura el cumplimiento futuro de la alianza. Siguiendo las huellas de Jesús, podemos empezar a vivir la futura restauración de Dios en el lugar de trabajo actual.

Introducción al Libro de Daniel

¿Es posible seguir a Dios y salir adelante en el mundo secular? Casi todos los cristianos se enfrentan a esta pregunta cada día en el lugar de trabajo, y muchos encuentran la respuesta tan difícil que sería más fácil rendirse. Daniel, el protagonista del libro de Daniel, se enfrentó a esta pregunta en circunstancias extremas. Exiliado de Jerusalén cuando el Imperio Babilónico conquista al pueblo de Dios, debe vivir su vida en un entorno hostil al Altísimo. Sin embargo, las circunstancias le colocan en una posición de gran oportunidad al servicio del rey de Babilonia.

¿Debería retirarse del profano y corrupto gobierno babilónico y vivir agradando a Dios en un enclave entre otros judíos? ¿O debería relegar su fe a una esfera privada y personal, quizá rezando a Dios en el armario, mientras experimenta la vida del poder y la influencia babilónicos de forma idéntica a los que le rodean? Daniel no elige ninguna de las dos opciones. En lugar de ello, se embarca en una prometedora carrera mientras permanece públicamente fiel a Dios. La historia de cómo navega por estas aguas traicioneras es a la vez un manual y un estudio de caso para los cristianos en el lugar de trabajo de hoy.

Visión general del Libro de Daniel

El libro de Daniel puede resultar confuso. Comienza de forma directa, presentando a Daniel y a sus compañeros mientras son presionados para conformarse a los placeres y vicios de la corte real babilónica. Pero la historia se vuelve cada vez más extraña a medida que sueños, visiones y profecías entran en la narración. Hacia la mitad (capítulo 7), el libro se vuelve particularmente apocalíptico, prediciendo el ascenso y la caída de futuros reyes y reinos mediante metáforas de extraños sucesos y criaturas. El género apocalíptico es notoriamente difícil de interpretar, aunque Daniel, al igual que el Apocalipsis (todo el libro de acontecimientos apocalípticos de la Biblia), proporciona bastante material valioso y relevante para la Obra, y merece la pena intentar darle sentido para la enseñanza de la Obra.

El gran cuadro de Daniel es que Dios viene a derrocar los reinos paganos, corruptos y arrogantes donde Su pueblo está en el exilio. Aunque Su pueblo está sufriendo ahora, este sufrimiento fiel es uno de los principales medios por los que se mueve el poder de Dios. Les proporciona una asombrosa capacidad para progresar en el presente y una brillante esperanza para el futuro, permitiéndoles desempeñar un papel significativo tanto en la supervivencia presente como en la promesa futura. Aquí exploraremos las implicaciones y aplicaciones de esta visión general para los cristianos en el lugar de trabajo hoy en día.

Introducción: El exilio en la Universidad de Babilonia (Daniel 1)

El libro de Daniel comienza con el desastre que acabó finalmente con el reino judío. Nabucodonosor (**605-562** a.C.), el rey de Babilonia, conquistó Jerusalén, derrocó a su rey y se llevó cautivos a algunos reyes y jóvenes nobles. Como era típico en el antiguo Oriente Próximo, Nabucodonosor se aseguró de vengarse de los dioses (o, en este caso, de Dios) de la nación derrotada saqueando el templo y utilizando sus antiguos tesoros para decorar la casa de su propio dios (Dan **1**:**1-3**). Esto nos dice que Nabucodonosor era enemigo no sólo de Israel, sino también del Dios de Israel.

Entre los jóvenes cautivos estaban Daniel y sus compañeros Ananías, Misael y Azarías. Fueron enrolados en un programa de adoctrinamiento diseñado para convertir a los exiliados en fieles servidores de su nuevo rey (Dan **1**:**4-5**). Esto era tanto una oportunidad como un desafío. La oportunidad era vivir una buena vida en una tierra hostil y quizás llevar el poder y la justicia de Dios a su nueva tierra. El profeta Jeremías instó a los exiliados judíos a hacer precisamente eso:

Así dice el Señor de los ejércitos, Dios de Israel, a todos los desterrados que he enviado al exilio desde Jerusalén a Babilonia: "*Construid casas y vivid en ellas, plantad huertos y comed del fruto de ellos*. Tomad mujeres y tened hijos e hijas, tomad mujeres para vuestros hijos y dad vuestras hijas a maridos para que tengan hijos e hijas, y multiplicaos allí y no disminuyáis. Y buscad el bienestar de la ciudad a la que os he conducido, y rogad por ella a Yahveh; porque en su bienestar encontraréis bienestar. (Jer **29**:**4**-7)

El reto al que se enfrentó Daniel fue adaptarse a este lugar a costa de ser fiel a su Dios y a su pueblo. Los temas que Daniel aprendió probablemente incluían la astrología, el estudio de las entrañas de los animales, los ritos de purificación, los conjuros de sacrificio, los exorcismos y otras formas de adivinación y magia. Estas asignaturas habrían sido intolerables para un judío devoto, y eran mucho más contrarias a la fe de Daniel de lo que lo son para los cristianos modernos la mayoría de las asignaturas de las universidades seculares actuales. Además, él y sus amigos tuvieron que aceptar cambios en sus propios nombres, que anteriormente habían proclamado su lealtad a Dios. No obstante, Daniel aceptó el reto, confiado en que Dios protegería su fe y su lealtad. Adoptó la educación babilónica, pero puso límites para evitar la asimilación real a la cultura pagana de sus captores. Se resistió a la rica dieta exigida a todos los aprendices negándose a "*contaminarse*"

(Dan **1**:**8**). El texto no aclara qué era exactamente lo cuestionable de la dieta. Las tradiciones culturales en torno a la dieta son fuertes, especialmente para los judíos, cuyas leyes dietéticas los diferenciaban de las naciones circundantes (Lev. **11**; Deut. **14**). Tal vez seguir una dieta diferente era para Daniel un recordatorio diario de su fidelidad al Señor. O tal vez demostraba que su capacidad física dependía del favor de Dios, no de los requisitos dietéticos del rey. Tal vez la severidad de su dieta le impidió desarrollar un gusto por el lujo que más tarde pondría en peligro su independencia.

En cualquier caso, la discusión sobre la dieta de Daniel pone de relieve un punto mucho más profundo: Dios intervino en los acontecimientos de la vida de Daniel, así como en las vidas de Nabucodonosor, Babilonia y todas las naciones. El capítulo **1** refleja esta idea al principio cuando dice: "*Y el Señor entregó en su mano a Joacim, rey de Judá*" (Dan **1**:**2**) y "*Dios dio a Daniel favor y gracia*" (Dan **1**:**9**). El progreso de Daniel y sus amigos superó al de otros jóvenes, no por su ingenio o su dieta, sino porque "*Dios les dio conocimiento e inteligencia en toda clase de literatura y sabiduría*" (Dan **1**:**17**). La sabiduría de Daniel procedía de una fuente distinta a la selecta formación proporcionada por los maestros del rey, pues "*en todas las cosas de sabiduría y ciencia que el rey les preguntó, los halló diez veces mejores que todos los magos y hechiceros que había en todo su reino*" (Dan **1**:**20**). Esto marca la pauta para el resto del libro, pues el tiempo y los acontecimientos siguen demostrando la superioridad de la sabiduría de Daniel -y, lo que es más importante, el poder de su Dios- sobre la sabiduría y el poder de las naciones incrédulas y sus reyes (Dan **5**:**14**; **11**:**33**-**35**; **12**:**3**, **10**).

Los cristianos en el lugar de trabajo experimentan hoy muchas situaciones similares a las de Daniel y sus amigos en el exilio en aquella universidad babilónica. No hay escapatoria del lugar de trabajo, a menos que nos retiremos del mundo en comunidades insulares o elijamos trabajar en instituciones exclusivamente cristianas, como iglesias o escuelas cristianas. El lugar de trabajo ofrece a muchos cristianos (aunque ciertamente no a todos) una variedad de oportunidades de beneficio personal, como un buen salario, seguridad en el empleo, logros profesionales y prestigio, condiciones de trabajo cómodas y un trabajo creativo e interesante. Estas cosas son buenas en sí mismas, pero pueden llevarnos a dos tipos de tentación: (**1**) el peligro de enamorarnos tanto de las cosas materiales que no estemos dispuestos a arriesgarnos a perderlas por mantenernos firmes en lo que Dios requiere de nosotros; y (**2**) el peligro espiritual de llegar a creer que las cosas buenas vienen como resultado de nuestro propio trabajo o ingenio, o como resultado de nuestro servicio a algún poder que no sea Dios.

Además, a menudo el trabajo nos obliga a entrar en arreglos que no son buenos en sí mismos, como el engaño, los prejuicios, el maltrato a los pobres y desprotegidos, la complacencia de deseos malsanos, el aprovecharse de los demás en sus momentos de necesidad, y muchos más. En nuestros días, como en los de Daniel, es difícil saber qué arreglos son buenos y cuáles son malos. ¿Era bueno o aceptable que Daniel y sus amigos estudiaran astrología? ¿Aprendieron a utilizar el conocimiento de los cielos sin dejarse atrapar por las supersticiones en las que se basa? ¿Es bueno que los cristianos estudien marketing? ¿Pueden aprender a utilizar los conocimientos sobre el comportamiento de los consumidores sin quedar atrapados en la práctica de la publicidad engañosa o las promociones que explotan a los clientes? El libro de Daniel no ofrece directrices concretas, pero señala algunas perspectivas cruciales:

- Los cristianos deben perseguir la educación, aunque esté fuera de los límites de la responsabilidad cristiana.
- Los cristianos deben aceptar empleos en entornos laborales no cristianos e incluso hostiles.
- Los cristianos que trabajan o estudian en entornos no cristianos o anticristianos deben tener cuidado de evitar la asimilación ciega a la cultura circundante. Las prácticas cristianas incluyen:
    - *Oración constante y comunión con Dios. Daniel oró tres veces al día durante toda su carrera (Dan* ***6:10****), y lo hizo con especial empeño en los momentos difíciles de su trabajo (Dan* ***9:3-4, 16-21****). ¿Cuántos cristianos oran realmente por los detalles de su vida laboral? El libro de Daniel muestra sistemáticamente que Dios se preocupa por los detalles específicos de la vida laboral...*
    - *Cumplimiento firme de las marcas externas de la fe, aunque sean arbitrarias de alguna manera. Daniel no aceptó la abundante comida y el vino del rey porque eso habría comprometido su lealtad a Dios. Se podría discutir si Dios exige o no esta práctica concreta de forma universal, pero no cabe duda de que una fe viva requiere marcas vivas de los límites del comportamiento fiel. En Estados Unidos, un restaurante llamado Chick-fil-A no abre los domingos. Muchos médicos católicos no recetan anticonceptivos artificiales. Otros cristianos encuentran formas respetuosas de pedir permiso a sus colegas para rezar por ellos. Ninguno de ellos puede tomarse como un requisito generalizado, y de hecho todos pueden ser discutidos por otros cristianos, pero cada uno ayuda a sus practicantes a evitar el lento movimiento hacia la acomodación proporcionando marcadores coherentes y públicos de su fe.*
    - *Cooperación activa y rendición de cuentas a otros cristianos en el mismo ministerio. "A petición de Daniel, el rey nombró a Sadrac, Mesac y Abednego gobernadores de la provincia de Babilonia" (Dan* ***2:49****). Sin embargo, pocos*

cristianos se reúnen para compartir inquietudes, preguntas, éxitos y fracasos con otros trabajadores de su campo. ¿Cómo se supone que los abogados van a aprender a aplicar la fe a la ley si no es a través de un debate deliberado y regular con otros abogados cristianos? Lo mismo ocurre con los ingenieros, artesanos, agricultores, profesores, padres, directores de marketing y cualquier otra profesión. Crear y alimentar tales grupos es una de las grandes necesidades insatisfechas de los cristianos en el lugar de trabajo.

- *Construir buenas relaciones con los no creyentes en su lugar de trabajo. Dios hizo que el oficial que supervisaba la dieta de Daniel le mostrara bondad y compasión (Dan.* ***1:9****), y Daniel cooperó con Dios respetando al oficial y procurando su bienestar (Dan.* ***1:10-14****). A veces parece que los cristianos se desviven por enemistarse y juzgar a sus compañeros, pero Dios exige: "Si es posible, en cuanto esté en vosotros, vivid en paz con todos los hombres" (Ro* ***12:18****). Una práctica excelente es orar específicamente para que Dios bendiga a las personas que trabajan con nosotros.*
- *Adoptar un estilo de vida modesto para que los apegos al dinero, el prestigio o el poder no interfieran con la posibilidad de arriesgar el propio trabajo o carrera si uno se siente presionado a hacer algo que es contrario a los mandamientos, valores o virtudes de Dios. A pesar de haber alcanzado el pináculo de la educación, la posición y la riqueza en Babilonia, Daniel y sus amigos estaban dispuestos a perderlo todo con tal de hablar y actuar de acuerdo con la Palabra de Dios (Dan* ***2****:**24**; **3**:**12**; **4**:**20**; **5**:**17**; **6**:**10**, **21**).

Aunque Daniel encontró la manera de caminar por la cuerda floja de la asimilación cultural parcial sin comprometer sus valores morales y religiosos, el riesgo era grande. La carrera de Daniel e incluso su vida estaban en juego, así como la vida del funcionario babilonio al mando, Aspenaz (Dan **1**:**10**). Pero por la gracia de Dios, Daniel mantuvo la calma y conservó su integridad. Incluso los enemigos de Daniel prefirieron admitir que "*no pudieron hallar motivo de acusación ni prueba alguna de corrupción, porque él era fiel, y no se halló en él negligencia ni corrupción*" (Dan **6**:**4**).

Dios derrocará los reinos paganos y los sustituirá por su propio reino (Daniel 2)

El capítulo **2 de** Daniel presenta la visión de Dios derrocando los reinos paganos y reemplazándolos con Su propio reino.

Aunque Daniel prosperó y sirvió a Dios en medio de un territorio hostil, Nabucodonosor se inquietó en su gobierno sobre su propia tierra, a pesar de que su poder era indiscutible. Sus sueños lo atormentaban mientras se preocupaba por la seguridad de su reino. En un sueño, Nabucodonosor vio una estatua hecha de varios elementos de diferentes metales. *La* estatua era enorme, pero una roca la golpeó, y "*quedaron como la paja de las eras en verano*", que "*el viento... se llevó sin dejar rastro de ellos*", pero la roca "*que había golpeado la estatua se convirtió en una gran montaña que llenaba toda la tierra*" (Dn **2**, **35**). Los magos, hechiceros y astrólogos de Nabucodonosor no le sirvieron para interpretar su sueño (Dn **2,10-11**), pero por la gracia de Dios Daniel supo cuál era el sueño -sin que el rey se lo dijera- y su interpretación (Dn **2,27-28**).

El episodio contrasta la arrogancia de Nabucodonosor con la humildad de Daniel y su dependencia de Dios. Nabucodonosor y su Babilonia eran modelos de orgullo. Según la interpretación de Daniel, las enormes partes metálicas de la estatua representaban los reinos de Babilonia y sus sucesores (Dan **2:31-45**). El saludo de los astrólogos al rey - "*Oh rey, vive para siempre*" (Dan **2:4**)- subraya la jactancia del rey de que él mismo es la fuente de su poder y majestad. Daniel, sin embargo, le transmite dos mensajes chocantes:

1. Tu reino no es el resultado de tus propias obras, sino que "*tú eres el Rey de reyes, a quien el Dios del cielo ha dado el reino, el poder, la grandeza y la gloria*" (Dan **2:37**). Por tanto, todo tu orgullo es necio y vano.
2. Tu reino está condenado. "*Como visteis que una piedra fue cortada del monte sin manos, y cómo desmenuzó el hierro, el bronce, el barro, la plata y el oro*". El gran Dios le ha dicho al rey lo que sucederá en el futuro. Así que el sueño es verdadero y la interpretación fiel" (Dan **2,45**). Aunque esto no sucederá durante su reinado, anulará sus supuestamente poderosos logros.

En cambio, la humildad personal -y su gemela, la dependencia del poder de Dios- fue el arma secreta de Daniel para progresar. La humildad le permitió avanzar, incluso en la situación extraordinariamente terrible de tener que decirle al rey que su propio reino estaba siendo destruido. Daniel negó cualquier capacidad personal y dejó claro que sólo Dios tiene poder y sabiduría: "*En cuanto al secreto que el rey desea conocer, no hay sabios, magos, hechiceros ni adivinos que puedan explicárselo al rey. Pero hay un Dios en el cielo que revela los secretos*" (Dn **2,27-28a**).

Sorprendentemente, esta actitud humilde llevó al rey a perdonar e incluso aceptar el insolente mensaje de Daniel. Estaba dispuesto a ejecutar a todos sus astrólogos, pero "*se postró sobre su rostro y se inclinó ante Daniel*" (Dan **2:46**), y entonces "*el rey exaltó a Daniel y le hizo muchos regalos espléndidos y lo nombró gobernador de toda la provincia de Babilonia y jefe de todos los sabios de Babilonia*" (Dan **2:48**). Nabucodonosor incluso llegó a creer en *Yahvé* en algún nivel. El rey se dirigió a Daniel y le dijo: "*Verdaderamente tu Dios es un Dios de dioses, un Señor de reyes y un revelador de secretos, ya que has sido capaz de desentrañar este misterio*" (Dan **2:47**).

Esto ofrece dos puntos importantes para los cristianos en su trabajo de hoy:

1. Dios acabará con la arrogancia, la corrupción, la injusticia y la violencia en todos los lugares de trabajo, aunque no necesariamente durante el tiempo que trabajemos en ellos. Esto es a la vez un consuelo y un reto. Es un consuelo porque no somos responsables de corregir todos los males en nuestros lugares de trabajo, sino sólo de actuar fielmente en nuestras esferas de influencia, y también porque la injusticia que podemos sufrir en el trabajo no es la realidad última de nuestro trabajo. Es un reto porque estamos llamados a enfrentarnos al mal en nuestras esferas de influencia, aunque nos cueste la carrera. Daniel estaba aterrorizado por la seriedad del mensaje que tenía que entregar a Nabucodonosor: "*Por tanto, oh rey, que mi consejo te sea aceptable: pon fin a tus pecados haciendo justicia, y a tus iniquidades mostrando misericordia a los pobres*" (Dan **4:27**).
2. Debemos aceptar nuestra posición con humildad y no con arrogancia. Hemos visto cómo Daniel afirmó que la sabiduría no era suya. Asimismo, en el primer capítulo, cuando a Daniel se le ordenó comer en la mesa del rey, no respondió con arrogancia, sino que "*rogó al príncipe que no se contaminase*" (Dan **1:8**). Luego se tomó el tiempo necesario para comprender la situación desde el punto de vista del oficial. Manteniéndose fiel a sus principios, encontró un acuerdo mutuo que no ponía a su jefe entre la espada y la pared: "*Te ruego que pongas a prueba a tus siervos durante diez días*" (Dn **1:12**). Como creyentes en el lugar de trabajo, podemos confundir adoptar una postura firme por Cristo con obstinación o beligerancia.

Juntos, estos dos puntos ilustran las posibilidades y los peligros de aplicar el libro de Daniel a nuestra vida laboral. A veces reconocemos que, para ser fieles a Dios, debemos desafiar a quienes detentan el poder. Pero, a diferencia de Daniel, carecemos de una recepción perfecta de la Palabra de Dios. El hecho de que creamos firmemente en algo no significa que proceda realmente de Dios. Así que si incluso Daniel fue humilde en su servicio a Dios, imagínate cuánto más humildes deberíamos ser nosotros. Una afirmación como: "*Dios me dijo en un sueño que tendré un ascenso que me pondrá por encima de todos ustedes*", es algo que probablemente no deberíamos compartir, no importa cuán firmemente lo creamos. Tal vez sea mejor creer que Dios le está diciendo a la gente que nos rodea lo que quiere que sepan, en lugar de que se lo digamos nosotros.

Recompensa por el testimonio fiel a Dios a pesar del sufrimiento (Daniel 3)

Por la gracia de Dios, la humildad de Daniel le permitió prosperar en la corte de Nabucodonosor, incluso cuando Dios preparaba la destrucción del reino del rey. Sin embargo, Daniel y sus amigos estaban a punto de sufrir un nuevo ataque de la arrogancia de Nabucodonosor. A diferencia de los capítulos **1** y **2**, en el capítulo **3** es su fidelidad a Dios lo que les lleva al sufrimiento. Sin embargo, en medio de su sufrimiento, Dios les recompensa por su fidelidad.

Por un momento, parece que Nabucodonosor ha renunciado a su arrogancia, se ha sometido a Dios y ha evitado que su reino sea derrocado por el poder de Dios. Desgraciadamente, sin embargo, el mismo sueño que llevó a Nabucodonosor a reconocer la mano de Dios sobre Daniel pudo haber llevado también al rey a construir una imagen de oro y obligar a todos sus súbditos a adorarla (Dan **3**:**1**, **5**-**6**). La construcción representaba el renacimiento del orgullo del rey babilónico. Esta gigantesca estructura (de más de **27** metros de altura) se construyó al nivel de la "*llanura de Dura*", lo que exageraría la imponente presencia de la imagen (Dan **3**:**1**).

Los desacreditados astrólogos del rey vieron la oportunidad de vengarse de Daniel. Aprovechando el resurgimiento del orgullo del rey, acusaron a los amigos de Daniel de no adorar la imagen (Dan **3**:**8**-**12**). Los amigos admitieron rápidamente su culpa y se negaron a postrarse ante la imagen, a pesar de la amenaza del rey de arrojarlos al horno de fuego (Dan **3**:**13**-**18**). Después de años de manejar con éxito la tensión entre el ambiente pagano de la corte babilónica y su fidelidad a Dios, se encontraron en una situación en la que no se podía hacer ninguna concesión sin violar su integridad. Antes habían sido ejemplos de cómo avanzar siguiendo a Dios en un entorno hostil, pero ahora tenían que convertirse en ejemplos de cómo sufrir en ese mismo entorno.

Sadrac, Mesac y Abednego respondieron diciendo al rey Nabucodonosor No tenemos necesidad de responderte sobre este asunto. Ciertamente nuestro Dios, a quien servimos, puede librarnos del horno de fuego; y por tu mano, oh rey, él nos librará. Pero si no lo hace, debes saber, oh rey, que no serviremos a tus dioses ni adoraremos la estatua de oro que has levantado. (Dan **3**:**16**-**18**).

Es raro que los cristianos trabajadores de hoy se enfrenten a una hostilidad tan extrema, al menos en el mundo occidental. Sin embargo, puede que se nos pida hacer algo que perturbe nuestra tranquila conciencia. O, lo que es más probable, puede que un día nos despertemos y nos demos cuenta de que ya hemos comprometido los deseos de Dios para nuestro trabajo a través de los objetivos que perseguimos, el poder que ejercemos, las relaciones que gestionamos mal o los compromisos que asumimos. En cualquier caso, puede llegar un día en que nos demos cuenta de que tenemos que hacer un cambio radical, como decir no, ser despedidos, dimitir, denunciar o defender a otra persona. Lo correcto sería esperar que haya sufrimiento. El hecho de que estemos haciendo la voluntad de Dios no significa que Dios vaya a evitar que afrontemos las consecuencias impuestas por las autoridades. Trabajar como cristiano no es otro atajo hacia el éxito, sino que conlleva el riesgo constante del sufrimiento.

Este incidente es especialmente conmovedor porque demuestra que Daniel y sus amigos vivían en el mismo mundo que nosotros. En nuestro mundo, si te enfrentas a un jefe por acoso sexual o falsificación de datos, por ejemplo, es probable que seas castigado, marginado, culpado, incomprendido e incluso despedido. Incluso si consigues poner fin al abuso y apartar al agresor del poder, tu reputación puede quedar irreparablemente dañada. Es tan difícil demostrar que tenías razón, y la gente es tan reacia a implicarse, que la institución puede decidir protegerse deshaciéndose de ti junto con el verdadero agresor. Aparentemente, Sadrac, Mesac y Abednego no esperaban menos, pues reconocieron de inmediato la posibilidad de que Dios no interviniera en su caso. "*Ciertamente nuestro Dios, a quien servimos, puede librarnos del horno de fuego ardiendo; y de tu mano, oh rey, nos librará. Pero si no lo hace, debes saber, oh rey, que no servimos a tus dioses*" (Dn **3,17-18**). A pesar de todo, lo correcto para ellos era ser fieles a Dios, fuera o no el camino del éxito.

En esta situación, son un verdadero ejemplo para nosotros. Debemos aprender a decir claramente y con humildad lo que es correcto en nuestros lugares de trabajo. El General Peter Pace, antiguo Jefe del Estado Mayor Conjunto del Ejército de Estados Unidos, dice: *"He llegado a admirar realmente algo que yo llamo coraje intelectual".* Es la capacidad de sentarse en una sala llena de gente muy poderosa, ver que la conversación va en una determinada dirección, darse cuenta de que algo va mal y tener el valor de decir: 'Mi perspectiva es diferente por las siguientes razones'". En la práctica, y por lo general, el valor es el resultado de la preparación. Los amigos de Daniel conocían los peligros inherentes a su postura y estaban preparados para afrontar las consecuencias de mantenerse firmes en sus convicciones. Tenemos que saber dónde están los límites éticos en nuestro lugar de trabajo y pensar detenidamente de antemano cómo responderíamos si se nos pidiera hacer algo contrario a la Palabra de Dios. El consejo de un profesor de toda la vida en la Escuela de Negocios de Harvard es: "*En cualquier trabajo que aceptes, debes tener claras de antemano las situaciones que podrían hacerte renunciar, y debes practicar tu discurso de renuncia. De lo contrario, puedes dejarte llevar paso a paso y acabar haciendo casi cualquier cosa".*

Humillación del rey pagano (Daniel 4)

Los capítulos **4** y **5 de** Daniel deben leerse juntos. El tema de ambos es la humillación o derrocamiento del reino pagano. La gloria de Babilonia es el escenario común en el que vemos la humillación de Nabucodonosor en el capítulo **4** y la caída del rey Belsasar en el capítulo **5**.

En el capítulo **4**, tanto la magnificencia de Babilonia como la arrogancia del rey alcanzaron su apogeo, pero una vez más el rey se vio turbado por los sueños. Vio un enorme árbol cuya "*copa llegaba hasta el cielo*" (Dan **4:11**), que daba fruto y cobijo a todos los animales. Pero "*un centinela, un santo, que bajaba del cielo*" (Dan **4:13**), ordenó cortar el árbol y dispersar a los animales. En el sueño, la vid se convierte en un hombre cuya mente ha sido cambiada por la de un animal y que se ve obligado a vivir entre los animales y las plantas durante mucho tiempo (Dan **4:13-16**). El rey ordenó a Daniel que interpretara el sueño, por lo que Daniel tuvo que volver para dar una noticia desagradable a un monarca emocionalmente inestable (Dan **4:18-19**). La interpretación fue que el árbol representaba al propio Nabucodonosor, quien, como castigo por su arrogancia, enloquecería y se vería obligado a vivir como un animal salvaje hasta que comprendiera que "*el Altísimo gobierna el reino de los hombres y lo da a quien le place*" (Dan **4:25**). A pesar de esta severa advertencia, Nabucodonosor persistió en su orgullo, e incluso se jactó: "*¿No es ésta la gran Babilonia que he edificado para residencia real con la fuerza de mi poder y para gloria de mi majestad?*". (Dan **4:30**). Como resultado, fue castigado como se predijo en su sueño (Dan **4:33**).

Sin embargo, es posible que la interpretación confrontativa de Daniel marcara la diferencia, porque después de un largo período en el desierto, el rey se arrepintió y glorificó a Dios, recuperando tanto su cordura como su reino (Dan **4:34-37**). La firmeza de las palabras de Daniel no persuadió al rey para que abandonara su arrogancia antes de que sobreviniera el desastre, pero sí abrió una puerta para el arrepentimiento y la restauración del rey después.

A veces, adoptar una postura firme, respetuosa y basada en principios también puede provocar cambios en nuestro lugar de trabajo. Un consultor de una empresa internacional de consultoría de gestión -llamémosle Vince- cuenta una historia sobre cómo tratar con una persona autoritaria. Vince fue asignado para dirigir a un grupo de empleados jóvenes y prometedores en una gran empresa industrial cliente de la firma. Al principio del proyecto, un socio mayoritario de la empresa estaba dando unas palabras de ánimo al equipo cuando uno de los miembros del equipo del cliente -le llamaremos Gary- le interrumpió. Gary empezó a cuestionar la validez del proyecto.

"*Antes de embarcarnos en este proyecto*", dijo Gary, "*creo que deberíamos evaluar si las consultoras como la suya aportan realmente algo de valor a sus clientes. He leído algunos artículos que dicen que es posible que este tipo de estudio no sea tan útil como pensáis*". El socio mayoritario encontró la manera de continuar su perorata, pero luego le dijo a Vince: "*Saca a Gary del equipo*". Vince -consciente del mandato de Jesús de perdonar a un hermano setenta veces siete (Mateo, **18:22**)- pidió permiso para ver si conseguía que Gary cambiara de actitud. Dijo: "*No me parece justo perjudicar su carrera por un error, por grande que haya sido*". A lo que el socio contestó: "Tienes dos semanas, y tú también te estás poniendo en peligro". Por la gracia de Dios -según Vince- Gary vio la validez del proyecto y se lanzó al trabajo con entusiasmo. El socio vio el cambio y al final del proyecto le dio a Gary un reconocimiento especial en el banquete de clausura. La firme postura de Vince marcó la diferencia para Gary y su empresa.

El derrocamiento del reino pagano (Daniel 5)

El capítulo **5** pasa de la humillación del rey pagano a la destrucción total del imperio babilónico. Pocos imperios del mundo antiguo eran tan extravagantes como Babilonia. Era una fortaleza inexpugnable con dos murallas, una interior y otra exterior, de casi dieciocho kilómetros de longitud y algo más de doce metros de altura. Un bulevar procesional conducía a la gran Puerta de Ishtar, una de las ocho puertas de la ciudad, construida con ladrillos de color azul brillante. La ciudad contaba con cincuenta templos y numerosos palacios. Los famosos "*Jardines Colgantes*", que conocemos sobre todo gracias a los historiadores antiguos, eran una de las Siete Maravillas del Mundo. Sin embargo, tras la muerte del intimidante Nabucodonosor en el **562** a.C., la ciudad sólo tardó veinte años en caer. El rey persa Ciro (**559-530 a.C.**) tomó la ciudad en **539** a.C. sin resistencia significativa.

Este cambio trascendental en el panorama político se narra desde la perspectiva de lo ocurrido en el palacio del nuevo gobernador, Belsasar, la noche de la caída de la ciudad. En un fastuoso banquete, Belsasar profanó los vasos sagrados judíos del templo de Jerusalén y blasfemó contra el Señor mientras la cena se convertía en una orgía de borrachos (Dan **5**:**1**-**4**). Entonces "*de repente aparecieron los dedos de una mano humana y comenzaron a escribir en la parte blanqueada de la pared frente al candelabro*" (Dan **5**:**5**). Belsasar, el orgulloso gobernante del gran imperio de Babilonia, se asustó tanto al ver la escritura en la pared que su rostro palideció y sus rodillas se doblaron (Dn **5**:**6**). Ni él ni sus magos, astrólogos o adivinos pudieron entender lo que significaba (Dn **5**:7-**9**), sólo Daniel pudo entender el mensaje de condena: "*No has glorificado al Dios que tiene tu aliento en su mano y es dueño de todos tus caminos... has sido pesado en la balanza y hallado falto... tu reino ha sido dividido y entregado a medos y persas*" (Dan **5**:**23**, **27**-**28**). Y en efecto, "*aquella misma noche fue muerto Belsasar, rey de los caldeos. Y Darío el Medo recibió el reino*" (Dan **5**:**30**-**31**).

Al final, Dios pone fin al reino del mal. La gran esperanza del pueblo de Dios es la victoria final del Señor, no nuestra propia eficacia. En cualquier caso, debemos florecer allí donde estamos plantados, y cuando surge la oportunidad, podemos y debemos marcar la diferencia. El modelo que vemos en las páginas de Daniel es de participación, no de aislamiento. Nuestra participación en el mundo, sin embargo, no se basa en la esperanza de alcanzar algún tipo de éxito o de que Dios nos haga inmunes al sufrimiento que vemos a nuestro alrededor. Se basa en el conocimiento de que todo lo bueno que sucede en medio del mundo caído es sólo una muestra de la incomparable bondad que veremos cuando Dios traiga su propio reino a la tierra. Al final, es más importante preguntar: "*¿De qué lado estás?*" que preguntar: "*¿Qué has hecho por mí últimamente?*".

La agonía y la recompensa por un testimonio fiel a Dios dentro del proceso (Daniel 6)

El capítulo **6** retoma un tema introducido por primera vez en el capítulo **3**: que los que dan testimonio fiel de Dios experimentarán sufrimiento y recompensa, incluso durante la existencia del reino pagano. El capítulo **6** relata una conspiración contra la vida de Daniel que ocurrió durante el reinado del monarca persa Darío el Grande (**522-486** a.C.). Debido a la capacidad de Daniel, fue ascendido a gobernar todo el nuevo imperio, rindiendo cuentas sólo al propio rey (Dan **6**:**3**). Pero sus rivales urdieron un plan que explotaba la única vulnerabilidad que tenía: su hábito diario de rezar a su Dios. Los conspiradores engañaron a Darío para que prohibiera durante treinta días toda expresión religiosa, excepto la oración al rey. La pena era la muerte en la boca del lobo. Para su disgusto, Darío no pudo revocar el decreto, ya que, según la tradición, "*la ley de los medos y los persas... no puede ser revocada*" (Dan **6**:**8**). Aunque Darío era el hombre más poderoso de la época, se ató las manos e hizo imposible salvar a su mayordomo favorito. El rey dijo a Daniel: "*Tu Dios, a quien sirves con perseverancia, te librará*" (Dan **6**:**16**). Y efectivamente, el ángel del Señor hizo lo que el rey quería pero no podía hacer. Aquella noche arrojaron a Daniel al foso de los leones, pero por la mañana salió sin una herida (Dan **6**:**17-23**). Esto hizo que el rey promulgara un decreto de reverencia al Dios de Daniel y anulara su amenaza de destruir a los judíos por adorar a Dios (Dan **6**:**26-27**). Ni siquiera las despiadadas leyes de medos y persas pudieron acabar con el pueblo de Dios. El poder de Dios superó el engaño humano y la imposición real.

Sin embargo, Daniel experimentó lo que muchos de nosotros llamaríamos sufrimiento en el proceso. Aunque finalmente fue liberado, ser el blanco de un intento de asesinato patrocinado por el gobierno (Dan **6**:**4-6**) debió de ser una experiencia difícil. Asimismo, desafiar abiertamente el edicto del rey por una cuestión de conciencia (Dan **6**:**10-12**) fue un acto peligroso y valiente. Daniel fue arrestado inmediatamente y arrojado al foso de los leones (Dan **6**:**16-17**). No debemos dejar que la liberación final de Daniel (Dan **6**:**21-23**) nos haga creer que la experiencia no fue, como mínimo, dolorosa y perturbadora. Hay tres lecciones que podemos aprender del fiel testimonio de Daniel a Dios:

1. Daniel no se limitó a las tareas que estaba seguro de poder realizar con sus propias fuerzas: ¡no hay manera de practicar el ser arrojado al foso de los leones! Hizo su trabajo diario dependiendo de Dios. Daniel oraba tres veces al día (Dan **6**:**10**) y

reconocía a Dios en todos los aspectos difíciles que enfrentaba. Nosotros también debemos darnos cuenta de que no podemos cumplir nuestro llamamiento por nosotros mismos.

2. Daniel fue la encarnación de la llamada que Jesús hizo tiempo después a ser sal y luz (Mt **5,13-16**) en nuestro ministerio. Incluso sus enemigos tuvieron que admitir: "*No hallaremos motivo de acusación contra este Daniel, a menos que encontremos algo contra él en relación con la ley de su Dios*" (Dan **6:5**). Lo anterior significa que en situaciones difíciles fue capaz de responder con la verdad y provocar un cambio real. Esto ocurre varias veces en las que Daniel y sus amigos defienden cuidadosa y firmemente la verdad y consiguen un nuevo decreto del rey (Dan **2:46-49**; **3:28-30**; **4:36-37**; **5:29**; **6:25-28**).
3. El éxito de Daniel a la hora de provocar el cambio demuestra que Dios está interesado en los problemas cotidianos del gobierno en una sociedad rota. El hecho de que Dios tenga la intención de reemplazar el régimen actual con el tiempo no significa que no esté interesado en hacerlo más justo, fructífero y habitable ahora. A veces no interactuamos con Dios en nuestro trabajo porque creemos que Dios no encuentra importante nuestro trabajo. Sin embargo, todos los trabajadores deberían saber que todas las decisiones son importantes para nuestro Dios. La pregunta que la enseñanza de Daniel plantea al obrero es: "*¿Qué reino estás construyendo? Daniel fue excelente en su oficio, trabajando en favor de los reinos del mundo, y también mantuvo su integridad como ciudadano del reino de Dios*". Su servicio a los reyes paganos era su servicio a los propósitos de Dios. Los trabajadores cristianos deben trabajar bien en el presente, sabiendo que la importancia de nuestro trabajo está en y más allá del aquí y ahora...

Dios Derribará los Reinos Paganos y los Reemplazará con Su Propio Reino (Daniel 7)

El capítulo 7 nos devuelve al primer tema del libro de Daniel: que un día Dios sustituirá los reinos corruptos de este mundo por Su propio reino. Al igual que Daniel y sus amigos, es posible que, por la gracia de Dios, encontremos una manera de arreglárnoslas -e incluso de progresar- como exiliados temporales aquí. Sin embargo, la mayor esperanza que tenemos no es sacar lo mejor de la situación actual, sino esperar con seguridad la alegría del reino venidero de Dios.

Por lo tanto, la perseverancia se convierte en una virtud crucial. Debemos perseverar hasta que Cristo vuelva para arreglar todas las cosas. La perseverancia es una virtud alabada en la filosofía clásica y en la tradición judeocristiana. A veces la encontramos en frases citadas, como la de Einstein: "*No es que sea muy listo, sino que paso más tiempo resolviendo problemas*". El Nuevo Testamento afirma el valor de la perseverancia: "*Bienaventurado el hombre que soporta la prueba, porque cuando sea hallado digno, recibirá la corona de vida que el Señor ha prometido a los que le aman*" (Stg **1**,**12**). La perseverancia en la vida del creyente tiene su origen y fundamento en el Señor Dios. No es una cuestión de integridad u honor humano. La integridad cristiana se basa en la veracidad de las promesas del pacto eterno de Dios.

A partir del capítulo 7, el libro de Daniel se convierte en un género abiertamente apocalíptico. La literatura apocalíptica, un tipo especial de predicción profética, describe los acontecimientos catastróficos de los últimos días y se encuentra en muchas partes de la literatura judía y cristiana primitiva. Sus características incluyen un rico simbolismo (capítulo 7), la descripción de la batalla universal final entre el bien y el mal (Dan **11**:**40**-**12**:**4**) y un intérprete celestial que explica el significado de la visión del profeta (Dan 7:**16**, **23**; **8**:**15**; **9**:**21**-**23**; **10**:**14**). Se exhorta al profeta a perseverar fielmente hasta que se cumpla la visión (Dan 7:**25**-**27**; **9**:**24**; **10**:**18**-**19**; **12**:**1**-**4**, **13**). Esta forma literaria enfatiza el mensaje de perseverancia del autor.

Los capítulos 7 a **12** narran las inquietantes visiones de Daniel, que las relata en primera persona. El resultado es una serie de profecías que predicen las tribulaciones del pueblo de Dios a manos de líderes despóticos, pero que terminan con un triunfo asegurado por el libertador designado por Dios. El libro concluye exhortando a Daniel a perseverar: "*Bienaventurado el que espera y llega a* *mil trescientos treinta y cinco días. Pero tú, sigue hasta el fin; descansarás y te levantarás para recibir tu herencia al final de los días*" (Dan **12**:**12**-**13**).

La opresión del pueblo de Dios es un tema constante en estos capítulos (Dan 7:**21**, **25**; **9**:**26**; **10**:**1**). El opresor - Antíoco IV Epífanes, según revela la historia - se describe con imágenes inquietantes y surrealistas. Es el "*cuerno pequeño*" (la "*abominación desoladora*" de Dan **11**:**31** y el "*hombre malvado*" de Dan **11**:**21**) que rechaza a los dioses tradicionales de sus antepasados para erigirse en deidad suprema.

El mensaje de confianza de los capítulos 7 a **12** para los trabajadores es la seguridad de una contabilidad final que recompensará con justicia el trabajo fiel que realizamos en la vida. En el aquí y ahora, el buen trabajo no siempre recibe una recompensa proporcional a sus honorables contribuciones a la sociedad. En muchos casos, sus resultados ni siquiera son visibles para nosotros. Aunque Daniel y sus amigos a menudo hacían cambiar de opinión a los reyes, éstos no tardaban en volver a las andadas. Del mismo modo, en el lugar de trabajo, nuestro papel como sal y luz puede detener el mal, pero a menudo no dará lugar a un cambio duradero. Esto no disminuye nuestra responsabilidad de ser sal y luz, pero los frutos de nuestra labor no serán plenamente visibles hasta que se cumpla el reino de Dios.

Conclusión del Libro de Daniel

El libro de Daniel presenta una imagen esperanzadora de cómo el pueblo de Dios puede sobrevivir e incluso prosperar en un entorno hostil si permanece fiel a Dios. Según el libro de Daniel, Dios se interesa profundamente por la vida cotidiana de las personas y las sociedades en un mundo roto. Dios interviene directamente en la vida cotidiana y también concede a Daniel dones milagrosos que le permiten prosperar bajo un régimen opresivo. Pero el libro de Daniel no promete en modo alguno el éxito en el mundo como recompensa por la fidelidad. En cambio, promete tanto sufrimiento como recompensa en la vida mortal, demostrando que la fidelidad y la integridad son la clave para vivir bien en esta vida y en el reino venidero de Dios.

Daniel y sus amigos ilustran muchas aplicaciones prácticas para los cristianos en el lugar de trabajo: Participar en la cultura, adoptar hábitos para toda la vida que edifican la fidelidad y la virtud, compartir la comunión con compañeros de trabajo cristianos, adoptar un estilo de vida modesto, entablar amistad con los no creyentes, demostrar una humildad genuina, adoptar una postura firme y de principios en situaciones laborales, aceptar los retos que sabemos que no podemos superar sin la ayuda de Dios, llevar sal y luz a nuestros lugares de trabajo, trabajar con excelencia y diligencia en todo lo que hacemos, esperar el sufrimiento como resultado de la fidelidad cristiana en el lugar de trabajo, y perseverar hasta que Dios lleve Su reino -y nuestro trabajo fiel- a buen término. No es posible saber de antemano si nuestra fidelidad a los caminos de Dios se traducirá en éxito o fracaso en el mundo, como tampoco sabían los amigos de Daniel si se salvarían en el horno de fuego o serían consumidos por las llamas. Como ellos, sin embargo, podemos ver que lo que realmente importa es que sirvamos a Dios en nuestro trabajo.

Oseas, Amós, Abdías, Joel y Miqueas ejercieron de profetas en el siglo VIII a.C., cuando el Estado estaba bien desarrollado pero la economía en declive. El poder y la riqueza se acumulaban en las clases altas, dejando a una clase social en desventaja. Hay pruebas de que los agricultores empezaron a centrarse en cultivos comerciales que pudieran venderse a la creciente población urbana. Esto tuvo el efecto desestabilizador de dejar a los campesinos con una combinación de cultivos y animales que no podía soportar la pérdida de ningún cultivo o mercado. Las comunidades campesinas se volvieron vulnerables a las fluctuaciones anuales de la producción y, en consecuencia, las ciudades se vieron expuestas a altibajos en su suministro de alimentos (Am **4:6-9**). Cuando los profetas de esta época empezaron a hablar, los días de gloria de los opulentos proyectos de construcción y expansión territorial ya habían pasado. Tales circunstancias eran un caldo de cultivo para la corrupción de aquellos desesperados por aferrarse a su poder y riqueza en declive, y para una brecha cada vez mayor entre ricos y pobres. En consecuencia, los profetas de Dios de este periodo tienen mucho que aportar al mundo del trabajo.

Introducción al Libro de Oseas, Amós, Abdías, Joel y Miqueas

La familia de Oseas representa el ejemplo dramático para aquellos que buscan trabajar en lugares corruptos o imperfectos. El relato bíblico nos muestra cómo Dios intencionalmente colocó a su profeta Oseas en una situación difícil y corrompida al ordenarle formar un hogar con Gomer, quien estaba claramente etiquetada como 'prostituta'. Esto desafía la mentalidad convencional, ya que nos invita a considerar si hay posibilidades infinitas para cumplir la voluntad divina incluso en los contextos sociales más tenebrosos. ¿Podemos transformar nuestro entorno cuando estamos limitados por un empleador con malas prácticas? Por lo que podemos extraer del ejemplo de Oseas, creemos que la respuesta es sí; sin embargo, esta historia no solo sirve como fuente inspiradora; también plantea preguntas importantes sobre el poder transformador de Dios dentro de los límites y requisitos impuestos a la humanidad permitiendo progresivamente descubrir qué significado hay detrás las decisiones sobrenaturales incompletamente comprendidas.

La Palabra de Dios nos ha otorgado un mayor sentido de responsabilidad para desarrollar la Justicia frente a los compromisos religiosos y ceremonias. El profeta Miqueas, Oseas y Amós nos enseñan que hay cierta nexo entre el cumplimiento ético y la acción moral. A través de estos 3 grandes profetas se advierte que la Justicia es un concepto sagrado superior al sacrificio religioso exagerado. Esta necesaria conexión donada por los versículos bíblicos ayudan a dimensionar nuestro papel como seres espirituales, cuyas acciones dependen directamente de nuestra lealtad e importante relación con Dios. Siguiendo las estipulaciones divinas sobre lo que significa ser justo podemos visualizarnos germinando en armonía con los demás colaborando para dotar el mundo de prudentes obras beneficiosamente éticas para todos.

Dios exige una transformación (Oseas 1:1-9; Miqueas 2:1-5)

Dios culpa al pueblo en su conjunto de la corrupción de Israel. Han abandonado la alianza con Dios, lo que rompe tanto su relación con Dios como las estructuras sociales justas de la ley del Señor, y conduce directamente a la corrupción y al declive económico. El término que los profetas utilizan a menudo para describir la violación de la alianza por parte de Israel es "*prostitución*" (por ejemplo, Jr **3**,**2**; Ez **23**,**7**). Para dramatizar la situación, Dios toma la metáfora literalmente y ordena al profeta Oseas: "*Toma para ti una ramera y engendra hijos de ramera; porque la tierra ha fornicado gravemente y ha abandonado a Yahveh*" (Os **1**:**2**). Oseas obedece el mandato de Dios y se casa con una mujer llamada Gomer, que aparentemente cumple el requisito, y tiene tres hijos con ella (Os **1**:**3**). Esto nos permite imaginar lo que debió de ser formar un hogar y criar hijos con una "*ramera*".

Aunque los profetas utilizan las imágenes de la prostitución y el adulterio, Dios acusa a Israel de corrupción económica y social, no de inmoralidad sexual.

¡Ay de los que planean la iniquidad, de los que traman el mal en sus camas! A la luz de la mañana lo llevan a cabo, porque está en poder de sus manos. Codician campos y se apoderan de ellos, casas y las toman. Roban al dueño y su casa, al hombre y su heredad (Miq **2**,**1**-**2**).

Esto hace que la situación de la familia de Oseas sea un ejemplo dramático para los que trabajan en lugares corruptos o imperfectos hoy en día. Dios colocó intencionadamente a Oseas en una situación familiar corrupta y difícil. ¿Es posible que Dios coloque deliberadamente a las personas en lugares de trabajo corruptos y difíciles hoy en día? Si bien es posible buscar un trabajo cómodo con un empleador de buena reputación en una profesión respetable, es posible que podamos lograr mucho más para el reino de Dios trabajando en lugares que han hecho concesiones morales. Si aborreces la corrupción, ¿puedes combatirla más eficazmente trabajando como abogado en un bufete prestigioso o como inspector de edificios en una ciudad asolada por la mafia? No hay respuestas fáciles, pero la llamada de Dios a Oseas sugiere que marcar la diferencia en el mundo es más importante para Dios que mantenerse alejado del pecado. Como escribió Dietrich Bonhoeffer en medio de la Alemania controlada por los nazis: "*La pregunta más importante que debe hacerse un hombre responsable no es cómo salir heroicamente de la situación, sino cómo vivirá la siguiente generación*".

Dios hace posible el cambio (Oseas 14:1-9, Amós 9:11-15, Miqueas 4:1-5, Abdías 21)

El mismo Dios que exige el cambio también promete hacerlo posible. *"Está preparada una cosecha, cuando restauraré el bienestar de mi pueblo. Cuando curaré a Israel"* (Os **6,11**-7,**1**). Los Doce Profetas transmiten el optimismo crucial de que Dios actúa en el mundo para cambiarlo a mejor. A pesar del aparente triunfo del mal, Dios manda en última instancia y "*el reino será del Señor*" (Abd **21**). A pesar de las desgracias que la gente se provoca a sí misma, Dios actúa para restaurar la bondad con la que la vida y el trabajo fueron diseñados desde el principio. Él es "*compasivo y clemente, lento a la cólera y abundante en amor*" (Jl **2**,**13**). Las profecías finales de Joel, Oseas y Amós ilustran esto en términos económicos explícitos.

Las eras se llenarán de grano, y las tinajas rebosarán de vino nuevo y aceite nuevo... Comeréis hasta saciaros y os saciaréis; y alabaréis el nombre de Yahveh, vuestro Dios, que ha hecho maravillas con vosotros; y mi pueblo nunca se avergonzará. (Joel **2**:**24**, **26**)

[Los israelitas que habitan a su sombra volverán a cultivar trigo y florecerán como la vid. Su gloria será como el vino del Líbano (Os **14**:7).

Restauraré la prosperidad de mi pueblo Israel, y reconstruirán las ciudades desoladas y habitarán en ellas; también plantarán viñas y beberán su vino, y cultivarán huertos y comerán sus frutos. (Am **9**,**14**)

La palabra de Dios a su pueblo en tiempos de dificultades económicas y sociales es que Él tiene la intención de restaurar la paz, la justicia y la prosperidad si el pueblo vive de acuerdo con los preceptos de su pacto. El medio que Dios decide utilizar es la obra de su pueblo.

Opresión e injusticia: Una investigación a partir del libro de Miqueas (Miqueas 1:1-7; 3:1-2)

A pesar de las intenciones de Dios, el trabajo está sujeto al pecado humano. El caso más obvio es el trabajo inherentemente pecaminoso. Miqueas menciona la prostitución, en este caso probablemente la que tenía lugar en rituales sagrados, y promete que las ganancias serán quemadas con fuego (Miq **1**:7). Una aplicación sencilla sería excluir la prostitución de las ocupaciones legítimas, aunque pueda ser una opción comprensible para quienes no tienen otra forma de mantenerse a sí mismos y a sus familias. Hay otros trabajos que también plantean la cuestión de si deben realizarse o no. A todos se nos ocurren varios ejemplos, sin duda, y los cristianos harían bien en buscar trabajos que beneficien a los demás y a la sociedad en su conjunto.

Pero Miqueas se dirige a Israel en su conjunto, no sólo individualmente. Critica a una sociedad en la que las condiciones sociales, económicas y religiosas hacen de la prostitución una opción viable. La cuestión no es si es aceptable ganarse la vida mediante la prostitución, sino cómo debe cambiar la sociedad para que nadie sienta la necesidad de dedicarse a un trabajo degradante o perjudicial. Miqueas pide que se responsabilice a los líderes que no reforman la sociedad, no a quienes se ven obligados a realizar trabajos nocivos. Sus palabras son duras. "*Oíd ahora, jefes de Jacob y gobernantes de la casa de Israel: ¿no os corresponde a vosotros conocer la justicia? Vosotros que odiáis el bien y amáis el mal, que arrancáis la piel y la carne de los huesos*" (Miq **3**,**1-2**).

Existen similitudes y diferencias entre la sociedad de Miqueas y la nuestra. Las soluciones específicas que Dios promete al antiguo pueblo de Israel no son necesariamente las que Dios pretende para nuestro tiempo. Las palabras proféticas de Miqueas reflejan la relación entre la prostitución en los ritos sagrados y los cultos idolátricos de su época. Dios promete poner fin a los males sociales concentrados en los santuarios sectarios. "*Erradicaré de en medio de vosotros vuestras imágenes talladas y vuestras columnas sagradas, y no os inclinaréis más ante la obra de vuestras manos. Desarraigaré de en medio de vosotros vuestros áseres y destruiré vuestras ciudades*" (Miq **5**,**13-14**). En nuestros días, necesitamos la sabiduría de Dios para encontrar soluciones eficaces a los factores sociales actuales que fomentan el trabajo pecaminoso y opresivo.

Trabajar injustamente de Oseas 4:1-10, Amós 5:10-15, 8:5-6, y Joel 2:28-29

Cuando los profetas hablan de fornicación, casi nunca se refieren sólo a este tipo concreto de obra. A menudo lo usan también como metáfora de la injusticia, que por su propia naturaleza es infidelidad a la alianza de Dios (Os **4**:7-**10**). Con un recordatorio general de que los salarios pueden ganarse injustamente, Amós acusa a los comerciantes que utilizan productos de calidad inferior, pesos falsos y otros engaños para obtener beneficios a expensas de los consumidores vulnerables. Formula varias acusaciones específicas contra las prácticas laborales israelitas porque el trabajo en Israel se ha vuelto injusto y opresivo (Am **5**:7). Allí, quienes denuncian la corrupción y la explotación -o incluso quienes simplemente dicen la verdad- son silenciados (Am **5**:**10**). Los hombres de negocios utilizan su poder para explotar a los pobres y a los débiles (Am **5**:**11**). La ley no es obstáculo para su explotación porque hay muchos funcionarios dispuestos a aceptar sobornos para ignorar la situación. De hecho, el gobierno ha abdicado por completo de su responsabilidad de ocuparse de los pobres (Am **5**:**12**). En todos estos casos, el problema no es que los israelitas tengan trabajos que sean intrínsecamente malos; el problema es que tergiversan los oficios que Dios quiere que utilicen para el bien -negocios, bienes raíces, leyes y gobierno- convirtiéndolos en formas de opresión. Se preguntan cuándo es el momento de "*acortar el efa, y aumentar el siclo [hacer trampas con las medidas], y engañar con balanzas falsas; comprar al pobre y al necesitado por el precio de un par de sandalias, y vender el desecho del trigo*" (Am **8**:**5**-**6**).

Muchas de las profesiones actuales, con las que la gente se gana la vida legítimamente, pueden llegar a ser injustas por la forma en que se ejercen. ¿Debe un fotógrafo fotografiar cualquier cosa que le pida un cliente sin tener en cuenta el efecto que tendrá en sí mismo y en los demás que verán el resultado? ¿Debe un cirujano realizar cualquier tipo de cirugía electiva por la que un paciente esté dispuesto a pagar? ¿Es responsable un agente hipotecario de asegurarse de que un prestatario potencial tiene capacidad para devolver el préstamo sin dificultades excesivas? ¿Es correcto no ayudar a los colegas que fracasan porque su fracaso nos hace parecer mejores en comparación? Si nuestro trabajo es una forma de servicio a Dios, no podemos ignorar estas cuestiones. Sin embargo, debemos tener cuidado de no creer que existe una jerarquía de ministerios. La afirmación de los profetas no es que algunos tipos de trabajo sean más piadosos que otros, sino que todo tipo de trabajo debe realizarse como contribución a la obra de Dios en el mundo. Dios promete *que "en aquellos días derramaré mi Espíritu sobre los siervos y sobre las siervas*" (Joel **2**:**29**).

El trabajo de los individuos y las comunidades es interdependiente (Amós 8:1-6; Miqueas 6:1-16)

La equidad en el lugar de trabajo no es sólo una cuestión individual. Los individuos tienen la responsabilidad de garantizar que todos los miembros de la sociedad tengan acceso a los recursos necesarios para ganarse la vida. La forma más clara en que Amós critica a Israel por su injusticia en este sentido es mediante una alusión a la ley de espigar. Espigar es el proceso de recoger el grano que sobra en un campo después de que hayan pasado los segadores. Según el pacto entre Dios e Israel, los campesinos no podían espigar en sus propios campos, sino que debían permitir a los pobres (literalmente, "*viudas y huérfanos*") espigar en sus campos para su sustento (Dt. **24:19**). Esto creó una forma rudimentaria de bienestar social basada en dar a los pobres la oportunidad de trabajar (espigar) para que no tuvieran que mendigar, robar o pasar hambre. Espigar es una forma de participar en la dignidad del trabajo, incluso para quienes no pueden participar en el mercado laboral por falta de recursos, desorganización socioeconómica, discriminación, discapacidad u otros factores. Dios no sólo quiere que se satisfagan las necesidades de todos, quiere que todos tengan la dignidad de trabajar para satisfacer sus necesidades y las de los demás.

Amós se queja de que este mandato está siendo violado. Los campesinos no dejan el grano sobrante en sus campos para que lo recojan los pobres (Miq **7,1-2**). En lugar de ello, optan por vender la paja -los desechos que quedan después de la trilla- a los pobres a un precio exorbitante. "*Oíd esto, vosotros que pisoteáis al necesitado y queréis destruir a los pobres de la tierra*", les acusa Amós de vender "*el desecho del trigo*" (Am **8,4.6**), y les reprocha que esperen con impaciencia el final del sábado para poder seguir vendiendo este producto comestible barato y adulterado a quienes no tienen otra opción (Am **8,5**).

Además, defraudan incluso a quienes pueden permitirse comprar grano puro, como demuestran las balanzas fraudulentas del mercado. Se jactan: Haremos más pequeño el efa [el trigo que se vende] y más grande el siclo [el precio de venta]. Miqueas proclama el juicio de Dios contra el comercio injusto. "*¿Acaso puedo yo justificar balanzas falsas y bolsas de pesas engañosas?*", dice el Señor (Miq **6,11**). Esto nos dice claramente que la justicia no es sólo una cuestión de derecho penal y expresión política, sino también de oportunidades económicas. La capacidad de trabajar para satisfacer las necesidades individuales y familiares es esencial para el papel del individuo en la alianza. La justicia económica es un componente fundamental de la famosa y resonante afirmación de Miqueas apenas tres versículos antes: "*¿Qué pide el Señor de ti sino que hagas justicia, ames la misericordia y camines humildemente con tu Dios?*" (Miq **6**:**8**). Dios exige de su pueblo, como aspecto cotidiano de su caminar con Él, que ame la misericordia y haga justicia, individual y socialmente, en todos los aspectos del trabajo y de la vida económica.

Trabajo y culto: Comparación de Miqueas 6:6-8, Amós 5:21-24 y Oseas 4-11

A los ojos del profeta, la justicia no es simplemente una cuestión secular. El llamamiento de Miqueas a la justicia en el versículo **6:8** sigue a la observación de que la justicia es mejor que los sacrificios religiosos extravagantes (Miq **6:6-7**). Oseas y Amós desarrollan este punto. A través de Amós, Dios se opone a la separación entre el cumplimiento religioso y la acción ética.

Aborrezco y desprecio vuestras fiestas, ni me deleito en vuestras asambleas solemnes. Aunque me ofrezcáis holocaustos y vuestras ofrendas de grano, no los aceptaré, ni tendré en cuenta las ofrendas de paz de vuestros animales cebados. Apartad de mí el ruido de vuestros cantos, pues ni siquiera escucharé la música de vuestras arpas. Que corra el derecho como las aguas, y la justicia como un torrente inagotable (Am **5,21-24**).

Oseas nos muestra más profundamente la relación entre estar espiritualmente arraigados y hacer un buen trabajo. El buen trabajo fluye directamente de la fidelidad a la alianza de Dios y, a la inversa, el mal trabajo nos aleja de la presencia de Dios.

Escuchad la palabra de Yahveh, hijos de Israel, porque Yahveh tiene un pleito con los habitantes de la tierra, porque en la tierra no hay fidelidad, ni misericordia, ni conocimiento de Dios. Sólo hay perjurio, mentira, asesinato, robo y adulterio. Usan la violencia, y el asesinato sigue al asesinato. Por eso llora la tierra y languidece todo el que la habita, junto con las bestias del campo y las aves del cielo; hasta los peces del mar desaparecen... Mi pueblo es destruido por falta de conocimiento. Porque has rechazado el conocimiento, yo también te rechazaré a ti, para que no seas mi sacerdote; porque has olvidado la ley de tu Dios, yo también olvidaré a tus hijos. (Os **4,1-3.6**)

En verdad, si nos negamos a hacer obras justas, éticas y buenas, nuestra pretensión de ser adoradores de Dios queda en entredicho. Si apartamos un día a la semana para adorar a Dios, pero luego ignoramos Sus caminos los otros seis días, ¿representa ese único día de adoración lo que realmente somos? Oseas se queja de que la maldad del trabajo de Israel desmiente su adoración a Dios. Su trabajo es fraudulento, ejemplificado por los guardias fronterizos que se mueven para engañar a sus vecinos y quitarles parte de su tierra (Os **5:10**). Practican el engaño (Os **7:1**), aun cuando profesan adorar al Señor (Os **8:13-14**) y no cumplen sus promesas (Os **10:4**). Para validar su maldad, establecen alianzas políticas con potencias extranjeras opresoras

(Os **11**:**5**-**12**:**1**). Abusan de la capacidad de trabajo que Dios les ha dado (Os **13**:**2**). Parecen religiosos pero no obedecen a Dios (Os **11**:7). Su corrupción e injusticia en el trabajo son en realidad signos de que se han convertido en devotos de dioses falsos (Os **9**:7-**17**).

Esto nos recuerda que el mundo del trabajo no está separado del resto de la vida. Si no trabajamos de acuerdo con los valores y prioridades de la Alianza de Dios, nuestras vidas y nuestro trabajo serán ética y espiritualmente incoherentes. Cómo trabajamos durante la semana no es tanto una cuestión de si somos obedientes al Dios que adoramos, sino de si realmente adoramos a Dios. Si Dios no es el Dios de nuestras vidas cada día, entonces es probable que no sea realmente nuestro Dios el domingo. Si no agradamos a Dios en nuestro trabajo, no podremos agradarle en nuestro culto.

El desinterés derivado de la riqueza (Amós 3:9-15; 6:1-7)

Los profetas critican a aquellos cuya riqueza les lleva a abandonar el trabajo por el bien común y a los que abandonan todo sentido de la responsabilidad por el prójimo. Amós vincula la riqueza ociosa con la opresión cuando acusa a los ricos ociosos de hacer el mal, ser violentos y robar (Am **3,10**). Dios acabará rápidamente con la riqueza de esa gente. Dice: "*También derribaré la casa de invierno con la casa de verano; también perecerán las casas de marfil*" (Am **3,15**). Amós lanza una ráfaga de severas críticas contra el lujo de "*los que habitan a sus anchas en Sión*" (Am **6,1**), señalando que viven tranquilamente mientras "*se acuestan en sus camas*" (Am **6,4**) e "*improvisan al son del arpa*" (Am **6,5**). Cuando Dios castiga a Israel, "*ahora irán al destierro a la cabeza de los desterrados*" (Am **6**,7).

Hoy oímos quejas sorprendentemente similares contra quienes tienen riqueza pero no la utilizan para el bien. Esto se aplica tanto a los individuos como a las empresas, gobiernos y otras instituciones que utilizan su riqueza para explotar la vulnerabilidad de los demás en lugar de crear algo útil acorde con su riqueza. Muchos cristianos -quizás la mayoría en Occidente- tienen cierta capacidad para cambiar estas cosas, al menos en su entorno laboral inmediato. Las palabras de los profetas son un desafío y un estímulo constantes para preocuparnos profundamente por la forma en que nuestro trabajo y nuestra riqueza sirven -o no sirven- a las necesidades de quienes nos rodean.

Nahum, Habacuc y Sofonías profetizaron en una época en la que el reino del sur estaba en rápida decadencia. Las disensiones internas y la presión externa del próspero Imperio babilónico hicieron que Judá se convirtiera en un estado vasallo de Babilonia. Poco después, en **587** a.C., una insensata rebelión atrajo la ira de los babilonios sobre ellos, lo que provocó el colapso del estado de Judá y la deportación de la élite al corazón del imperio babilónico (2R **24-25**). En el exilio, el pueblo de Israel tuvo que encontrar la manera de ser fiel a pesar de estar separado de sus principales instituciones religiosas, como el templo, el sacerdocio e incluso la tierra. Si, como hemos visto, los seis primeros libros tratan de los efectos del pecado del pueblo, Nahum, Habacuc y Sofonías se refieren al castigo resultante del pecado durante este período.

Conclusión al Libro de Oseas, Amós, Abdías, Joel y Miqueas

El relato bíblico de la Familia de Oseas ofrece un ejemplo transformador y desafiante para los seres humanos que buscan navegar a través de ámbitos corrompidos o imperfectos. La historia nos enseña cómo Dios usa el contexto más tenebroso como medio para su propósito divino, sanando almas heridas y trayendo bendición incluso a las situaciones sociales más difíciles. Esta narrativa es estimulante ya que invita a los lectores a reflexionar sobre el poder salvífico infinito que opera dentro de límites impuestos por el hombre; además, destaca preguntas pertinentes sobre lo incomprensible detrás del plan sobrenatural. En suma, la familia de Oseas inspira santo valor frente al ambiente corrosivo sin sacrificar nuestro testimonio moral ni renunciar al propósito contenido en el amor celestial.

La conclusión clara que podemos sacar de esta lectura es que el Profeta busca empoderar a los creyentes al abogar por un compromiso ético honesto e inquebrantable como parte de su práctica espiritual. La comprensión profunda y la profesión de Dios muestran cómo la justicia, los mandamientos y la obediencia (recíproca) a ellos son totalmente inseparables del cumplimiento religioso. Esta idea se ilustra en el versículo Amós 5:21-24 donde Dios dice: "Que corra el derecho como las aguas, y la justicia como un torrente inagotable". El Profeta sabe que para ser espiritualmente arraigados deben tomarse en cuenta tanto los asuntos celestiales como terrenales. Por lo tanto, recomendamos encarecidamente actuar sabiamente dentro del ámbito secular para mostrar nuestro amor y respeto por aquellos que nos rodean, según lo indicado por el mensaje inspirador de Miqueas 6:8; Oseas 6:6-7; y Amós 5:21-24.

Introducción al Libro de Nahúm, Habacuc y Sofonías

Nahum provee una respuesta de enfoque divino al desastre económico y político que rodea a Israel. A través del mismo, reafirma continuamente el rol punitivo de Dios como juez justiciero y asume que todos los problemas financieros, económicas y ambientales son partes secundarias denominadas el juicio divino sobre su pueblo. Establece un recordatorio para la nación entera; a medida que intentan apoyar las consignas sociales establecidas por Dios, única forma para escapar del castigo implacablemente mandado por él.

Con seguridad este pasaje nos ha llamado la atención, pues hay algo profundo que cada uno de nosotros puede encontrar en él. La culpa del castigo cae sobre el propio pueblo, porque aun cuando los materiales sean preciosos y el trabajo sea bien hecho al adorar e inclinarse ante ídolos mudos no hay recompensa particular para cada individuo. Por esta razón, Sofonías nos recuerda: "Su oro y su plata no les ayudará" (Sof 1,18). Pero solo con silencio podremos descubrir una nueva forma de vida rigiéndose por las prioridades expresadas por Dios en el Pacto como lo demuestra Habacuc 2:20, ya que creer infielmente traerá consecuencias nefastas para todas aquellas personas involucradas particularmente en la industria financiera. Estudiemos juntos las implicaciones del mencionado versículo para comprender mejor lo que significaba ser leal dentro de la antigua comunidad de fe.

El castigo de Dios en el parto: Nahum 1:1-12, Habacuc 3:1-19, Sofonías 1:1-13

La principal contribución de Nahum es aclarar que el desastre político y económico es el castigo o la disciplina de Dios para Israel. Dios declara que los ha afligido (Nah **1:12**). Habacuc y Sofonías afirman que una parte importante del castigo de Dios es la disminución de la capacidad del pueblo para ganarse la vida satisfactoriamente.

No brotará la higuera, ni habrá fruto en las viñas; faltará el olivo, y los campos no darán alimento; el rebaño abandonará el redil, y no habrá ovejas en los establos (Hab **3,17**).

Todo el pueblo de Canaán será silenciado, y todo el que pese plata será eliminado (Sof **1:11**).

Esto se observa no sólo en las dificultades económicas, sino también en los problemas medioambientales (véase más adelante "*Trabajo, culto y medio ambiente*").

Entonces, ¿son los desastres políticos, económicos y naturales de hoy un castigo de Dios? Hay muchas personas dispuestas a afirmar que ciertos desastres son signos de la ira de Dios. El gobernador de Tokio y un presentador de noticias de MSNBC atribuyeron el terremoto y el tsunami de **2011** en Japón a un castigo divino. Pero a menos que nos unamos a las filas de los Doce o de los demás profetas de Israel, no deberíamos declarar a la ligera que la ira de Dios se manifiesta en los acontecimientos mundiales. ¿Fue Dios mismo quien reveló las razones del tsunami a estos comentaristas, o sacaron ellos sus propias conclusiones? ¿Reveló Su propósito a un número considerable de personas con mucha antelación, a lo largo de muchos años, como hizo con los profetas de Israel, o llegó a una o dos personas al día siguiente? Los que proclaman el juicio de Dios en los tiempos modernos, ¿fueron, como los profetas, provocados por años de sufrimiento junto con los afligidos, como fue el caso de Jeremías, los Doce y los demás profetas del antiguo pueblo de Israel?

El culto al trabajo (Habacuc 2:1-20; Sofonías 1:14-18)

La culpa del castigo la tiene el propio pueblo. Han trabajado infielmente, convirtiendo buenos materiales de piedra, madera y metal en ídolos. Pero el trabajo de hacer ídolos no vale nada, por muy costosos que sean los materiales o por muy bien hechos que estén los resultados.

De qué sirve el ídolo que su hacedor ha esculpido, o la imagen fundida, maestra de mentiras, si su hacedor confía en su obra cuando hace ídolos mudos (Hab. **2:18**).

Como dice Sofonías: "*Ni su plata ni su oro podrán librarlos*" (Sof **1,18**). La fidelidad no es algo superficial que nos lleva a adorar a Dios mientras trabajamos. Es el acto de hacer de las prioridades de Dios nuestras prioridades en el trabajo. Habacuc nos recuerda que "*Yahveh está en su santo templo; calle ante él toda la tierra*" (Hab **2,20**). Este silencio no es sólo un cumplimiento religioso, sino que implica silenciar nuestras propias ambiciones, miedos y motivaciones perversas para que las prioridades del pacto de Dios puedan convertirse en nuestras prioridades. Pensemos en lo que les espera a quienes defraudan a otros en la banca y las finanzas.

"*¡Ay del que aumenta lo que no es suyo (¿por cuánto tiempo?) y se enriquece pidiendo prestado!*". ¿No se levantarán de repente tus acreedores y se despertarán tus cobradores? Ciertamente serás presa de ellos (Hab **2,6**-7).

Quienes atesoran sus ganancias mal habidas en propiedades inmobiliarias -un fenómeno que parece constante a lo largo de los tiempos- también son una trampa para sí mismos.

¡Ay del que hace ganancias mal habidas para su casa, para edificar su nido en lo alto, para librarse de la mano de la calamidad! Has hecho una cosa vergonzosa para tu casa, has destruido muchas naciones, has pecado contra ti mismo. Ciertamente la piedra gritará desde el muro, y la viga le responderá desde el armazón (Hab. **2**:**9-11**).

Las personas que se aprovechan de la debilidad de los demás también se juzgan a sí mismas.

Ay del que hace beber a su prójimo; ¡ay de ti, que mezclas tu veneno para emborracharlo, para que vea su desnudez! Te llenarás más de vergüenza que de gloria. Bebe tú también, y muestra tu desnudez. La copa de la diestra del Señor volverá a ti, y la vergüenza a tu gloria (Hab **2**,**15-16**).

El trabajo que oprime o explota a los demás acaba provocando su propia destrucción.

Puede que hoy no hagamos ídolos de materiales preciosos ante los que inclinarnos, pero el trabajo también puede ser idolátrico si pensamos que podemos producir nuestra propia salvación. La esencia de la idolatría es "*confiar en algo hecho con las propias manos*" (Hab **2:18**, NTV, compare RVR arriba) en lugar de confiar en el Dios que nos creó para trabajar con Su guía y fuerza. Si deseamos poder e influencia porque creemos que nuestro grupo de trabajo, empresa, organización o nación está condenado al fracaso sin nuestra sabiduría, habilidad y liderazgo, nuestra ambición es una forma de idolatría. Por el contrario, si deseamos poder e influencia para llevar a otros a una red de servicio en la que todos produzcan los dones de Dios para el mundo, entonces nuestra ambición es una forma de fidelidad. Si nuestra respuesta al éxito es felicitarnos a nosotros mismos, estamos practicando la idolatría. Si nuestra respuesta es la gratitud, estamos adorando a Dios. Si nuestra respuesta al fracaso es la desesperación, estamos sintiendo el vacío de un ídolo roto. Pero si nuestra respuesta es la fe para intentarlo de nuevo, estamos experimentando el poder salvador de Dios.

La fidelidad en medio del trabajo duro (Habacuc 2:1; Sofonías 2:1-4)

En el exilio se produce otra dinámica. A pesar del énfasis en el castigo en Nahum, Habacuc y Sofonías, la gente también comenzó a reaprender a trabajar en fiel servicio a Dios durante este tiempo. Esto se explora más a fondo en otros capítulos, como "*Jeremías y Lamentaciones y el trabajo*" y "*Daniel y el trabajo*", pero también está implícito aquí en los libros de los Doce. El punto clave es que, incluso en las desgarradoras circunstancias del exilio, sigue siendo posible ser fiel. Cuando Habacuc vio la carnicería a su alrededor y sin duda deseó estar en otro lugar, optó por permanecer en su puesto y escuchar la palabra de Dios (Hab **2:1**). Pero es posible hacer algo más que quedarse en el puesto, por valioso que sea. También podemos encontrar la manera de ser justos y humildes.

Buscad al Señor, todos los humildes de la tierra que habéis guardado sus mandamientos; buscad la justicia, buscad la humildad. Tal vez os salvéis en el día de la ira del Señor (Sof **2**,**3**).

No hay lugares de trabajo ideales. Algunos son profundamente difíciles para el pueblo de Dios, con compromisos en muchos sentidos, mientras que otros son defectuosos en aspectos más generales. Pero incluso en lugares de trabajo difíciles, podemos ser testigos fieles de los propósitos de Dios, tanto en la calidad de nuestra presencia como en la calidad de nuestro trabajo. Habacuc nos recuerda que, por infructuoso que pueda parecer nuestro trabajo, Dios está ahí con nosotros, dándonos una alegría que ni siquiera las peores condiciones laborales podrían apagar por completo.

Aunque la higuera no brota,

y no hay fruto en la vid;

Aunque el olivo no da su fruto

y los campos no producen alimentos;

Aunque no haya ovejas en el redil

y las vacas no están en sus establos,

pero me regocijaré en el Señor,

Me regocijaré en el Dios de mi salvación.

El Señor Dios es mi fuerza;

Ha hecho mis pies como los pies de un asno,

Me hace caminar por las alturas (Hab. ***3, 17-19****).*

O, como lo parafrasea Terry Barringer,

Aunque el contrato haya finalizado,

Y no hay puestos de trabajo disponibles;

Aunque no hay demanda para mis habilidades,

Y nadie publica mi trabajo.

Aunque se acaben los ahorros,

Y la pensión no es suficiente para mantenerme;

Seguiré regocijándome en el Señor,

Me regocijaré en el Dios de mi salvación.

Como señala el versículo **19**, es posible obrar bien incluso en medio de circunstancias difíciles, porque el Señor es nuestra fuerza. La fidelidad no es sólo cuestión de soportar las dificultades, sino también de mejorar incluso la peor situación en todo lo que podamos.

Cuando terminó el exilio, la vida civil y religiosa judía fue restaurada en la tierra prometida por Dios. Jerusalén y su Templo fueron reconstruidos, junto con la infraestructura económica, social y religiosa de la sociedad judía. En consecuencia, los libros de los Doce mencionan ahora los retos del trabajo que sigue al pecado y al castigo.

Conclusión al Libro de Nahúm, Habacuc y Sofonías

En un texto lleno de profundidad y emotividad, se revela una poderosa advertencia contra la codicia y la explotación de los demás. En estas palabras, se nos presenta una imagen desoladora de aquellos que buscan obtener ganancias mal habidas y construir sus nidos en lo alto, creyendo que así pueden eludir la mano de la calamidad. Sin embargo, el mensaje que se transmite es claro: sus acciones no pasarán desapercibidas.

El autor comienza señalando la vergüenza y la destrucción que recaerán sobre aquellos que acumulan riquezas de manera injusta para su propio beneficio. Al hacerlo, han cometido una transgresión vergonzosa contra su propia morada, su hogar. No solo eso, sino que también han destruido naciones y han pecado contra sí mismos. Sus actos egoístas y despiadados no solo afectan a otros, sino que finalmente se vuelven en su contra.

La naturaleza misma de las cosas parece alzar su voz contra aquellos que se aprovechan de los demás. Desde el muro, la piedra grita en señal de condena, y la viga responde desde el armazón. Estos objetos inanimados se convierten en testigos silenciosos de las injusticias cometidas, y su testimonio no puede ser ignorado. Es una advertencia que trasciende el tiempo y el espacio, invitando a la reflexión y la introspección.

Además, el texto advierte sobre el peligro de causar daño a los demás mediante la embriaguez y la exposición de su desnudez. Aquellos que mezclan veneno en la copa de su prójimo para emborracharlo, también recibirán su merecido. El mensaje es claro: la vergüenza superará a la gloria. Aquellos que buscan humillar a otros terminarán siendo humillados ellos mismos. La copa de la diestra del Señor, símbolo de justicia divina, volverá a ellos, y la vergüenza eclipsará cualquier rastro de gloria que puedan haber tenido.

Finalmente, se nos advierte sobre el trabajo opresivo y explotador. Aquellos que someten a los demás a la servidumbre y el abuso finalmente cosecharán su propia destrucción. La opresión nunca puede ser sostenible a largo plazo, y sus consecuencias son inevitables. La historia nos ha enseñado repetidamente que aquellos que buscan enriquecerse a costa de otros se convierten en víctimas de su propia ambición desmedida.

Introducción al Libro de Hageo, Zacarías y Malaquías

El texto proporcionado plantea una relación entre la condición económica y política de una comunidad y la forma en que venera y cuida la tierra. Además, destaca la importancia del respeto al Creador de la tierra como punto de partida para la paz entre la tierra y sus habitantes.

Dentro del texto, se mencionan diferentes pasajes bíblicos que señalan esta conexión. Por ejemplo, en el libro de Ageo, se establece una relación entre la sequía de la tierra y la ruina del templo. Se enfatiza que el culto verdadero y sincero abre la puerta a la paz y a la bendición de la tierra. Zacarías también señala una conexión entre el pecado humano y la desolación de la tierra, destacando cómo los poderosos oprimen a los más vulnerables y cómo esto afecta el medio ambiente. Joel, por su parte, observa los comienzos de la degradación de la tierra y cómo esto afecta la alegría de los seres humanos.

Estos pasajes bíblicos reflejan la idea de que las acciones humanas, tanto en términos económicos como políticos, tienen un impacto en el medio ambiente y en la relación entre la tierra y sus habitantes. Se plantea la necesidad de venerar y cuidar la tierra como una forma de promover la paz y la bendición.

Este análisis introductorio se basa en la comprensión del texto proporcionado. Para obtener más información y una interpretación más detallada, se recomienda consultar fuentes adicionales como estudios académicos, textos teológicos y análisis socioambientales que aborden el tema de la relación entre la condición económica y política de una comunidad y la forma en que se venera y cuida la tierra.

La necesidad de capital social (Hageo 1:1-2:19)

Uno de los retos a los que nos enfrentamos en el lugar de trabajo es la tentación de anteponernos a nosotros mismos y a nuestras familias por encima de la comunidad. El profeta Ageo pinta un cuadro vívido de este desafío. Se enfrenta a personas que, mientras trabajan duro para reconstruir sus propios hogares, no contribuyen con recursos a la reconstrucción del templo, el centro de la sociedad judía. "*¿Es tiempo de que habitéis en vuestras casas de casetones mientras esta casa está desolada?*". (Hg **1**:**4**). Dice que no invertir en capital social reduce en realidad la productividad individual.

Sembráis mucho, pero cosecháis poco; coméis, pero no hay bastante para saciaros; bebéis, pero no hay bastante para embriagaros; os vestís, pero nadie se calienta; y el que recibe salario, recibe salario en una bolsa rota. (Hg **1**:**6**).

Pero a medida que el Señor despierta el espíritu del pueblo y de sus líderes, éstos comienzan a invertir en la reconstrucción del templo y del tejido social (Hg **1**:**14**-**15**).

Invertir en capital social nos recuerda que no existe el "*hombre que ha salido adelante por su propio esfuerzo". Aunque el esfuerzo individual puede acumular grandes riquezas, cada uno de nosotros depende de unos recursos y una infraestructura social que, en última instancia, proceden de Dios. "Llenaré de gloria esta casa"*, dice el Señor de los ejércitos. "*Mía es la plata y mío es el oro*" - declara el Señor de los ejércitos (**2**:7-**8**). La prosperidad no es sólo -ni siquiera principalmente- una cuestión de esfuerzo personal, sino de una comunidad basada en la alianza con Dios. "*La gloria postrera de esta casa será mayor que la primera*", dice el Señor de los ejércitos (Heb **2**,**9**).

Somos tontos si pensamos que tenemos que proveer para nosotros mismos antes de poder dedicar tiempo a Dios y a la comunión con su pueblo. La verdad es que no podemos mantenernos si no es por la gracia de la generosidad de Dios y el trabajo mutuo de su comunidad. Este es el mismo concepto que subyace al diezmo. No es un sacrificio dar el diez por ciento de una cosecha, sino una bendición del cien por cien de la asombrosa productividad de la creación de Dios.

En nuestros días, esto nos recuerda la importancia de invertir recursos en los aspectos materiales de la vida. Las necesidades físicas como la vivienda, la comida, los coches y otras son importantes, pero Dios provee lo suficiente en abundancia como para que también podamos invertir en aspectos como el arte, la música, la educación, la naturaleza, el ocio y las muchas formas de alimentar el alma. Al igual que el empresario o el carpintero, quienes trabajan en las artes, las humanidades o la recreación, o quienes dan dinero para construir parques, patios de recreo y teatros, hacen una contribución igualmente importante al mundo que Dios ha creado.

Esto también sugiere que la inversión en las iglesias y en la vida eclesiástica es crucial para potenciar el trabajo de los cristianos. El culto en sí está estrechamente relacionado con la realización de un buen trabajo, como hemos visto, y quizá deberíamos dedicarnos a un culto que dé forma a un buen trabajo, no sólo a la devoción o al disfrute privado. Además, la comunidad cristiana podría ser una fuerza poderosa para el bien económico, cívico y social si aprendiera a aportar el poder espiritual y ético de la Palabra de Dios a las cuestiones del trabajo en las esferas económica, social, gubernamental, académica y científica.

Trabajo, culto y medio ambiente (Hageo 1:1-2:19; Zacarías 7:8-14)

Hageo establece la conexión entre el bienestar social y económico del pueblo y el estado del medio ambiente. En un juego de palabras muy evidente en la lengua hebrea, Hageo relaciona la desolación del templo ("*desolado*", término hebreo *hareb*, Hg **1:9**) con la desolación de la tierra y sus cosechas ("*sequía*", término hebreo *horeb*) y la consiguiente ruina del bienestar general de "*los hombres, los ganados y todo el trabajo de vuestras manos*" (Hg **1:11**). El elemento clave de esta relación es el estado del templo, que se convierte en un indicador de la fidelidad o infidelidad religiosa del pueblo. Existe una triple relación entre el culto, la salud socioeconómica y el medio ambiente. Si hay una enfermedad en nuestro entorno físico, hay una enfermedad en la sociedad humana, y uno de los signos del malestar de una sociedad es su contribución a la enfermedad del medio ambiente.

También existe una relación entre la condición económica y política de una comunidad y la forma en que venera y cuida la tierra. Los profetas nos llaman a recordar que el respeto al Creador de la tierra en la que vivimos es un punto de partida para la paz entre la tierra y sus habitantes. Para Ageo, existe una relación entre la sequía de la tierra y la ruina del templo. El culto verdadero y sincero abre la puerta a la paz y a la bendición de la tierra.

Desde el día en que se pusieron los cimientos del Templo del Señor, considera bien: "¿Está aún la semilla en el granero? La vid, la higuera, el granado y el olivo aún no han dado fruto; pero desde hoy os bendeciré. (Hg **2,18-19**)

Zacarías también señala una conexión entre el pecado humano y la desolación de la tierra. Los poderosos oprimen a la viuda, al huérfano, al extranjero y al pobre (Zac 7:**10**). *"Y endurecieron su corazón como diamantes, para no escuchar la ley ni las palabras que enviaba Yahveh de los ejércitos*" (Zac 7,**12**). Como resultado, el medio ambiente se degradó *y "convirtieron la tierra deseable en una desolación*" (Zac 7:**14**). Joel, sin embargo, había observado los comienzos de esta degradación mucho antes del exilio: "*La vid se seca, la higuera se marchita, el granado, la palmera, el manzano, todos los árboles del campo se marchitan. La alegría de los hijos de los hombres se ha secado*" (Joel **1,12**).

Dada la importancia del trabajo y de las prácticas laborales para el bienestar del medio ambiente, los cristianos podríamos tener un impacto profundamente positivo en el planeta y en todos los que lo habitan si trabajáramos según la visión de los Doce Profetas. Las personas de fe tienen la urgente responsabilidad medioambiental de aprender formas concretas de fundamentar su trabajo en el culto a Dios.

La extensa profecía de Hageo sobre la pureza (Hg **2:10-19**) también sugiere una relación entre la pureza y el bienestar de la tierra. Dios se queja de que, debido a la impureza del pueblo, "*toda obra de sus manos y lo que ofrecen aquí es impuro*" (Hg **2:14**). Esto forma parte de una relación más global entre el culto y el bienestar del medio ambiente. Una posible aplicación es que un medio ambiente puro es aquel que es tratado de forma sostenible por aquellos a quienes Dios ha dado la responsabilidad de su bienestar, es decir, la humanidad. Así, la pureza implica un respeto fundamental por la integridad de todo el orden creado, la salud de su ecosfera, la viabilidad y el bienestar de sus especies y la renovabilidad de su productividad. Y así volvemos a la cuestión de los cristianos y las prácticas laborales responsables.

Así pues, si la desolación forma parte del castigo de Dios por el pecado del pueblo registrado en el Libro de los Doce, la tierra productiva forma parte de la restauración. De hecho, en circunstancias muy diferentes, Zacarías tuvo una visión similar a la de Amós durante la época de prosperidad de Israel, en la que el pueblo experimenta el bienestar sentándose bajo las higueras que ha plantado. "*Aquel día*", dice el Señor de los ejércitos, "*invitarás a tu prójimo a sentarse bajo su vid y bajo su higuera*" (Zac **3,10**). La paz con Dios incluye el cuidado de la tierra que Dios ha creado. La tierra productiva, por supuesto, debe labrarse para que produzca frutos, y así el mundo del trabajo está íntimamente relacionado con la materialización de la vida abundante.

El pecado y la esperanza siguen siendo relevantes en el trabajo (Malaquías 1:1-4:6)

Incluso en la época de la restauración, el pecado humano sigue existiendo. Malaquías, el tercero de los profetas de la restauración, se queja de que algunas personas están empezando a lucrarse explotando a los más vulnerables de la sociedad israelita, especialmente estafando a los trabajadores con sus salarios (Mal **3**:**5**). Dios mismo les dice que cuando defraudan a otros, "*me robáis a mí*" (Mal **3**:**8**, énfasis añadido). No es de extrañar que estas personas también contaminen el culto en el templo al ahorrarse lo que aportan en ofrendas (Mal **1**:**8-19**), y que el medio ambiente se vea afectado como consecuencia de ello (Mal **3**:**11**).

Sin embargo, la esperanza de los profetas permanece, y en su centro está la obra. Comienza con la promesa de restaurar la infraestructura religiosa y social del templo.

He aquí que yo envío mi mensajero, y él preparará el camino delante de mí. El Señor a quien buscáis vendrá súbitamente a su templo, y el mensajero de la alianza en quien os complacéis, he aquí que viene, dice el Señor de los ejércitos (Mal **3**,**1**).

Y continúa con la restauración del medio ambiente. Dios promete: "*Reprenderé al devorador*" (Mal **3**:**11**) y añade que será "*una tierra de delicias*" (Mal **3**:**12**). La gente trabaja con principios éticos (Mal **3**:**14**, **18**), y uno de los resultados es que se restaura la economía, incluyendo "*el fruto de la tierra*" y "*tu vid en el campo*" (Mal **3**:**11**).

Conclusión al Libro de Hageo, Zacarías y Malaquías

El texto mencionado expresa la idea de que aunque las personas puedan trabajar arduamente y obtener ciertos beneficios individuales, la verdadera prosperidad y satisfacción provienen de la construcción de una comunidad basada en la alianza con Dios y en la generosidad mutua. Se destaca la importancia de invertir en capital social, que se refiere al conjunto de normas, instituciones y organizaciones que promueven la confianza y la cooperación entre las personas en una comunidad y en la sociedad en general.

El capital social comunitario se basa en el contenido informal de las instituciones que contribuyen al bien común y promueven la confianza y la cooperación. Se reconoce que el esfuerzo individual puede acumular riquezas, pero se enfatiza que cada persona depende de los recursos y la infraestructura social que, en última instancia, provienen de Dios.

La reconstrucción del templo y del tejido social mencionada en el texto representa la inversión en capital social, es decir, en fortalecer las relaciones de confianza y cooperación en la comunidad. Se reconoce que no se puede mantener ni lograr el éxito individual sin la gracia de la generosidad de Dios y el trabajo conjunto de la comunidad. Esta idea también se relaciona con el concepto de diezmo, donde dar una parte de los recursos es una bendición que permite acceder al cien por cien de la productividad de la creación de Dios.

En resumen, el texto enfatiza que la verdadera prosperidad y satisfacción se encuentran en la construcción de una comunidad basada en la alianza con Dios y en la generosidad mutua. La inversión en capital social, es decir, fortalecer las relaciones de confianza y cooperación en la comunidad, es esencial para alcanzar dicha prosperidad y bienestar.

Don't miss out!

Visit the website below and you can sign up to receive emails whenever Sermones Bíblicos publishes a new book. There's no charge and no obligation.

https://books2read.com/r/B-A-ALQN-RGNLC

BOOKS 2 READ

Connecting independent readers to independent writers.

Did you love *Analizando la Enseñanza del Trabajo en el Antiguo Testamento*? Then you should read *Estudio Bíblico: Sana Doctrina Cristiana: Introducción a la Biblia*[1] by Sermones Bíblicos!

[2]

Estudio en Serie | Un Capitulo a la vez | Secuencia Desde el Genésis

¿Conoce Usted de la Biblia? ¿Quisiera Aprender o Profundizarla?

Acompáñanos a minar las profundidades de la palabra de Dios y usted también se llenará de gozo al aprender más de la Biblia.

El Libro de introducción a la Biblia nos muestra acerca de:

El origen e historia de la BibliaPreservación de los manuscritosEstructura y composiciónTraducciones a lo largo de las décadasComo llega la Biblia al habla HispanaCronología BíblicaIntroducción al Antiguo TestamentoIntroducción al PentateucoIntroducción al Libro de GénesisComparaciones y enseñanzas Bíblicas aplicables a nuestra vida diaria

Uno de los objetivos propuestos en esta Serie de estudios bíblicos es cubrir individualmente los 1189 capítulos de la Biblia, además de una introducción general e introducciones individuales a cada uno de los 66 libros desde Génesis hasta el apocalipsis.

Biblia, originalmente era una palabra plural, se usaba para referirse a varios libros. Nosotros en el mundo cristiano la hemos adaptado para referirnos a las sagradas escrituras. Porque aunque es un libro, la Biblia contiene muchos libros. Para hacerla exacto creemos que hay 66 libros

1. https://books2read.com/u/bQd0Ee

2. https://books2read.com/u/bQd0Ee

divinamente inspirados y Esto es lo que la distingue de todo otros libros, cuando leemos o escuchamos la lectura de la Biblia estamos oyendo la voz del autor. El autor de la Biblia es Dios.

La intención de esta serie es precisamente para que se familiarice con la palabra de Dios.

Also by Sermones Bíblicos

Estudiando El Tabernáculo de la Biblia
El Tabernáculo: Descripción de sus Componentes
Principios Bíblicos para una Iglesia: Ilustrados por El Tabernáculo
El Tabernáculo: En el Desierto y las Ofrendas
El Tabernáculo: Las Ofrendas Levíticas, el Sacrificio de Expiación
El Tabernáculo: Un santuario Terrenal
Analizando la Enseñanza del Trabajo en el Libro Profético de Jeremías y Lamentaciones

Estudio Bíblico Cristiano Sobrevolando la Biblia con Enseñanzas de la Sana Doctrina
Estudio Bíblico: Génesis 1. La Creación en Seis Días
Estudio Bíblico: Génesis 2. Estatutos de la Creación
Estudio Bíblico: Génesis 3. La Caída del Hombre
El Tabernáculo: En el Nuevo Testamento
Estudio Bíblico: Génesis 4. Aconteció Andando el Tiempo; Presente, Tributo, Oblación
Estudio Bíblico: Génesis 5. El Mensaje que Dios tiene para Nosotros en esta Genealogía
La Historia de Noé: Su Entorno, Su Experiencia, El Mandato y El Pacto
Estudio Bíblico: Sana Doctrina Cristiana: Introducción a la Biblia

La Enseñanza del Trabajo en la Biblia
Analizando la Enseñanza del Trabajo en Éxodo: De la Esclavitud a la Liberación
Analizando la Enseñanza del Trabajo en Levítico: Alcanzar el Espíritu de la Ley en el Trabajo
Analizando la Enseñanza del Trabajo en Números: La Experiencia de Israel en el Desierto para Nuestros Desafíos Actuales

Analizando la Enseñanza del Trabajo en Deuteronomio: Una Perspectiva para la Vida Laboral Actual
Analizando la Enseñanza del Trabajo en Josué y Jueces: ¡La Motivación para el Trabajo Arduo!
Analizando la Enseñanza del Trabajo en Rut: Un Referencial para el Autocrecimiento y Superación
Analizando la Enseñanza del Trabajo en Samuel, Reyes y Crónicas: Un Estudio de Liderazgo en la Antigüedad
Analizando la Enseñanza del Trabajo en Esdras, Nehemías y Ester: Una Mirada al Pasado para Orientar nuestras Futuras Labores
Analizando la Enseñanza del Trabajo en Job: Ejemplo Espiritual y Profesional para la Vida Laboral
Analizando la Enseñanza del Trabajo en Salmos: Ética, Obras y Palabras
Analizando la Enseñanza del Trabajo en Proverbios
Analizando la Enseñanza del Trabajo en Eclesiastés: "El Trabajo Duro Bajo el Sol", Las Lecciones de Eclesiastés
Analizando la Enseñanza del Trabajo en Cantar de los Cantares
Analizando la Enseñanza del Trabajo en los 12 Profetas de la Biblia
Analizando la Enseñanza del Trabajo en el Libro Profético de Isaías
Analizando la Enseñanza del Trabajo en el Libro Profético de Ezequiel
Analizando la Enseñanza del Trabajo en el Libro Profético de Daniel
Analizando la Enseñanza del Trabajo en los Libros Proféticos de Oseas, Amós, Abdías, Joel y Miqueas
Analizando la Enseñanza del Trabajo en los Libros Proféticos de Nahúm, Habacuc y Sofonías
Analizando la Enseñanza del Trabajo en los Libros Proféticos de Hageo, Zacarías y Malaquías
Analizando la Enseñanza del Trabajo en Génesis: El Proposito de la Vida en la Tierra
Analizando la Enseñanza del Trabajo en El Pentateuco
Analizando la Enseñanza del Trabajo en los Libros Históticos: Aplicando la Biblia al Trabajo Práctico
Analizando la Enseñanza del Trabajo en El Pentateuco y Libros Históricos
Analizando la Enseñanza de la Labor: La Guía de Dios para el Trabajo
Analizando la Enseñanza del Trabajo en los Libros Poéticos
Analizando la Enseñanza del Trabajo en los Libros Proféticos de la Biblia
Analizando la Enseñanza del Trabajo en el Antiguo Testamento

La Enseñanza en la Clase Bíblica

Estudiando la Enseñanza en la Clase Bíblica: Guía para Maestros

Los Cuatro Evangelios de la Biblia

Analizando Notas en el Libro de Mateo: Cumplimientos de las Profecías del Antiguo Testamento

Los Cuatro Evangelios de la Biblia

Analizando Notas en el Libro de Marcos: Encontrando Paz en Tiempos Difíciles
Analizando Notas en el Libro de Lucas: El Amor Divino de Jesús Revelado
Analizando Notas en el Libro de Juan: La Contribución de Juan a las Escrituras del Nuevo Testamento

Notas en el Nuevo Testamento

Analizando Notas en el Libro de los Hechos: Un Viaje de Continuación en la Obra de Jesús

Personajes de la Biblia

Analizando Escenas Bíblicas: 62 Inspiradoras Enseñanzas Cristianas del Antiguo Testamento

Profecías Bíblicas

Perfíl Profético: La Última Semana
Claras Palabras Proféticas: La Profecía Hecha Historia
Perspectiva de la Profecía: El Próximo Gran Acontecimiento
Desarrollo Profético de Dios: Las Señales de los Tiempos
Profecía Cronológica: Las Cosas que Sucederán en la Tierra
Seis Días Proféticos en la Biblia

Sermones de C. H. Spurgeon
La Procesión del Dolor

Sobrevolando la Biblia
Símbolos en la Biblia: Sana Doctrina Cristiana

Standalone
Cristo en Toda la Biblia: Estudio Bíblico
Notas en los Cuatro Evangelios: Comentario Bíblico
Analizando Lo que Está por Suceder: Las Profecías de Dios
Himnos del Evangelio
El Tabernáculo en la Biblia: Como Enseñar el Tabernáculo

About the Author

Esta serie de estudios bíblicos es perfecta para cristianos de cualquier nivel, desde niños hasta jóvenes y adultos. ***Ofrece una forma atractiva e interactiva de aprender la Biblia,*** con actividades y temas de debate que le ayudarán a profundizar en las Escrituras y a fortalecer su fe. Tanto si eres un principiante como un cristiano experimentado, esta serie te ayudará a crecer en tu conocimiento de la Biblia y a fortalecer tu relación con Dios. Dirigido por hermanos con testimonios ejemplares y amplio conocimiento de las escrituras, *que se congregan en el nombre del Señor Jesucristo Cristo en todo el mundo.*

About the Publisher

Editor

Elvis A. Betancourt T. 4135 Stoney Creek Dr., Lincolnton, NC 28092 *elvisbetancourtt@gmail.com*

Contáctenos

Preguntas y comentarios generales: *seminitt25@gmail.com*

Edición Coleccionable

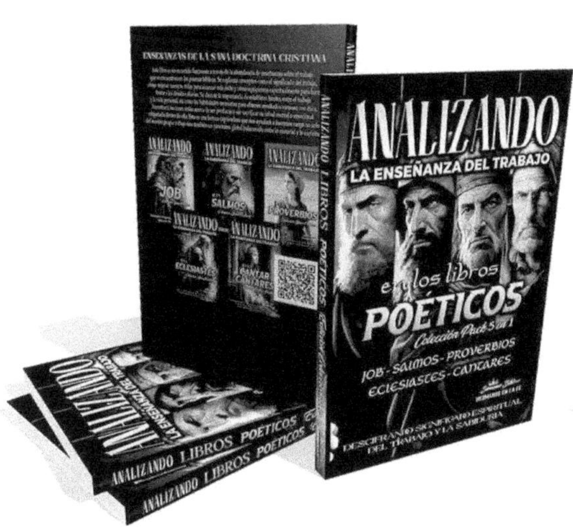

Milton Keynes UK
Ingram Content Group UK Ltd.
UKHW030626280723
425958UK00009B/352